Les Bourgeons de l'espoir

André Croteau

Les Bourgeons de l'espoir

ÉDITION DU CLUB QUÉBEC LOISIRS INC.

Dépôt légal — Bibliothèque nationale du Québec, 1999
ISBN 2-89430-393-9
(publié précédemment sous ISBN 2-89111-837-5)

Imprimé au Canada

À ma chère belle douce...

PREMIÈRE PARTIE

Temps de paix

1

– Moi, la cimenterie, je suis en faveur !

Tout en préparant la traite de ses vaches en ce troisième dimanche de mai 1913, Cyrille Bouffard revoyait la scène en serrant les dents. Même si presque trois semaines s'étaient écoulées depuis l'affrontement, il bouillait encore.

C'est à l'assemblée du mois que le conseiller municipal Anthime Leblond s'était prononcé en faveur de l'implantation d'une cimenterie à Rivière-Boyer. Anthime, un gaillard grand et sec, au début de la cinquantaine, s'était renversé sur sa chaise, avait lissé ses longues moustaches, calé sa chique de tabac entre sa joue et sa mâchoire et, après avoir lancé un jet de salive jaune vers le crachoir le plus proche, avait déclaré tout net :

– Moi, la cimenterie, je suis en faveur ! Secrétaire, j'en fais une proposition.

– Quelqu'un l'appuie ? avait demandé le scribe.

Une main s'était levée timidement.

– Proposition appuyée par Thadée Léonard !

Sentant que ça allait chauffer, le secrétaire avait rappelé les règlements en vigueur :

– Conformément au code municipal, le conseil devra voter sur cette proposition à la prochaine réunion publique dûment annoncée et convoquée.

Piqué, le maire, qui s'opposait vivement à ce projet, avait immédiatement levé l'assemblée.

Depuis lors, cette question était devenue une pomme de discorde qui divisait la paroisse. Ce qui irritait particulièrement

Cyrille Bouffard, c'était le fait que, pour la première fois depuis qu'il était le maire de sa localité, soit depuis près de treize ans, on le défiait ouvertement. Qu'Anthime Leblond ne partage pas son avis, c'était son droit. Mais qu'il l'affronte avec forfanterie, ça, Cyrille ne l'acceptait pas.

– Damné séparateur ! Il manque encore un filtre.

Cyrille farfouilla dans la caisse de bois contenant les pièces de l'instrument et trouva la rondelle de métal perforé sous une pile de carrés de coton.

– Ah ! le voilà.

D'un geste sûr et mesuré, il mit la pièce en place. Âgé de quarante-cinq ans, la taille moyenne, solidement charpenté mais un peu gros, Cyrille Bouffard avait l'air prospère. Ses cheveux, aussi noirs que ses yeux vifs, encadraient un visage dont émanait une assurance tranquille et une volonté de fer qu'affirmait une lèvre supérieure étroite, ombrée d'un fil de moustache taillée avec soin.

Une moustache qui tressaillait sporadiquement d'ailleurs, ce matin. Cyrille avait plusieurs raisons d'être de mauvais poil. La veille au soir, à la fête de Mai, Anthime et Thadée avaient fait cabale en faveur de la cimenterie avec autant d'énergie que s'il se fût agi d'une campagne électorale. Ils avaient exercé de la pression surtout sur les deux frères Descôteaux, qui, des six membres du conseil municipal, étaient les plus hésitants.

Cyrille, de même que son voisin et ami Jos Labrie, également édile municipal, avaient eux aussi longuement discuté avec les Descôteaux, mais n'avaient pu en tirer la promesse qu'ils voteraient contre le projet d'industrie.

Comme si les difficultés politiques que rencontrait Cyrille Bouffard n'eussent pas suffi, ses enfants aussi lui causaient des soucis.

La veille, à la fête, son fils cadet, Simon, grand amateur de chevaux, avait imprudemment relevé le défi d'un étranger pour une course. Comme Souris, le cheval de voiture des Bouffard, avait la réputation d'être la bête la plus rapide de la paroisse, tout le monde avait spontanément quitté la salle paroissiale pour voir la compétition. Or, Jacques Latour, de Saint-Vallier, qui conduisait un cheval ambleur, avait facilement battu Simon. Comble d'humiliation, Anne-Marie, la cadette de ses filles, avait dansé toute la soirée avec le vainqueur.

Heureusement, Simon et Anne-Marie étaient arrivés à l'heure habituelle pour aider aux travaux de la ferme. Âgés respectivement de dix-neuf et dix-huit ans, c'étaient de jeunes adultes. Leur père ne les avait pas grondés mais, devant son air sombre, ils s'étaient vivement mis à la tâche.

Simon et Anne-Marie étaient des inséparables, des complices de toujours. De taille moyenne, pourvus d'une chevelure brun très sombre, particulièrement abondante et avec des reflets de rouge chez la jeune fille, tous deux musclés comme des félins, le regard vif, la démarche feutrée, ils avaient l'air de jumeaux.

Chez son frère, Anne-Marie admirait la force physique exceptionnelle mais aussi une sensibilité et une dextérité rares chez un homme. Ainsi, tout jeune, Simon pouvait détecter à l'oreille quand le métier à tisser de sa mère se déréglait et très tôt il sut le rajuster. C'était, de tous ses enfants, celui que Victoire sentait le plus près d'elle.

Anne-Marie, qui ne pouvait supporter le caractère de sa mère, recherchait plutôt la compagnie de son père, dont elle admirait la forte personnalité. Elle aimait les travaux de la ferme, la chaleur des animaux domestiques, la sensualité de la terre qu'on prend dans ses mains et qu'on triture pour en évaluer la teneur, le parfum des foins coupés et celui des fougères quand elles roussissent à l'automne.

Pierre et Antoine tardaient à arriver, et cela aussi indisposait Cyrille. L'aîné des fils, encore étudiant, avait pendant une semaine prêté main-forte à son père pour les semences ; il retournerait au pensionnat cet après-midi. Ce garçon aux cheveux bruns, légèrement plus grand que la moyenne, avait les yeux bleus de sa mère. Son épiderme pâle avait été brûlé par cette semaine d'exposition au soleil et au grand air. Il était mince comme les jeunes gens de son âge ; pourtant, avec ses membres longs et bien équilibrés, il aurait pu devenir un athlète ou un joueur de baseball. Mais on savait que cela ne se produirait pas : son regard doux, vaguement rêveur, trahissait des préoccupations intellectuelles et peut-être même une disposition pour la religion.

À vingt-et-un ans, Pierre devait choisir une carrière, ce qui le préoccupait beaucoup. La veille, il en avait d'ailleurs discuté jusqu'aux petites heures du matin avec son confrère et grand ami, Hervé Francœur, de Beaumont, qu'il avait invité à la fête. Cyrille comprenait les angoisses et la fatigue de son fils, mais aurait aimé qu'il passe les derniers moments de son séjour avec lui.

L'agriculteur réussit finalement à assembler la centrifugeuse à lait, cet étrange instrument ressemblant à un monstrueux gnome à deux becs, qui, quand on l'actionne, pisse de la crème par l'un et du petit lait par l'autre.

– Bousse ! Bousse ! Bousse !

En se rendant au pré, Anne-Marie appelait les vaches. Cyrille fit deux pas jusqu'à la porte et jeta un coup d'œil au loin pour voir si elles venaient. Jamais sa vallée n'avait été aussi belle. La Boyer, toute bleue et non encore masquée par les plantes sauvages, renvoyait l'image des cumulus argent frangés de rose à cette heure matinale et délimitait les champs de fourrage vert sombre, alignés en damier avec, intercalés, les rectangles de terre brune et riche qu'on venait d'emblaver. Comme une sentinelle, veillait dans chaque prairie un orme au jeune feuillage couleur de jade, parasol séculaire à l'ombre duquel les agriculteurs se réfugiaient pour casser la croûte pendant les travaux des champs.

Le maître s'attarda un moment dans l'encadrement. À cette heure matinale, les cultivateurs appelaient leurs vaches pour la traite. À leurs voix de basses et de barytons, dont l'écho assourdi par le brouillard roulait du village au mur de la forêt, se mêlait une jolie voix de soprano. Anne-Marie rassembla prestement le placide troupeau laitier qui, à la queue leu leu, s'engagea sans réticence sur le sentier qu'à la longue il avait tracé depuis le pré jusqu'à la grange.

Cyrille regarda venir son cheptel avec fierté. En plus de tous ses autres animaux domestiques, il possédait dix-sept vaches. Des vaches à lait, précisait-il, pour les distinguer de ses vaches à bœuf, animaux d'élevage destinés à l'abattoir. Il estimait que son troupeau d'une soixantaine de têtes, le plus important de tout Rivière-Boyer, se comparait aux meilleurs de Saint-Michel-de-Bellechasse, la prospère paroisse voisine.

Les vaches s'engouffrèrent sans tarder dans l'étable et chacune retrouva seule la place qui lui était dévolue. Comme s'il les récompensait de leur discipline, Cyrille distribua à chacune une poignée de sel.

– Vous les gâtez, papa ! remarqua Anne-Marie qui entrait à leur suite.

– Ce n'est pas un cadeau que je leur fais, c'est un investissement. Le sel donne faim et soif ; une vache qui a bon appétit boit beaucoup et donne beaucoup de lait.

Cyrille termina sa ronde.

– Si tu veux soigner les moutons et les poules, tes frères et moi allons traire les vaches, dit Cyrille qui voyait maintenant venir Pierre et Antoine, le benjamin.

Quand Anne-Marie revint du poulailler, elle trouva ses frères et son père écrasés sur de petits bancs à trois pattes, un seau de bois coincé entre les genoux, manipulant les trayons d'un rythme égal et régulier.

Bientôt Pierre et Antoine purent écrémer le lait. Ils versèrent la crème dans de grandes dames-jeannes de grès et donnèrent le petit-lait à Anne-Marie pour qu'elle le porte aux veaux et aux gorets. Pendant ce temps, Cyrille détacha les vaches qui, assoiffées, prirent d'elles-mêmes la direction du pâturage, où elles savaient trouver de l'eau en abondance dans le Petit Bras. Puis le maître partit effectuer sa tournée d'inspection quotidienne des bâtiments et de leurs populations.

Simon avait soigné et étrillé les trois chevaux de la ferme, deux percherons et un canadien, et nourri les deux bœufs de joug et les porcs. Quand Cyrille reparut, le train était pratiquement terminé, ce qui le rasséréna un peu. À sa manière, il demanda :

– Anne-Marie, vas-tu nettoyer le séparateur? Simon et Antoine, vous porterez la crème à la beurrerie?

Ce n'étaient pas des questions mais des commandements, chacun le savait. Mais s'il était homme d'ordre et de principes, Cyrille Bouffard avait une façon douce d'exercer son autorité et ses enfants l'affectionnaient.

– Pierre, viens avec moi au trécarré; j'ai quelque chose à te montrer. Nous avons le temps avant la grand-messe.

Pendant qu'Anne-Marie démontait la centrifugeuse, Cyrille et Pierre passèrent par la maison pour prendre en vitesse le café que leur avait préparé Réjeanne, l'aînée, et partirent d'un pas alerte vers le bout de la ferme.

Son père remarqua que Pierre ne causait guère. «C'est le dernier jour qu'il passe avec moi avant la grande relâche d'été», rumina le père, voyant son fils pensif. «Et peut-être la dernière fois qu'il m'accompagne aux champs.»

C'était tout un honneur d'avoir un fils notaire, médecin ou prêtre, mais, pour un cultivateur, cela représentait aussi une grande perte, surtout dans le cas de l'aîné, parce qu'il peut le premier aider son père et, au besoin, lui succéder. «Ah! si je pouvais donc lui faire sentir la terre comme je la sens moi-même…», se désolait Cyrille.

Quatre années déjà que Pierre fréquentait le petit séminaire de Québec. Pensionnaire de cette vénérable institution, le fils ne revenait chez lui que pour quelques séjours largement espacés : la relâche d'été, le temps des fêtes, Pâques et le temps des semences. Son père s'était entendu avec les autorités du séminaire pour que l'étudiant, dont les excellents résultats pouvaient justifier l'absence, rentre à la maison le deuxième dimanche de mai, à temps pour la fête des Mères, et l'aide aux travaux de la ferme pendant une semaine. Cet arrangement plaisait bien au jeune homme parce qu'il lui permettait de prendre beaucoup de soleil et de grand air, de goûter la vie de famille, qui lui manquait tellement au pensionnat, et de participer à la fête de Mai.

Mais Cyrille savait son grand Pierre déchiré par la décision à prendre. Son cours classique terminé, toutes les avenues s'ouvraient à lui. Le cultivateur aurait bien aimé que son aîné opte pour l'agronomie : il aurait pu étudier à la fameuse école d'agriculture de Sainte-Anne-de-la-Pocatière, qu'il aurait tant aimé fréquenter lui-même. Mais le jeune homme, tout en exécutant avec le plus grand sérieux les travaux de la ferme, ne brûlait pas du feu sacré qui consumait Cyrille.

Les deux hommes marchèrent un long moment en silence. Cyrille, distrait, trébucha dans un trou de marmotte.

– Maudite peste ! grommela-t-il. Ça peut casser les pattes des chevaux.

– Faudrait les chasser, suggéra Pierre.

– Pas de temps à perdre avec ça ; puis ça ne se mange pas.

« Mon père n'a pas perdu son sens pratique », songea le séminariste.

– Au fait, papa, que voulez-vous me faire voir ?

Cyrille s'anima.

– Je ne voulais pas qu'on se moque de moi, alors je n'en ai parlé à personne. Mais quand j'ai fait le tour de ma terre après le coup d'eau d'avril, j'ai trouvé des coquillages dans le champ que j'ai commencé à défricher l'automne dernier, celui passé le clos des taures et qui aboute aux terres du rang 2. C'est ça que je veux te montrer. Et mon nouveau taureau aussi, en passant.

– Quelle sorte de coquillages ? Des colimaçons ? demanda Pierre, intrigué.

– Non. Comme des coques ou des moules. Tout un banc dans un petit creux de terrain. Épais comme ça, je te dis.

Cyrille avait ouvert ses bras en parenthèses et, de ses larges mains, indiquait la hauteur d'un pain.

– Je ne suis pas surpris, dit Pierre.

Cyrille s'arrêta net.

– Comment ça, pas surpris ?

– Jadis, ici, c'était le fond de la mer.

– L'Atlantique ?

– Non. Une mer. Pas la mer de Champlain, une autre. Attendez… J'ai vu ça dans un *Almanach du peuple*, celui d'il y a deux ans, si je me rappelle bien.

– Pas croyable !

– Je vous le dis.

– Va me chercher ça tout de suite. Je vais jeter un coup d'œil aux taures en t'attendant.

Pierre partit à grandes enjambées vers la maison pendant que le paternel faisait un crochet vers le pacage des taures, ses vaches de demain.

En ce matin béni où on eût pardonné à la nature ses pires excès, Cyrille éprouvait, en parcourant son domaine, un sentiment de puissance. Il savourait béatement le plaisir d'être roi et maître sur ses terres.

Le soleil, maintenant haut à l'horizon, se mirait au loin dans les méandres de la rivière. Une bécassine sifflait son amour sur les bords du Petit Bras. Déjà des colonnes de chaleur s'élevaient de la terre nue, fraîchement ensemencée, et faisaient danser l'horizon. Une image de jadis émergea du mirage, l'image de Victoire quand Cyrille l'avait aperçue la première fois, à la tombola.

2

La mémoire de Cyrille remonta le temps et lui fit retrouver le souvenir des souvenirs de maman Rose, qu'elle lui avait redits mille fois en guise de récit au cours des interminables soirées d'hiver.

Cyrille se rappelait les moindres détails. À dix-neuf ans, son père, Médéric, un Bouffard de l'île d'Orléans, avait, un jour de l'automne 1866, traversé le grand fleuve, franc sud depuis le quai de Saint-Laurent, et remonté la rivière Boyer, dans le comté de Bellechasse, à la recherche d'un orignal. Il n'avait pas vu de gibier mais, en amont de la première chute, il avait découvert une vallée qui s'étendait jusqu'à un pain de montagnes, le massif du Sud.

Pour mieux voir, il avait gravi un long promontoire de roche dure et pâle qu'il entrevoyait à l'ouest de la chute. C'était un kamouraska, comme il en avait vu plusieurs en aval, dans le Saint-Laurent. Identique à toutes celles qu'il connaissait, cette crête rocheuse longue, étroite et dure se dressait parallèlement au cours du fleuve, mais avec cette différence qu'elle se trouvait à l'intérieur des terres, ce qu'il ne s'expliquait d'ailleurs pas.

De là-haut, Médéric eut une vue d'ensemble fort instructive. Du promontoire aux contreforts du massif du Sud s'étendait une vallée large de sept kilomètres et longue d'environ dix, en comptant depuis la chute qu'il venait de contourner par un sentier de bêtes sauvages. Au creux de cette vallée serpentait la paisible rivière Boyer. Observant la forme oblongue de la vallée, le découvreur déduisit que le cours supérieur de la rivière devait ressembler à un grand arbre dont chaque branche était un ruisseau.

Toute cette cuvette était couverte de forêt. De feuillus sur son pourtour – des érables, comme le révélait leur livrée d'or et de pourpre –, et des résineux au centre.

Médéric était retourné à sa barque mais, hypnotisé par ce qu'il venait de voir, il avait perdu le goût de chasser. Quand il fut de retour dans son île, la vision de ce pays hanta ses pensées le jour et ses rêves la nuit.

Médéric Bouffard avait un frère jumeau, Aldéric. Ils étaient les deuxième et troisième fils de leur famille. Le temps était venu, maintenant qu'ils avaient l'âge adulte, de quitter la maison. Aussi prospère que fût la ferme familiale, elle ne pouvait les faire vivre tous indéfiniment. L'avenir de leur frère aîné était tout tracé : Siméon prendrait la terre et, en retour, garderait leurs vieux parents jusqu'à leur mort. Les filles trouveraient aisément mari.

Quant aux bessons, leurs visions personnelles de l'avenir étaient diamétralement opposées. Médéric se voyait bûcheron, Aldéric voulait partir pour la ville.

Au cours de l'hiver qui suivit, les deux jeunes hommes en discutèrent souvent, l'un tentant de convaincre l'autre de le suivre, mais sans succès. Finalement, de guerre lasse, Aldéric, homme de décision autant que son pareil, décida de porter un grand coup. Aux agapes qui réunissaient toute la famille autour de la table ancestrale le jour de Pâques, il attendit que l'on fût rendu au dessert et que tout le monde se fût rassasié d'un chaud pouding au suif abondamment additionné de sauce au beurre et au rhum, puis, après avoir toussé un peu et avalé sa salive pour mâter son émotion, il déclara :

– Je prends le bateau demain. Je m'en vais à Québec trouver un emploi. Il paraît qu'on peut travailler tant qu'on veut dans la chaussure.

Ce disant, Aldéric regardait Médéric qui essuyait sa fourchette avec sa serviette de table.

Médéric avait levé les yeux sur son frère, des yeux noirs et perçants dans lesquels dansaient des ombres d'épinettes.

– Bon voyage ! Quand tu seras tanné de la ville, tu viendras me rejoindre ; tu sais où me trouver.

La complicité qui unissait les jumeaux venait de prendre fin.

Le soir même, Médéric, qui fréquentait Rose Robutel depuis quelque temps, l'avait prise à part.

– Je monte sur la Boyer. Viens-tu ?

Médéric aimait Rose, une descendante en ligne directe du censitaire Claude Robutel, qui s'était établi à Montréal sur le lot 45, en 1663. C'était une jeune fille douce et forte, de petite taille mais bien charpentée, saine comme les prunes de son île. Une vraie fille de la terre.

– Faudrait demander à papa, avait-elle répondu en guise d'assentiment.

Le père avait donné son aval, aussi simplement que la fille l'avait fait. Médéric était reparti le lendemain matin, en chaloupe cette fois. Il emportait deux haches, une pour l'avant-midi, l'autre pour l'après-midi, un sciotte et une lame de rechange, une pierre à aiguiser, une lime, un carré de toile comme abri, une poignée de clous forgés, un peu de fil de fer, une longue corde, un petit poêle de taule et ses tuyaux, du matériel de cuisine et un sac de toile huilée contenant quelques provisions et une couverture de laine. Il n'avait pas besoin de grand-chose : de la farine, du lard salé, du saindoux, un sac de pommes de terre, des haricots secs, du sel, du sucre, du thé et un fil à pêche avec quelques hameçons. Aussi une pipe et du tabac pour chasser les moustiques à la fumée pendant les périodes de repos.

Le soir même, Médéric avait campé au pied de la Première Chute. Au matin, il avait attaché son sac de provisions au bout d'une branche haute afin de le mettre hors d'atteinte des ours, et il avait marqué un sentier de la chute au kamouraska en faisant sauter des arbres, d'un seul coup de hache, une plaque d'écorce grande comme la main. Il gravit ainsi ce qui allait devenir la côte de Roches et, arrivé au sommet du piton rocheux, il descendit droit sud-ouest, marquant toujours les arbres et se guidant à la fois sur le soleil et sur la ligne de partage des résineux et des feuillus.

Son plan était simple : il taillerait une route entre les érables et les épinettes d'un bout à l'autre de la vallée. Lui, les dix fils et les cent petits-fils qu'il comptait avoir abattraient les épinettes et entailleraient les érables. Ils bâtiraient des maisons et des cabanes à sucre. Ils érigeraient une église sur le kamouraska pour qu'on puisse la voir tant de la plaine que du fleuve. Et ils seraient heureux.

C'était un plan simple mais osé. Quand un fils de cultivateur de l'île d'Orléans quittait son patelin, il s'établissait généralement sur les bords du fleuve, l'île étant déjà entièrement affermée. Il descendait le Saint-Laurent jusqu'à ce qu'il trouve un coin de seigneurie, un bout de terre arable touchant au fleuve, de façon qu'il puisse combler par la pêche le manque à gagner de la terre.

Médéric, lui, ne voulait pas cultiver ni pêcher. Il voulait bûcher. Il voulait draver ses billes sur la rivière, bâtir une scierie au pied de la chute, produire du bois de charpente qu'il vendrait aisément à Québec. Le cuvette qu'il avait trouvée était trop petite pour les compagnies forestières et trop grande pour les bûcherons à la petite semaine. Elle était à la mesure de ses ambitions.

Quand il redescendit la rivière à la mi-mai pour épouser Rose, Médéric avait déjà dégagé une clairière au pied du promontoire et y avait érigé une cabane à laquelle il ne manquait qu'un vrai poêle et des carreaux aux fenêtres. Il avait trouvé une source où il gardait vivantes les truites qu'il prenait le soir après sa journée de travail. Il avait pris avec un collet de fil de fer les quelques ours qui rôdaient autour de son arbre à provisions. Il avait prolongé le sentier jusqu'au fleuve et lui avait donné la largeur d'un cheval de bât.

Quand il revint avec son épouse, Médéric marchait devant un cheval de trait portant son harnais et son bacul. De plus, l'animal était chargé d'une longue chaîne à traîner les billes, d'un petit poêle de fonte et d'une boîte en planches contenant des carreaux de vitre capitonnés avec de l'étoupe. L'étoupe servirait à calfater les billes de leur cabane, empêchant les moustiques d'y entrer l'été et la neige d'y pénétrer l'hiver.

Du haut du kamouraska, il avait montré le pays à Rose, puis tous deux étaient descendus dans la vallée. Médéric s'était arrêté devant un beau jeune sapin bien droit qu'il avait gardé à dessein et, avec son canif, avait découpé dans l'écorce un grand chiffre 1.

– Voilà, ma Rose. C'est ici le coin du rang 1. Il ira jusqu'à la rivière. C'est ici que nous allons vivre. Toi et nos enfants, vous ne pourrez jamais vous égarer : dans cent ans, ce sapin sera encore là !

Médéric n'avait pas eu dix fils mais seulement un, Cyrille. Comme des complications avaient surgi à la naissance de l'enfant, Médéric sut qu'il n'en aurait pas d'autres. Alors, il retourna à l'île pour recruter des colons. Le seul insulaire qui lui fit confiance fut Hyacinthe Bilodeau, son ami d'enfance. Tous les autres défricheurs, il les recruta par correspondance dans les paroisses de la rive droite, de Beaumont au Bic.

À la déception de n'avoir qu'un fils s'ajouta celle que ce fils ne voulait pas devenir bûcheron. La prospérité que Médéric voyait dans les arbres, Cyrille la voyait sous ses pieds. À l'instar de ses ancêtres, il voulait devenir agriculteur. Il voulait retourner la terre, l'ensemencer, récolter foin et grains, élever des vaches, des moutons, des porcs, des poules.

Sa mère, qu'il avait appelée « maman Rose » dès ses premiers balbutiements, lui ayant enseigné à lire et à écrire, Cyrille se passionna pour les livres. Adolescent, il marchait jusqu'à Saint-Michel, une expédition d'une journée entière, pour emprunter des livres au curé, qui tenait une petite bibliothèque publique à l'arrière de l'église.

La passion de son fils unique pour l'agriculture avait forcé Médéric à poser sa hache. Il avait acheté deux bœufs de joug et des percherons et s'était mis à défricher avec une détermination qui étonna maman Rose et enchanta Cyrille.

Le succès ne se fit pas attendre : le blé venait bien dans cette terre qui était, personne ne s'en doutait, le fond d'une ancienne mer, la mer de Goldthwait. La réussite agricole de Cyrille fit la fortune de Médéric : il revendit pour le défrichage, non sans les avoir dépouillés de leurs arbres, les nombreux lots à bois qu'il avait acquis du gouvernement et en tira un profit intéressant. Bientôt on grava les chiffres 2 et 3, de mille en mille, sur d'autres sapins le long du sentier de pénétration et de plus en plus de familles s'installèrent dans ces nouveaux rangs.

On avait bâti une chapelle sur le promontoire et prévu l'emplacement du presbytère, d'une école et d'une salle commune qui servirait tant pour les mariages que pour les réunions publiques de toutes sortes.

Aujourd'hui, le sentier principal, qu'on appelait le chemin Bouffard, était devenu l'axe de la paroisse et avait dépassé le fond de la vallée. Quelques ponts érigés sur les bras de la Boyer permettaient de pénétrer plus avant. Finalement, passé la ligne des terres riches, cette route s'arrêtait aux collines marquant le début du massif du Sud.

Quand son fils eut quinze ans, Médéric l'envoya passer l'hiver chez son frère Siméon, à l'île d'Orléans, afin qu'il apprenne l'élevage et le soin des animaux de ferme. Mais Cyrille voulait en connaître davantage. Les années subséquentes, il passa la deuxième partie de l'hiver, de la fête des Rois à Pâques, chez son autre oncle paternel, Aldéric, qui vivait dans le secteur Jacques-Cartier, à Québec. En plus des journaux, Cyrille lisait tout ce qu'il pouvait trouver qui traitait d'agriculture et d'élevage. Il apprenait l'anglais, visitait des fermes des alentours, effectuait de petits voyages par le train qui reliait depuis longtemps Lévis à Montréal et, depuis peu, à Mont-Joli. Il visitait des paroisses nouvelles, rencontrait des agriculteurs progressistes et des clubs d'éleveurs, avec lesquels il entretenait quelque correspondance.

À Québec comme à la campagne, les gens se fréquentaient beaucoup et la vie paroissiale était active. C'est à la tombola du mardi gras que Cyrille avait, pour la première fois, aperçu Victoire. La jeune fille, qui habitait la paroisse, exposait des travaux de tissage qu'elle avait elle-même effectués. Comme il avait été attiré par la jeune femme au point d'en parler à sa parenté, il la reconnut aisément quand, quelques jours plus tard, ses cousines la lui présentèrent.

Victoire était une très jolie petite personne. Ses cheveux sombres et abondants encadraient un visage aux traits fins où scintillaient des yeux d'un bleu nordique dont l'éclat contrastait avec son teint de pêche. Victoire était douce, sensible, joyeuse mais introvertie. Et combien prévenante. Viscéralement incapable d'affronter la moindre autorité, la jeune femme prévenait les reproches par un dévouement excessif. Son seul refuge était son métier à tisser, qu'elle érigeait comme un rempart entre elle et le reste du monde. Là, elle était inattaquable et à l'abri de toute critique, parce que éminemment utile.

À vingt-deux ans, le fougueux campagnard tomba follement amoureux de Victoire, pourtant son aînée de deux ans. Il n'en comprenait pas vraiment le caractère mais, la sentant fragile, il était porté instinctivement à la protéger. Comme elle ne savait pas dire non, elle dit oui quand il lui fit la grande demande. Le jeune homme revint à Rivière-Boyer pour Pâques et annonça la bonne nouvelle à Médéric et à Rose, qui préparèrent immédiatement une chambre pour les futurs époux. Un mois plus tard, Cyrille ramena sa femme en goélette, en même temps que deux taures gravides, cadeau de l'oncle Siméon. Ce fut leur voyage de noces.

Peu de temps après l'arrivée du jeune couple, Victoire fut prise un matin d'une nausée soudaine et dut se réfugier dans sa chambre. Maman Rose baissa les yeux et Médéric esquissa un sourire malicieux. Cyrille fut fâché et protesta tout haut. Rose donna alors à son fils une leçon de vie : il allait être père et son père allait être grand-père !

– Ce sera un fils et nous l'appellerons Victor ! décréta Médéric.

Ce fut une fille et on la baptisa Réjeanne, comme le souhaitait Victoire.

Cyrille et Victoire eurent cinq enfants. Leur vie de couple ne fut pas idéale mais, elle se réfugiant derrière son métier à tisser et lui dans son travail, ils étaient parvenus, grâce surtout à la discrète et affectueuse intervention de maman Rose, à bien s'entendre. Ils avaient, tout compte fait, trouvé la vie bonne et avaient prodigué à leurs rejetons tout l'amour dont ceux-ci avaient besoin pour s'épanouir.

Cyrille avait bâti une grande maison, défriché deux lots, celui de son père et le sien, en plus de celui d'Hyacinthe Bilodeau, qu'il avait acquis à la retraite de ce dernier. Il avait doté sa ferme d'un poulailler bien garni, d'une bergerie et d'une porcherie. Il avait surtout monté un troupeau laitier dont le rendement, soigneusement comptabilisé, augmentait d'année en année.

Parallèlement aux travaux de sa ferme et avec la même énergie, Cyrille Bouffard avait œuvré à l'édification de son village. Membre de tous les comités de citoyens, il avait successivement contribué au remplacement de la chapelle par une église, à la construction du presbytère, de l'école, de la salle paroissiale.

Il avait démontré un tel dévouement et un tel sens de l'organisation pour la chose publique qu'il fut élu maire par acclamation au tournant du siècle et dirigeait depuis avec une probité indéfectible le conseil municipal de Rivière-Boyer. Jamais son leadership n'avait été contesté jusqu'à ce que surgisse ce maudit projet de cimenterie.

3

PIERRE, qui avait cherché en vain dans *L'Almanach du peuple*, trouva dans son manuel de géographie la réponse à la question des mystérieux coquillages. Il sortit donc en courant, son livre à la main, comme Cyrille arrivait au clos des taures. En s'approchant de la clôture de perches, ce dernier jeta un coup d'œil vers la maison et vit avec satisfaction son fils se hâter pour le rejoindre.

Cyrille venait d'ajouter à son troupeau un taureau reproducteur de race pure qu'il voulait montrer à Pierre depuis une semaine. Chemin faisant, il s'arrêterait quelques minutes pour lui faire apprécier son Timoune, dont il était si fier.

Cyrille donnait des noms à toutes ses bêtes. *Timoune*, en langue algonquine, signifie «neige». Avec humour, il avait nommé son nouveau reproducteur Timoune parce qu'il était noir comme une mûre. C'était un animal de deux ans, de bonne lignée, haut sur pattes, avec un dos droit, un cou profond et large, que notre agriculteur venait d'acheter à un membre du club d'éleveurs de Saint-Jean-Port-Joli.

Timoune était un bel animal, tout le monde en convenait. «Tu fais pas des colombes avec des guenons. Des belles vaches, on fait ça avec des beaux veaux, et des beaux veaux, avec un beau taureau», avait déclaré Cyrille, non sans une pointe de narcissisme. Il avait immédiatement affecté Timoune au service des futures productrices, certaines taures commençant à meugler langoureusement.

L'acquisition d'un reproducteur de race pure représentait pour Cyrille une étape importante dans son cheminement d'agriculteur. Il avait découvert, au cours de ses lectures et de ses rencontres, que la production laitière était, en tenant compte de tous les facteurs, de beaucoup supérieure en Europe et aux États-Unis à ce qu'il obtenait sur sa propre ferme. Le secret : l'utilisation de reproducteurs pur-sang. Pendant que les exploitants agricoles européens et américains se dirigeaient vers la production rationnelle, les cultivateurs de Bellechasse n'en étaient encore qu'à l'agriculture de survivance. Timoune, aux yeux de Cyrille, serait le triomphe de la méthode sur l'improvisation, de la qualité sur la médiocrité.

Pierre vit son père franchir la clôture et sauter dans le pré. Le cultivateur se dirigea droit vers ses jeunes bêtes que le nouveau taureau dépassait d'une tête. Quand Timoune, qui se pavanait au milieu de son harem, vit venir Cyrille tout de sombre vêtu, il en prit ombrage.

L'animal, mis en rut par quelques taures en chaleur, se comporta comme une bête sauvage. Il leva d'abord haut la tête afin de bien montrer ses cornes. Voyant que le nouveau venu ne s'arrêtait pas, il sortit du peloton et s'avança pour occuper le devant de la scène. Cyrille, qui avait parcouru la moitié de la distance séparant la clôture du troupeau, nota le manège mais, comme toutes ses autres bêtes lui manifestaient de l'affection, il ne vit dans le mouvement du taureau qu'un geste de curiosité.

Timoune baissa la tête, flaira le sol, redressa son cou puissant au niveau de ses épaules et fit quelques pas. Cyrille s'arrêta. Le taureau avança lentement, le corps tendu, sans meugler.

Cyrille aurait pu battre en retraite, désamorcer ce qui commençait à prendre l'allure d'une menace. Mais, comme il n'était pas poltron, il ne se laissa pas intimider.

Le taureau, maintenant rendu à trente pas, ne ralentit pas. Plutôt, d'une voix égale et sourde, il émit un profond mugissement.

Cyrille tenta d'affirmer son pouvoir sur celui qu'il considérait comme un freluquet et, de loin, Pierre l'entendit prononcer fortement le nom de la bête en signe d'avertissement.

– Timoune… !

L'animal continua à mugir.

Cette fois, Cyrille comprit que le taureau se prenait au sérieux. Il recula, mais sans se retourner. Courir eût provoqué la bête ; il valait mieux reculer lentement.

– Timoune ! répéta le fermier sur un ton de reproche.

Pierre vit Timoune s'arrêter, puis baisser la tête. Prenant conscience que son père courait un grand danger, il jeta son livre et s'élança à son secours.

– Papa, j'arrive !

Pierre n'avait pas d'arme ; de toute façon, il n'était pas question d'abattre une bête de cette valeur. Il se dit que sa seule venue dans le clos la distrairait, l'intimiderait. Au pis, il lui imposerait un choix entre deux cibles.

Son père reculait toujours lentement. Le maître gardait les yeux rivés sur son adversaire pour maintenir son avantage psychologique. Pierre, qui arrivait au pas de course, estima qu'il restait à Cyrille moins de dix mètres à parcourir avant de trouver la sécurité de la clôture.

La taureau s'arrêta. Cyrille, toujours calme, continua de retraiter. Plus que cinq mètres.

L'animal gardait la tête baissée et faisait maintenant voler la terre d'une patte nerveuse.

– Papa ! Attention !

Au cri angoissé de son fils, le père tourna la tête.

Il ne fallait pas : le taureau chargea.

Cyrille reçut le coup en pleine poitrine. Il fut soulevé comme une botte de paille, mais il empoigna la bête par-dessus les cornes et enroula ses bras puissants autour de son cou pour l'étouffer. L'animal continua sa course et plaqua sa victime contre la solide clôture de bois. Pierre entendit un sinistre craquement de côtes et vit son père s'effondrer comme une loque.

– Pierre…

Le dernier cri de Cyrille se perdit dans un flot de sang vermeil et une montée de bulles roses. Ses poumons avaient éclaté.

– Papa ! Papa…

Pierre saisit une perche de clôture pour frapper l'animal. Timoune recula, sembla hésiter un peu, puis fit demi-tour et retourna à ses amours. Le fils franchit alors la claire-voie pour porter secours à son père.

* * *

Les cris de Pierre alertèrent Anne-Marie, qui courut à la maison.

– Réjeanne ! Je crois qu'un malheur s'est produit au clos. J'ai entendu Pierre crier et je l'ai vu courir.

Victoire, qui se coiffait pour la messe, sortit de sa chambre, inquiète.

– Que se passe-t-il ? Pierre est blessé ?

– Je ne sais pas, maman, fit l'aînée, mais je vais aller voir. Anne-Marie, reste avec maman, je te prie, et si je ne reviens pas, envoie-moi les garçons dès qu'ils arriveront.

Réjeanne, le premier enfant des Bouffard, était une jeune femme grande et posée, dont le port naturellement altier rappelait celui de son grand-père Médéric. De son père, elle avait hérité les yeux noirs, et elle aurait pu avoir l'air sévère si son regard n'avait été encadré de cheveux bruns soyeux, moins sombres que ceux de Simon et d'Anne-Marie.

Réjeanne inspirait confiance à ses cadets, parce qu'elle semblait avoir réfléchi à tout. Elle ne posait jamais de geste brusque ou impulsif, et ceux qui la côtoyaient étaient toujours frappés par sa façon de faire : elle avait le don de prendre les choses d'une main douce mais ferme, comme s'il se fût agi d'objets animés.

– Papa ! Pierre ! Où êtes-vous ?

Réjeanne avait traversé les champs dans la direction générale que lui avait indiquée Anne-Marie.

– Je suis ici, fit faiblement son frère.

Réjeanne perçut un mouvement un peu plus loin, derrière la lourde clôture. Elle s'approcha rapidement.

– Qu'est-il arrivé?

Comme seul un sanglot lui parvint, la grande fille posa ses pieds sur la première perche de cèdre et se pencha pour mieux voir. Elle fut horrifiée par la scène.

Son père gisait sur le sol, replié sur lui-même, inerte. Son visage était maculé de sang. Agenouillé près de lui et cherchant désespérément à percevoir quelque palpitation, quelque signe de vie, Pierre pleurait abondamment.

– Le taureau a chargé papa, laissa-t-il tomber d'une voix brisée.

– Laisse-moi voir, fit-elle en s'approchant.

La gorge sèche, Réjeanne prit son père par les jambes, puis, aidée par Pierre qui tenait les bras, elle allongea le corps recroquevillé. Ensuite, elle se pencha sur son visage, qu'elle essuya vivement de son mouchoir, et colla son oreille sur sa bouche. Pas le moindre souffle. Comme les yeux de Cyrille semblaient fixer encore le ciel, sa fille en referma les paupières. En leur touchant, elle s'attendait d'instinct à une réaction. Il n'y en eut pas.

– Notre père est mort, fit-elle d'une voix blanche.

Réjeanne se signa et alors seulement, ne pouvant plus retenir sa peine, elle éclata en sanglots.

* * *

Depuis la maison, Victoire et Anne-Marie virent avec étonnement d'abord, puis avec inquiétude, Réjeanne, qu'elles pouvaient identifier à la large jupe ample, et un des deux hommes déplacer les perches d'une section de clôture et tirer sur l'herbe une masse informe. Comprenant que quelque chose était arrivé à son mari ou à son fils, Victoire voulut courir vers le lieu du drame mais sa fille la retint.

– Les garçons arrivent, maman. Nous serons bientôt fixés.

Anne-Marie bondit à la rencontre de Simon et d'Antoine qui arrivaient du village à bord de la grande voiture de ferme.

Elle leur fit part de ses inquiétudes et leur demanda d'aller voir ce qui se passait. Simon fouetta les chevaux pendant qu'Antoine s'agrippait à la banquette, et tous deux disparurent dans un tourbillon de poussière.

Médéric et Rose apparurent bientôt, ne se doutant de rien. Ils venaient tranquillement rejoindre leur fils pour la messe. Médéric, âgé de soixante-six ans comme sa femme, était grand, fier et encore solide. Ses cheveux prématurément blancs imposaient le respect.

À la retraite, Médéric ne gardait plus de bétail ni de chevaux. Il habitait encore sa première maison, celle qui avait remplacé sa cabane de bûcheron, et louait sa terre à Cyrille, ce qui faisait bien l'affaire de ce dernier puisque le lot de son père était adjacent aux siens. En cas de besoin, le défricheur voyageait avec son fils ou empruntait Souris.

Les Bouffard, les premiers établis au pied du piton rocheux, ne se trouvaient qu'à un kilomètre de l'église de Rivière-Boyer. Même si la côte sud du village, qu'on appelait la côte de Glaise par opposition à la côte de Roches, du côté nord, était assez abrupte, les vieux la gravissaient encore allègrement par temps frais. Mais aujourd'hui il faisait trop chaud; ils comptaient monter en voiture et redescendre à pied, en s'attardant chez leurs amis.

Les beaux-parents trouvèrent leur bru et leur petite-fille en émoi. Leurs pires soupçons se confirmèrent quand ils virent revenir les quatre enfants qui pleuraient en silence. Ils marchaient à côté de la voiture, Simon menant les chevaux par la bride, et veillaient sur la dépouille de leur cher père qu'ils avaient étendue dans ce corbillard improvisé.

Le choc était très dur pour tous, mais spécialement pour Antoine, le plus jeune. Une heure plus tôt, il avait vu un homme dans la force de l'âge partir aux champs; il ramenait un cadavre. À quinze ans, le grand adolescent fréquentait pour la dernière année la petite école, vivait dans l'insouciance, taillait au canif des sifflets d'aulne et des petits bateaux, bénéficiait de la bienveillance de son père et se laissait gâter par sa sœur aînée.

Antoine était sonné. Incapable de penser, avançant comme un automate, il était abasourdi par la force et la violence du malheur qui s'abattait sur les siens. Réjeanne, qui voyait bien son désarroi, marchait à ses côtés et le tenait par les épaules, craignant qu'il ne s'effondre à tout moment.

Les quatre adultes coururent vers le cortège funèbre. Avant même qu'ils ne posent la question fatidique, Pierre y répondait :

– Timoune a chargé papa, annonça-t-il.

Si Cyrille n'avait été que blessé, l'attelage serait revenu à toute allure. Ils comprirent que l'issue du combat inégal avait été fatale. Aucun ne versa une larme sur le coup : ils étaient paralysés par le choc.

Finalement, maman Rose brisa le silence :

– Il faudrait bien lui administrer l'extrême-onction.

– Bien sûr, convint Victoire en reniflant. Je n'y avais pas pensé.

La veuve eut l'impression que sa vie venait de prendre fin avec celle de son mari. Cyrille mort, elle n'existait plus. Jusqu'à ce moment, elle n'avait vécu qu'à travers les autres. Surprotégée par ses parents, surtout par son père, un commerçant prospère qui ne l'avait jamais poussée à quitter le nid familial, puis par son mari et ses beaux-parents quand sa famille avait émigré dans l'Ouest canadien, Victoire, la fragile fleur, se sentait complètement déracinée. Il lui sembla qu'elle se fanerait en quelques heures.

Pendant que les autres transportaient le corps de Cyrille dans la maison et le plaçaient sur son lit, Simon sauta sur le canadien et partit au grand galop pour chercher le curé, qu'il trouva en chaire. Le bilieux pasteur vilipendait la fête de la veille.

– Mes bien chers frères, je vous le redis encore cette année : le Très-Haut désapprouve les fêtes païennes et la fête de Mai en est une. Les fêtes populaires sont cause de relâchement des mœurs et de l'abandon des pratiques religieuses. Ainsi, ce matin, une famille entière manque à la messe dominicale.

Les commères se mirent à faire le compte des paroissiens afin d'identifier les impies pendant que le pasteur continuait :

– Ne succombez pas aux plaisirs de ce monde, mes frères ! Tournez vos cœurs vers le Seigneur. N'attendez pas que le bras de la Justice divine vous frappe !

Simon, qui arrivait par la sacristie, comprit que sa famille était objet de scandale. Il passa quand même bravement la tête par l'embrasure de la porte du chœur, ce qui eut pour effet de distraire la foule et de le désigner comme pécheur, et fit signe au premier servant de messe.

– Va dire au curé que mon père a eu un accident; il faut lui donner l'extrême-onction.

Le grand benêt s'en fut tirer le curé par la manche de sa chasuble. Le prêtre inclina la tête.

– Qu'y a-t-il ?

– Cyrille Bouffard est mort.

Le servant, un des fils du boucher, n'avait de toute évidence aucun sens de la diplomatie; sinon, il eût mesuré la portée de ses mots ou tout au moins placé sa main devant sa bouche. Bien qu'il eût parlé bas, les occupants des deux premières rangées entendirent distinctement ses paroles. Rien encore ne la confirmait, mais la rumeur du décès de Cyrille Bouffard courut plus vite qu'une traînée de poudre.

– Chers paroissiens, je suis appelé d'urgence auprès d'un malade. Je vous demande de réciter le chapelet sous la direction du chef des marguilliers. Si je ne suis pas revenu à la fin d'un rosaire, rentrez chez vous et priez pour l'âme des défunts.

La confirmation arrivait avec tous les ménagements dont était capable l'amer ministre de Dieu.

Le prêtre verrouilla le tabernacle, attrapa au vol les burettes de saint chrême et, précédé du sacristain qui emprunta la première voiture attelée qu'il vit derrière l'église, prit la direction du rang 1.

* * *

Le malheur qui frappait Victoire prenait maintenant sa pleine dimension. La pauvre femme était atterrée. Elle s'était mise à pleurer lentement et maintenant le flot de ses larmes augmentait sans cesse malgré les soins que lui prodiguaient Rose et Pierre.

Réjeanne, elle, garda la tête froide. Elle entreprit de changer les habits du défunt avec l'aide d'Anne-Marie et de Médéric. Voyant qu'Antoine allait s'évanouir, elle l'envoya dételer les percherons. Le grand air calma sa nausée mais ne tarit pas ses larmes.

Le curé arriva, l'air bourru. Il entra dans la chambre mortuaire sans saluer personne et posa le viatique près de la victime. À l'aide d'un petit miroir qu'il plaça devant la bouche du cadavre, il constata qu'il ne respirait plus.

– Comment Cyrille est-il mort? demanda-t-il sans ménagement.

– Chargé par le taureau, répondit Réjeanne.

– Pendant la messe?

– Non, avant, précisa-t-elle froidement.

– A-t-il fait son acte de contrition?

Personne ne répondit.

– A-t-il demandé pardon pour ses péchés?

Le curé avait haussé le ton.

Médéric intervint, maîtrisant la colère qui soudain montait en lui.

– Monsieur le curé, mon garçon était seul quand le taureau l'a attaqué. Ça s'est fait assez vite qu'il n'a pas pu avoir le temps de faire beaucoup de prières. Mais Cyrille était un bon fils, un bon père, et il avait fait ses Pâques. Croyez-vous qu'il est mort en état de péché?

– Je vais lui donner l'absolution sous condition, fit le curé.

Après avoir accompli son rituel, l'abbé Bouillé repartit sans offrir ses condoléances à la famille désemparée. Il n'avait jamais aimé Cyrille. Il retourna à son église maintenant déserte et, pendant que le servant de messe rendait à son propriétaire le cheval emprunté, il termina seul la messe. Il affícha ensuite à la porte du temple un message informant la population que son illustre paroissien était décédé à la suite d'un accident de ferme et serait inhumé à neuf heures le mercredi matin.

4

L'ANNONCE de la mort accidentelle de Cyrille Bouffard ne laissa personne indifférent. Plusieurs paroissiens s'étaient attardés au magasin général, attendant des nouvelles au retour du prêtre.

– Quelle idée d'acheter un taureau étranger, une bête qu'il ne connaissait pas, un animal dangereux ! Il voulait nous en montrer encore, le Bouffard, disait un cultivateur.

– On a beau dire, Cyrille était un bon agriculteur. Il devait avoir ses raisons pour acheter ce reproducteur, faisait valoir un autre.

– En tout cas, nous autres, on va se contenter des animaux qu'on a élevés nous-mêmes. Ils sont bien assez bons pour nous et on sait qu'ils ne sont pas dangereux, clamaient les frères Descôteaux.

– Fabriquer des tuyaux de ciment, c'est certainement moins dangereux qu'élever du bétail, glissa perfidement Anthime Leblond.

Jos Labrie constata qu'Anthime ne perdait pas de vue ses visées politiques.

Les gens n'attendirent pas que Cyrille fût officiellement exposé pour se rendre à la ferme du rang 1. Dès l'après-midi, les visiteurs accoururent. Les Bouffard n'eurent pas le temps d'assécher leurs pleurs ; ils purent tout juste passer des vêtements convenables. Que ce fût par compassion ou par curiosité, tous les paroissiens de Rivière-Boyer défilèrent dans le salon familial, devenu funéraire pour la circonstance.

On avait posé le cadavre sur une porte recouverte d'une courtepointe et reposant sur deux tréteaux. Réjeanne et Médéric avaient revêtu le défunt de son habit de noces, même si les coutures protestaient, et avaient croisé ses mains sur un chapelet. Pierre avait pieusement épinglé le scapulaire de son père au revers de son gilet pour rappeler à tous qu'il était un bon chrétien.

Les Bouffard ne retrouvèrent la paix qu'à l'heure où tous les cultivateurs durent retourner chez eux pour faire le train. Rose et Médéric restèrent pour veiller le corps. Réjeanne prépara un goûter que personne ne toucha. Ses frères et sa sœur partirent comme des automates vers l'étable. Quand ils en revinrent, ils se joignirent aux adultes, et tous prièrent jusqu'à ce qu'ils tombent d'épuisement.

Le lundi matin, Pierre, qui avait reporté son retour au petit séminaire, traversa chez son grand-père et tous deux se rendirent chez l'ébéniste local, Jean Galibois. Quand ils arrivèrent à son atelier, un simple hangar, l'homme fixait un crucifix au couvercle d'une solide bière.

– On vient acheter un cercueil, annonça Médéric.

– Il est déjà prêt, répondit Galibois.

– Vous vous doutiez qu'on passerait vous voir? demanda Pierre.

– J'étais un ami de Cyrille. Je serais allé vous offrir ce cercueil si vous n'étiez pas venus. Je l'ai fabriqué comme si c'était pour moi, dit l'ébéniste.

Ce témoignage d'amitié fit autant de bien à Pierre et à Médéric que la bonne odeur de pin ouvré.

Le lundi soir, quand Simon porta la crème à la beurrerie après la traite, il remarqua une grande activité dans le village. Une longue automobile de couleur crème était garée devant les portes grandes ouvertes de la salle paroissiale. Voyant venir son ami Roméo Roi, le maréchal-ferrant, le jeune homme lui demanda :

– Dis, Meno, il y a assemblée ce soir?

– Tu dois le savoir; c'est une assemblée spéciale du conseil pour décider de la cimenterie. Les conseillers vont aussi nommer un maire suppléant en remplacement du maire décédé.

Simon n'en revint pas.

– Les conseillers auraient au moins pu attendre que mon père soit inhumé avant de danser sur sa tombe!

– Mon pauvre Simon, je partage ton deuil, mais ce projet de cimenterie est important : on ne veut pas le manquer. Puis c'était prévu que le représentant de la compagnie viendrait ce soir répondre aux questions du public; le secrétaire municipal n'a pas pu le décommander.

De tous les Bouffard, Simon était, pour le moment, celui que la mort de son père affectait le moins. Non pas qu'il ne l'aimât point, mais, alors que les autres avaient été plongés en plein drame, lui avait été emporté par l'urgence des mesures à prendre. Il avait accouru au pré de toute la vitesse des chevaux, avait retenu les percherons affolés par l'odeur du sang et de la mort, puis les avait fait courir jusqu'à l'église.

De plus, le jeune homme, habitué au commerce des bêtes puissantes, demeurait toujours conscient d'une chose que tous les autres membres de sa famille avaient à la longue oublié : les animaux domestiques, tout dociles qu'ils soient, ne connaissent pas leur force et leur voisinage présente un danger latent.

Puis Simon était un peu bohème et un peu fataliste. Il ne courait pas après les malheurs mais ne s'étonnait pas qu'ils s'abattent sans prévenir.

Heureux sur la ferme, Simon n'avait jamais pensé à son avenir. Il avait naturellement épousé l'opinion de son père quant à la cimenterie. Mais, tout à coup, il prenait conscience, face à l'incertitude de l'avenir, qu'il aurait peut-être un intérêt personnel à suivre de plus près l'évolution de ce projet.

– Je ferais peut-être mieux d'aller voir ce qui va se discuter, soupira-t-il.

– Entre avec moi, lui offrit le forgeron.

Bien qu'ils eussent un écart d'âge de vingt ans, Roméo et Simon étaient de bons copains; l'admiration commune qu'ils portaient aux chevaux scellait sans doute leur amitié. Ils s'assirent près d'une colonne et Meno sortit sa blague à tabac. Simon, lui, ne fumait pas.

La salle était à demi remplie. La plupart des pères de famille de la paroisse étaient arrivés. Certains, plus anxieux, étaient accompagnés de leurs fils. Les citoyens parlaient peu mais fumaient beaucoup.

L'entremetteur des industriels était arrivé et conversait à voix basse avec Anthime Leblond.

– Savez-vous que Cyrille Bouffard est mort ? lui demandait ce dernier.

– Je l'ai appris en mettant le pied dans le village. C'était un bien bon maire, à ce qu'on dit, avança prudemment l'homme d'affaires.

– Ça m'étonne que vous pensiez ça : il s'opposait à votre projet.

– Comme il ne s'y oppose plus, autant en dire du bien, fit l'étranger en haussant les épaules.

Anthime réprima le genre de frisson qu'on ressent à la vue d'un serpent. Cet homme de la ville était un froid calculateur.

– Êtes-vous d'avis que le vote sera favorable, monsieur Leblond ?

Le visiteur en venait vite au fait.

– Je dirais que oui. À moins qu'il n'y ait une vague de sentiment en faveur de l'option du maire décédé. Mais je ne crois pas, car je l'aurais sentie. De votre côté, pensez-vous que la cimenterie va créer beaucoup d'emplois ?

N'ayant plus Cyrille pour faire valoir un point de vue opposé, Leblond devenait un peu inquiet et voulait qu'on le rassure.

– Pas de doute qu'il faudra plusieurs manœuvres pour transporter le gravier, alimenter les machines et déplacer les pièces produites, assura l'émissaire.

Il se pencha vers le conseiller et ajouta à voix basse :

– Même s'il n'y avait qu'un seul emploi, c'est votre fils qui l'aura.

Puis il releva la tête pour ajouter :
– De toute façon, il y en aura plusieurs.
– Tiens, voilà les Descôteaux qui arrivent ! s'exclama Leblond, rassuré. Ce que vous venez de dire sera très important pour eux. Ils ont plusieurs garçons en âge de travailler.
La présence des deux frères assurait le quorum et permettait aux élus de prendre des décisions. D'un petit maillet, le secrétaire frappa quelques coups sur la table pour demander le silence et procéda d'abord à l'appel des élus.
– Thadée Léonard ?
– Présent !
– Anthime Leblond ?
– Présent.
– Cyrille Bouffard ?
Une rumeur courut dans la salle. Simon sentit que, bien qu'il ne fût pas là en personne, le leader qu'était son père n'avait jamais été aussi présent.
– Jos Labrie ?
– Présent.
– Les frères Descôteaux ?
– Oui.
– Il y a quorum, l'assemblée est ouverte.
Le secrétaire inscrivit au livre des minutes la date, l'heure et le but de cette assemblée spéciale. Ensuite, il voulut ajouter un article prioritaire à l'ordre du jour.
– Le maire Cyrille Bouffard ne pourra plus remplir ses fonctions, pour cause majeure.
L'assistance murmura.
– Conformément au code municipal, je demande qu'un vote soit pris parmi les conseillers ici présents afin de nommer un maire suppléant. Quelqu'un a-t-il un candidat à proposer ?
– Je proposerais Anthime Leblond.
– Thadée Léonard propose Anthime Leblond comme maire suppléant, reprit le secrétaire. Y a-t-il d'autres candidats ? Non ? Je demande le vote.
– Vote à main levée, poursuivit-il en promenant un regard autour de la table du conseil. Pour : trois ; contre : aucun.

Une abstention : Jos Labrie. Anthime Leblond est élu maire suppléant.

Le secrétaire se tourna vers le public, qui suivait le processus avec attention.

– Le but de l'assemblée spéciale de ce soir est de prendre une décision quant au projet de cimenterie. Je demanderai au maire suppléant de présenter le messager des industriels intéressés. Monsieur le maire suppléant..., ajouta-t-il en s'adressant à Leblond.

Anthime Leblond n'avait pas encore dit un mot depuis le début de la réunion, gardant les yeux baissés. Il releva la tête et promena un regard sur la salle, puis d'un bout à l'autre de la table du conseil, comme s'il doutait des appuis qu'on venait de lui offrir.

– D'abord, je vous remercie de m'avoir fait confiance. Ensuite, je vais vous demander d'écouter M. Izaac Goodman, un conseiller industriel qui nous visite ce soir. Il va nous présenter un projet dont le conseil municipal discute depuis plusieurs mois, un projet qui devrait apporter la prospérité à Rivière-Boyer. Monsieur Goodman, expliquez donc le projet à notre population.

Izaac Goodman était un homme d'affaires d'une cinquantaine d'années, aux tempes grisonnantes. Il était bien mis mais sans recherche. Il tira d'un porte-documents en cuir fatigué un dossier étonnamment mince pour un projet de cette envergure.

– Bonsoir, monsieur le maire, bonsoir, messieurs les conseillers, bonsoir, mesdames et messieurs.

Le visiteur ignora l'absence trop évidente de la gent féminine et le fait que Leblond ne soit que maire suppléant.

– Je représente un groupe d'industriels suédois qui pensent à installer une cimenterie à Rivière-Boyer, plus précisément à l'embouchure de la rivière de ce nom. Cette usine produira des tuyaux de béton destinés aussi bien aux industries qu'à l'agriculture. Où qu'elle s'installe, l'usine importera son ciment de Montréal. De plus, elle aura besoin de gravier lavé, du gravier de rivière, d'énergie électrique et de main-d'œuvre. Il lui faut aussi un quai en eau relativement profonde pour les barges et les goélettes qui transporteront les produits finis.

L'homme, expérimenté, marqua une pose pour laisser au public le temps de bien assimiler son préambule. Il jeta un coup d'œil à la ronde et, jugeant la réception favorable, continua :

– La compagnie Borg, de Suède, désire installer son industrie aux portes du marché américain. En plus du Québec, elle veut approvisionner la région industrielle des Grands Lacs et les plaines agricoles de l'Ouest, tant américain que canadien. Ces marchés sont accessibles par le Saint-Laurent et le canal Soulanges. En contournant la Gaspésie, la Borg exportera en Nouvelle-Angleterre et à New York.

Les yeux des citoyens se mirent à scintiller à l'évocation de ces prestigieux marchés d'autant plus prometteurs qu'ils étaient lointains. Le messager s'en rendit bien compte.

– Pour charger les bateaux de produits en ciment, il faut une eau profonde. La compagnie a éliminé beaucoup de sites attrayants, car le fleuve n'y était pas assez profond. Elle n'en a retenu que deux : Rivière-Boyer et le bassin Louise, à Québec. Si la Borg s'installe à Québec, elle disposera d'électricité mais devra s'approvisionner au loin en gravier lavé ; si elle s'installe ici, elle prendra le gravier de la rivière mais devra bâtir une centrale électrique à la Première Chute. Y a-t-il des questions ?

Un cultivateur leva la main.

– Il doit y en avoir en quantité, des industries de tuyaux à New York. Pourquoi est-ce que la vôtre serait plus intéressante pour les Américains ?

– Je suis heureux que vous me posiez la question, répondit avec assurance le messager. D'abord, notre usine va utiliser des machines suédoises, les plus fiables et les plus économiques du monde sur le plan du rendement et de la consommation d'énergie. Ensuite, il y a la question des frais de transport. Pour fournir le centre des États-Unis, les

New-Yorkais doivent livrer par train; notre usine livrera par bateau. Comme vous vivez près du fleuve, vous savez que le transport par bateau est le plus économique de tous. Et puis l'électricité et la main-d'œuvre coûtent moins cher ici qu'aux États-Unis. Surtout si l'électricité, on la fabrique nous-mêmes.

Comme les autres campagnards, Simon écoutait avec intérêt. L'émissaire s'enthousiasmait.

– Parlant d'électricité, il est probable que le courant de la Boyer soit assez fort pour fournir plus d'électricité que l'usine n'en aura besoin. Dans ce cas, on pourrait éclairer le village et l'église. Ou bien inviter d'autres usines à s'installer alentour. La cimenterie créera des emplois; cette industrie en attirera d'autres et apportera la prospérité et la fierté à Rivière-Boyer!

Le mot «fierté» fit bondir Jos Labrie. Lui qui partageait l'avis, les craintes et le scepticisme de Cyrille, en plus de porter douloureusement son deuil, il n'avait jusqu'à maintenant pas dit un traître mot, même pas voté. Cette fois, congestionné par l'émotion, il leva un poing en l'air.

– De la fierté, on n'en manque pas à Rivière-Boyer, monsieur! Puis la prospérité, tout le monde ici peut l'avoir : les gens n'ont qu'à se lever matin et à cultiver leur terre. Le sol est bon par ici. Tu lui donnes du blé et de l'avoine et il te les remets au centuple. Il n'y a pas une cimenterie qui fait ça. Voilà ce que j'appelle la prospérité. On n'est pas des gens de la ville. Notre avenir, ce n'est pas l'industrie, c'est l'agriculture, l'élevage et l'amélioration des troupeaux!

Simon entendait les arguments de son père. Une voix railleuse s'éleva du fond de la salle.

– Notre avenir, c'est Timoune!

Le fils cadet tressaillit. «Le courageux Jos Labrie vient de se faire donner une jambette», pensa-t-il.

Le croc-en-jambe venait de Benjamin Guimond, un cultivateur à la petite semaine qui confiait le soin des bêtes à sa femme et à ses enfants chaque fois qu'il pouvait aller gagner de l'argent en dehors du village.

Jos Labrie blêmit de colère.

– À part de ça, cette usine, c'est une dette ! C'est nous qui devrons la payer avec nos taxes !

Cette fois, le maire suppléant éleva la voix :

– Le conseiller Labrie se trompe ; il n'a pas compris. Le conseil de Rivière-Boyer va seulement endosser l'hypothèque sur l'usine et la centrale. D'abord, on ne déboursera pas d'argent, puis la valeur sera là : une bâtisse, ça vaut quelque chose. Et si, un jour, l'usine ferme, on pourra utiliser l'électricité de la centrale pour toute la paroisse. De fait, notre endossement est notre meilleur atout pour que la Borg s'installe ici : c'est pas la Ville de Québec qui ferait ça ! De toute façon, l'usine sera rentable et crééra de l'emploi.

Le secrétaire intervint avant que Jos n'ouvre la bouche pour continuer.

– Y a-t-il d'autres questions ? demanda-t-il à l'assistance.

Il y eut un flottement parmi les contribuables. Les hommes se regardaient entre eux, murmuraient quelques paroles inintelligibles, hochaient la tête, mais ne posaient plus de questions. Jos Labrie sentit qu'il n'avait pas d'appui dans le public et secoua la tête de dépit.

– Pas d'autres questions. Je demande le vote, annonça le secrétaire.

Le projet d'usine de tuyaux de ciment de la compagnie Borg fut adopté par le conseil municipal de Rivière-Boyer à quatre voix contre une, le secrétaire ne se prononçant qu'en cas d'égalité des votes. La municipalité acceptait d'endosser une hypothèque immobilière de vingt mille dollars sur l'ensemble des installations de la compagnie, y compris la centrale électrique.

– La valeur de dix terres agricoles ! gémit Jos.

Aucune contestation ne vint de la salle.

Simon sortit. « Il valait peut-être mieux que mon père n'entende pas ça », se dit-il pour se consoler.

Le vent avait tourné. La population agricole de Rivière-Boyer venait de prendre le virage industriel. Simon se sentit inquiet sans pouvoir expliquer pourquoi.

5

LE MARDI MATIN, les enfants Bouffard convinrent de poursuivre les tâches quotidiennes de la ferme et de se relayer pour soutenir leur mère et maintenir une garde ininterrompue auprès de la dépouille de leur père.

Quarante-huit heures déjà que Cyrille avait rendu l'âme. Victoire, prise de torpeur, ne pouvait se faire à l'idée que son mari était mort. Il avait l'air de dormir, à cette différence près que son teint, habituellement rosi par la bonne chère, était cireux. Comme l'homme n'avait subi que des blessures internes, ni son visage ni son corps ne portaient de marques extérieures de l'accident. C'était la seule consolation de la veuve.

Réjeanne se remit à la cuisine. Le besoin de survivre avait fini par l'emporter sur la tristesse de chacun. Après le repas du matin, elle demanda à Simon :

– Attelle un cheval; je porterai la crème en passant au village; ça te permettra de faire autre chose.

Simon obtempéra avec autant plus d'empressement qu'il n'avait aucune envie d'aller se balader. L'aînée prit son grand-père en passant, fit un crochet à la beurrerie et se dirigea vers le presbytère.

Le regard perdu vers le fleuve, Médéric ne parlait pas. Pourtant, en passant à la hauteur du cimetière, il ne put retenir une exclamation.

– Le bedeau creuse le trou de Cyrille ! Il est bien pressé !

– Grand-père, c'est demain matin que papa sera enterré, répliqua doucement Réjeanne.

Quand ils sonnèrent au bureau du curé Bouillé, c'est Mme Eugénie, la ménagère, qui vint leur ouvrir. Eugénie Vézina, une grande femme maigre et d'apparence austère, touchait la cinquantaine. Perpétuellement vêtue de noir, sa seule coquetterie étant un collet de dentelle toujours parfaitement tenu, elle semblait errer comme un fantôme dans cette maison trop grande pour deux personnes et pourtant fermée aux passants, une maison sombre où la lumière du jour, malgré les grandes fenêtres, n'arrivait pas à filtrer à travers les draperies de velours brun.

Réjeanne avait, lors de plusieurs réunions ou fêtes publiques, aidé la ménagère et la connaissait bien. Femme discrète, attentive et dévouée, Mme Eugénie avait fait de cette maison de vieux garçon son domaine, sa forteresse, son antre, et y imposait son ordre partout sauf dans le bureau du curé, où elle accueillit les visiteurs.

Elle offrit d'abord des condoléances très formelles à Médéric, puis elle se tourna vers Réjeanne. Elle commença par lui tendre la main, puis, se ravisant, elle ouvrit les bras, fit un pas vers la jeune fille et l'embrassa chaleureusement. De grosses larmes roulèrent en silence sur les joues des deux femmes.

Comme si elle regrettait son geste, Eugénie se dégagea subitement de l'étreinte, replaça son collet de dentelle, toussota pour s'éclaircir la voix et dit sèchement :

– Assoyez-vous, monsieur le curé va venir.

Puis elle tourna les talons.

Le curé Bouillé surgit.

– Ah bon ! Les Bouffard..., fit-il en guise de salut et de condoléances.

Médéric et Réjeanne se sentirent rougir d'indignation mais se turent.

Sitôt les formalités remplies, ils prirent congé et passèrent chez Jean Galibois. L'ébéniste interrompit immédiatement son travail et les accueillit avec empressement.

– Voici la croix que vous m'aviez demandée, dit-il à Médéric.

En prenant possession du cercueil de son fils, le grand-père avait commandé une croix qui marquerait temporairement le lieu de sépulture de Cyrille ; on achèterait plus tard un monument funéraire en pierre taillée. Réjeanne ne put s'empêcher de comparer la croix brute ouvrée par son concitoyen aux élégants crucifix sculptés récemment par un ébéniste de Saint-Michel pour l'église de son village.

La croix, en bois de résineux, ne portait que le nom de Bouffard peint en lettres noires.

– Pourquoi ne pas avoir ajouté son prénom ou son initiale ? demanda la jeune femme.

– Parce que c'est le premier décès dans votre famille, mademoiselle. Comme cette croix fait office de monument temporaire, elle pourra encore servir plus tard.

Médéric releva la tête.

– Attends-tu d'autres décès chez nous ? s'enquit-il en fronçant les sourcils.

Galibois rougit.

– Bien sûr que non, monsieur Bouffard, fit-il, confondu.

Réjeanne voulut le payer, mais il refusa.

– En souvenir, dit-il simplement.

Elle le remercia sans insister.

Médéric voulut rentrer à pied. S'il avait écouté ses sentiments, il aurait pris la croix des Bouffard sur son dos et, accablé de tristesse, aurait descendu la colline comme le Christ était monté sur le Calvaire.

Une douzaine de maisons s'échelonnaient irrégulièrement de part et d'autre de la côte de Glaise. Les premiers colons, ceux-là mêmes que Médéric avait recrutés, s'étaient graduellement installés dans la côte à leur retraite. Pour voir encore leur terre de loin. Ils avaient construit leur demeure tout près du trottoir afin de déplacer le moins de neige possible l'hiver et pour voir qui passait, l'observation des allées et venues de leurs concitoyens devenant leur principale occupation quotidienne.

Ses anciens compagnons virent Médéric frapper à chaque porte. Il demanda à ceux qui en avaient la force de venir l'aider à porter le cercueil de son fils au cimetière. Quand il rentra enfin chez lui, Jos Labrie l'y attendait. Le fidèle ami de Cyrille venait s'offrir pour transporter le lendemain la bière jusqu'à l'église. On lui en fut infiniment reconnaissant.

* * *

Les tâches ménagères accomplies, Réjeanne rejoignit Victoire auprès du cercueil de son père. Sa mère semblait absente. Elle ne pleurait plus mais égrenait inlassablement son chapelet. Remarquant la rapidité nerveuse avec laquelle les grains de bois brun filaient entre ses doigts, la fille sut que sa mère ne priait pas.

Victoire avait perdu contact avec la réalité. Son chapelet, c'était l'engrenage qui faisait se dérouler le film de sa vie. Une bobine sans fin, comme son objet de piété, qui repassait de façon ininterrompue toutes les scènes de son existence, depuis son enfance jusqu'à ce jour de mai, ce dimanche pourtant si beau, où tout s'était écroulé pour elle.

Victoire se revit enfant, dans une robe de dentelle blanche crochetée avec amour par sa mère. Elle courait sur les trottoirs de bois du quartier Jacques-Cartier, à Québec, et entendait le claquement sonore de ses petites bottines de cuir sur les planches sèches et usées. Elle se souvenait du dégoût que lui inspiraient les chiens qui pissaient au pied des réverbères et de la frayeur qu'elle ressentait quand les matous en chaleur miaulaient la nuit dans les talles de lilas. Elle sentait l'atmosphère feutrée de la grande maison de pierres silencieuse où elle avait été élevée avec ses trois sœurs aînées et où les deux seuls bruits ambiants étaient le tic-tac de l'horloge grand-père, actionnée par des poids de laiton, et le cliquetis du métier à tisser de sa mère déjà âgée.

Dès son plus jeune âge, Victoire avait été fascinée par cet instrument qui lui semblait si grand et si haut, par les innombrables fils qui s'entrecroisaient dans un ordre si complexe, par la navette qui disparaissait à un bout de la trame pour apparaître à l'autre comme si elle avait joué au chat et à la souris avec les mains de sa maman.

Victoire se souvenait de son émotion quand elle avait exposé à la tombola de la paroisse ses premières pièces tissées de grande taille, et de sa gratitude quand elle avait vu un beau jeune homme se pencher sur ses œuvres et les admirer longuement en silence. Victoire revivait le moment romantique où, quelque temps plus tard, le même beau jeune homme de vingt-deux ans, lui avait demandé sa main, à elle, une presque vieille fille de vingt-quatre ans.

Et elle revit tant d'autres images du passé. Sa première visite à l'île d'Orléans, chez l'oncle Siméon, l'éprouvante traversée du fleuve en goélette avec les deux taures gravides, le chaleureux accueil que lui avait réservé maman Rose. Aussi la perte de son hymen quand Cyrille, pourtant prévenant et plein d'affection, l'avait couverte de son ombre, comme dit si pudiquement la Bible. Sa première nausée, la naissance de Réjeanne, celles de Pierre, d'Anne-Marie, de Simon et d'Antoine. Le souvenir aussi du jour où le médecin de famille, le docteur Pelletier, lui avait dit qu'il n'y aurait plus de naissances. Toutes ces scènes se déroulaient trop vite sur l'écran de sa mémoire et Victoire n'arrivait pas à en contrôler le débit avec son chapelet, pendant qu'à ses côtés maman Rose tricotait dans sa chaise berçante en murmurant des Ave.

À la nuit tombante, toute la famille, inconsolable, se réunit une dernière fois autour du cercueil, au pied duquel Médéric avait dressé la croix de bois. L'aïeul récita un rosaire entier, le dernier, d'une voix brisée par la chaleur, la fatigue et la peine. Puis, craignant que les viscères du cadavre ne commencent à s'impatienter, il referma le couvercle du cercueil et le scella avec trois longues vis.

– Mes enfants, je vous…

Médéric s'était mis debout et avait levé la main, comme au jour de l'An, pour bénir ses descendants, mais il ne les voyait plus. Un rideau de larmes bouchait sa vue. Pour la première fois en trois jours, Médéric pleurait. Alors, il baissa sa main, chercha à tâtons celle de sa chère Rose et sortit en titubant.

Le mercredi 24 mai 1913, malgré de sombres nuages, l'église de Rivière-Boyer fut remplie à craquer bien avant neuf heures. La paroisse entière y était et plusieurs amis ou relations d'affaires des villages voisins faisaient acte de présence. La cérémonie fut courte. Impressionné par l'ampleur du mouvement de sympathie, le curé Bouillé s'en tint, dans son homélie, à rappeler les nombreux mérites de son paroissien. Puis Médéric et ses amis, suivis de la famille éplorée et de leurs concitoyens, portèrent la grande caisse au cimetière, à trente pas au nord de l'église, le lieu du dernier repos ayant été orienté de façon à ce que, en partant pour l'au-delà, les âmes des disparus puissent apercevoir une dernière fois le Saint-Laurent par lequel leurs ancêtres étaient venus.

Maman Rose, toujours forte, soutenait une Victoire écroulée, hébétée, absente. Constatant que sa mère n'était pas en mesure de parler aux gens, Réjeanne regroupa autour d'elles sa sœur et ses frères pour recevoir avec dignité les derniers témoignages du public. Toutes les personnes présentes étaient sincèrement affligées. Alors qu'à l'annonce de l'accident les visiteurs étaient venus surtout par curiosité, pour ne pas dire par voyeurisme, en ce gris matin, une sincère compassion étreignait tous les cœurs.

Les lourds nuages menaçaient de crever à tout instant. Néanmoins, paroissiens comme visiteurs s'empressèrent autour des Bouffard. On les embrassa, on les consola. Hervé Francœur était revenu avec son frère aîné Guillaume pour soutenir moralement son ami Pierre et sa famille. Guillaume, que les Bouffard connaissaient parce qu'il travaillait en politique, était accompagné de sa fiancée, Yvonne Saint-Gelais. Cette jeune femme semblait souffrante. Son visage trahissait une douleur qui dépassait la sympathie. Au point que, au moment où Guillaume et elle offrirent leurs condoléances à Médéric et à son épouse, maman Rose oublia un moment sa peine et lui dit, avec sa bonté habituelle :

– Tu es bien pâle, ma fille. Il faut sortir prendre de l'air.

La jeune fille serra le bras de son compagnon et sourit tristement.

– Ça ira, fit-elle en détournant les yeux.

Un autre visiteur s'était attardé et semblait chercher le moment propice pour intervenir. C'était Cyprien Lanoue, un grand jeune homme réservé, un peu timide. Il attendit que Réjeanne soit libre avant de s'approcher d'elle.

Cyprien Lanoue était un ébéniste de talent spécialisé dans la construction de mobilier d'église. Bien qu'il ne fût qu'au début de la vingtaine, c'est à lui que la fabrique de Rivière-Boyer avait commandé le mobilier de la nouvelle église. Cyprien avait, en quatre commandes allouées annuellement au gré de l'argent disponible, conçu d'abord l'autel latéral sud, dédié à la Sainte Vierge, puis l'autel latéral nord, dédié à saint Joseph, le maître-autel, le retable, et enfin le baldaquin, qu'il avait installé pour Pâques dernier.

L'artiste, qui vivait chez sa mère veuve lorsque des contrats ne l'appelaient pas dans d'autres localités, produisait ses meubles par sections, dans un hangar attenant à sa maison natale, et les livrait à Rivière-Boyer, où il les montait.

Réjeanne avait maintes fois rencontré Cyprien Lanoue, parce que son père, marguillier, lui demandait, ainsi qu'à Mme Eugénie, de l'aider à juger sur réception le travail de l'ébéniste. Elle le remercia d'être venu.

– Réjeanne, vous savez toute l'estime que j'avais pour votre père, déclara-t-il en retirant son chapeau. C'est lui qui m'a donné ma première chance, mon premier contrat, et qui m'a fait obtenir tous ceux qui ont suivi. Si jamais je peux faire quelque chose pour vous, faite-le-moi savoir. Je vous offre mes condoléances et vous demande de les transmettre à tous les membres de votre famille.

Sur quoi Cyprien remit son chapeau, couvrit de son foulard la chaîne et la médaille scapulaire qui brillaient à son cou, esquissa un bref salut et quitta les lieux. Réjeanne, à laquelle cette marque d'appréciation fit chaud au cœur, prit le temps de le regarder aller, pensive. « Voilà un homme bien élevé », se dit-elle.

Alors que le public se dispersait lentement, il se mit à pleuvoir.

– Un peu de pluie chaude qui fera lever les semences, prédirent les agriculteurs en repartant vers les rangs.

* * *

Les Bouffard aussi rentrèrent après avoir déposé les grands-parents chez eux. Ils rangèrent en silence leurs habits de sortie, enfilèrent péniblement leurs vêtements de travail et passèrent à table, où Réjeanne leur servit un grand bol de soupe fumante, du pain et de la volaille froide.

Seul l'adolescent manifesta un peu d'appétit. Victoire ne toucha à rien et s'enferma dans sa chambre. Simon et Anne-Marie chipotèrent un peu et sortirent ensemble. Réjeanne se trouva bientôt seule avec Pierre.

– Mange. Tu vas dépérir.

– Merci. Je n'ai pas faim.

– Il faut que tu manges ; ce n'est pas le temps de faiblir.

– Inutile. Ça ne passe pas.

Si elle avait pu le faire, Réjeanne aurait pris sur elle la peine de son frère.

– Tu vas être malade alors qu'on a besoin de toi. Viens marcher dehors, on va parler.

– Pas maintenant. Je dois m'occuper de Timoune.

Bien que l'état du moral de son frère la préoccupât au plus haut point, l'aînée n'insista pas. Elle s'empressa plutôt auprès de sa mère. L'état d'affaissement de Victoire était tel que Réjeanne se mit à craindre pour sa santé. Elle frappa à sa porte et insista pour lui parler.

– Maman, je comprends votre peine et je la partage. Mais papa ne reviendra pas. Maintenant, c'est vous le chef de la famille, et nous avons besoin de vous. Il faut vous ressaisir.

– Laisse-moi me reposer. Tu vois bien que je suis épuisée. Je suis incapable de penser.

– Il faut diriger la ferme, discuter de l'avenir.

– Faites pour le mieux. L'avenir, on s'en occupera plus tard.

Constatant qu'il n'y avait rien à tirer de sa mère pour le moment, Réjeanne refoula sa propre peine et s'occupa à apaiser celle des autres. Elle ne parlait pas, chacun étant silencieux, mais prêta une attention particulière aux moindres goûts et caprices de chacun. Même si les membres de sa famille n'avaient pas faim, elle cuisit du pain afin que le parfum incomparable du froment chaud embaume la maison.

* * *

Il plut tout l'après-midi et toute la nuit qui suivit. Non pas une pluie douce comme l'avaient prédit les cultivateurs, mais une pluie froide et abondante poussée par un vent qui soufflait du sud-est. C'était mauvais signe.

Le jeudi matin, il pleuvait toujours, et plus abondamment encore que la veille. Le vent hurlait.

S'étant réveillée à la barre du jour, Réjeanne se leva et jeta machinalement un coup d'œil dehors. C'est alors qu'elle vit l'inondation. Le Petit Bras commençait à déborder sérieusement.

Elle frappa à la porte de Pierre, discrètement afin de ne pas réveiller prématurément les autres membres de la famille.

– Qu'y a-t-il? demanda une voix rauque.

– L'inondation nous menace. Il faudrait peut-être changer les taures de clos.

Quelques minutes plus tard, Pierre descendit, silencieux, l'air songeur.

– J'ai vu, tu as raison. Que l'une d'elles ait l'idée stupide de traverser le ruisseau, elle serait emportée et pourrait se noyer.

– Mange un peu avant de sortir.

– Je n'ai pas faim.

Pierre semblait soucieux. Pourtant, la veille, il était sorti malgré la pluie. Avec l'aide de ses frères, il avait mis Timoune aux arrêts. L'animal s'était d'ailleurs comporté avec une docilité désarmante. Les garçons l'avaient enfermé dans une stalle isolée dont ils avaient préalablement surélevé les murs avec de solides madriers de pruche. On déciderait de son sort plus tard.

Même si une tristesse incommensurable étreignait encore cette maison naguère tellement joyeuse, on n'entendait plus pleurer derrière les portes closes.

– Un café ?

– Peut-être…

– Avec de la crème et du sucre d'érable ?

Sans attendre la réponse, la jeune femme emplit une grande tasse du fumant liquide et la servit au séminariste.

– Merci. Merci pour tout. Tu t'es si bien occupée de nous et de tout depuis dimanche.

– Si je n'avais pas été là, tu aurais fait pareil.

– Sûrement pas. Je n'ai même pas été capable d'empêcher la mort de notre père.

– Qu'est-ce que tu veux dire ?

– C'est de ma faute, ce qui est arrivé.

Réjeanne ne comprenait pas le raisonnement de son frère.

– Ça ne peut pas être de ta faute. Tu n'étais même pas avec lui !

– C'est bien ce que je dis : c'est de ma faute parce que j'aurais dû être à ses côtés.

De sa cuillère, Pierre agitait son café sans le boire.

– Mais tu ne pouvais pas ; papa t'avait demandé de chercher une réponse au mystère des coquillages.

– J'avais dit que je chercherais dans *L'Almanach du peuple*. Je me suis attardé dans mes livres scolaires.

– Mais ce n'est pas par négligence que tu t'es attardé, c'est par dévouement. Et dès que tu as trouvé la réponse, tu es parti en vitesse.

– N'empêche que si j'avais été à ses côtés, le taureau n'aurait pas attaqué.

– Tu ne peux pas dire ça, trancha Réjeanne. Un animal de cette taille, quand il est enragé, ça n'a peur de rien. Il aurait peut-être fait deux victimes au lieu d'une.

Pierre resta pensif un moment. Il n'avait pas considéré le drame sous cet angle.

– Je ne voudrais pas lui faire de reproches, mais notre père aurait dû se méfier de ce bœuf, continua Réjeanne. Timoune est un nouveau venu dans le troupeau et Dieu sait comment il a été traité sur la ferme où il est né.

Réjeanne comprenait maintenant pourquoi Pierre avait perdu l'appétit. Il avait des remords. Sans raison, selon elle. Le jeune homme se sentit partiellement libéré.

– Notre père a toujours été trop bon pour ses animaux. Il les traitait comme ses enfants. Ce n'est pas tout le monde qui fait ça.

Il revoyait la scène en pensée.

– N'empêche qu'il va falloir abattre cet animal. On le vendra pour la boucherie. Nous ne pouvons pas le vendre pour la reproduction ; si un autre accident semblable se produisait, nous serions blâmés.

Réjeanne sentit que le regard de Pierre se tournait vers l'avenir. Son moral prenait du mieux, lui sembla-t-il. Il fallait maintenant le faire avancer d'un pas, le remettre en marche.

– Le temps semble se détériorer, constata l'aînée en regardant dehors.

– Le vent souffle maintenant franc est : le pire s'en vient.

– Simon pourrait t'aider.

– Non, ce n'est pas vraiment nécessaire. Laissons-le dormir encore.

Pierre mit ses bottes et Réjeanne, étonnée, le vit enfiler machinalement le ciré de son père. C'était un grand manteau de toile brun-vert imperméabilisée à l'huile de lin. Il était, bien sûr, trop grand pour l'étudiant, trop large des épaules surtout. En sortant, le jeune homme releva le large col de l'imperméable et partit à longues enjambées à travers les champs. Réjeanne le regarda aller, puis, entendant du remue-ménage à l'étage, elle retourna à ses casseroles. Dans un grand bol en bois, elle battit des œufs frais auxquels elle ajouta de la farine, du lait, du sel et un peu de sucre vanillé.

De là-haut, Anne-Marie comprit que Réjeanne préparait des crêpes et descendit. Simon aussi se réveilla. Bientôt le glissement à peine perceptible de ses chaussons de feutre se fit entendre dans l'escalier.

– Je viens t'aider, lança Anne-Marie.

– Pas la peine; ma pâte est prête.

Le cadet et la cadette déjeunèrent de plusieurs crêpes auxquelles ils ajoutèrent quelques tranches de viande froide.

«Avec un repas semblable dans le corps, ces jeunes gens vont déborder d'énergie, pensa Réjeanne. Il faut les occuper.»

Elle évalua la situation. La pluie semblait prise pour la journée. Pas question de défricher par un temps pareil. «Qu'est-ce qu'ils pourraient bien faire d'utile?» se demanda-t-elle. Soudain, elle trouva.

Elle alla frapper à la porte d'Antoine, entra d'autorité dans sa chambre et secoua l'adolescent.

– Antoine, mon beau, réveille-toi. On a besoin de toi.

La grande sœur jaugea le gringalet du coin de l'œil. Antoine n'était plus un enfant et pas encore un homme. Étant le dernier des enfants Bouffard, il formait pratiquement une deuxième génération à lui seul tellement ses préoccupations étaient différentes de celles des autres.

Antoine avait émis peu de commentaires à la suite de la mort de son père. Il s'était replié sur lui-même et s'esquivait autant que possible, passant le plus clair de son temps dans un petit atelier en appentis de l'étable, qu'on appelait la chambre à outils, où il taillait sans relâche de petits voiliers de bois.

– Tu sembles supporter assez bien ton deuil.

– Papa me manque beaucoup, mais, comme il n'aimait pas les bateaux, il ne s'intéressait pas beaucoup à ce que je faisais. Il aurait préféré que je participe davantage aux travaux de la ferme, comme Anne-Marie et Simon.

– Tu aimes vraiment les bateaux?

– Je ne pense qu'à ça.

– Tu es resté à la maison cette semaine, à cause des funérailles, mais lundi tu devras retourner à l'école. Il te faut terminer ton année scolaire avec succès pour aller au petit séminaire ou à l'école de métiers l'automne prochain.

– Je ne veux pas faire de longues études comme Pierre et toi. Je veux rester à la maison, comme Simon et Anne-Marie.

– Eux, ils aiment le travail de la ferme; pas toi. Alors, il te faudra retourner à l'école. Mais seulement lundi. Aujourd'hui, nous allons chauler l'étable; tu actionneras la pompe.

Réjeanne s'était rappelé que Cyrille aseptisait l'étable chaque printemps. Il diluait de la chaux dans un grand baril d'eau et, à l'aide d'une pompe manuelle et d'un gicleur, en badigeonnait tous les murs intérieurs.

Son père choisissait pour ce faire une journée où il était impossible de travailler aux champs, de façon à ne pas perdre de temps. Aujourd'hui, jour de pluie, c'était le moment tout désigné. Quand Pierre eut ramené les vaches, Réjeanne lui demanda son avis.

– C'était comment aux champs?

– Pire encore que ce qu'on voit de la maison : c'est vraiment les mers de mai. Le niveau du Petit Bras est plus haut qu'à la débâcle et il pleut encore à boire debout; la situation va empirer. En chemin, j'ai trouvé un autre problème : la pluie et l'inondation sont en train de ruiner nos semences. Les grains sont emportés par l'eau de surface et flottent jusqu'au ruisseau.

Cyrille avait répandu les graines à la volée. Le travail de semence ayant été effectué récemment, elles n'avaient pas encore pris racine et partaient à la dérive.

– Pour le moment, vous ne pouvez rien y faire. Que dirais-tu de désinfecter les bâtiments en attendant que le beau temps revienne?

* * *

La tempête augmentait encore d'intensité. Une pluie blanche volait à l'horizontale et claquait dans les fenêtres. En retournant vers la maison, Réjeanne leva les yeux et entrevit un visage fantomatique qui disparut comme une vision.

Victoire s'était levée, avait enfilé un peignoir et, constatant que la maison était vide, avait regardé dehors. Tout ce qu'elle avait vu était une pluie diluvienne, chassée par le vent. Il lui sembla que le déluge voulait l'atteindre.

Comme l'horizon, l'avenir de Victoire était bouché. Pour la première fois de sa vie, elle ne savait plus où elle allait. Quand elle était enfant, son père lui ouvrait la voie. Ses sœurs aînées l'avaient précédée à travers l'adolescence et la découverte de la vie, et lui avaient servi de modèles. Puis Cyrille était survenu. Aujourd'hui, comme elle se retrouvait seule, elle prenait conscience qu'elle ne savait pas se battre contre le destin parce qu'elle n'avait jamais eu à le faire. Elle se sentait totalement impuissante.

Elle retournait se coucher quand elle vit Réjeanne venir. La seule apparition de sa fille la réconforta.

Réjeanne. Sa plus vieille. Si dévouée, si prévenante. Réjeanne, c'était la planche de salut à laquelle elle s'accrochait au milieu du naufrage. Auparavant, elle comptait sur Cyrille ; désormais, elle compterait sur Réjeanne.

Victoire quitta son poste d'observation et, rassurée par le retour de son aînée, se remit au lit avant même que cette dernière ne passe la porte. Elle attendit la visite de Réjeanne comme une vieille femme attend la visite de sa fille unique. Elle ne fut pas déçue. Réjeanne prépara une tisane et vint s'asseoir près de sa couche.

– Comment allez-vous aujourd'hui ?

– Comme hier. Je me sens bien faible.

– Prenez, ça vous remontera.

– Du thé ?

– Non. Une infusion de fleurs de tilleul. Ça détend et ça revigore. Il faut refaire vos forces. Nous avons besoin de vous.

Réjeanne n'aspirait pas à mener la ferme ni la famille. Il fallait que sa mère se reprenne en main. Elle eut une lueur d'espoir quand Victoire demanda :

– Comment ça va à la grange ?

– Tout est correct. Nous allons désinfecter les bâtiments aujourd'hui.

Cette décision sembla rassurer Victoire.

Réjeanne parla de l'inondation, des taures menacées, des semences qui seraient probablement perdues.

– Maman, comment allons-nous vivre maintenant que papa n'est plus là?

– Je ne sais pas, répondit sa mère d'une voix brisée.

– Vous avez bien dû y penser?

– J'ai trop de peine pour penser.

– Il faudra qu'on fasse quelque chose, maman. Pierre va retourner au petit séminaire dimanche; il a déjà perdu deux semaines de cours. Une semaine le printemps, pour aider papa, ça allait, mais deux semaines, c'est grave. Ça peut compromettre son année scolaire.

– Il reste Simon.

Réjeanne constata que Victoire ne cherchait pas une solution, mais qu'elle atermoyait.

– Maman, Simon est un bon travailleur, il aime les animaux, mais à dix-neuf ans, il est trop jeune pour mener une ferme de la taille de la nôtre, vous le savez bien.

Victoire demeura silencieuse un long moment. Finalement, elle dit à son aînée :

– Pense à ce qu'on pourrait faire. Je vais y penser aussi.

– Je ne cesse pas d'y penser, maman.

– Le bon Dieu va nous aider.

– Sans doute, maman, mais encore faut-il que nous fassions notre part.

– Tu es l'aînée; je compte sur toi.

Depuis deux jours, Réjeanne s'interrogeait sur son avenir. Elle se demandait quel était son devoir dans les circonstances. Devant l'attitude de sa mère, elle perdait l'espoir que Victoire prenne la ferme en main, dirige les travaux, planifie la production, règle les problèmes. La jeune fille en vint à la conclusion qu'il faudrait vendre la terre. Chacun devrait assumer sa survie. Elle la première, puisqu'elle était l'aînée.

– Je vais prier pour nous autres, ajouta sa mère.

Réjeanne vit dans cette promesse une fuite et, cette fois, cela l'irrita.

– Et moi, je vais préparer le dîner et boulanger, déclara-t-elle fermement.

* * *

Du pain. Comme Réjeanne retournait à la cuisine, une image refit surface dans son esprit. C'était à la fête de Mai. Philémon Poirier, un maçon, s'était lancé dans une explication détaillée sur l'art de fabriquer des fours à pain. Or, Réjeanne avait surpris Cyprien Lanoue, l'ébéniste, à écouter Philémon comme s'il eût été un oracle. «Pour quelle raison un célibataire de vingt-huit ans peut-il s'intéresser à ce sujet?» s'était-elle instinctivement demandé. Mais soudain Cyprien s'était senti épié et s'était éclipsé.

Un four à pain. Les Bouffard n'en avaient pas. Cyrille n'avait jamais eu le temps d'en construire un et n'avait jamais pris le temps de s'informer sur la façon de procéder. Victoire puis Réjeanne avaient toujours cuit le pain au poêle à bois, même si le résultat n'était pas comparable à celui obtenu avec un vrai four de glaise. Réjeanne se dit qu'elle aimerait bien en posséder un.

* * *

Le lendemain matin, vendredi, Pierre sortit le premier. La pluie avait finalement cessé dans la nuit. La flèche de la girouette pointait vers le nord, ce qui, dans la région, était signe de beau temps, mais aussi de froid. «N'empêche qu'un peu de temps froid et sec essorerait la terre, pensa-t-il, et ne ferait pas de tort aux arbres fruitiers, les pruniers n'étant pas encore en fleurs.»

Pierre était très attaché à ces arbres fruitiers. Ses grands-parents avaient apporté les fameux pruniers de l'île d'Orléans, qui donnaient des fruits de petite taille mais charnus et sucrés.

Pendant que Réjeanne réfléchissait à l'avenir en s'occupant de la maison et de leur mère, Pierre, ses frères et sa sœur se mirent au travail avec pour objectif de terminer l'entreprise avant le train du soir. Comme chacun connaissait bien sa tâche, on procédait en silence. Mais, à un moment donné, Simon se rendit compte que leur sœur mêlait des larmes à ses sueurs.

– Je comprends que tu aies de la peine, Anne-Marie, mais cesse de pleurer. Sinon, on va se mettre à brailler nous aussi, lui dit Simon en la prenant affectueusement par les épaules.

Les trois frères l'entourèrent. Eux aussi avaient le cœur gros.

– Qu'est-ce qu'on va devenir? Est-ce qu'on va vendre la terre et partir pour la ville? Toi, Pierre, tu vas retourner au petit séminaire dimanche?

– Je ne partirai pas tant que les problèmes urgents ne seront pas réglés.

L'aîné venait de reporter l'échéance de son départ, ce qui soulagea les autres. Tous quatre discutèrent longuement de l'avenir, puis se remirent au travail, chacun imaginant pour soi ce que serait la vie loin de la ferme.

Pierre ne put se rendre aux champs que le samedi après-midi, la désinfection ayant pris plus de temps qu'il n'avait prévu; il avait fallu l'étendre à la bergerie puisqu'elle faisait partie intégrante de l'étable.

Le beau temps était revenu mais ce que vit le jeune homme frisait la catastrophe : les semences étaient parties à l'eau. Il trouva les graines à demi germées dans les fossés et partout le long du Petit Bras. Une partie avait dérivé dans les petites dépressions du terrain et y aurait pris racine si elle n'avait attiré une nuée de pilets qui faisaient bombance. Pas le choix, il fallait semer de nouveau.

Quand le fils aîné revint à la maison, Simon et Anne-Marie étaient partis au magasin général, Antoine taillait des pièces de bois dans l'atelier et Réjeanne préparait des gâteaux pour le dimanche.

Dès qu'elle vit rentrer son frère, l'aînée secoua la farine de son tablier et lui offrit du thé.

– Notre mère est-elle dans sa chambre ? s'enquit-il.
– Non. Je l'ai enfin convaincue de sortir un peu. Elle est partie chez maman Rose. L'air frais lui fera du bien.
– Je suis content qu'elle ne soit pas là.
– Ils sont comment, les champs ensemencés ? s'inquiéta Réjeanne.
– Détruits.
– Quel malheur !
– Réjeanne, je ne peux pas partir. Je ne peux pas retourner au petit séminaire tout de suite.
– Ton année scolaire va être ruinée, comme nos champs.
– Une année d'études, c'est comme un champ dévasté : ça se reprend, dit très sérieusement le séminariste.
– Tu n'y penses pas !
– J'ai bien réfléchi. Je n'ai fait que ça toute la semaine. Je ne peux pas partir tant que nos problèmes ne seront pas réglés. Ça prendra le temps qu'il faudra. Comme, de toute façon, je n'avais pas encore arrêté mon choix de carrière ou de vocation, ça me donnera plus de temps pour y penser. Quant à la ferme, on ne pourra pas la vendre si les champs sont abandonnés, ou alors nous devrons la sacrifier à vil prix.
– Ça prendra combien de temps ?
– Le temps que la terre sèche et se réchauffe.
– Une semaine ?
– Quatre ou cinq jours de soleil au moins avant qu'on puisse herser de nouveau. Il faut briser la surface du sol car il durcira en séchant.
– Une semaine de perdue, donc, constata Réjeanne.
– Pas perdue. Ça me donnera le temps d'aller acheter des semences à Saint-Michel et de régler d'autres problèmes.
– Quels problèmes ?
– Timoune et les bœufs de joug.
– Les bœufs de travail ne sont pas dangereux.
C'était la pertinence de les garder que Pierre remettait en cause.
– Il me semble évident qu'on va cesser de faire de la terre neuve ; de toute façon, notre père avait pratiquement défriché

toute sa terre. Les bœufs de joug, c'était pour déraciner les souches ; on n'en aura plus besoin. Plusieurs cultivateurs voudront les acheter.

– La Grand'Cornes !

Jetant par hasard un coup d'œil à la fenêtre de l'est, Réjeanne avait vu une vache dans le champ de trèfle. Elle se précipita à la fenêtre. Pierre la suivit.

– Cette vilaine vache a sauté la clôture et la voilà dans le foin neuf, gémit l'aînée.

En effet, la Grand'Cornes, surnommée ainsi à cause de son appendice frontal particulièrement développé, traversait à grands pas le champ de trèfle en beuglant. Elle avait réussi à jeter quelques perches de clôture par terre et à enjamber les autres.

– Ma foi, cette vache est en chaleur, jugea Pierre. Regarde, elle beugle mais ne goûte même pas à l'herbe.

– C'est bien vrai. Elle vient directement vers l'étable.

– Bon, il faut lui trouver un taureau. Je vais aller l'enfermer.

Pierre sauta dans ses bottes et sortit rapidement pendant que Réjeanne versait des raisins secs dans sa pâte à gâteau. Il ouvrit la barrière qui protégeait le champ de trèfle rouge et cria à Antoine, toujours dans l'atelier, de venir lui prêter assistance. Quelques minutes plus tard, la vache, bonne laitière mais de caractère fantasque, passait la porte de l'étable.

Les garçons dirigèrent la Grand'Cornes vers une stalle vide. La vache ne fut pas aussitôt entrée dans l'étable que Timoune réagit. Son agitation rappela à Pierre la raison pour laquelle son père avait choisi ce taureau.

– Pourquoi emprunter un taureau au voisin quand nous en avons un ici ? considéra tout haut le jeune homme.

– S'il n'était pas aussi dangereux..., fit remarquer son jeune frère.

Entendant Timoune s'agiter, la vache se mit à vagir, ce qui excita encore plus le mâle.

– Antoine, j'ai une idée. Monte dans la grange et poste-toi près de la trappe à foin.

L'adolescent obéit en se demandant bien où son aîné voulait en venir.

Ce dernier ouvrit la stalle de la vache, puis attacha une longue corde à la clenche de la porte de la stalle du bœuf et il la tendit au benjamin.

– Attends-moi, je monte te rejoindre.

Quelques instants plus tard, il était près de son jeune frère. Ce dernier comprit le stratagème quand il vit l'autre tirer la corde et ouvrir en toute sécurité la stalle du reproducteur.

– Voyons ce qui va arriver, dit l'aîné.

Timoune n'hésita pas un instant. Déjà émoustillé, il sortit de sa prison et se dirigea droit vers la femelle. Il en fit une fois le tour, huma son utérus de ses narines retroussées, puis la monta sans plus de préambules.

La copulation terminée, les deux animaux restèrent ensemble plusieurs minutes, mais les observateurs notèrent que la vache montrait finalement des signes d'impatience. Elle voulut retourner au clos mais se buta à la porte fermée.

Pierre sortit alors de la grange par la porte des charrettes, contourna l'étable et vint entrouvrir la porte de sortie par l'extérieur. La Grand'Cornes s'engouffra dans l'espace étroit et Pierre referma vivement la porte derrière elle. Apparemment satisfait, Timoune ne voulut pas la suivre. Il retourna à sa stalle et but de l'eau bruyamment. De là-haut, Antoine vit alors Pierre saisir une longue gaule dont Cyrille avait voulu faire un drapeau, la passer par une fenêtre ouverte et refermer la stalle du taureau.

– Le tour est joué! s'exclama-t-il, tout ébahi par l'astucieuse démarche de son aîné.

Pierre commençait à maîtriser la crainte que lui inspirait cet animal. «Au fond, se dit-il, il suffirait de construire une stalle fermée adjacente à celle du taureau pour régler le problème de la sécurité. Une deuxième stalle, qu'on pourrait ouvrir sur la première à l'aide d'une solide barrière coulissante qui serait actionnée de l'extérieur. Quand une vache ou une taure serait en chaleur, on n'aurait qu'à l'enfermer dans la seconde stalle et à glisser la barrière pour laisser le taureau la féconder en toute sécurité. »

6

ON COMMENÇAIT à peine à oublier un peu le départ de Cyrille lorsque son souvenir fut ramené à l'occasion d'un rituel anodin : qui s'assoirait à la place du père?

Cyrille s'assoyait toujours à l'extrémité de la table familiale, face à la porte principale. De cette façon, il pouvait voir arriver tout visiteur. Les jours de semaine, les rares fois où leur père était absent, les enfants se disputaient sa place. Maintenant, personne ne voulait occuper sa chaise.

Victoire refusa net, alléguant qu'elle avait sa place à elle depuis vingt-trois ans et qu'elle ne déménagerait pas. On offrit cette chaise à Réjeanne, l'aînée, qui refusa également, sous prétexte qu'elle préférait garder sa place habituelle, vis-à-vis le poêle, pour faciliter le service. Ce sont les trois plus jeunes qui décidèrent : Pierre occuperait la chaise de son père aussi longtemps qu'il serait parmi eux.

Car, au fond, c'était là le véritable enjeu : combien de temps Pierre resterait-il à la maison?

* * *

Réjeanne et sa mère commandèrent par la poste un monument funéraire à un fournisseur de Québec et passèrent les trois jours suivants à écrire des lettres de remerciement aux nombreuses personnes qui leur avaient témoigné de la sympathie. C'était une tâche considérable, qu'elles se partagèrent, Victoire adressant un mot personnel aux plus âgés et Réjeanne remerciant les plus jeunes selon une formule stéréotypée.

Pourtant, lorsque vint le nom de Cyprien Lanoue, Réjeanne se sentit mal à l'aise de lui adresser les mêmes banalités qu'elle envoyait à tous. Avant de refermer l'enveloppe, elle ajouta : « Aux obsèques, vous nous avez offert votre support moral. Si vous n'avez rien à faire dimanche en 11, vous pourriez dîner avec nous. Ça nous ferait plaisir de vous recevoir. » Et elle posa un point d'encre à l'endroit prévu pour le timbre, afin de pouvoir retrouver cette enveloppe parmi les autres si jamais elle changeait d'idée. Après tout, cette démarche lui paraissait assez osée.

Quand elle se rendit au village, tôt le jeudi matin, pour porter la crème, acheter les timbres requis et poster une pleine boîte à beurre de lettres de remerciement, Réjeanne constata qu'il y régnait une activité fébrile malgré l'heure matinale. Il y avait seulement dix jours qu'elle n'était sortie de chez elle et déjà un grand changement s'était opéré dans la place. Des ouvriers allaient et venaient, on entendait des scies et des marteaux, des maçons érigeaient une fondation de pierres au sommet de la côte de Roches.

Au magasin général, où le bureau de poste occupait un coin, Réjeanne rencontra son ancienne institutrice, Délina Tremblay, qui venait prendre son courrier en se rendant à l'école. Délina s'attardait au milieu d'une allée, toute prise par la lecture d'un titre de *L'Événement.*

– Regarde, Réjeanne, les journaux parlent de nous ! s'exclama-t-elle, toute fière.

– C'est bien trop vrai, répondit cette dernière en lisant par-dessus l'épaule de son amie. Rivière-Boyer fait le gros titre !

La nouvelle de l'implantation d'une usine à Rivière-Boyer avait ameuté la presse. Le quotidien reproduisait le sourire vainqueur du maire suppléant, Anthime Leblond. Réjeanne eut un pincement au cœur.

Elle apprit en lisant l'article qu'on construisait une auberge en prévision de l'arrivée des ingénieurs suédois. L'aubergiste, venu de Lévis où il avait précipitamment vendu son hôtel, déclarait que, de chez lui, les industriels pourraient voir à la fois leur barrage et leur usine. Il se hâtait afin que les chambres soient prêtes à leur arrivée, ce qui leur ôterait l'envie de loger à Saint-Michel ou à Saint-Vallier. Et, en érigeant son auberge entre le village et la centrale, il recevrait l'électricité le premier, estimait-il.

– C'est un fin renard, conclurent les deux femmes.

Sur ce, Délina salua son ancienne élève et se hâta vers l'école.

En jetant ses lettres à la poste, Réjeanne retourna une dernière fois entre ses mains l'enveloppe au point bleu. N'était-ce pas déplacé d'inviter ainsi un étranger aussi tôt après la mort de son père ? Sa famille ne s'en formaliserait-elle pas ? Elle n'en avait parlé à personne.

« Ah ! et puis non, je le fais pour tous. Parce que ça leur fera du bien de voir quelqu'un d'aimable et d'intéressant. »

La réponse ne tarda pas. Elle arriva dès le mardi suivant sous la forme d'une lettre de trois mots. Oui, il viendrait dimanche en 11.

Quand ils rentrèrent le samedi pour le repas du soir, les jeunes Bouffard trouvèrent la maison resplendissante de propreté et remplie de tous les parfums que peut répandre une bonne cuisine.

– Nous aurons de la visite demain. Cyprien Lanoue vient dîner avec nous, annonça l'aînée.

– L'ébéniste ? demanda Simon, étonné.

– Lui-même.

– Il vient voir l'aubergiste pour lui offrir ses services ?

Réjeanne, qui n'avait pas pensé à ce prétexte, saisit la balle au vol.

– Probablement. Comme c'est un homme de talent, vous aimerez jaser avec lui. Ça vous changera de vos travaux.

Cette perspective plut à tous.

Cyprien arriva après la grand-messe. Il conduisait une petite jument rouge attelée à un buggy gris rutilant. Simon sortit l'accueillir et l'escorta à l'écurie. Chemin faisant vers la maison, Cyprien entrevit Antoine qui travaillait une pièce de bois à l'atelier et se promit de l'interroger sur ses travaux. Réjeanne vint ouvrir au visiteur.

– Merci, monsieur Lanoue, de venir dîner avec nous, lui dit-elle en prenant son cache-poussière.

– C'est plutôt à moi de vous remercier, mademoiselle. Parce que, voyez-vous, moi aussi j'ai perdu mon père et il me manque beaucoup. Je vais me sentir moins seul avec vous autres.

Réjeanne fut émue. Émue et soulagée. Voilà quelqu'un qui comprenait bien leur peine et qui était heureux de passer un moment avec eux.

Plus intéressant encore qu'elle ne s'y attendait, Cyprien s'avéra un invité charmant. Il s'enquit de la santé de Victoire et de maman Rose. Il rappela avec Médéric les étapes de la décoration de l'église de Rivière-Boyer. À Pierre, qui jonglait parfois avec l'idée du sacerdoce, il décrivit longuement la formidable vague de construction d'églises extraordinaires qui déferlait sur le Québec depuis un demi-siècle; c'était grâce, disait-il, à la maîtrise de matériaux nouveaux tels que le béton armé, à l'importation de vitraux européens et au travail d'artistes d'outre-mer comme Guido Nincheri, le maître incontesté de la fresque. À Anne-Marie, il expliqua comment on applique les feuilles d'or sur les tabernacles et les décorations d'autel, en soulevant les feuilles d'or, plus minces que des feuilles de papier, avec deux pinceaux propres qu'on a passés dans ses cheveux pour créer de l'électricité statique, et en les posant sur une couche de colle fraîche.

L'après-midi était fort entamé lorsque Cyprien remarqua qu'Antoine avait disparu.

– Il est probablement parti à l'atelier, lui dit-on.

Alors, il demanda à lui rendre visite avant de partir. Réjeanne le conduisit.

Le grand garçon était occupé à tailler une pièce de bois sur le long et semblait éprouver de la difficulté.

– Puis-je te donner mon avis, Antoine? demanda l'ébéniste.

– Bien sûr, monsieur.
– Appelle-moi Cyprien, je te prie. Tu veux faire quoi avec cette pièce?
– La coque d'un voilier.
– L'important, quand on taille du bois, c'est de trouver le sens de la fibre.
Et le spécialiste d'expliquer qu'une pièce de bois était comme un arbre : plus grosse par nature à un bout qu'à l'autre.
– N'essaie pas de mettre le gros bout d'une pièce en avant du bateau; tu auras toujours du mal à lui donner la forme que tu recherches et il naviguera de travers. Au lieu de scier ta pièce du long, fends-la d'abord à la hache. Le taillant va suivre le grain du bois et t'en révéler le sens. Ensuite, tu lui donneras sa forme finale avec divers outils de taillage de plus en plus fins : la plane, le rabot, la varlope et le petit guillaume.
Puis il expliqua que, pour faire des bateaux, le cèdre serait mieux que l'épinette : moins noueux, plus léger, plus tendre et plus facile à tailler.
– Si jamais j'en ai l'occasion, je t'aiderai un peu, ajouta-t-il pour terminer.
Puis, se tournant vers son hôtesse :
– Chère Réjeanne, j'ai passé un après midi inoubliable. Les gens m'ont posé toutes sortes de questions. Je n'ai qu'un regret, celui de ne pas avoir eu l'occasion de parler beaucoup avec vous.
– Il faudra que vous me disiez pourquoi vous vous intéressez aux fours à pain, suggéra Réjeanne.
Cyprien rougit, se rappelant avoir été surpris par la jeune fille. Elle n'avait donc pas oublié.
– Je vous expliquerai cela un jour, si vous me le permettez.
– Quand vous voudrez, répondit Réjeanne en baissant les yeux.
– Dimanche prochain?
– On vous attendra, fit-elle en guise d'adieu.

Au souper, on parla beaucoup de Cyprien Lanoue. Sauf, bien sûr, Réjeanne. On ne tarissait pas d'éloges. L'ébéniste s'était intéressé à chacun, avait tenu une conversation captivante sur un ton calme, avait donné mille preuves de son savoir. Le plus impressionné était Antoine. Enfin quelqu'un qui s'intéressait à ses bateaux et savait lui venir en aide! La famille fut ravie quand Réjeanne annonça que Cyprien reviendrait le dimanche suivant.

Maintenant, le beau temps revenait. Le sol se réchauffait rapidement. Il était grand temps de reprendre les semailles. Vers la fin de cette entreprise, Simon constata qu'un des percherons avait un fer lâche. Un examen lui permit de constater que l'état général des sabots des chevaux laissait à désirer.

– La dernière fois qu'ils sont passés chez le maréchal-ferrant, c'était après les labours d'automne, dit-il à Pierre. Depuis, les bêtes ont servi à haler le bois de chauffage, ont travaillé à la cueillette de l'eau d'érable et ont hersé deux fois les champs à ensemenser.

L'aîné vit bien que la corne de leurs pieds avait poussé et que leurs souliers de fer étaient usés.

– Si tu pouvais passer chez Meno demain, après la livraison de la crème…

– Je ferai ça, promit Simon.

En attendant, il souleva la patte du cheval, la coinça entre ses genoux et appliqua sur les clous retenant le fer quelques coups de marteau qui le remirent temporairement en place, puis il les riva sur le sabot. Pierre constata une fois de plus combien son frère était à l'aise avec ces bêtes.

Le lendemain, quand Simon passa à la forge, Roméo Roy était débordé. Plusieurs chevaux attendaient ses soins, attachés à l'écurie commune.

– Simon, tu es bon avec les chevaux; ça ne te tenterait pas de travailler avec moi? lui demanda le forgeron. Les semences sont finies. Il reste quatre ou cinq semaines avant les foins. Faites-vous du défrichage cette année?

– Comme notre père est parti, on n'en fera pas.

– Tu pourrais ferrer avec moi jusqu'à la mi-juillet. Je te paierai cinquante cents par jour, trois piastres par semaine. Puis le samedi on finit un peu plus tôt.

– Je vais en parler à Pierre et je te donnerai une réponse lundi matin.

Le dimanche, Cyprien vint dîner tel que promis. Réjeanne, qui avait tout préparé la veille, demanda à Anne-Marie de faire le service à table. Cette dernière accepta de bon cœur, ce qui ne l'empêcha pas d'observer sa sœur à la dérobée.

Elle nota que Réjeanne avait relevé sa coiffure, ce qui dégageait à demi son cou rosé. Elle avait fait ses ongles, passé une jolie robe fleurie et emprunté un minuscule pendentif en or à sa mère. Elle portait cependant un châle noir en signe de deuil. «Ma sœur semble accorder beaucoup d'importance à cette visite. Se pourrait-il que le beau Cyprien la fasse chavirer?» se demanda-t-elle.

Quand Cyprien arriva, il apportait une grande brassée de fleurs.

– Comme c'est le temps des lilas, j'en ai apporté plus que moins; il y en aura pour toute la famille, précisa-t-il.

Mais, au lieu de partager la gerbe en plusieurs petits bouquets, Réjeanne la cala tout entière dans un grand pot de verre contenant de l'eau fraîche et la posa sur la table du salon, en profitant pour y entraîner Cyprien.

Pour remercier le jeune homme, elle lui offrit l'apéritif, lui demandant de choisir entre un verre de vin de pissenlit et de la limonade. L'ébéniste préféra la limonade et allait entamer la conversation quand Antoine fit irruption dans le salon.

Sans se le dire, Réjeanne et Cyprien pensèrent que l'adolescent avait un instinct très sûr pour arriver au mauvais moment.

– Je viens te montrer mon dernier bateau, dit-il à l'ébéniste avec enthousiasme en exhibant sa création.

– Quel beau voilier tu as là, Antoine!

– Je crois qu'il est assez bien réussi.

– La coque a une forme effilée. Ça promet ! As-tu essayé de le faire voguer ?

– Oui, mais il verse toujours sur le côté, et je ne comprends pas pourquoi.

– C'est parce qu'il n'a pas de lest, constata l'ébéniste en tournant le voilier sens dessus dessous.

– C'est quoi, du lest ?

– Un poids qu'on place au fond d'un voilier pour compenser la pression du vent sur les voiles. Comme le lest doit être lourd mais avoir le moins de volume possible, on utilise généralement du plomb.

– Je cours arranger ça, répliqua le grand enfant.

– À table, les marins ! La soupe est servie.

Promue maîtresse des lieux, Anne-Marie donnait ses ordres. Réjeanne soupira. D'abord, elle n'avait pas pu parler avec son invité ; ensuite, elle se dit qu'elle aurait fait le service avec plus de tact. Mais, au moins, sa sœur était efficace. Se dirigeant vers la cuisine, elle attrapa le benjamin qui tentait de s'échapper par le hangar à bois et le fit passer à table avec tout le monde.

Le repas fut joyeux mais plus expéditif que celui du dimanche précédent. Pierre et Simon voulaient aller pêcher.

– Les pissenlits sont en fleurs, c'est le temps de la truite, lança Simon. Puis le niveau de la rivière s'est rétabli. Viens-tu avec nous, Cyprien ?

– Je ne peux pas ; je n'ai ni bottes, ni équipement, ni vêtements appropriés. Ce sera pour une autre fois.

– On y compte bien, l'assura Pierre.

Réjeanne fut soulagée. Si elle s'était convaincue qu'elle avait invité Cyprien pour divertir sa famille, elle prenait conscience maintenant qu'elle mourait d'envie de connaître davantage ce garçon. Elle voulait qu'il lui parle de sa vie, de son métier, de son avenir. Elle voulait vérifier si elle se sentirait à l'aise en sa seule présence. L'absence prévisible de ses trois frères et l'occupation de sa sœur lui laisseraient la voie libre. Dès que le dessert fut terminé, elle invita de nouveau Cyprien au salon.

On abandonna à Anne-Marie les tâches ménagères. Victoire se retira dans sa chambre et Antoine disparut du côté du hangar. Pierre et Simon montèrent à leur chambre pour mettre des pantalons de toile et de grands chapeaux de paille. La ménagère improvisée, un peu envieuse, les vit passer par la réserve à bois pour y prendre de longues cannes de bambou et une vieille boîte à cigares contenant hameçons et plombs. La veille, Simon avait retourné d'un coup de talon les vieilles bouses du pacage pour ramasser des vers de terre qu'ils utiliseraient comme appâts. Les deux frères partirent en rigolant, heureux comme des gamins. Anne-Marie savait précisément où ils s'en allaient.

* * *

Au cours des siècles, une fosse s'était formée au point de jonction du Petit Bras avec la rivière Boyer. Plusieurs gros saules noirs y retenaient les berges et projetaient sur la fosse une ombre rafraîchissante en plus d'y attirer les insectes. Le courant ayant creusé des trous sous les racines des grands arbres, les truites trouvaient à cet endroit fraîcheur, nourriture et couvert. C'était le meilleur coin de pêche de toute la rivière, même si quelques meuniers noirs, dits carpes rondes, occupaient aussi la cachette.

– Mais où sont donc les plombs? demanda Pierre, contrarié.

Cherchant l'ombrage d'un saule, il s'affairait à préparer sa ligne.

– Encore hier, ils étaient dans la boîte à cigares avec les hameçons, répondit Simon, intrigué.

– Nos appâts vont dériver de façon plus naturelle, fit l'aîné.

– Mais ils ne se rendront pas au fond, là où se cachent les grosses.

– On les lestera avec des petites pierres.

Au mot «lest», Simon réagit.

– C'est ça! Le sacripant d'Antoine a pris nos plombs pour lester ses bateaux!

L'absence des plombs n'empêcha pas Pierre d'avoir la première touche et les deux frères de prendre en succession plusieurs ombles de fontaine, de belles truites mouchetées à la robe rouge sombre relevée de points orange et rose qu'ils glissèrent une à une sur une branche de saule écorcée et couvrirent d'herbes humides afin de les garder fraîches.

Puis, moins nombreuses à cause des prises et rendues plus méfiantes, les truites mordirent moins souvent. Simon s'était allongé sur l'herbe, pensif, et mâchouillait un brin de foin.

– Qu'est-ce que tu dirais si j'allais travailler chez Meno Roy ? demanda-t-il soudain à Pierre comme si cette idée venait de traverser son esprit.

Pierre se retourna si vivement que cela lui fit échapper un meunier qui tétait son ver.

– Toi forgeron ? s'étonna-t-il.

– Tu sais que j'aime les chevaux.

Pierre comprit soudain que l'invitation de Simon à la pêche n'était pas fortuite. Il conclut, au soin qu'il avait mis à préparer la conversation, que sa décision était prise. Son jeune frère n'avait jamais, jusqu'ici, parlé de projets d'avenir, si ce n'est à la pause du chaulage. Mais il n'était pas sans y songer, lui aussi. Aujourd'hui, il ne consultait pas son frère aîné, il l'informait. Avec le plus de ménagements possible.

– Tu aurais un patron, le prévint Pierre. Tu n'es pas habitué à ça.

– Je recevrais des gages.

Pierre lut beaucoup de détermination dans le regard de Simon.

– Tu ne préférerais pas la terre ?

– Il faudra bien que je gagne ma vie un jour ou l'autre et Meno m'offre du travail. J'aime bien la terre, mais je suis trop jeune pour l'acheter. Tu pourrais la prendre, toi ?

– Il y a d'autres façons de gagner sa vie, mais je ne méprise pas celle-là. Sauf que j'aurais aimé faire une carrière, mais je ne sais pas encore laquelle.

– Curé, peut-être ?

La question de Simon n'embarrassa pas son aîné.

– Le soin des âmes m'intéresserait, mais je me rends compte que j'ai à la fois un sens social et un penchant pour les travaux manuels. Il paraît qu'en France il y a des prêtres ouvriers. C'est ce que je pourrais faire, mais notre société n'est pas rendue là.

– Médecin, avocat?

Simon sondait le cœur de son frère.

– Ce sont des métiers pour les gens de la ville, répondit pensivement le séminariste. Je prends conscience, après trois semaines passées à la campagne, que le grand air me manquait au pensionnat. Mais maintenant ce sont mes livres qui commencent à me manquer.

– Alors, retourne au petit séminaire.

– Il est trop tard pour cette année. La révision est déjà en cours et, de toute façon, je raterais mes examens. Je fais mieux de rester ici, de m'occuper de la ferme et de voir si nous aurons des offres intéressantes.

Simon mit fin involontairement à ces confidences.

– Tiens, mon bouchon qui dérive.

Il se leva et mit la main sur sa canne. Le flotteur s'arrêta, puis il se mit à bouger imperceptiblement, mais en remontant le courant, signe qu'un poisson emportait l'appât. Alors, le pêcheur ferra. Le long bambou fit le dos de chat et on crut que la truite sortirait de l'eau comme un poisson volant mais il n'en fut rien. Elle tint hardiment le fond et entraîna même la ligne sous des racines où elle s'emmêla.

Pierre se précipita à la rescousse. Il s'avança dans l'eau jusqu'au haut de ses bottes et, avec le manche de sa canne, fouailla tant et si bien qu'il réussit à dégager le fil. Mais l'ultime manœuvre le fit se pencher un peu trop en avant et ses bottes se remplirent d'eau froide. Quant à la truite, qui n'avait cessé de se débattre, elle avait perdu beaucoup d'énergie et se laissa sortir de l'eau sans trop s'agiter. Elle était énorme.

– Notre repas de ce soir à elle toute seule! s'écria Simon.

– Nous dirons que nous l'avons prise en haut de la rivière, dans les étangs de castors. Autrement, toute la paroisse va venir vider notre trou, suggéra Pierre d'un ton complice.

Les deux frères rentrèrent heureux, Pierre clapotant dans ses bottes, Simon exhibant leurs prises. Au souper, Simon annonça qu'il commencerait à travailler à la forge le lendemain matin à huit heures. Chaque matin, si la traite des vaches était terminée à temps, il porterait la crème à la beurrerie avant son travail, assura-t-il.

– Antoine, Pierre devra désormais compter sur toi. Tu aideras au train avant de partir pour l'école, dit Réjeanne à l'adolescent.

– Ce sera moins pénible pendant les vacances, ajouta Victoire pour le consoler. Il ne reste plus que quelques semaines.

Antoine ne protesta pas. Les jours suivants, il prit comme d'habitude le chemin de l'école après avoir fourré son goûter dans son sac. Un sac contenant d'ailleurs, outre ses livres de classe, des objets hétéroclites, remarqua Réjeanne. Un matin, elle eut l'impression, quand l'adolescent passa sous la fenêtre, qu'une queue de chat en dépassait. Cette vision la fit sourire et elle se promit, à la première occasion, de demander à l'institutrice Délina comment son jeune frère se comportait à l'école.

Ce jour-là, Antoine rentra bien après les heures de classe, au moment où toute la famille achevait son repas du soir.

– Où étais-tu passé, Antoine? demanda-t-elle nonchalamment.

– J'étais à l'école, répondit l'adolescent en esquissant une retraite vers sa chambre.

– Retenu en classe?

– Non. Je jouais avec mes amis.

Antoine dit ne pas avoir de devoirs ce soir-là. Réjeanne en fut étonnée. «À bien y penser, se dit-elle, il y a plusieurs soirs qu'Antoine ne semble pas travailler dans ses livres. Je vais tirer l'affaire au clair.»

Le lendemain, elle demanda à Simon de ne pas attendre la crème car elle irait la porter elle-même en allant prendre à la beurrerie le paiement de mi-mois. Au retour, elle s'arrêta à l'école. Antoine n'y était pas.

– Il n'est pas revenu depuis la mort de ton père, lui apprit Délina. J'ai pensé que votre mère le gardait indéfiniment à la maison pour aider à la ferme. Je n'en ai pas fait de cas parce que c'est pratique courante.

Antoine faisait donc l'école buissonnière. Réjeanne se promit de découvrir à quoi il occupait ses journées. Cet après-midi-là, l'adolescent rentra à l'heure normale.

«Le filou, il ne veut pas qu'on remarque ses fugues», pensa-t-elle.

Mais elle l'attendait de pied ferme.

– Bonjour, Antoine. Viens avec moi à l'atelier. Je veux voir tes bateaux.

Réjeanne ferma la porte derrière elle, ce qui mit la puce à l'oreille du garçon. Il se sentit coincé. Sa sœur se montra pourtant très douce.

– Je suis passée à l'école aujourd'hui. Délina m'a dit que tu n'y es pas retourné depuis la mort de papa. Tu avais trop de peine?

Réjeanne ouvrait une belle porte à l'élève. Il n'aurait eu qu'à dire : «Oui, j'avais de la peine, mais maintenant c'est passé et demain je retournerai en classe», et tout eût été réglé.

– J'ai eu beaucoup de peine pendant les deux premières semaines. Mais depuis que j'ai parlé à Cyprien, à sa première visite, je vais mieux.

– Tu t'es consolé avec tes bateaux, fit l'aînée.

– Je ne monte plus de bateaux, répondit Antoine comme si ce passe-temps eût été ridicule. Je répare la chaloupe de grand-père. Celle avec laquelle il est venu de l'île d'Orléans, dans le temps.

Le visage de l'adolescent s'était éclairé.

– Mais je croyais qu'elle était hors d'usage et qu'il l'avait abandonnée dans les bois au pied de la Première Chute, se souvint Réjeanne, étonnée.

– C'est vrai. Elle était si abîmée que personne ne l'a reprise. Mais j'ai gratté le peu de peinture qui restait, j'ai remplacé un plat-bord, j'ai posé deux tolets neufs, j'ai changé plusieurs planches et je les ai calfatées avec de l'étoupe, révéla Antoine avec enthousiasme.

Réjeanne fut estomaquée. Son jeune frère était tellement épris des bateaux qu'il en avait appris le vocabulaire. «Et l'étoupe, c'était donc ça, la queue de chat qui dépassait de son sac», comprit-elle.

Antoine continuait :

– Il ne me reste plus qu'à la repeindre avant de la mettre à l'eau. Mais là, j'ai un problème : il n'y a plus de peinture dans l'atelier et je n'ai plus d'argent pour en acheter.

– Nous allons faire un marché, lui offrit-elle, compréhensive. Il ne reste plus que dix jours avant la fin de l'année scolaire, dont quatre jours de congé : tu retournes à l'école et je t'achète la peinture pour ton bateau. Tu l'appliqueras en fin de semaine, elle séchera pendant la semaine, et le 23, au début des vacances d'été, ta barque sera prête. Tu pourras naviguer à la Saint-Jean-Baptiste.

Sa conscience soulagée, Antoine accepta le marché avec enthousiasme.

– Mais, au fait, avec quel argent as-tu payé les tolets?

– J'ai vendu mes billes.

* * *

– Maintenant que nous nous connaissons mieux, Cyprien, racontez-moi comment vous en êtes venu à vous intéresser aux fours. Vous voulez apprendre à faire du pain?

Cyprien était revenu tous les dimanches et Réjeanne le connaissait mieux. Il lui avait raconté sa vie. Il était l'unique fils d'une famille de trois enfants. Ses deux sœurs, plus âgées, avaient marié des petits marchands de Saint-Michel. Son père avait été capitaine au long cours mais son bateau s'était perdu corps et biens. Comme la dernière lettre qu'il avait adressée à sa femme avait été postée à Saint-Pierre-et-Miquelon, la compagnie d'assurances en conclut qu'il avait été une des nombreuses victimes des tempêtes ou des icebergs de l'Atlantique Nord.

À la mort de son père, Cyprien avait douze ans. Il en avait éprouvé un grand choc : c'avait été la fin de son enfance, se rappelait-il. Son père était le héros de ses rêves d'aventures. Il ne le voyait pas souvent en chair et en os, mais l'imaginait sans cesse en train d'affronter en mer des tempêtes gigantesques ou de visiter des villes exotiques dans des pays inconnus. Après sa mort, l'enfant, fasciné par les bateaux, s'était mis à tailler des pièces de bois, à sculpter des coques, à bâtir des voiliers miniatures dans le but, un jour, d'aller lui aussi en mer. Mais quand il avait pris le large à dix-sept ans, un obstacle imprévisible s'était dressé sur la route de sa carrière maritime : il était affecté d'un insurmontable mal de mer.

Il avait alors voulu travailler à la construction des bateaux mais, à ce moment précis, les chantiers maritimes n'engageaient personne. Par contre, la construction des églises battait son plein et, grâce à la connaissance du travail du bois qu'il avait déjà acquise, on l'avait embauché immédiatement. Mais Cyprien avait rencontré là encore un obstacle comparable au mal de mer : il avait le mal des hauteurs, le vertige. Découragé, il allait sombrer dans le désespoir quand quelqu'un lui avait suggéré de travailler à la confection de mobilier d'église.

C'est dans ce travail que Cyprien avait, avec un immense soulagement, disait-il, trouvé sa voie. La construction des autels, des fonts baptismaux, des tabernacles, des retables, des chaires et des baldaquins requérait de la dextérité, un sens artistique sûr et un soin infini, autant de qualités qui étaient l'apanage du jeune homme. Mais la construction des églises exigeait qu'un ouvrier spécialisé voyage. Il n'avait pas eu à s'expatrier bien loin : toute la région des Bois-Francs était en plein développement. Il avait appris son métier d'ébéniste en travaillant pendant quelques années avec plusieurs constructeurs dans les régions de Nicolet, de Québec et de la Beauce.

Depuis quelques années, il travaillait de plus en plus à son compte, préparant des commandes, comme il avait fait pour l'église de Rivière-Boyer, quand il n'était pas appelé à l'extérieur. Même s'il se trouvait à l'étroit dans son petit local, l'ébéniste avait de moins en moins le goût de voyager.

– Je ne m'intéresse pas à la fabrication du pain mais à la construction des fours !

Puis, voyant que Cyprien n'élaborait pas, Réjeanne proposa :

– Venez voir nos pruniers avant que leur floraison ne se termine.

Son invité accepta avec empressement et, en chemin, se perdit en considérations sur la beauté de ce début d'été.

Réjeanne écoutait Cyprien avec non seulement un intérêt toujours renouvelé mais aussi un immense plaisir. Maintenant, elle pensait constamment à lui et attendait chaque fois sa visite avec hâte. La seule présence de cet homme l'apaisait, la rassurait. Cyprien était un homme calme, posé, attentif et prévenant.

La jeune femme voyait que le regard de son nouvel ami, scrutateur lors de leurs premières rencontres, était devenu caressant. Le jeune homme la contemplait tendrement, observant chacun de ses traits avec la complaisance du peintre, et semblait en graver chaque détail dans sa mémoire.

Aujourd'hui, par ce jour si doux de début juillet, Cyprien comprit que la présence de Réjeanne lui devenait indispensable. Comme les fleurs des pruniers sous lesquels ils étaient assis, son amour s'était épanoui, les derniers pétales de son rêve tombaient et un jeune fruit se formait déjà : il aimait Réjeanne et se voyait vivre avec elle. Il lui tendit la main.

La jeune fille resta un moment interdite : c'était la première fois que Cyprien posait ce geste. Mais elle prit en frémissant cette main grande et fine, tellement différente de celles de ses frères, une main d'artiste qui vibrait comme un violon.

– Réjeanne, en mai, je m'intéressais à la construction des fours à pain en tant que technique peu commune, parce qu'elle nécessite des matériaux spéciaux et une certaine dextérité, un peu comme mon métier. Mais aujourd'hui c'est différent. Je pense à construire une maison, avec une cheminée, un four à pain intégré et un atelier tout à côté.

Sentant son émotion l'assaillir, Cyprien fit une pause pour la maîtriser mais sans succès. Presque malgré lui, il continua :

– Comme je l'imagine, cette maison serait pour nous deux…

La jeune femme fut prise de vertige. Elle sentit sa gorge sèche. Dans son cerveau, les mots s'entrechoquaient : «Cette maison serait pour nous deux.» C'était une demande en mariage. Bien sûr, elle avait considéré cette possibilité, elle en avait même rêvé. Mais elle ne l'espérait pas encore et ne s'y attendait surtout pas aujourd'hui. Sa surprise était totale. Sidérée, elle semblait ne pas avoir compris.

– Réjeanne, accepteriez-vous de m'épouser?

Cyprien revenait à la charge.

Réjeanne leva vers lui ses beaux yeux ébahis. Elle saisit en tremblant les deux mains de l'ébéniste et les serra à les briser.

– Vous comprendrez mon émotion, cher Cyprien. C'est le deuxième grand choc que je reçois en deux mois. M'en voudrez-vous si je vous demande un temps de réflexion? Je dois considérer les besoins de ma famille.

– Ma demande est peut-être prématurée, répondit l'amoureux, compréhensif. Mais si cela peut alléger vos appréhensions, je pense à construire cette maison ici même, à Rivière-Boyer.

– Comme vous êtes bon et prévenant, Cyprien!

– Je vous aime, Réjeanne, et je veux que vous soyez ma femme, fit-il, lui-même surpris de sa détermination.

* * *

Pendant la semaine, Réjeanne retourna la situation mille fois dans sa tête. Elle estimait que son devoir était de quitter la maison. La ferme serait bientôt vendue, les offres commençaient à arriver maintenant que les récoltes promettaient. Simon s'était trouvé un emploi, Pierre retournerait aux études dès que possible, Antoine irait dans un pensionnat quelque part. Anne-Marie trouverait un emploi en attendant de se marier. Victoire s'établirait probablement au village et vivrait de la vente de la ferme.

Cette demande en mariage arrivait à point nommé et Réjeanne se sentit transportée de joie. Pendant sept jours, elle se retint d'en parler à sa famille, mais, le dimanche matin, elle prit Anne-Marie à part et lui demanda de la remplacer encore une fois pour le service du dîner.

– Ça devient une habitude ! Qu'est-ce qui t'arrive aujourd'hui ? Tu attends la grande demande ?

– Peut-être, laissa tomber son aînée d'une voix mal assurée.

Anne-Marie, qui avait posé cette question à la blague, resta interloquée. L'assiduité de Cyprien lui indiquait bien qu'une idylle était en train de naître entre sa sœur et lui, mais elle n'avait pas prévu un dénouement aussi rapide. Tout à coup, elle prenait conscience de ce que cela pourrait représenter pour elle.

– Tu ne vas pas nous quitter ?

– Pas tout à fait. Nous allons nous établir à Rivière-Boyer.

– Et c'est tout décidé ? fit la cadette, de plus en plus étonnée.

– Ça le sera aujourd'hui.

Puis un doute traversa l'esprit de Réjeanne.

– Si Cyprien n'a pas changé d'idée.

Elle le chassa aussitôt :

– Mais je lui fais confiance. Je te demande de garder le secret absolu jusqu'à ce qu'il aborde le sujet.

Anne-Marie comprit l'importance de l'enjeu et promit de tenir sa langue.

Cyprien avait l'habitude de venir chez les Bouffard après la grand-messe du dimanche. Cette fois, ils eurent la surprise de le voir arriver avant. Il apportait des fleurs, un superbe bouquet de pivoines. «Dieu merci, je suis toute prête», se dit la jeune femme.

– J'ai voulu vous réserver une petite surprise, Réjeanne. Acceptez-vous que je vous conduise à la messe?

– Avec le plus grand plaisir, cher Cyprien.

Cette dérogation aux habitudes établies sema des doutes chez les garçons, qui en parlèrent à Anne-Marie.

– Je ne sais rien, assura-t-elle. Tout ce que je peux vous dire, c'est que notre sœur m'a demandé de faire le service à midi.

Les frères échangèrent des œillades moqueuses.

Rien ne laissait prévoir l'intervention de Cyprien quand, après le dessert, il s'adressa à Victoire :

– Vous savez toute l'estime que j'éprouve pour Réjeanne. J'ai l'honneur, madame, de vous demander sa main.

Victoire défaillit. Pierre et Simon la soutinrent.

– Mon Dieu! Mon Dieu! Mais vous n'y pensez pas, monsieur Cyprien.

– Mieux que ça! Je pense aussi à m'établir ici, à Rivière-Boyer.

– Doux Jésus! Après mon mari, je vais perdre ma plus vieille.

Réjeanne se précipita pour soutenir sa mère. Elle entoura la petite femme de ses grands bras chaleureux et appuya sa tête sur sa poitrine.

– Mais non, maman. Je vais vous voir souvent.

– Comme ça, tu es d'accord?

– Maman, vous connaissez Cyprien aussi bien que moi. Vous savez que c'est un bon parti. Vous avez bien dû vous dire, à un moment donné, qu'il pouvait arriver que je me marie!

Victoire lut une grande joie dans les yeux de sa fille, une joie qui lui rappela la sienne quand Cyrille lui avait demandé de l'épouser. Cela la consola.

– Il faudra que je m'y fasse, je suppose, dit-elle avec résignation.

Victoire épongea ses larmes, et la famille fut soulagée. Un seul demeura silencieux : Médéric. Il était songeur mais, dans l'émotion du moment, seul Pierre le remarqua.

– Eh bien, monsieur Cyprien, d'abord que c'est comme ça...

Victoire ne compléta pas sa pensée mais on conclut qu'elle donnait son accord puisqu'elle ajouta :

– Et quand comptez-vous vous marier?

– Je n'en ai pas encore parlé avec Réjeanne, mais j'aimerais que ce soit à l'automne. Afin que je puisse commencer à bâtir la maison avant les neiges.

La surprise passée, tout le monde, sauf l'aïeul, se mit à parler en même temps. Enfin un événement heureux! On ferait une grande noce. Mais non! on était en deuil. On ferait une corvée, alors, pour bâtir la maison de Cyprien, et toute la paroisse participerait à l'événement. On n'aurait pas trop de temps, même en commençant tout de suite. Et où la bâtirait-on, cette maison? On n'avait pas encore pensé à ça. Puis Réjeanne qui n'avait même pas de trousseau. Mais ça s'arrangerait.

Il y avait bien une heure que la conversation s'animait autour de la table. On se serait cru au temps de Médéric. Le sujet avait changé mais la même atmosphère régnait, un feu roulant de blagues, de taquineries, de reparties qui servait d'exutoire à l'émotion de chacun.

Pierre redemanda du dessert.

– On dirait que l'air de la campagne t'a donné de l'appétit, mon Pierre, lança Simon. Tu as pris du coffre.

– C'est vrai, ça, renchérit Antoine. Tu ne ressembles plus à un gratte-papier. Tes confrères de classe ne te reconnaîtront plus à l'automne. Avec les foins, tu vas te faire des muscles de lutteur.

– De forgeron! lança Pierre, frondeur.

Pierre remettait d'un seul mot la monnaie de leur pièce à ses frères, qui accusèrent le coup. La conversation reprit sur le même ton et se prolongea jusqu'à la troisième tasse de thé.

On quitta la table en désordre, en commençant par Antoine qui s'en fut naviguer. Depuis qu'il avait réparé la chaloupe de Médéric, avec un succès qui d'ailleurs étonna tout le monde, il passait tous ses moments libres sur l'eau. Réjeanne et Cyprien se réfugièrent au salon. Maman Rose entraîna sa bru dans sa chambre sous quelque prétexte. Les autres s'attardèrent à table.

– On parlait des foins... Quand commencez-vous? demanda Médéric, s'adressant à ses petits-fils.

Notant que son grand-père semblait sortir momentanément de sa morosité, Pierre lui consacra toute son attention.

– Demain matin, grand-papa. Dès que la rosée sera tombée, je faucherai pendant qu'Anne-Marie et Antoine finiront le train. S'il fait beau, dans l'après-midi on engrangera. J'ai engagé Ti-Rouge Marceau. Ce n'est pas une lumière, mais il fera l'affaire. Lui et moi, on va charger le foin, Anne-Marie foulera la charge et Antoine conduira les chevaux.

Ti-Rouge Marceau était un orphelin un peu attardé qu'une de ses vieilles tantes habitant la paroisse avait adopté quand il avait une quinzaine d'années. Il était bonasse et serviable, et, comme la nature l'avait doté d'une force physique hors du commun, tout un chacun l'engageait comme homme à tout faire.

– Puis vous allez décharger le foin à quatre, deux sur la charge, deux dans la tasserie?

– Pas tout à fait, révéla l'aîné des fils Bouffard. Pendant que nous, les garçons, nous allons décharger, Anne-Marie continuera à faire des meules. Je vais piquer la grand-fourche, Antoine conduira le cheval et Ti-Rouge placera le foin dans la tasserie.

– De quoi parles-tu? Quelle grand-fourche? demanda Médéric qui, son petit-fils s'en rendait compte, n'avait pas suivi l'évolution de la ferme.

– Vous n'en avez pas eu connaissance, grand-papa? J'ai installé une grand-fourche, une fourche qui se déplace sur un rail d'un bout à l'autre de la grange et laisse tomber cinq cents livres de foin du coup, là où on veut. Un cheval tire le câble d'acier et je contrôle le déchargement. C'est dix fois plus rapide et moins fatigant que de décharger à la main.

Le fait que Pierre n'ait plus parlé de vendre Timoune avait étonné Médéric. Maintenant, il regardait son petit-fils avec ébahissement. «Dommage qu'il ne veuille pas devenir agriculteur», se désola-t-il.

7

– CETTE PAUVRE RÉJEANNE qui se marie et qui n'a même pas de trousseau. Est-ce que je peux faire quelque chose pour vous aider?

Après la demande en mariage, maman Rose avait voulu parler seule à seule avec Victoire. Contrairement à beaucoup de jeunes filles qui se constituent un trousseau de mariage en rêvant à un prince charmant qui ne viendra peut-être jamais, Réjeanne s'était d'abord occupée de sa famille et avait investi toute ses énergies dans cette noble tâche. À la veille de se mettre en ménage, elle était complètement démunie. Victoire semblait l'avoir oublié; maman Rose, non.

Pour en avoir parlé avec Réjeanne et pour la bien connaître, Rose savait dans quel état moral se trouvait sa bru. En la plaçant devant cette urgence, elle cherchait à faire d'une pierre deux coups : elle viendrait en aide à Réjeanne, qui le méritait bien, et, surtout, elle ferait oublier sa peine à la veuve en la remettant au travail.

– Il faudrait bien que je lui tisse des choses, répondit lentement Victoire. Par quoi est-ce que je commencerais bien?

Il y avait deux mois que Victoire n'avait pas tissé. Depuis la mort de son irremplaçable mari, elle n'avait plus touché à son métier.

– Un beau couvre-lit peut-être, suggéra la bonne vieille. Vous les faites si bien, Victoire, ajouta-t-elle de sa voix la plus douce.

– Oui, bien sûr, un couvre-lit, répéta la veuve qui semblait émerger d'un rêve. Mon Dieu! plusieurs couvre-lits, des catalognes, des nappes, des napperons, des couvre-oreillers. Je ne terminerai jamais à temps!

Soudain affolée, Victoire prenait d'un coup conscience de la tâche qui l'attendait.

Maman Rose marquait des points.

– Pour ma part, je peux tricoter, enchaîna-t-elle pour ne pas être en reste. Mais vous pourriez aussi vous faire aider, Victoire. Il y a cette petite jeune fille qui a étudié le métier à tisser avec vous. Comment s'appelle-t-elle?

– Julie Gaumond? Mais elle n'a que quinze ans.

– Elle tisse déjà bien. Elle pourrait produire les choses simples : les napperons, par exemple, dont vous lui donneriez le modèle. Peut-être les nappes de petite taille aussi, si elle a bien réussi les premières pièces.

Sous l'habile houlette de maman Rose, Victoire élabora tout un plan de travail qui devait permettre de constituer à temps le trousseau le plus complet dont puisse rêver une future mariée.

Au salon, Réjeanne et Cyprien parlaient de leur future maison.

– Ça vous étonnera peut-être, Réjeanne, mais je vais construire l'atelier en premier, si vous n'y voyez pas d'objection. Pas par égoïsme, mais parce que ce sera plus pratique de cette façon.

Réjeanne fut étonnée que Cyprien demande son approbation. Quand un besoin se faisait sentir, Cyrille ne consultait personne; il décidait, puis agissait. Et personne ne pensait que c'était par égoïsme. Cyprien continuait :

– Un atelier, ce n'est pas long à construire, et il me servira temporairement d'entrepôt. Je pourrai y remiser mes outils et les matériaux sous clé. Avec tous les charpentiers étrangers qui circulent dans les environs, ce sera plus prudent.

Cette précaution étonna un peu la jeune femme. À la ferme, on ne verrouillait jamais les portes. Mais maintenant il faudrait peut-être y penser, avec tous ces ouvriers qui parachevaient l'auberge et qu'on ne connaissait pas. Peut-être se trouvait-il des gens malhonnêtes parmi eux. Sans compter ceux qui allaient bâtir le barrage et la cimenterie. Car les Suédois arriveraient d'un jour à l'autre.

– Vous avez probablement raison. Et comment sera la maison? demanda Réjeanne, passablement excitée de participer à une aussi importante entreprise.

– Ça dépendra de vous, Réjeanne, répondit l'ébéniste. Comment la voulez-vous?

Prise de court, la jeune femme hésita.

– Il faudra que j'y pense un peu…

Il n'était jamais venu à Réjeanne l'idée qu'elle puisse proposer le plan de la maison qu'elle habiterait. À sa souvenance, dans son milieu, les femmes s'occupaient des gens et les hommes s'occupaient des choses. Mais la perspective de travailler à la planification de leur espace quotidien lui souriait énormément et elle promit à Cyprien de trouver des réponses pour le dimanche suivant.

– Dimanche prochain, je viendrai vous prendre tôt, si le temps le permet, et je vous emmènerai à la messe à Saint-Michel. Puis nous dînerons chez ma mère. Il est temps que je vous présente à elle.

Cette proposition rassura Réjeanne. La demande en mariage était venue tellement tôt et la jeune fille s'y attendait si peu qu'elle avait encore peine à y croire. À certains moments, elle se pinçait pour vérifier si elle ne rêvait pas. L'invitation chez la mère de son amoureux officialiserait en quelque sorte leur engagement.

Quand vint l'heure de partir, Cyprien attela sa jument rouge mais s'attarda près du buggy. Tenant les guides d'une main et celles de Réjeanne de l'autre, il lui demanda affectueusement :

– Croyez-vous, Réjeanne, que nous serons heureux ensemble?

– Je n'en doute pas, répondit la jeune femme avec assurance.

– Puis-je vous embrasser?

* * *

L'arrivée des ingénieurs de la cimenterie Borg fit sensation dans le village de Rivière-Boyer. Tout le monde sortit pour les voir passer. Ils étaient cinq, dont quatre hommes jeunes, âgés de vingt-deux à trente ans environ, qui répondaient à un patron d'une quarantaine d'années. Trois d'entre eux étaient blonds, deux, brun-blond, et tous avaient des yeux bleus et une allure athlétique. Ils parlaient un français classique, le français des vieux pays, supposèrent les habitants.

La veille, un camion automobile avait livré les caisses contenant leurs effets. Les quatre plus jeunes arrivèrent à bord de deux buggys tirés par de bons chevaux qu'un employé de l'auberge conduisit à l'écurie. Le patron, Olof Pettersson, conduisait une puissante voiture Russell-Knight.

Anthime Leblond avait tenu, à titre de maire suppléant, à accueillir lui-même l'industriel. Il représentait d'ailleurs tout le conseil, les autres membres étant retenus par les travaux de la ferme. Quand il vit la rutilante auto gravir allègrement la côte de Roches, il souffla à sa femme :

– Une voiture automobile de même, ça vaut proche deux mille piastres, le prix d'une terre agricole. Ce monde-là, ça se mouche pas avec des quartiers de terrine!

Pettersson salua le maire et l'aubergiste, leur présenta les membres de son équipe en précisant leurs fonctions, mais reprit la route immédiatement, laissant en plan Anthime qui espérait visiter le site de l'usine en véhicule motorisé.

– C'est à croire, se plaignit-il à sa femme, que l'endroit où il va investir notre argent ne l'intéresse pas, fit le politicien, soudain inquiet.

– Se pourrait-il qu'il connaisse la place mieux que nous? demanda son épouse, méfiante.

Sa question laissa Anthime songeur. Le cimentier avait peut-être en main des plans d'ingénieur ou d'arpenteur que l'intermédiaire n'avait jamais montrés au conseil municipal. Si tel était le cas, pourquoi les avoir cachés?

Pendant ce temps, le maître de céans, obséquieux, faisait visiter aux étrangers ses chambres toutes neuves en vantant leur confort. Les visiteurs trouvèrent exiguës mais acceptables celles qui leur étaient destinées. Ils exigèrent par contre qu'on n'en fasse qu'une avec les deux chambres du fond, pourtant disposées de part et d'autre du passage; ce serait la chambre du président.

L'aubergiste se plia sans rechigner à ce caprice, même si cette modification privait l'étage d'une de ses deux sorties d'urgence. Tout au plus s'assura-t-il que le prix de cette chambre, qui bénéficiait ainsi d'une sortie privée et offrait une vue à la fois sur le Saint-Laurent, l'île d'Orléans et le mont Sainte-Anne au nord, et sur la centrale électrique à l'est, serait le double de celui des alcôves. Bjorn Palme, le secrétaire-trésorier du groupe, acquiesça et remit à l'hôtelier un dépôt considérable, beaucoup plus élevé que ce que ce dernier avait pensé exiger.

Le tenancier se félicita de son investissement.

Pettersson revint le lendemain en fin d'après-midi et demanda à rencontrer sans délai les entrepreneurs de Montmagny et de Lévis qui avaient offert leurs services pour la construction de l'usine et de la centrale. Les travaux commencèrent la même semaine et furent menés à un train d'enfer par deux équipes différentes.

La première entreprit d'ériger un petit barrage à la crête de la chute. La deuxième s'affaira à bâtir la cimenterie au point de jonction de la rivière et du fleuve.

La centrale électrique, de petite taille, fut terminée bien avant la cimenterie. L'aubergiste exultait : des fils furent acheminés sans délai jusqu'à son hôtel, qui bénéficia de l'éclairage artificiel pour la salle à manger, le bar et les chambres des ingénieurs.

Les habitants de Rivière-Boyer trouvèrent que les Suédois étaient des gens rigides mais corrects. Le patron était froid et les autres étaient réservés, même distants, à l'exception du secrétaire-trésorier, Bjorn Palme, qui était doté d'entregent. C'étaient des gens instruits; ils lisaient et écrivaient beaucoup, et, dans leurs loisirs, écoutaient des opéras. Car, avaient révélé les employés de l'auberge, les étrangers avaient apporté dans leurs bagages un gramophone et plusieurs appareils radiophoniques. C'est pourquoi ils désiraient que l'électricité parvienne jusqu'à leurs chambres.

Si la construction de la cimenterie alimentait toutes les conversations, elle n'apportait pas encore de pain aux tables. Peu de jeunes gens, si ce n'est quelques manœuvres, avaient trouvé de l'emploi au chantier, ce qui avait déçu un peu le conseil municipal. Les chefs de famille nombreuse, qui ne voulaient pas perdre espoir, se disaient que la Borg engagerait pour la production et, en attendant, travaillaient sur leurs terres.

Comme c'était le temps des foins, il fallait faucher et engranger, en plus de traire les vaches, dont la production laitière atteignait alors son apogée, et de voir à l'engraissement des veaux, au soin des moutons, des porcs et des volailles.

Pierre s'était lancé à l'ouvrage avec enthousiasme. Pourtant, au bout de quatre ou cinq jours de ce régime épuisant, Réjeanne et Victoire commencèrent à se demander si, comme son ciré, les bottes de son père n'étaient pas trop grandes pour le jeune fils. La pièce de foin qu'il devait faucher ce matin-là sur la terre de Médéric, que Cyrille avait prise en location, était trop grande pour une seule faux et, comble de malheur, Ti-Rouge Marceau n'arrivait pas. Ce pauvre garçon était serviable et inoffensif mais, suivant les fluctuations de son humeur, il ne pouvait pas travailler certains jours. Quant à Simon, qui avait été embauché temporairement, Meno en était tellement satisfait qu'il ne pouvait plus s'en passer.

Un matin, Pierre eut une idée. Au lieu de partir aux champs, il alla trouver Victoire qui était déjà assise à son métier. Depuis l'annonce du mariage de son aînée, elle avait repris le collier avec son assiduité antérieure.

– Que diriez-vous, maman, si, avec l'argent des bœufs de joug, j'achetais une faucheuse? Avec une McCormick-Deering, je faucherais dix fois, vingt fois plus vite qu'à la faux. Quand le temps d'engranger est bon, c'est toujours le fauchage qui manque.

– Tu penses pas que, si on vend la terre, dépenser de l'argent pour un moulin à faucher serait du gaspillage ?

– On n'a pas encore d'offre sérieuse, que je sache, fit valoir son fils.

– Les frères Descôteaux doivent venir me voir après le dîner; ils m'ont envoyé un mot par le plus jeune de leurs enfants. Ils pensent à acheter notre ferme pour les «ti-frères», lui révéla-t-elle.

Les deux frères Descôteaux étaient mariés à deux sœurs et avaient, entre autres enfants, chacun un fils de vingt ans. Ces deux cousins, qui se tenaient toujours ensemble, se ressemblaient au point de paraître jumeaux. Aussi, dans la paroisse, on avait pris l'habitude de les appeler les «ti-frères» Descôteaux, un peu comme leurs pères.

Les Descôteaux, qui travaillaient en équipe et disposaient d'une abondante main-d'œuvre, achèveraient leurs foins dans quelques jours. Les pères s'étaient entendus pour trouver une ferme à leurs deux garçons, à défaut de quoi les jeunes gens devraient aller gagner leur vie à l'extérieur dès que la récolte serait terminée. Ils avaient donc sollicité un rendez-vous avec Victoire.

Cette nouvelle contraria Pierre considérablement. Quelques acheteurs peu sérieux et quelques vrais requins étaient venus présenter des offres ridicules, tel que l'avait prédit Médéric, mais, cette fois, les clients étaient sérieux.

– Est-ce que je pourrai assister à cette rencontre comme aux précédentes ? demanda-t-il à sa mère.

Victoire n'y voyait pas d'objection.

– Oui. Réjeanne aussi. J'y tiens.

Déçu de l'échec de sa tentative pour équiper davantage la ferme, le jeune homme prit sa faux, sa pierre à aiguiser ainsi qu'un pot d'eau de gingembre et partit faucher. En chemin, il constata que le mil en était à sa troisième et dernière floraison annuelle, la plus visible. Sur l'épi de chaque brin de foin s'était formée une fine poudre bleue qui donnait au champ l'allure d'un lac sous la lumière rasante du matin.

Le passage régulier de sa faux dans le mil et le trèfle rappelait à Pierre le claquement de la vague sur la coque d'une barque. C'est dans une barque que son grand-père Médéric était venu s'installer ici depuis l'île d'Orléans. Ainsi donc, dès cet après-midi, c'en serait probablement fini de l'œuvre de ses aïeux, se dit-il. Cette pensée lui causa une profonde tristesse.

Adieu la terre où lui, ses frères et ses sœurs étaient nés. Oubliés les champs que Médéric avait déboisés et Cyrille, défrichés. Finie leur vie de famille. La ferme familiale, le «vieux bien», passerait à des étrangers. Rivière-Boyer oublierait les Bouffard comme on oublie les absents. Simon était déjà parti. Réjeanne se marierait dans quelques mois. Antoine retournerait à l'école. Anne-Marie trouverait sans doute un emploi ou un mari. Victoire se retirerait au village. Et lui, Pierre, retournerait étudier.

«Étudier quoi, pour faire quoi?» se demandait-il sans cesse.

Le jeune homme, qui avait posé sa faux pour se désaltérer, la reprit et se remit à la balancer de droite à gauche. Le déplacement d'air provoqué par l'instrument suffisait à soulever le chaud parfum du trèfle et du mil. Pierre retrouva l'enivrant sentiment de puissance qu'il avait ressenti la première fois où, à douze ans, son père lui avait montré comment se servir de cette lame. Puis sa pensée dériva vers sa préoccupation présente.

Étudier quoi, pour faire quoi? Embrasser la prêtrise, comme le curé Bouillé, et vitupérer contre les paroissiens qui manqueraient la messe? Devenir notaire et passer sa vie entre les quatre murs d'une étude poussiéreuse? Être médecin ou avocat et vivre dans une ville aux odeurs d'usine, après avoir étudié encore cinq ans dans un séminaire moisi? Et dire qu'ici l'air était si bon, le champ, si grand et le défi, si immédiat.

Pendant qu'Anne-Marie et Antoine terminaient le train avec un peu d'aide de Réjeanne, Pierre se livra à un calcul mental assez complexe qui dura quelques heures.

Comme il faisait beau et chaud et que le vent était bon, le foin séchait vite. Anne-Marie et Antoine, venus faner un peu avant le repas de midi, rencontrèrent Pierre en chemin.

– Tu ne nous quittes pas, j'espère, fit Antoine, inquiet.

– Pas du tout. Je dois faire une commission urgente, mais je vous revois au dîner.

Leur frère semblait s'en aller chez eux mais, en passant devant la maison de son grand-père, il s'y arrêta.

L'aïeul, accoudé à la fenêtre, l'avait vu venir. Depuis la mort de Cyrille, Médéric passait ses journées accoudé à la fenêtre. Inquiète mais impuissante, Rose essayait bien de le secouer ou de le distraire, lui demandant de s'occuper, mais sans succès. Son vieux ne faisait rien, n'avait rien à faire, ne désirait rien faire. «Ma foi, se désolait Rose, il semble avoir perdu le goût de vivre.»

Médéric était si déprimé que, lorsqu'il vit Pierre bifurquer vers la maison, il crut qu'un autre malheur était arrivé. Il se leva pour lui ouvrir la porte.

– Qu'est-ce qui t'amène, mon homme? demanda-t-il à son petit-fils avant même de l'inviter à s'asseoir.

– Les Descôteaux veulent acheter notre terre. Ils viennent faire une offre après le dîner.

La nouvelle qu'apportait Pierre confirmait les pires appréhensions du vieillard : cette fois, l'offre serait sérieuse. L'aïeul se laissa retomber sur sa chaise.

* * *

– Madame Victoire, on vous offrirait quatre mille piastres pour vos terres.

Les Bouffard écoutaient avec attention les deux frères Descôteaux, qui s'étaient assis sur des chaises droites, côte à côte. Ils avaient revêtu leurs vêtements du dimanche mais avaient gardé leurs chaussures de ferme, ce qui leur donnait un air incongru. Pierre eut une mauvaise pensée : c'étaient eux, avec leurs grosses bottines, qui avaient fait pencher le vote en faveur de l'usine; ils avaient trahi Cyrille au dernier moment.

– On vous donnerait trois mille piastres maintenant, et nos fils vous paieraient cinquante piastres chacun par année pendant dix ans. Nous deux, on se porterait garants de leur dette. Vous pourriez partir en paix et vous établir confortablement où vous voudrez.

Les deux acheteurs avaient parlé à tour de rôle, l'un complétant l'intervention de l'autre. Victoire, Réjeanne et Pierre ne parlaient pas. L'offre était sérieuse, et c'était la meilleure que Victoire eût reçue à ce jour.

Selon leurs calculs les plus optimistes, les Bouffard avaient évalué leur bien à quatre mille cinq cents dollars. Cette somme se répartissait comme suit : mille dollars pour chacun des deux lots avec leur sucrerie, mille dollars pour la maison et les bâtiments, et quinze cents dollars pour le troupeau et l'équipement. Mais ils ne s'attendaient pas à ce que quiconque, dans les circonstances, leur offre la somme maximale.

– Qu'en dites-vous ? Je pense qu'on devrait accepter.

Victoire avait laissé tomber la phrase fatidique en cherchant du regard l'approbation de ses deux enfants. Réjeanne ressentit un violent serrement au cœur. Pierre ne broncha pas.

– Je pense, maman, que vous devriez attendre une journée ; vous pourriez recevoir d'autres offres, fit-il.

Surprises, les deux femmes le regardèrent. Soupçonnant une chose qu'elle n'osait espérer, Réjeanne se rangea immédiatement du côté de son frère.

– Ça ne peut pas faire de tort d'attendre une journée, maman. Vous n'y voyez pas d'objection, messieurs ?

Les Descôteaux se montrèrent un peu déçus.

– Une journée, pas plus. On reviendra demain.

– Merci bien d'être venus, dit Victoire en se levant pour mettre fin à la rencontre.

Les visiteurs prirent congé gauchement.

– Je vais préparer du thé, annonça Réjeanne.

Elle voulait prolonger la conversation, espérant apprendre quelle idée Pierre avait derrière la tête en demandant un report. Ce dernier s'était assis à la table et, la tête basse, jonglait avec sa soucoupe. Victoire ne soufflait mot. Réjeanne posa la théière sur le centre de table, une pièce délicate créée par sa mère.

– Tu es d'accord, Pierre, que quatre mille piastres, c'est une bonne offre ? demanda Victoire.

Elle prit une longue gorgée du liquide brûlant, donnant ainsi à son fils le temps de mûrir sa réponse. Il ne dit pas un mot.

Devant son mutisme, elle ajouta :

– C'est la meilleure que j'aie reçue à ce jour...

La veuve semblait décidée à l'accepter. « C'est maintenant ou jamais », se dit le jeune homme en inspirant profondément. Il leva la tête et regarda sa mère droit dans les yeux.

– C'est une bonne offre, mais ce n'est pas la seule que vous allez recevoir.

– Et qui d'autre m'en fera une ? demanda dubitativement la veuve.

– Moi.

Stupéfaite, Victoire lut pourtant beaucoup de détermination dans le regard de son fils. Le cœur de Réjeanne se mit à battre la chamade. Les deux femmes étaient maintenant suspendues aux lèvres de leur interlocuteur.

– Je vous offre quatre mille dollars aussi.

– Mais comment comptes-tu me payer, mon pauvre garçon ? Tu n'as pas un sou ! fit sa mère, incrédule.

– Je vous offre deux mille piastres comptant et deux cents piastres par année pendant dix ans, précisa-t-il avec assurance.

Victoire fut estomaquée. Bien que l'offre de son fils fût différente de celle des Descôteaux, elle égalait celle-ci.

– Où prendras-tu cet argent comptant ?

– Grand-père accepte de me prêter deux mille dollars sans intérêt.

– Je n'en reviens pas, intervint Réjeanne. Notre grand-père a toujours été près de ses sous. C'est à croire qu'il a bien changé récemment.

La jeune femme se prit à espérer. Sa mère restait indécise.

– Les Descôteaux m'offrent le même prix, mais avec trois mille dollars comptant.

Pierre avait prévu cette objection.

– Mais vous serez obligée de partir, de vous faire bâtir une maison, de dépenser le quart de votre capital dès le premier jour. Moi, je vous offre le même prix total et, en plus, je vous offre de vivre ici gratuitement aussi longtemps que vous voudrez.

La proposition était de taille. Il sembla à Pierre qu'elle faisait vaciller l'indécision de Victoire comme sa faux les mils.

– Et les deux cents piastres par année, comment comptes-tu me les payer ? demanda-t-elle, à court d'arguments.

– Vous semblez croire que notre terre peut faire vivre deux Descôteaux et donner cent piastres de profit par année. Elle peut tout aussi bien faire vivre un Bouffard et en générer deux cents !

Se sentant presque vaincue, Victoire eut un dernier soubresaut de doute.

– Mais tu n'arriveras jamais à faire tout le travail de la ferme seul. Qu'est-ce qui arrivera le jour où Anne-Marie et Antoine partiront ?

– Je vais faire ce que mon père avait prévu de faire dans ce cas : mécaniser et spécialiser.

– Comment sais-tu que ton père avait un plan de rechange ?

– Nous avons beaucoup parlé au cours de la semaine des semailles. J'étais inquiet de l'avenir de la ferme et je lui ai demandé comment il s'en tirerait si je passais au grand séminaire. Alors, il m'a exposé son plan d'avenir.

Victoire s'avança sur sa chaise, comme pour mieux entendre.

– Alors, comment vois-tu la situation ?

– Le plus pressant, c'est les foins. Si vous acceptez mon offre, au premier jour de pluie, je vais chercher une faucheuse mécanique à Montmagny. Après les foins, je vendrai tous les moutons. Ce sera le moment : les agneaux seront prêts pour le marché. J'abattrai ensuite le mur de la bergerie, qui est un prolongement de l'étable, et, avec l'argent des trente moutons, j'achèterai cinq vaches à lait supplémentaires. Les moutons, faut veiller là-dessus jour et nuit; les vaches, c'est moins compliqué. On peut même engager quelqu'un pour les traire si on tombe malade. Et comme j'aurai de l'espace en trop, j'ajouterai avec le temps cinq autres vaches, choisies parmi nos meilleures taures.

Réjeanne regardait son cadet, sidérée.

– Tu sembles avoir mûrement réfléchi à la situation. Serais-tu devenu un vrai agriculteur?

– Ces idées sont celles de notre père.

– Comment se fait-il qu'il ne m'en ait jamais parlé? demanda encore Victoire.

– Il n'a peut-être pas eu le temps. Quand je lui ai parlé de ma carrière, il m'a confié qu'il était inévitable que ses enfants veuillent un jour faire leur vie. Ce plan, il l'avait élaboré en vue de notre départ à nous tous.

– Et c'est lui qui est parti, laissa tomber Réjeanne en essuyant une larme du coin de son tablier.

– La preuve que son plan était bon, c'est qu'il peut être appliqué sans lui, fit remarquer son frère.

– Et comment vas-tu t'arranger? s'enquit Victoire, étourdie par la perspective de tant de changements.

– J'ai décidé de garder Timoune, comme vous vous en doutiez peut-être; c'est un bon reproducteur. Comme il est dangereux au champ, je vais le garder dans l'étable à l'année. Je fermerai le poulailler et ne garderai que quelques poules en cage dans l'étable pour les œufs frais. Pour ce qui est des récoltes, je pourrai engager Pit Poirier, le frère de Philémon, qui pense à acheter une moissonneuse-lieuse comme celles utilisées dans l'Ouest canadien. Après la messe, dimanche, il m'en a parlé.

– Mon pauvre petit gars, tu ne retourneras pas au séminaire? demanda Victoire, éplorée.

– Non, maman. Mon devoir est ici. Mon passé est ici. Mon avenir est ici. J'ai dit à grand-papa que je voulais voir le bien des Bouffard rester aux Bouffard. Après un long moment de silence, il a accepté de me prêter de l'argent.

– Ce sont les Descôteaux qui vont être déçus, conclut Victoire en guise d'acceptation.

– Ne vous occupez pas des voisins, maman. Pensez à nous ! s'écria Réjeanne qui exultait.

Pierre comprit que Réjeanne l'approuvait en tous points. Elle semblait très émue.

– Je m'étais résignée à ce que notre mère vende le bien familial, mais ça me faisait mal au cœur, à cause de tout ce qui me lie à cette ferme. Ton offre vient tout régler. Tu as toute ma reconnaissance, fit-elle avec ardeur.

Mais, sans le dire, Réjeanne était émue aussi pour une autre raison. Elle qui s'inquiétait pour l'avenir de son frère cadet, elle constatait avec satisfaction que, dans une situation dramatique, il ne perdait pas le nord. D'abord atterré, Pierre s'était repris en main, avait épongé son chagrin, avait tenu ferme le gouvernail dans la tempête. Mieux encore, il faisait preuve d'esprit de décision et de clairvoyance. Une aussi bonne nouvelle demandait une petite célébration.

– Si on mettait un peu de petit blanc dans notre thé ?

8

L'ANNONCE que Pierre prendrait la terre soulagea et ravit tous les membres de la famille Bouffard. Chacun, sans le dire, avait eu très peur d'être déraciné. Mais non. L'arbre avait perdu sa tête mais gardait sa souche. Et une nouvelle tête pointait, porteuse de bourgeons.

Le lendemain, le ciel se couvrant et le vent virant au sud, Pierre sut qu'il allait pleuvoir. Il demanda donc aux plus jeunes de garder la ferme, prépara une valise légère car le voyage durerait deux jours, attela Souris à un grand tombereau et partit à Montmagny acheter une faucheuse mécanique. Il s'informerait aussi des prix des moutons et des agneaux en vue de la vente des siens.

Pierre étant absent, la traite du matin dura plus longtemps que d'habitude, même si Réjeanne vint donner un coup de main. Lorsque Simon quitta la maison, la crème n'était pas prête à livrer et, Réjeanne étant prise, Anne-Marie dut effectuer ce petit voyage. Elle attela un percheron au quatre-roues, chargea les cruches, passa un épais chandail de laine vierge car il tombait du crachin, et partit au village.

La jeune femme livra sa précieuse cargaison, puis passa au magasin général pour y effectuer quelques achats pour la maison. C'est là qu'elle vit le chef de l'auberge de la Côte qui choisissait des victuailles.

«Je me demande si l'aubergiste n'a pas besoin de personnel. Je devrais tenter ma chance», se dit la jeune fille. Puis, considérant ses vêtements de ferme, elle réfléchit : «Je ne peux tout de même pas me présenter au patron dans cet accoutrement.» Elle eut une idée.

* * *

– Grand-papa, que diriez-vous de venir voir la nouvelle centrale électrique?

Anne-Marie, toute souriante, se tenait dans la porte entrouverte.

– Tu n'y penses pas, ma petite-fille. Il pleut!

– Bien non, grand-papa. Juste un peu de pluie avec un petit vent du sud. L'air est chaud.

– Tu devrais y aller, intervint maman Rose. Ça te fera du bien de sortir.

Finalement, devant l'insistance des deux femmes, Médéric fléchit.

– Bon, ça va, fit-il sans enthousiasme. Pour avoir la paix.

Il passa un ciré.

Tirant le vieillard de son isolement, la balade le revigora. Elle permit aussi à Anne-Marie de reluquer l'auberge. Elle désirait apprivoiser l'idée d'y offrir ses services.

L'hôtelier avait pompeusement appelé son établissement «l'auberge de la Côte».

– Ma grand-foi, il se pense au bord de la mer! railla Médéric.

Mais il dut avouer que l'immeuble avait fière allure. C'était une bâtisse de deux étages, rectangulaire, surmontée d'un toit à quatre eaux, qui eût été banale si on ne l'avait dotée, à la hauteur du portique, d'un baldaquin assez haut et large pour laisser passer une diligence, et appuyé sur quatre poteaux temporaires qu'on remplacerait plus tard par des colonnes. Les clients pouvaient donc, par mauvais temps, descendre de voiture sans se faire mouiller.

– Il ne manque qu'un tapis rouge et un portier avec un tuyau de castor pour qu'on se pense au Château Frontenac!

Anne-Marie, elle, tentait d'imaginer comment y serait le travail. Cela la changerait de la ferme où, malgré une existence intéressante, elle rencontrait peu de gens. Elle pourrait voyager matin et soir avec Simon, pourrait même faire le trajet à pied si nécessaire, et, à l'égal de Simon, elle paierait pension à Pierre, qui pourrait engager une domestique.

«Je suis rendue trop loin, se reprocha-t-elle intérieurement. Il n'est pas question que je quitte la ferme avant la fin des foins.»

Le cheval n'ayant pas reçu l'ordre de s'arrêter, il avait placidement suivi son chemin. Anne-Marie et Médéric arrivaient maintenant en vue de la Première Chute. Alors qu'elle était absorbée dans ses réflexions, son grand-père attira son attention sur un spectacle inhabituel. Un petit voilier blanc croisait sur le bassin formé en amont du barrage.

– Naviguer par un jour de pluie, quelle drôle d'idée! dit-elle à son aïeul.

On n'avait jamais vu autre chose que des canots en amont dans le haut bassin, les barques étaient amarrées au pied de la chute.

– À bien y regarder, ce voilier ressemble à ma vieille barque, remarqua Médéric.

– Et sa voile à un drap de lit, ajouta la jeune fille.

Au lieu de remonter la rivière, le petit bateau la traversait de rive en rive, un trajet peu prévisible. Pour le moment, le capitaine de cet esquif était invisible, sa personne étant masquée par la voile, mais quand, au moment de toucher la berge, il fit brusquement demi-tour, Anne-Marie étouffa un cri.

– Antoine!

– C'est bien ma barque! s'écria Médéric.

– Si ma mère voyait à quoi servent ses draps de lin brodés, elle ferait bien une syncope! s'exclama la grande sœur.

– Mais tu sauras que le jeune, il ne navigue pas mal! s'étonna son grand-père.

Le vent soufflant du sud, dans le sens du courant, Antoine traversait la rivière d'ouest en est et revenait à son point de départ. Concentré qu'il était à répéter la manœuvre tout en évitant de se faire heurter par un retour de bôme, l'adolescent ne s'aperçut jamais qu'il était observé.

– Je me demande qui lui a appris à manœuvrer, dit le vieux.

– Il faut que ce soit Cyprien; c'est le seul parmi nous qui connaît les bateaux, fit Anne-Marie. Je trouve qu'il le gâte trop, ajouta-t-elle en tournant le cheval vers la maison.

* * *

Pierre revint de Montmagny tard le lendemain soir. Sa famille dut attendre au matin pour examiner la faucheuse en pleine lumière. C'était une belle pièce de mécanique peinte en vert anglais avec le nom de McCormick écrit en rouge sur le bain d'huile, mais elle semblait bancale du fait qu'elle venait sans timon. Le jeune agriculteur dut en tailler un à même le tronc d'un jeune frêne. Mais quand, au mitan de l'avant-midi, il se mit à faucher, il abattit plus de foin en deux heures à la machine qu'il n'en aurait fauché avec Ti-Rouge en commençant à l'aube.

Le beau temps revenu, le mil sécha rapidement et fut prêt à engranger dès seize heures. On voulut mettre la récolte à l'abri sans attendre, quitte à traire les vaches un peu plus tard. À dix-neuf heures, Anne-Marie ramenait le troupeau du pacage en grignotant un quignon de pain pendant que Pierre, Simon et Ti-Rouge achevaient de placer le foin dans la tasserie et que Réjeanne montait la centrifugeuse.

– À ce rythme, dit Pierre à sa sœur aînée, le fourrage sera engrangé dans huit jours, pour peu que le temps reste au beau.

– Aie confiance, il fait toujours beau entre le deuxième et le douzième jour suivant la pleine lune de juillet.

Si son frère, dont les travaux de la ferme tiraient toute l'énergie, se couchait tôt et s'endormait en touchant l'oreiller, elle, par contre, trouvait difficilement le sommeil. Quand la maisonnée s'était assoupie, elle s'accoudait à sa fenêtre et contemplait les astres en pensant à Cyprien.

Réjeanne tentait d'imaginer comment serait la vie avec cet homme. Cyrille et Victoire, des modèles de moralité, avaient vécu leur intimité avec tellement de discrétion qu'elle n'avait jamais eu connaissance des manifestations de leur sexualité. Même à la fin de son adolescence, alors qu'elle avait activement pensé à se marier et avait prêté une oreille très attentive aux moindres bruits qui émanaient de la chambre de ses parents, la seule rumeur qu'elle avait pu identifier était l'écho de leurs prières du soir.

Par contre, la jeune femme, qui était une ménagère expérimentée, n'eut aucun mal à dresser la liste des caractéristiques de sa future maison pour en faire une demeure confortable et fonctionnelle. Elle en discuta longuement avec Cyprien pendant le trajet de Rivière-Boyer à Saint-Michel.

Car le jeune homme tint parole. Le dimanche, il arriva assez tôt chez les Bouffard pour prendre le petit déjeuner avec eux, après quoi il refit la route en sens inverse, cette fois avec sa promise.

Après la grand-messe, l'ébéniste voulut faire admirer de près à Réjeanne la statue de l'archange saint Michel qui se dressait devant l'église de son village natal.

– Voici une des œuvres les plus importantes du sculpteur Louis Jobin. Nous étions voisins d'atelier à Saint-Georges. J'ai appris beaucoup en l'observant. Même s'il n'est plus très jeune, je le connais assez pour le considérer comme un ami. Il faudra l'inviter quand nous serons installés.

– Vous le connaissez donc depuis longtemps ?

– Je l'ai rencontré avec mon père en 1894. J'avais dix ans. Il était venu livrer les huit statues du maître-autel de Saint-Michel qu'il avait produites. Mon père voulut lui commander une figure de proue pour le navire dont il était le capitaine. Jobin a refusé parce qu'il ne sculptait plus de figures de proue depuis trente ans.

Réjeanne fut émerveillée. Sa vie sociale de femme mariée commençait déjà, et par rien de moins qu'une invitation à un artiste de renom.

– Soyez assuré, Cyprien, que tous vos amis seront les bienvenus chez nous. Comment est-il, votre ami Jobin ?

– À la fois timide et sûr de lui. Toujours habité par des visions de personnages à sculpter. Quand il parvient à ranger sa passion créatrice pour quelques heures, c'est un homme charmant. Mais c'est un professeur sévère.

– Je comprends que vous le respectiez beaucoup.

– Hâtons-nous maintenant ; ma mère nous attend sans doute avec impatience.

La demeure de Mme Lanoue était une grande maison blanche à toit mansardé, ceinturée sur trois faces par une véranda enjolivée d'une frise et d'une garde en dentelle de fonte noire.

Le couple longea l'allée du jardin. Cyprien prodigua en passant une caresse à son chien Tobie, un labrador jaune de quatre ans, et ouvrit la porte de la maison, non sans avoir au préalable actionné discrètement la sonnette manuelle.

La mère de Cyprien était une dame d'allure relativement jeune, malgré ses cheveux d'argent. Elle était assez forte, très grande et très digne.

Elle avait, paraît-il, dit seulement : « Ah oui ? » quand Cyprien lui avait annoncé ses projets de mariage. Réjeanne en avait conclu que cette dame voulait juger elle-même du choix de son garçon avant de faire ses commentaires. Elle ne fut pas surprise quand sa future belle-mère la toisa de la tête aux pieds.

Afin de bien la disposer, Réjeanne crut bon de la complimenter sur son potager, qui, au reste, le méritait bien.

– Nous, à Saint-Michel, nous prenons bien soin de nos jardins, répondit-elle avec conviction.

Ce « Nous, à Saint-Michel... », bien que parfaitement correct, dénotait cependant une certaine hauteur, pensa la jeune femme. Cela lui rappelait un souvenir de ses années d'études : l'attitude des jeunes filles de Saint-Laurent quand elles arrivaient au couvent de Sainte-Famille. Oubliant manifestement qu'elles habitaient la même île que leurs consœurs, elles déclaraient comme ça, le nez en l'air : «Nous, à Saint-Laurent...»

Réjeanne se referma comme une huître et se promit de ne parler que lorsqu'elle y serait invitée. Cette invitation ne vint que sous la forme de : «Désirez-vous un second morceau de gâteau, mademoiselle?» et «Désirez-vous réchauffer votre thé, mademoiselle?».

Le reste du temps, Mme Lanoue s'entretint exclusivement avec son fils et uniquement des grands projets auxquels il collaborait. Pas un mot du mariage. Réjeanne dut se contenter d'examiner la maison à la dérobée. Elle la trouva immense et sombre, garnie de meubles lourds et dénuée de tout intérêt. Cyprien prit congé dès qu'il le jugea acceptable et retrouva le chemin de Rivière-Boyer. Il n'émit aucun commentaire sur le manque d'entregent de sa mère. Finalement, n'y tenant plus, Réjeanne demanda :

– Cyprien, votre mère est-elle fâchée contre moi?

Le jeune homme, qui, pendant tout le dîner, avait été gêné par l'attitude de sa mère, était heureux que Réjeanne aborde le sujet.

– Elle n'est pas fâchée contre vous, chère amie, mais réalisez qu'elle perd son seul fils et que cela ne la réjouit pas. Je vous rappelle qu'elle a perdu son mari, mon père, de dramatique façon, et maintenant je lui annonce que je la quitte. Il faut comprendre sa tristesse de se retrouver seule dans sa grande maison.

Si quelqu'un pouvait comprendre le deuil de quelqu'un d'autre, c'était bien Réjeanne. Pourtant, elle avait tant espéré trouver une nouvelle amie en la personne de sa future belle-mère. Sa déconvenue la chagrina.

Cyprien sentait la déception de sa bien-aimée. Il cherchait en silence quelque moyen de lui manifester de l'affection et de lui changer les idées quand, arrivé à un détour de la route, il reçut une bouffée de parfum d'églantiers. Les rosiers sauvages avaient envahi un espace inculte à la jonction de deux vieilles clôtures de perches et leurs fleurs s'épanouissaient abondamment.

– Permettez que je vous offre une gerbe de ces fleurs, cher amour, dit-il.

– Vous abîmerez vos habits en les cueillant, Cyprien. Soyez raisonnable, ne m'en cueillez qu'une.

Il descendit du buggy, tira de sa poche un petit canif à manche d'ivoire et cueillit sans trop de dommages une grappe entière de minuscules roses dont il enroba la tige épineuse avec un mouchoir avant de les présenter à Réjeanne.

– Quel parfum capiteux! Comme vous savez me rendre heureuse, mon cher homme, lui dit la jeune femme avec reconnaissance.

Du coup Réjeanne pardonna son attitude à Mme Lanoue et se perdit dans la contemplation de son unique fils.

Rassuré, Cyprien fouetta son cheval. Ce geste étonna sa compagne.

– Êtes-vous pressé, Cyprien?

– J'espère avoir le temps de m'arrêter à Rivière-Boyer.

– Auriez-vous quelqu'un à voir? Vous désirez peut-être être seul?

– Bien au contraire, chère future madame Lanoue, dit le promis avec un sourire mystérieux. Cette démarche vous concerne autant que moi.

– Et de quoi s'agit-il? demanda Réjeanne, un peu inquiète.

– De l'emplacement de notre maison!

La jeune fille en oublia ses petits chagrins et, tout en caressant du doigt les boutons grenat comme pour les inciter à s'épanouir, elle se mit à rêver tout haut à sa prochaine demeure pendant que l'ébéniste repassait soigneusement en mémoire les mesures et proportions que sa compagne avait consignées pendant sa période de réflexion.

Il n'y avait pas de logis à louer à Rivière-Boyer, tous les habitants étant propriétaires; il fallait bâtir. Le choix de l'emplacement de la future maison posa plus de problèmes que prévu. Le village ne comptait que le chemin principal et deux rues secondaires, la rue de la Beurrerie et la rue des Sources. La côte de Glaise, exposée au sud et à l'ouest, eût été intéressante, mais toutes les places étaient prises.

La rue des Sources, toute petite, était occupée par les frères Philémon et Pit Poirier, l'ébéniste Galibois et quelques autres familles, et se terminait en cul-de-sac aux sources. Le couple n'avait en définitive que deux possibilités : construire dans la côte de Roches, près de l'auberge, ou dans la rue de la Beurrerie. Le premier site n'était pas tranquille, en plus d'être exposé au vent du nord. Le second n'était pas attrayant car il se trouvait sous le vent et on y percevait les odeurs de la forge, de l'écurie communale et de la beurrerie. Il fallait aménager une rue nouvelle, ce qui représentait une tâche considérable, ou trouver une autre solution.

Les jeunes gens rentrèrent en fin d'après-midi, fatigués et bredouilles. Réjeanne invita Cyprien pour le repas du soir mais il ne put accepter : son cheval, qui avait parcouru trois fois les huit kilomètres séparant les deux villages, commençait à être fourbu et le retour serait long car la bête demanderait fréquemment à s'arrêter. La jeune femme prépara donc à son ami un goûter pour la route et le raccompagna à sa voiture.

Quand, le dimanche suivant, Cyprien vint prendre Réjeanne pour l'emmener à la messe, il croisa Médéric et Rose. Les deux sympathiques vieillards, qui, selon leur habitude, se rendaient à l'église à pied, s'étaient arrêtés un moment à l'intersection du rang 1 et de la côte de Glaise, où on avait bâti un calvaire qu'on appelait la Petite Croix, par opposition à la Grande Croix érigée au pied de la côte de Roches et au sommet de la Première Chute.

L'ébéniste crut d'abord que les vieux se livraient à quelque dévotion, mais constata que non : ils admiraient avec une nostalgie perceptible le sapin sur lequel Médéric avait jadis gravé le chiffre 1 pour indiquer le début du premier rang.

Cet arbre, sous lequel on avait bâti le petit oratoire, atteignait maintenant plus de vingt mètres de hauteur et seuls des bras d'homme pouvaient encercler complètement son tronc. Comme tous les autres arbres avaient été abattus pour les besoins de l'agriculture, l'abondante lumière lui avait permis de s'épanouir pleinement. Sa livrée vert sombre formait un cône parfait dont l'ombre s'allongeait sur les champs environnants comme celle du style d'une horloge solaire.

– Un bien bel arbre que vous avez là, monsieur Bouffard! s'exclama Cyprien. Savez-vous qu'on pourrait en faire un pilier d'église ou un mât de goélette?

– Je sais tout ça, mon gars, mais que je ne voie pas quelqu'un lever la hache dessus car je sors mon fusil!

– Vous avez bien raison, monsieur Bouffard. Un arbre comme celui-ci, c'est précieux parce que c'est irremplaçable. Il faut veiller dessus.

– Tu vois le 1 qui est ici? demanda le défricheur en indiquant le chiffre sur l'écorce, haut comme un coq. Eh bien, il était haut comme la main quand je l'ai gravé au siècle passé.

Médéric marqua une pause. Rose sut qu'une pensée pessimiste assombrissait son regard. Soudain triste, il ajouta :

– Ouais, je me demande bien qui va surveiller mon sapin quand je ne serai plus là.

– Moi, je le ferais bien si je le pouvais, lui dit Cyprien pour le réconforter.

– Ça prendrait un jeune comme toi pour garder l'œil dessus, mais les jeunes, aujourd'hui, sont trop pressés pour s'occuper des vieux arbres. Oublions ça et allons prier le bon Dieu!

– Il est temps, la première cloche sonne. La messe commence dans dix minutes. À tout à l'heure! lança Cyprien en fouettant son cheval.

Réjeanne remarqua que l'église était bondée. «Il n'y a pourtant pas d'étrangers; c'est à croire que la population augmente», se dit-elle.

En sortant du temple, elle tomba sur Délina Tremblay et lui en fit la remarque.

– Bien sûr que la population augmente, lui confirma son ancienne institutrice. Les enfants des premiers défricheurs ont fondé des familles et font des enfants auxquels s'ajoutent ceux des nouveaux défricheurs. L'école du village ne suffit plus;

les commissaires d'école attendent que les foins soient terminés pour construire une école neuve au coin du rang 2. Et l'an prochain, ils en construiront une au Grand Bras pour les enfants des colons du bout de la paroisse.

– Et qui enseignera à la nouvelle école?

– Mon amie Cléophée Mercier, la femme de Gaudias, du troisième rang.

– Ils n'ont pas d'enfants, eux? s'étonna Réjeanne.

– Ça fait cinq ans qu'ils sont mariés et ils n'ont pas encore d'enfants. Alors, Cléophée a décidé de retourner enseigner, comme avant. Elle a retrouvé ses livres du maître et elle est tout excitée.

– Eh bien, souhaitez-lui bonne chance de ma part.

Les amoureux, qui avaient pris du retard sur le reste de la famille, se hâtèrent vers la maison, où Victoire et Anne-Marie commençaient à craindre de devoir se mettre au poêle. C'était mal connaître l'aînée : elles trouvèrent dans le réchaud une grande blanquette de veau qu'il suffirait de servir avec des légumes frais pour constituer un festin de roi.

En descendant la côte de Glaise, Cyprien, perdu dans ses pensées, portait le regard sur le sapin de Médéric, qu'on pouvait, tel un phare, apercevoir depuis des kilomètres à la ronde. «Un bien bel arbre...», se disait-il. Puis sa pensée dériva vers un défi plus immédiat.

– Vous semblez préoccupé, Cyprien, s'inquiéta Réjeanne. Y a-t-il un problème?

– Je pensais à l'emplacement de notre maison; vous n'avez pas encore trouvé?

– Pas encore, malheureusement.

– Moi non plus. Par contre, j'en ai dessiné le plan en tenant compte de vos exigences.

– Dites plutôt des souhaits.

– Vos observations sont tellement pertinentes que j'en ai fait des priorités. Je vous montrerai le plan après le repas.

Avant le café, on débarrassa la table, sur laquelle l'ébéniste déroula de grands carrés de toile amidonnée. Sur les trois premiers étaient tracés en lignes fines le plan, l'élévation et le profil de la future maison. Tout le monde voulut voir, se faire expliquer. Sauf Médéric, qui se tint à l'écart.

– Et que cache la quatrième toile? demanda finalement Réjeanne, discrètement curieuse.

Alors Cyprien, debout, un peu timide, déroula le quatrième carré de toile et le tint à bout de bras. C'était un tableau représentant la maison dans le paysage local. À droite, à la lisière de la forêt, on reconnaissait sans peine les méandres de la Boyer. À l'arrière-plan se trouvaient le kamouraska, l'église et le village. Et, au premier plan, la maison sur laquelle un grand arbre projetait son ombre très large.

– Grand-papa, votre sapin! s'écria Anne-Marie.

Médéric n'en crut rien mais quitta sa berceuse pour venir voir.

– C'est vrai, fit Médéric, étonné. Il lui ressemble comme un jumeau.

Puis il fut pris de méfiance.

– L'as-tu mis là pour me faire plaisir?

– J'avouerai, monsieur Bouffard, que ce n'est pas votre sapin en propre. C'est juste un sapin parfait. J'aime les beaux arbres et j'en ai placé un sur le plan pour mettre mon dessin en valeur.

– Tu n'aurais pas l'idée, par hasard, de t'installer sur ma terre?

– Je vous assure, grand-papa, qu'il n'en a jamais été question, protesta Réjeanne.

Médéric restait sceptique. Les amoureux étaient inquiets.

Maman Rose voulut revoir le quatrième carré de toile.

– Regarde, mon vieux, ce n'est pas ton sapin : il n'y a pas de calvaire.

Médéric regarda de nouveau et se trouva ridicule.

– Eh bien, mets-en donc un, ordonna-t-il à Cyprien.

Le jeune homme tira un crayon de la poche intérieure de son gilet et ajouta, en quelques traits bien placés, un calvaire à son dessin. La ressemblance avec la Petite Croix était parfaite.

– C’est vrai que ça fait bien, convint le vieux. Si je te laissais bâtir sur le coin de ma terre, prendrais-tu soin de mon sapin ?

– Non seulement je veillerais sur votre arbre, mais je prierais pour vous.

Les deux hommes se serrèrent la main en guise de contrat. La famille, qui un moment avait craint un accrochage, éclata en applaudissements.

– Vivent nos nouveaux voisins !

– Ça vaut un petit coup ! s’écria Simon, qui savait comment faire passer une grosse émotion.

Après les foins, Médéric, Rose, Victoire, Pierre, Réjeanne et Cyprien se retrouvèrent devant le notaire de Saint-Michel. On n’eut même pas à se déplacer. Le notaire Dussault était venu avec l’ébéniste pour signer sur place tous les documents relatifs au prêt de deux mille dollars de Médéric, à la vente de la ferme familiale à Pierre et à l’autorisation de Médéric à Cyprien pour construire sa maison.

Si tous se montraient absolument ravis, Réjeanne était, plus que tous les autres, transportée de joie. Elle se disait que, dans des circonstances équivalentes, son père n’aurait pas fait mieux et que, du haut du ciel d’où il veillait encore sur eux, il approuvait en tous points leurs décisions.

* * *

Quand, par les calmes matins du début d’août 1913, Anne-Marie s’attardait sur les hauteurs du kamouraska en revenant de livrer la crème, elle pouvait entendre la symphonie des marteaux s’élever depuis l’embouchure de la Boyer jusqu’à la tête de ses eaux.

Tout en bas, au fleuve, la cimenterie grandissait à vue d’œil. Au pied de la première chute, des paysagistes élevaient une clôture métallique couronnée de barbelés autour de la centrale électrique de la Borg. Au sommet de la côte de Roches, l’aubergiste faisait remplacer les poteaux temporaires de son baldaquin d’entrée par de magnifiques colonnes doriques qu’il avait fait exécuter par Cyprien.

Au coin du rang 1, l'ébéniste parachevait le hangar qui allait plus tard lui servir d'atelier. Pierre, qui avait vendu ses moutons, transformait la bergerie en étable. Enfin, au coin du rang 2, les commissaires d'école, aidés de bénévoles recrutés parmi les pères de jeunes familles, construisaient la nouvelle école primaire, la deuxième de la paroisse. En somme, se disait la jeune fille, tout le monde travaillait sauf elle.

Bien sûr, comme Antoine, Anne-Marie aidait Pierre à la ferme, mais elle n'était plus indispensable ; un journalier aurait tout aussi bien pu faire l'affaire. On ne défrichait plus et elle disposait de beaucoup de temps libre. Comme l'inaction lui pesait, elle décida, un beau matin, de passer à l'auberge de la Côte pour voir si on ne l'y embaucherait pas.

À titre d'essai, Ludger Duchesneau offrit à Anne-Marie de commencer sur-le-champ à servir à la salle à manger. Le soir même, après le train, l'aspirante aubergiste s'attarda pour parler à son frère.

– Pierre, lui dit-elle, j'ai une mauvaise nouvelle à t'annoncer.

– Tu es malade ou tu te maries toi aussi ? lui demanda-t-il d'un ton moqueur, estimant qu'aucune de ces deux possibilités n'était probable.

– J'ai trouvé un emploi à l'auberge.

– Ah ! fit Pierre d'un air contrarié.

– Ça t'embête ? demanda Anne-Marie, contrite.

Pierre se ressaisit.

– Pas du tout. Je m'attendais à ce que ça arrive un jour. Quand je t'ai vue partir ce matin, changée et coiffée, je me suis dit que ce serait peut-être aujourd'hui, d'autant plus que tu n'es pas rentrée à midi.

– Je suis sincèrement désolée que ça te cause un dérangement.

– Ne t'en fais pas. Ta décision est légitime et aurait pu survenir à un plus mauvais moment.

– Comment vas-tu t'arranger sans aide ?

– Je vais vendre les poules et réduire le nombre de porcs. Le mois prochain, je donnerai les récoltes à contrat.

– Tu crois que tu pourras arriver à tout faire seul ?

– Même avec cinq vaches de plus, le train prendra au maximum deux heures et demie, soir et matin. Si nécessaire, j'embaucherai Ti-Rouge ou les ti-frères Descôteaux.

– De toute façon, je te paierai pension, comme Simon.

– C'est surtout à la cuisine qu'on va manquer de main-d'œuvre quand Réjeanne partira.

– Peut-être que maman pourrait se remettre au poêle ?

– Il ne faut pas y compter. Elle est tellement prise avec son métier à tisser…

– Et elle réussit tellement bien, enchaîna Anne-Marie, admirative. Tu as vu les pièces qu'elle et Julie Gaumond créent chaque jour pour notre sœur ?

Tout en parlant, Pierre et Anne-Marie avaient fermé l'étable et pris la direction de la maison. Ensemble, ils annoncèrent la nouvelle à Réjeanne et à Victoire.

Victoire eut un moment l'impression de perdre sa deuxième fille mais, cette fois, elle se contenta d'essuyer une larme.

– Maman, montrez-nous vos créations de la journée, demanda Anne-Marie pour faire diversion.

Victoire battit des paupières, respira profondément et ouvrit son panier à ouvrage.

* * *

Quelques jours plus tard, Pierre demanda à Antoine, qui partageait son temps libre entre la navigation et l'atelier de la ferme, de construire une cage en barreaux de bois assez grande pour six poules et un coq. Quand elle fut prête, le jeune agriculteur l'installa au-dessus de la stalle des veaux, choisit lui-même six bonnes pondeuses et les y enferma avec leur compagnon.

Les deux garçons attrapèrent les autres poules, les enfermèrent une à une dans le grand tombereau et les livrèrent aux frères Descôteaux. Pierre les leur avait vendues à un prix dérisoire en guise de consolation pour leur avoir soufflé la ferme de sa mère. Bonnes pâtes, ces fermiers ne lui tenaient pas rancune.

L'après-midi du même jour, Pierre livra les quatre truies porteuses à un éleveur de Saint-Michel. Antoine, lui, disparut. Réjeanne le pensa parti avec Pierre. Pierre le crut parti faire du bateau. Victoire, occupée avec Julie Gaumond, ne s'aperçut de rien. Mais quand, le soir venu, la famille s'assit pour souper, une chaise resta vide à table : celle du benjamin.

Victoire fut saisie de panique.

– Pauvre petit gars ! Voyez bien s'il ne lui est pas arrivé un malheur !

– Mais non, maman, fit Réjeanne. Il est seulement en retard. Ne vous faites pas de mauvais sang.

Mais, malgré ses recommandations aux autres, l'aînée, elle, s'en faisait, du mauvais sang. Comme, à la brunante, le grand garçon n'était pas encore revenu, elle demanda à Simon de partir à sa recherche.

Son frère, qui ne demandait pas un meilleur prétexte pour atteler le cheval de voiture, partit vers le village, où il interrogea tout le monde. Des constructeurs de la cimenterie, qui s'attardaient au bar de l'auberge de la Côte, avaient vu Antoine descendre la rivière avec son bateau et s'aventurer sur le fleuve en direction de Saint-Michel.

Simon rentra au début de la nuit. À la famille inquiète, il expliqua que son jeune frère était parti sur le montant et que, la marée prenant douze heures pour aller et venir, il ne pouvait contrer la force du courant et ne rentrerait probablement qu'aux petites heures du matin.

– J'espère bien que non ! s'écria Réjeanne.

– Et pourquoi non ? demanda Victoire, aux abois.

– J'espère qu'il est assez intelligent pour ne pas naviguer de nuit. C'est dangereux. Il n'a pas l'expérience nécessaire.

On dormit peu et mal, cette nuit-là, chez les Bouffard. Antoine ne rentra pas, ce qui, selon le point de vue où l'on se plaçait, pouvait être une mauvaise ou une bonne nouvelle.

Pour la première fois, Pierre dut faire le train tout seul. Il ne revint à la maison qu'à neuf heures.

– Pas de nouvelles d'Antoine? demanda-t-il à Réjeanne.

– Non. Notre mère est dans tous ses états. Nous devrions partir à sa recherche.

– J'attelle Souris. Prépare-nous un peu de nourriture pour la route. Dieu sait quand nous reviendrons.

Quelques minutes plus tard, les deux aînés, fort inquiets, montaient en voiture. En sortant de la cour, Pierre eut un réflexe de cultivateur : il se retourna pour jeter un coup d'œil à ses champs.

– Regarde qui vient! s'écria-t-il en tirant Réjeanne par la manche.

– Le galopin!

C'était Antoine qui arrivait à grands pas à travers champs. Venant manifestement de la rivière, il avait évité les deux côtes du village en contournant le piton rocheux par la plaine. Les secouristes firent demi-tour et attendirent leur jeune frère.

– Êtes-vous fâchés? demanda le garçon.

Antoine avait rejoint Pierre et Anne-Marie. Ses vêtements étaient maculés de boue et trempés de rosée. L'adolescent était de toute évidence épuisé mais, contre toute attente, son visage rayonnait.

– Pas fâchés, mais drôlement inquiets, répondit l'aînée.

– Ça ne se produira plus.

– Qu'est-ce qui t'est arrivé? s'enquit Pierre.

Le grand garçon reprit son souffle.

– J'avais du temps libre hier après-midi et je suis allé faire du bateau pour essayer une nouvelle voile. Je suis descendu jusqu'au fleuve et, comme il faisait beau, je me suis un peu attardé. La marée montante m'a surpris. La barque de grand-papa est trop lourde et n'a pas le profil pour bien naviguer. J'ai été emporté par le montant et j'ai finalement accosté à Saint-Michel.

– Comment peux-tu nous promettre que ça ne se reproduira plus? demanda sévèrement Réjeanne.

– Attendez la fin de l'histoire, répondit Antoine avec une assurance qu'on ne lui connaissait pas. J'ai accosté en fin d'après-midi au quai de la manufacture de chaloupes de Saint-Michel. Il y avait encore du va-et-vient parce que les ouvriers faisaient des heures supplémentaires. Le fils du propriétaire, Donat, qui est en charge de la production, m'a vu arriver et est venu voir mon bateau. Quand je lui ai dit que je l'avais radoubé moi-même, il m'a fait visiter l'atelier. Je n'avais jamais vu autant d'outils ! Quand il s'est rendu compte combien j'aime les bateaux, il m'a offert un emploi.

Réjeanne et Pierre échangèrent un regard résigné.

– Je commence demain, laissa tomber Antoine. J'ai couché à la pension des ouvriers. C'est là que je vais loger. Mais je viendrai vous voir le dimanche.

– Eh bien, je crois que tu devrais aller rassurer maman, dit Réjeanne qui, décontenancée, ne trouvait plus rien à lui reprocher.

9

PIT POIRIER était un aventurier des affaires, un touche-à-tout de la petite entreprise. Sa nouvelle moissonneuse-lieuse fit sensation. Les journaux agricoles avaient occasionnellement publié des articles sur ces machines de pointe ; on savait qu'il y en avait une à Beaumont et une autre à Montmagny, mais peu d'agriculteurs de Rivière-Boyer en avaient vu une en marche. Aussi les cultivateurs se déplacèrent-ils nombreux pour assister à la première démonstration qu'en fit Pit, avec l'assistance du représentant du fabricant, venu de Québec pour l'occasion.

Cet événement fort couru eut lieu dans les derniers jours d'août 1913 sur la ferme d'Elzéar Brochu, du rang 2. Ses champs étant situés plus en amont de la rivière que ceux du rang 1, les mers de mai avaient épargné ses semences, qui s'étaient épanouies en une récolte admirable.

Pierre, qui prévoyait d'engager Pit, souhaitait juger la performance de sa machine. Il s'apprêtait à partir après le repas de midi quand Réjeanne lui demanda :

– Est-ce que cette démonstration durera longtemps ?

– Environ une heure. Pourquoi ?

– Je t'accompagnerais peut-être. Ça me ferait sortir de la maison et nous pourrions visiter l'école neuve en passant.

– Pourquoi pas, si nous avons le temps ? J'attelle et je te prends dans quelques minutes.

Cyprien achevait de construire son atelier au coin du rang 1. Il en était à fermer l'appentis où logerait son cheval.

Les Bouffard ne pouvaient passer à la porte sans s'arrêter, ne serait-ce que quelques minutes. Réjeanne, qui rendait quotidiennement visite à Cyprien, avait suivi avec attention la progression des travaux. Pierre, qui ne les avait vus que de loin et de l'extérieur, eut un choc quand il entra.

– Peux-tu me dire, Cyprien, comment une bâtisse de dimensions si modestes peut donner l'impression d'être si grande ? demanda-t-il.

– C'est à cause des proportions, du rapport des dimensions entre elles, répondit l'ébéniste, non sans fierté.

– Comment détermines-tu ce rapport pour qu'il soit harmonieux ? demanda l'agriculteur, fasciné.

– J'utilise le nombre d'or. C'est un des secrets des constructeurs d'églises. C'est assez complexe, mais disons en gros que c'est une proportion de dix pour seize : ainsi, ma bâtisse fait vingt pieds de largeur sur trente-deux pieds de longueur.

L'atmosphère de l'atelier impressionnait Pierre. Il jeta un dernier coup d'œil global, comme pour mémoriser les proportions de l'immeuble, puis entraîna Réjeanne.

– Maintenant, il faut partir.

Réjeanne et Cyprien échangèrent un baiser rapide et Pierre commanda à ses percherons :

– Hue !

À mesure que le bruit des coups de marteau de l'ébéniste s'estompait, l'écho de celui des commissaires d'école prenait de l'ampleur. Ces bénévoles mettaient la dernière main à la nouvelle école du rang 2. Réjeanne, qui, depuis que Cyprien occupait ses pensées, s'était découvert un soudain intérêt pour tout ce qui concernait la construction, voulut entraîner son frère dans une deuxième visite.

– Tu vois bien que je n'ai pas le temps, gémit ce dernier. Regarde sur la terre d'Elzéar : la démonstration est commencée.

Réjeanne pouvait en effet voir à trois cents mètres de distance un groupe d'hommes suivre ce qui semblait être une machine surmontée d'un tambour mobile. Quand son frère et elle tournèrent le coin du rang 2, ils virent une jeune femme sortir de l'école neuve, des livres à la main.

– C'est Cléophée Mercier ! s'écria Réjeanne. C'est elle qui enseignera ici. Elle prépare déjà sa classe. Laisse-moi descendre ; je vais lui rendre visite. Si je ne te rejoins pas au champ, prends-moi au retour, s'il te plaît.

Bien que Cléophée fût plus âgée que Réjeanne de cinq ou six ans, les deux femmes se connaissaient assez bien, même si elles ne se fréquentaient pas ; leurs pères respectifs avaient été jadis des amis. L'institutrice fut ravie que Réjeanne s'intéresse à son école et à son travail. Elle lui fit visiter le local, que deux hommes achevaient de peindre pendant que deux autres finissaient de construire les toilettes extérieures et l'abri à bois.

– J'ai été étonnée, confia Réjeanne à Cléophée, quand Délina Tremblay m'a appris que tu revenais à l'enseignement.

– À l'assemblée de juillet dernier, les commissaires ont décidé de construire cette école et m'ont offert de la prendre. J'ai d'abord refusé, mais, devant leur insistance, j'ai finalement accepté.

– Qu'est-ce qui t'a fait changer d'idée ?

– Le fait qu'il n'y ait aucune autre institutrice expérimentée dans la paroisse. Je me suis sentie obligée d'accepter, pour le bien des enfants.

– Et ton mari, comment accepte-t-il ta décision ? demanda Réjeanne en imaginant la difficulté de mener une négociation semblable.

– Gaudias ? C'est lui que les commissaires ont eu le plus de mal à convaincre. C'est surtout à cause de lui que j'ai refusé au début. Quand j'ai finalement accepté, il a boudé pendant quelques jours, mais il a ensuite retrouvé le sourire…

Cléophée fit une pause. Réjeanne vit une lueur amusée passer dans les yeux plissés de la jeune femme, qui continua, sur le ton de la confidence :

– Je sais comment faire plaisir à mon homme, et il est plus heureux que jamais !

Puis, regardant Réjeanne dans les yeux, elle ajouta, avec un sourire complice :

– Dans quelque temps, tu vas comprendre ce que je veux dire. Mais toi, il paraît que tu vas te marier bientôt?

– Qui dit ça? s'enquit Réjeanne avec un faux air surpris, dans le but évident de faire parler l'institutrice.

– Ça se dit depuis que le beau Cyprien Lanoue t'accompagne à la messe tous les dimanches. Maintenant qu'il construit une bâtisse au coin du rang 1, plus personne n'en doute.

– Eh bien, je peux te le confirmer : les bans seront publiés dimanche à la grand-messe!

Réjeanne prit congé de son amie et, tout en songeant à la conversation qu'elle avait eue avec cette dernière, rejoignit le groupe de cultivateurs qui achevaient déjà de récolter le champ d'avoine.

Le spectacle était assez étonnant : quatre puissants chevaux tiraient une grande faucheuse surmontée d'un jeu de lattes mobiles dont la fonction était de rabattre les tiges des graminées vers la faux. Dès qu'ils touchaient les lames, les brins d'avoine tremblaient un moment puis basculaient sur un tapis roulant qui, en fin de course, les amassait en javelles. Aussitôt que les gerbes avaient atteint la taille désirée, une pince mécanique les saisissait et les attachait prestement, puis les laissait tomber au sol. Les hommes suivaient et, travaillant des deux mains, les ramassaient et les regroupaient debout, grains en haut, par faisceaux de huit. De cette façon, le froment pouvait sécher et durcir au soleil, loin de l'humidité du sol.

Deux de ces hommes étaient des étrangers, à en juger par leurs habits de ville. Quand, au hasard de sa quête, l'un d'eux se tourna vers elle, Réjeanne reconnut ce grand garçon : c'était Guillaume Francœur, le frère d'Hervé, l'ami de Pierre.

Le travail terminé, Pierre héla Guillaume et tous deux vinrent à sa rencontre.

– Quelle surprise, Guillaume, de vous rencontrer aujourd'hui! fit la jeune femme.

– Surprise pour vous, mais pas pour moi, Réjeanne. Je commence ici le travail que j'ai amorcé récemment dans les autres paroisses de la région. Pierre vous a peut-être parlé du plan du député Armand Lavergne ; vous me verrez de temps en temps dans les parages. Mais j'apprends que vous vous mariez bientôt… Je vous offre mes félicitations !

– Je vous remercie. Malheureusement, nous ne pourrons pas vous inviter à notre noce car notre famille est en deuil, comme vous le savez. Mais donnez-moi des nouvelles de votre fiancée.

Réjeanne avait gardé le souvenir de la jeune femme malade qui accompagnait Guillaume aux obsèques de son père.

– Malheureusement, son état ne s'améliore pas, malgré les soins que sa famille et moi lui prodiguons.

– Il faut espérer et prier, cher monsieur.

– C'est précisément ce que je fais.

La machine passait maintenant près d'eux, suivie des fermiers enthousiastes.

– Et toi, Pierre, que penses-tu de la démonstration ? demanda Réjeanne.

– Ma chère, tu as devant toi une merveille de la technologie moderne. Voilà ce que j'appelle une machine de l'avenir. Il faut, comme le dit Guillaume, penser dès maintenant à préparer nos champs en fonction de demain. Il faut agrandir leur surface, combler les fossés inutiles, éliminer les recoins et enlever les obstacles. Il faut cultiver rationnellement. C'est l'essence du message d'Armand Lavergne.

Réjeanne n'avait jamais vu son frère dans un tel état de surexcitation.

– Tu ne penses pas à acheter une moissonneuse-lieuse, j'espère ? s'inquiéta-t-elle.

– Pas du tout. La taille de mon exploitation ne pourrait le justifier. Je donnerai mes récoltes à contrat, ce qui me permettra d'ensemencer davantage. Mais ce qui m'emballe le plus, c'est que l'agriculture s'ouvre sur l'ère de modernisation dont rêvait notre père. Tous ces instruments aratoires qui sont inventés aux États-Unis et dont parlent les journaux arriveront bientôt ici : les tracteurs remplaceront les chevaux, les semoirs enfouiront les graines, les moulins à battre remplaceront les cribles. L'agriculture deviendra une profession, comme la médecine et le droit.

– Tu ne sembles pas regretter ton choix de carrière, à ce que j'entends.

– Je ne regrette qu'une chose : que notre père ne soit pas là pour voir ça.

Sur ce, Pierre se tourna vers Guillaume.

– Réjeanne et moi retournons à la maison. Tu viens avec nous ?

– Pas aujourd'hui. Je dois rencontrer individuellement plusieurs cultivateurs avant de rentrer à Montmagny. Ce sera pour une autre fois.

Réjeanne regarda s'éloigner le dynamique jeune homme et éprouva une sincère compassion pour ses amours malheureuses.

* * *

Aucun paroissien de Rivière-Boyer ne fut étonné quand, au prône du premier dimanche de septembre 1913, le curé Bouillé annonça d'une voix neutre :

– Prenez avis que Réjeanne Bouffard, fille majeure de dame veuve Victoire Bouffard, de cette paroisse, prendra pour époux Cyprien Lanoue, fils majeur de dame veuve Héléna Lanoue, de Saint-Michel, comté de Bellechasse, le samedi 28 octobre prochain. Si quelqu'un connaît quelque empêchement à cette union, il doit en avertir les autorités religieuses immédiatement. Sinon, il doit se taire à jamais.

Réjeanne se serra contre Cyprien : tous ces regards qui convergeaient vers eux l'intimidaient.

Puis une déception perceptible déferla sur l'assistance lorsque le prêtre ajouta :

– Vu que la famille est en deuil, ce mariage sera célébré dans la plus stricte intimité.

Les occasions de réjouissances n'étaient jamais trop nombreuses dans cette paroisse agricole. Quand le jeune couple sortit de l'église, on l'entoura immédiatement. On félicita chaudement les amoureux et on se désolait qu'il ne puisse y avoir de noce quand une voix s'éleva pour proposer :

– On pourrait faire une corvée pour bâtir votre maison !

– Bonne idée ! Une corvée ! cria-t-on de toutes parts.

Réjeanne fut très touchée. Cet élan du cœur de ses coparoissiens était tellement spontané, tellement généreux, qu'elle ne pouvait douter de leur sincérité.

– Merci, merci beaucoup ! s'écria-t-elle en levant la main pour demander qu'on écoute son fiancé.

– Les blés sont mûrs et les outardes commencent à descendre. Ce n'est pas le temps de faire une corvée. Et puis il faut que je prépare les fondations et que j'achète mes matériaux. Avec la permission de monsieur le curé, on pourrait élever la maison le dernier dimanche d'octobre.

Cette proposition fut chaudement accueillie et tous rentrèrent chez eux en se promettant que cette corvée serait plus joyeuse qu'une noce.

* * *

Quatre mois presque jour pour jour s'étaient écoulés depuis la mort de Cyrille quand la famille Bouffard fut informée par lettre que le monument funéraire du père était arrivé au quai de Saint-Michel. Il fallait en prendre livraison dès le lendemain, un jeudi.

– Peut-être que Cyprien pourrait le rapporter en s'en venant, proposa Réjeanne au souper.

– Ce sera difficile, répondit Pierre. Cyprien est parti dans la Beauce livrer et installer du mobilier d'église et il doit rapporter des matériaux de construction au retour. J'irais avec plaisir si j'avais le temps, mais Pit Poirier vient moissonner dans le rang demain et vendredi ; je dois rester ici pour ne pas manquer mon tour. Je crois qu'à défaut d'autre candidat pour cette tâche, tu devras être volontaire !

– Tu n'y penses pas! Ce monument de pierre sera beaucoup trop lourd pour que je puisse le charger, fit Réjeanne, incrédule.

– Tu n'auras même pas à y toucher : les manutentionnaires du quai le déposeront dans le tombereau. Et en passant, tu pourrais faire une visite-surprise à Antoine.

Cette perspective plut à Réjeanne. Elle partit tôt le lendemain matin, emportant un généreux goûter pour elle-même et une grande boîte de sucres à la crème pour son jeune frère.

Le ciel était gris et le vent du nord faisait voler les sarcelles, dont les bandes semblaient rouler dans le ciel avant de se poser rapidement dans les baies et les anses.

Réjeanne fit un crochet pour voir la cimenterie de plus près. Les travaux semblaient déjà terminés. Un groupe de terrassiers mettaient la dernière main à une haute clôture de planches, ce qui étonna la jeune femme, qui n'avait jamais vu aucune usine qui fût entourée d'une palissade.

De leur poste de travail, quelques jeunes ouvriers, voyant passer cette jolie fille, lui envoyèrent des saluts. Quand elle leur répondit d'un geste discret, certains se mirent à gesticuler de grivoise façon. Elle commanda alors le canadien, qui se mit au trot, et elle s'éloigna en détournant la tête.

« Quelle différence entre ces polissons et mon cher Cyprien! pensa-t-elle. Lui qui est si poli et si réservé, je ne l'imagine pas dire ou faire des grossièretés. »

Réjeanne tira de son panier à provisions quelques prunes qu'elle dégusta lentement en pensant au jour merveilleux où, contre toute attente, l'ébéniste lui avait déclaré son amour dans le verger en fleurs.

Elle tenta encore une fois d'imaginer comment serait la vie avec cet homme qu'elle aimait de plus en plus mais connaissait encore très peu, bien qu'elle le vît souvent. En effet, entre la réalisation et la livraison de ses commandes, Cyprien s'arrangeait pour travailler tous les samedis, de même qu'un et parfois deux autres jours de la semaine, à la finition de son atelier. Réjeanne lui rendait alors de courtes visites, la politesse et la morale interdisant qu'elle s'attarde seule avec son promis.

Ce dernier avait aménagé un petit coin qui lui servirait plus tard de bureau mais faisait, en attendant, office d'alcôve puisqu'il y avait installé un grabat où il passait la nuit quand il couchait à Rivière-Boyer. Ces soirs-là, il soupait avec les Bouffard, puis lisait des livres et des manuels techniques pendant que Pierre faisait son train et que Réjeanne complétait ses tâches ménagères. Quand elle avait fini, il se joignait à elle, Simon, Anne-Marie et parfois Victoire pour jouer aux cartes ou faire quelques jeux de société. Puis, quand Pierre rentrait de l'étable, il faisait ses adieux et s'en allait bourrer une dernière fois sa petite fournaise de fonte avant de dormir.

Réjeanne avait bien tenté d'aborder le sujet de la vie intime des couples avec sa mère.

– Maman, lui avait-elle demandé, comment se passe la vie entre un homme et une femme? Je veux dire : dans l'intimité.

– Un bon mari aime sa femme et une bonne femme aime son mari, avait répondu évasivement Victoire.

– Maman, je veux dire : l'intimité physique. Est-ce comme les animaux de la ferme?

– Oh non! avait répondu la prude mère. C'est fait avec tendresse, avec amour, je te l'ai dit.

– Mais encore? avait insisté Réjeanne.

Paralysée par les tabous de son éducation et de sa religion, Victoire ne trouvait pas de formule pouvant satisfaire la curiosité pourtant légitime de sa fille. Finalement, elle avait laissé tomber :

– Récite tes prières avec ton mari avant de dormir et fais confiance au bon Dieu : Il veillera à te rendre heureuse.

Remontaient alors à la mémoire de Réjeanne les sous-entendus que lui avait glissés Cléophée lorsqu'elle lui avait rendu visite à l'école du rang 2. Le bon Dieu semblait la rendre heureuse elle aussi, mais Réjeanne sentait confusément que cette jeune femme avait de la vie de couple une vision beaucoup plus libérale que celle de sa mère et elle aurait aimé en parler avec quelqu'un.

Des bernaches, qui se posèrent dans un champ de trèfle à quelques arpents de distance, tirèrent la jeune femme de sa rêverie parce que Souris, alertée par les cris gutturaux de ces grands oiseaux, hésitait à poursuivre sa route. Elle la rassura donc de la voix, et l'animal reprit d'autant plus rapidement confiance qu'on arrivait en vue des premières maisons de Saint-Michel.

* * *

La chalouperie Guertin était voisine du quai de Saint-Michel. Bien qu'assez grande pour un atelier, elle était petite en comparaison de la nouvelle cimenterie de Rivière-Boyer. Pourtant, il y régnait une activité fébrile.

Des hommes, presque tous jeunes, s'affairaient à poser d'épaisses planches sur des arceaux de bois qui ressemblaient aux côtes de grandes cages thoraciques. Réjeanne se demandait quel type d'embarcations on pouvait bien construire avec autant de hâte à cette époque de l'année : la pêche était finie, la saison de navigation achevait, l'hiver arriverait dans quelques semaines.

Antoine, à qui on avait annoncé la visiteuse, arriva tout souriant et lui fournit la réponse avant même qu'elle ne le salue.

– Regarde les beaux canots à glace que nous fabriquons. Ce sont des canots pour les habitants des îles de Montmagny !

– Tu me sembles bien enthousiaste; tu me parles de ton travail avant même de me dire bonjour, lui reprocha sa sœur.

– Pardonne-moi, répondit affectueusement Antoine, mais tu ne peux pas savoir comme je suis heureux ici. J'apprends chaque jour mille choses sur les bateaux et on me paie en plus.

– Je vois que tu ne t'ennuies pas; je n'avais pas besoin de t'apporter des sucreries, lui dit sa sœur en tendant la boîte de friandises.

– On n'a jamais trop d'amis ! s'exclama le jeune homme en guise de remerciement. Viens que je te présente à mon « bourgeois ».

Donat Guertin était occupé avec un ouvrier à plier une varangue de chêne blanc que ce dernier avait préalablement chauffée à la vapeur. Antoine décrivit la technique à sa sœur et, quand la pièce fut en place, le constructeur vint à leur rencontre.

– Donat, je te présente ma sœur Réjeanne, celle qui se marie bientôt.

– Alors, j'arrive trop tard! s'exclama le chaloupier, moqueur. Tu te dis mon ami et tu me présentes ta sœur quand elle est déjà fiancée!

Donat Guertin était un solide garçon de vingt-trois ans, jovial, sûr de lui, qui regardait Réjeanne droit dans les yeux mais sans effronterie. La blague ne désarçonna pas Antoine, qui continua :

– Elle va épouser Cyprien Lanoue, un ébéniste de Saint-Michel qui fait des meubles d'église.

– Je connais Cyprien et c'est un vrai artiste, répondit Donat. Sais-tu, Antoine, qu'un bateau et une église se ressemblent? Leur partie la plus importante s'appelle la nef. On dit même que, quelque part en Bretagne, les gens d'un village, tous des marins, ont construit une église avec un bateau renversé.

– Tu vois? triompha Antoine en s'adressant à son aînée. Je t'avais bien dit qu'ici on apprend des choses nouvelles à chaque instant.

– Dites-moi, Donat, quel genre d'élève est mon frère?

– Il est jeune et peu expérimenté mais il va devenir un bon constructeur parce qu'il est passionné par les bateaux. Il arrive le premier à l'atelier, part le dernier et, dans ses temps libres, lit tous les livres que nous possédons sur la construction navale.

– Eh bien, dans ce cas, je ne veux pas le retarder davantage, dit Réjeanne avec son sourire le plus aimable.

Puis, en embrassant son jeune frère, elle ajouta :

– Travaille bien, galopin; c'est peut-être tout ton avenir qui dépend de ton emploi présent.

Réjeanne fit avancer son cheval de soixante mètres et se retrouva sur le quai de Saint-Michel, où régnait également une activité intense. Une goélette appareillait pendant que deux autres attendaient au large pour livrer leur chargement de sucre, de farine et de lard salé, destiné aux marchands généraux de la région. La jeune femme n'eut aucun mal à trouver le maître du port, qui, heureux de libérer les lieux, dépêcha immédiatement des hommes pour charger le lourd et encombrant fardeau.

L'Angélus de midi sonnait au clocher de Saint-Michel quand Réjeanne se remit en route. Le mouvement et le son des cloches effrayèrent une bande de pigeons qui avaient trouvé refuge dans le clocher. Le claquement précipité de leurs ailes inquiéta Souris; elle fit un bond de côté mais, l'alerte passée, reprit docilement le chemin de la maison. Maintenant sûre qu'elle arriverait assez tôt pour préparer le repas du soir, la future Mme Lanoue put déballer tranquillement son goûter et le savourer tout à son aise.

* * *

Le tiers d'année qui s'était écoulé depuis la mort de son père avait paru un siècle à Réjeanne Bouffard. Elle qui avait jusque-là vécu une vie plutôt tranquille et prévisible, elle avait dû subir plus d'émotions fortes pendant ces quatre mois que pendant toute la première partie de son existence. Il lui semblait maintenant que la tourmente était passée, que la poussière retombait, que la paix revenait dans son âme. À l'exception de Médéric qui restait sombre et de Victoire qui était inconsolable, tous les membres de sa famille s'étaient assez bien remis du grand choc. Elle était particulièrement fière de ses frères et de sa sœur qui, tels les hirondeaux de la grange, avaient en peu de temps appris à voler de leurs propres ailes.

Réjeanne était aussi assez fière d'elle-même. Elle avait su affronter la tourmente, tenir la proue haute, garder le cap. Maintenant que le grain était passé, elle allait mettre les voiles et filer vers le bonheur. Cyprien l'attendait, ils seraient heureux et auraient beaucoup d'enfants.

Dimanche après-midi, la famille se réunirait au cimetière pour installer la pierre tombale de son père et lui rendre un dernier hommage. Puis, la semaine prochaine, Réjeanne réunirait enfin les éléments de son trousseau et penserait à la décoration de sa future maison. La jeune femme eut l'impression réconfortante que plus aucun malheur ne pouvait lui arriver.

* * *

Sachant qu'elle se rapprochait de l'écurie, Souris allongeait le pas, à la satisfaction de Réjeanne. Aussi loin que la vue pouvait porter, la campagne de Bellechasse présentait un visage serein et bucolique. Les enfants étant à l'école, les fermiers travaillaient seuls ou avec leurs aînés aux récoltes. Certains labouraient. Des vols d'étourneaux se laissaient porter vers les pays chauds par le vent du nord. Quelques coups de fusil épars résonnaient depuis l'île Madame et l'île à Deux Têtes : les Lachance sans doute, qui guidaient des citadins à la chasse. Et au loin, à la pointe de l'île aux Grues, des points minuscules : les barques de trois pêcheurs qui pêchaient le bar rayé.

À mesure que Réjeanne se rapprochait de Rivière-Boyer, un son nouveau se mariait au chuintement de la Première Chute : le ronronnement régulier de la petite centrale électrique de la Borg. La jeune femme remarqua que des lampes électriques étaient déjà allumées à la porte de l'auberge de la Côte et elle tenta vainement d'entrevoir Anne-Marie par les grandes fenêtres de la salle à manger. Elle s'arrêta au magasin général, où elle prit le courrier.

Elle fut surprise d'y trouver une lettre pour elle. Son nom était écrit d'une écriture de femme et l'enveloppe n'était pas affranchie, indice qu'elle provenait de la localité même. En arrivant à la maison, elle remit les journaux à Pierre et se mit sans tarder à la cuisine, se réservant pour plus tard la lecture de la mystérieuse missive.

Chaque jour, en fin d'après-midi, après avoir travaillé plusieurs heures, Pierre prenait un long moment de repos avant d'effectuer le train du soir, qui constituait une lourde tâche maintenant qu'il était seul. Il profitait de cette pause pour lire les journaux.

À l'exemple de son père, le jeune homme avait pris très tôt l'habitude de feuilleter les quotidiens. Cyrille était abonné à *L'Événement* et au *Soleil*, les deux quotidiens de Québec. Sous l'influence d'un jeune professeur du petit séminaire, l'abbé Jean-Émile Sylvestre, Pierre lisait maintenant aussi *Le Devoir*. Ce quotidien, fondé quelques années plus tôt par le député Henri Bourassa, était un journal d'idées qui s'employait, entre autres, à préserver le Canada contre les menées séparatistes des provinces de l'Ouest, ce qui ne l'empêchait guère de diffuser, à l'instar des autres quotidiens, les nouvelles du monde extérieur. Une dépêche fit justement bondir Pierre.

– Écoute ça, Réjeanne. *Le Devoir* rapporte qu'on relance en France et en Angleterre cette vieille idée de percer un tunnel sous la Manche !

– Comment, une vieille idée? J'étais sous l'impression qu'on n'en parlait que depuis quelques années, répliqua Réjeanne sans lever les yeux du ragoût qu'elle mitonnait patiemment.

– Deux projets ont échoué en 1907 et 1911, mais l'idée originale remonte à 1802 !

Réjeanne fut bien étonnée.

– Et qu'est-ce qui a fait échouer les dernières tentatives? demanda-t-elle.

– Les campagnes de presse des journaux anglais et les discours enflammés de quelques politiciens sans vision d'avenir.

Pierre replia son journal, mais sa sœur poursuivit :

– Crois-tu que, cette fois, le projet réussira?

Pierre resta un instant songeur, puis leva les yeux vers sa chère sœur.

– Cette fois, il a de bonnes chances. Il y a menace de guerre en Europe et l'Angleterre s'est engagée à défendre la France. Le tunnel serait bien commode pour l'envoi des troupes.

– À mon avis, avança Réjeanne, si c'est la seule raison de bâtir ce tunnel, il ne verra jamais le jour, parce que, vois-tu, la guerre, je n'y crois pas. Chien qui aboie ne mord pas. Le Kaiser a beau aboyer, il n'osera jamais attaquer. Envahir les pays voisins serait un suicide.

– J'espère que tu as raison, répondit Pierre, songeur. Mais on ne peut jamais présumer des gestes d'un chien enragé.

* * *

Réjeanne savait qu'en ne lambinant pas elle aurait amplement le temps de voir Cléophée après sa classe et de revenir à temps pour servir le repas du soir. Elle mit une volaille au four et franchit en vingt minutes le kilomètre et demi qui séparait son foyer de l'école du rang 2.

C'est Cléophée Mercier, l'institutrice, qui avait signé le pli de la veille. Et, malgré la lecture répétée qu'en avait faite Réjeanne, le mystère demeurait complet. Cette lettre, que la jeune femme tenait serrée dans sa poche, disait simplement :

Chère Réjeanne,

Je désire te voir dans le plus grand secret. Je te prie de venir me rencontrer dès que possible après les heures de classe. Et ne parle surtout pas de cette lettre à qui que ce soit.

Réjeanne trouva Cléophée penchée sur une pile de petits cahiers à doubles lignes, corrigeant des dictées.

– Je m'inquiète depuis que j'ai reçu ton message. Je n'arrive pas à imaginer pour quelle raison tu as demandé à me voir. Est-ce en rapport avec mon mariage ? On entend souvent parler de noces annulées à la dernière minute pour d'obscures raisons.

– Non, rassure-toi. J'ai un grand secret à te confier, un secret que même mon mari ne sait pas.

Réjeanne était de plus en plus étonnée.

– Pourquoi à moi plutôt qu'à ton mari ?

– Tu vas comprendre.

Cléophée raconta, fit une étonnante demande à son amie, et termina ainsi :

– Ta réponse demain ?

– Demain, vendredi ? Non, c'est trop vite. Dimanche à la grand-messe.

– Dimanche, promis ?

– Promis !

10

– Alors ?

Cléophée, qui, en sortant de l'église, traînait à sa suite un Gaudias récalcitrant, avait aligné son pas sur celui de Réjeanne et de Cyprien. Prenant son amie par le bras, elle la sépara de la foule et la fit dériver vers les bords du vaste parvis.

– Veux-tu bien me dire, ma femme, où tu m'emmènes comme ça ? rouspétait le pauvre mari.

– Je t'emmène vers le bonheur, si tu veux vraiment le savoir, fit joyeusement Cléophée.

Elle se planta droit devant Réjeanne et lui demanda :

– Alors ?

Réjeanne était très calme. À ses côtés, un pcu cn retrait, Cyprien semblait veiller sur elle comme un valeurcux chien de garde. Quant à Gaudias, il était sur le point de se fâcher.

– Peux-tu me dirc, ma Clophée, ce que tu manigances ? Te lancerais-tu en politique ?

Cléophée ignora son mari. Elle cherchait plutôt une réponse dans le regard hermétique de Réjeanne.

– Alors ?

Le visage de Réjeanne s'épanouit en un large sourire :

– C'est oui !

À cette annonce, Cléophée, rieuse et espiègle un moment plus tôt, prit un air très doux, presque timide, et, attirant des deux mains le visage de son mari vers le sien, elle murmura :

– Je suis enceinte.

– Quoi ?

– Chut !
– Qu'est-ce que tu dis ? reprit tout bas Gaudias, stupéfait.
– Je suis enceinte.
Un grand frisson secoua le pauvre homme et ses lèvres se mirent à trembler. Il ravala sa salive.
– Tu veux dire qu'on va enfin avoir… ?
– Pas si fort… Les gens nous regardent…
– Mais moi, je veux que tout le monde le sache !
– D'accord, mon chéri, mais pas avant que j'en aie informé les commissaires d'école.
Gaudias, qui avait pendant un instant entrevu le paradis, revenait sur terre et prenait conscience des conséquences de cette nouvelle.
– Et ta classe ?
– Réjeanne va la prendre quand le temps sera venu. Tu vois, elle vient d'accepter.
Réjeanne et Cyprien observaient la scène avec intérêt mais se contentaient de sourire.
– Si je comprends bien, ma femme, Réjeanne et Cyprien ont appris la nouvelle avant moi, s'offusqua-t-il.
– Pour une bonne raison, répondit Cléophée avec assurance : comme j'ai demandé à Réjeanne de me remplacer à l'école, il a bien fallu que je lui explique mes raisons. Et je suppose qu'elle a dû à son tour confier le secret à Cyprien pour obtenir son accord.
– C'était normal, intervint Réjeanne. Mais ne vous inquiétez pas, Gaudias : nous ne l'avons dit à personne. Nous vous laissons tout le plaisir d'annoncer vous-même l'heureux événement !
– Mais pas avant l'assemblée des commissaires, lui rappela sa femme en posant son index sur ses lèvres.
Gaudias était trop fier et trop heureux pour se fâcher.
– Venez à la maison pour qu'on fête ça !
Cyprien refusa poliment.
– Ce n'est pas possible maintenant ; la famille Bouffard nous attend pour le dîner du dimanche. Mais nous passerons chez vous cet après-midi.

Les futurs mariés arrivèrent les derniers à la grande maison du rang 1. Comme les conversations allaient déjà bon train, Réjeanne abandonna Cyprien avec sa famille et passa un tablier. D'un rapide coup d'œil, elle s'assura que tout était prêt pour le repas.

La soupe de courges qu'elle avait préparée le matin même fumait encore à l'extrémité du poêle. Quant à la fesse de jeune porc qu'elle avait mise à cuire à sept heures, elle fleurait bon l'ail et le poireau. Les pommes de terre entières qu'elle avait disposées tout autour de la viande avant la messe étaient dorées à souhait. Faites à l'aube, les tartes aux pommes, les premières de l'automne, avaient été posées sur le dessus du réchaud afin qu'elles conservent la chaleur de la cuisson.

Les couverts ayant été disposés à l'avance, on passa sans délai à table. La jeune femme servit le repas en un tournemain et rejoignit les autres à temps pour le bénédicité. Puis la conversation s'anima comme d'habitude.

Antoine parla avec enthousiasme de la construction des canots à glace, demandant à Réjeanne de corroborer ses dires. Anne-Marie annonça que la cimenterie serait bientôt inaugurée en grande pompe et que toute la paroisse serait conviée à un banquet dont son patron avait obtenu le contrat. On apprit qu'à la forge le travail augmentait au lieu de diminuer à l'approche de l'hiver : il fallait ferrer à neuf les nombreux chevaux que louait Langlois pour ses chantiers. Victoire se plaignit comme toujours qu'elle ne pourrait sans doute pas compléter à temps le trousseau de Réjeanne. Cyprien raconta son voyage en amont de la Chaudière, puis annonça :

– Réjeanne a une nouvelle importante. Vous serez aussi surpris que moi.

Tous les regards se portèrent sur l'aînée. Cette dernière leva les yeux et laissa tomber :

– Je vais faire la classe à l'école du rang 2.

– Maîtresse d'école ! s'écria maman Rose, admirative.

– En quel honneur ? demanda Victoire, incrédule.

– Ce que je vais vous dire doit rester entre nous, du moins jusqu'à ce que les commissaires d'école aient approuvé notre entente.

Quand Réjeanne raconta que le projet de reprendre l'enseignement avait tellement perturbé l'institutrice qu'elle en avait perdu l'appétit, maman Rose réagit.

– Que Cléophée devienne enceinte à ce moment-ci ne m'étonne pas du tout, lança-t-elle. Ça arrive fréquemment aux femmes qui subissent une grande émotion ou attrapent une forte fièvre. C'est à croire que le bon Dieu veut protéger la race humaine en faisant des enfants quand les mères sont menacées.

* * *

Cyprien, qui avait travaillé doublement pendant plusieurs semaines afin de livrer le mobilier de l'église beauceronne, décida qu'il consacrerait tout le mois d'octobre à la construction de sa maison.

Après en avoir déterminé l'emplacement exact avec Réjeanne, il se mit résolument au travail. Il creusa d'abord sur le pourtour de la future bâtisse une étroite tranchée d'un mètre et demi de profondeur, afin de commencer les fondations sous la ligne de gel du sol. Il disposa une rangée de grosses pierres au fond de cette tranchée, sur lesquelles il érigea un mur de pierres plates liées par du mortier.

Dès que cette fondation eut dépassé de soixante centimètres le niveau du sol, il demanda à Philémon Poirier de venir préparer la base d'un four à pain qui donnerait éventuellement sur la cuisine et serait couplé à une cheminée. Il déterminerait aussi l'emplacement exact de la porte du four mais ne moulerait la glaise qu'au début de l'été prochain : la saison était maintenant trop avancée pour permettre à l'épaisse couche de terre de sécher correctement.

Pendant que Philémon s'affairait à sa partie du projet, l'ébéniste s'en fut trouver un défricheur du Grand Bras, auquel il acheta six longues épinettes blanches, qu'il façonna lui-même à la hache à équarrir et à l'herminette avant de les transporter chez lui. Prenant soin de les lier entre elles par des joints en queue d'aronde, il fixa quatre de ces poutres sur le pourtour des nouvelles fondations et plaça les deux autres à égale distance des côtés de la future maison, les reliant aux premières avec des joints à tenon et mortaise. Puis il les appuya sur des poteaux à base sèche et recouvrit le tout de planches brutes en guise de faux plancher. La fondation était maintenant prête à recevoir la charpente.

Cyprien demanda ensuite à Philémon de bâtir l'âtre de la cheminée. Il eût été assez habile pour exécuter ce travail lui-même, mais deux bonnes raisons l'en empêchaient : d'une part, il ne voulait pas abîmer davantage ses mains d'artiste, qui avaient été éprouvées par la préparation des fondations ; d'autre part, le temps fuyait et il avait tout juste le temps de sélectionner, d'acheter, de transporter et de tailler les matériaux avant que n'arrive la grande équipe de la corvée. Enfin, quelques jours avant son mariage, il prit le train pour Montmagny, d'où il rapporta l'essentiel des meubles et les transporta jusqu'à son atelier avec le tombereau de Pierre.

* * *

Réjeanne et Cyprien se voyaient quotidiennement et même plusieurs fois par jour. Leur affection, leur amour, leur désir mutuel grandissaient, mais il eût été inacceptable qu'ils s'attardent ensemble, impensable qu'ils fassent déjà l'amour. Leur religion leur interdisait même d'échanger la moindre caresse charnelle, le moindre baiser lascif. Toute pensée suggestive devait être chassée de leur esprit. Les époux devaient se réserver pour leur nuit de noces et être vierges le jour de leur mariage. Pourtant, en ce dernier dimanche d'octobre, à sept heures du matin, le curé Bouillé exigea que les futurs mariés passent au confessionnal avant qu'il ne leur administre le sacrement d'union.

Du fond du réduit grillagé, la voix lugubre du prêtre relançait la pure jeune femme :

– Es-tu bien sûre, Réjeanne, que tu n'as pas eu de mauvaises pensées, que tu n'es pas coupable de mauvais touchers sur toi ou sur d'autres, que tu n'as pas échangé de baisers charnels ?

– Bien sûr que non, mon père; je vous l'ai déjà dit.

– Dans ce cas, je te donne l'absolution, fit-il en la bénissant.

Réjeanne sortit secouée. «Se présenter devant saint Pierre ne doit pas être plus éprouvant !» songea-t-elle.

Mais ses yeux croisant le regard grave de Cyprien qui l'attendait déjà au pied de l'autel, elle se hâta de le rejoindre. Alors, le représentant de Dieu bénit leur union devant la famille Bouffard réunie.

La famille Bouffard seulement car Héléna Lanoue, à la dernière minute, s'était déclarée souffrante. Un billet était parvenu à Cyprien à l'église même, par messager, quelques minutes avant la cérémonie. Cette missive accompagnait une carte de vœux de bonheur adressée exclusivement à son fils et une caisse énorme contenant un service d'argenterie digne d'un évêque.

Cyprien fut très gêné par l'attitude de sa mère et Réjeanne en fut irrémédiablement vexée. Mais sa peine fit bientôt place à un vivifiant sentiment de satisfaction : désormais cet homme n'appartiendrait plus à sa mère mais à elle.

* * *

– Cyprien Lanoue, désirez-vous prendre Réjeanne Bouffard pour épouse ?

Le curé, que la faim tenaillait, avait expédié la cérémonie. Si Réjeanne avait pu se retourner, elle aurait constaté qu'une grande forme noire, une femme au col de dentelle impeccablement tenu, s'était glissée dans l'église et s'était agenouillée un peu en retrait, au prie-Dieu d'un banc latéral. Elle était arrivée si discrètement que personne ne l'avait remarquée.

– Oui, je le veux, répondit le fiancé d'une voix ferme.

– Réjeanne Bouffard, désirez-vous prendre Cyprien Lanoue pour époux ?

– Oui, je le veux, répondit-elle d'une voix mélodieuse.

De la nef, un murmure d'admiration parvint aux époux. La famille de la mariée était heureuse et émue. Elle ne perdait pas une fille, mais gagnait un fils qu'elle portait en haute estime.

– Vous voici mariés pour le meilleur et pour le pire, et seule la mort peut vous séparer. Si vous désirez échanger des alliances, le moment est venu, ajouta le curé.

Il sembla à Réjeanne que la voix du curé Bouillé avait changé de ton. Elle crut même y déceler une certaine chaleur. Était-ce la façon de ce prêtre sévère de l'accueillir dans le monde des adultes ? Elle se plut à le croire.

Les époux se placèrent face à face pour échanger leurs alliances. Cyprien, dont le visage serein était baigné par le pâle soleil de ce matin d'octobre, sortit de sa poche une délicate bague en or sertie d'un diamant qu'il vérifia une dernière fois en l'exhibant à la hauteur de ses yeux. Puis, prenant tendrement la main de Réjeanne, il lui passa cet anneau au doigt.

Réjeanne, qui apercevait pour la première fois le joyau, n'avait jamais vu un bijou aussi beau : la bague, finement ciselée, était surmontée d'une petite coupe au fond de laquelle le diamant brillait. La jeune fille, tremblante de bonheur, ne pouvait la quitter des yeux. Au point que le curé dut la ramener à la réalité.

– Réjeanne…

Confuse et rougissante, l'épouse sortit une bague d'argent de son manchon. En guise d'alliance, elle passa à l'annulaire de Cyprien un anneau que son père, un homme aux larges mains, portait jadis au petit doigt. Victoire avait eu la généreuse idée d'offrir cette bague à son aînée. Réjeanne l'avait acceptée avec d'autant plus de gratitude qu'elle y voyait un symbole : en même temps que cet anneau, elle reporterait sur son mari toute l'affection qu'elle portait jadis à son père.

– Vous pouvez embrasser la mariée, suggéra aimablement l'officiant.

Comme Réjeanne relevait la tête pour recevoir la marque d'affection, son regard suivit instinctivement le rayon de soleil qui tombait maintenant sur le visage de la dame en noir. Elle vit très distinctement briller ses yeux d'émotion : c'était Mme Eugénie.

Après la cérémonie, les Bouffard se pressèrent autour des nouveaux époux pour les féliciter. La mariée voulut montrer sa magnifique alliance à la ménagère du curé, mais celle-ci était déjà rentrée au presbytère. «Il faudra que je lui rende visite dans un proche avenir», se dit-elle.

Il n'y avait pas de temps à perdre : on voyait au loin les voitures converger vers la Petite Croix. Quand les Bouffard arrivèrent sur le terrain des époux, une dizaine de voitures s'y trouvaient déjà et le fidèle Jos Labrie formait des équipes. Cyprien confia Réjeanne à sa famille, changea prestement son beau costume pour des vêtements de travail et ouvrit toutes grandes les portes de son atelier.

Ce constructeur d'expérience avait empilé ses matériaux de façon à ce que les premières pièces à installer se trouvent au bord. Ainsi, Jos put immédiatement prendre possession d'une importante pile de pièces carrées d'une longueur de quatre mètres et mesurant douze centimètres de côté, que prolongeait un goujon en bois dur de forme ronde gros comme le pouce.

Chacune de ces pièces portait un numéro correspondant à celui de trous que l'ébéniste avait préalablement percés à l'aide d'une gouge dans les poutres du pourtour. Les hommes, divisés en quatre équipes, une par mur, se mirent en devoir de dresser ces pièces : il s'agissait simplement d'introduire les goujons dans le trou correspondant. Telle un pieu, la pièce tenait alors debout toute seule. En moins d'une demi-heure, la charpente prit l'allure d'un fortin. Bientôt apparut l'emplacement des fenêtres, que délimitaient des pièces horizontales.

Les agriculteurs de Rivière-Boyer travaillaient avec enthousiasme, ébahis par les spectaculaires résultats de leur travail et par la minutie avec laquelle l'ébéniste avait préparé ses matériaux. Bien que tous aient déjà participé à l'érection d'une maison ou d'une grange, ils n'avaient jamais travaillé selon une méthode aussi efficace.

Les premières équipes s'affairaient déjà à poser le faux plancher de l'étage. Si Jos dirigeait les hommes, c'est Cyprien qui régissait l'ordre d'installation des matériaux et voyait à ce que le travail fût exécuté parfaitement.

Les hommes avaient obtenu une dispense de la messe. Quand, après la cérémonie religieuse, les épouses vinrent rejoindre leurs maris, elles eurent l'impression que la maison des Lanoue était déjà terminée ou sur le point de l'être.

Jos confia aux femmes qui n'étaient pas retenues par leurs enfants ou la préparation du goûter le soin de remplir les murs avec du bran de scie en guise d'isolant thermique. Faisant la chaîne pour transporter des sacs de sciure à l'étage, elles en déversaient graduellement le contenu dans les murs.

Peu avant midi, on put installer le poêle de façon temporaire et l'allumer pour la première fois.

– À la maîtresse de maison l'honneur! décréta Cyprien en tendant une boîte d'allumettes à Réjeanne.

Ce geste établissait de façon symbolique mais irréfutable l'autorité de sa jeune épouse sur la cuisine. Réjeanne, qui était entourée d'une petite foule, se voyait déjà à la tête d'une grande famille et cette image la remplissait d'aise. Elle ne put s'empêcher de prendre son mari par le bras et de lui souffler à l'oreille :

– Croyez-vous, Cyprien, que nous aurons beaucoup d'enfants?

Elle eut la désagréable impression que cette question pourtant banale indisposait son homme. Il hésita un peu, puis répondit :

– On ne connaît pas l'avenir, et il faut faire confiance à Dieu. Pour ma part, je suis prêt à accueillir tous ceux qu'Il voudra bien nous envoyer. Mais, pour le moment, je dois retourner auprès des ouvriers.

Réjeanne, qui pensait à sa nuit de noces, s'attendait à une réponse plus gaillarde. Mais, même s'ils étaient maintenant mari et femme et que tout ce que l'Église leur interdisait hier leur était aujourd'hui permis, Cyprien gardait la même réserve dont il avait fait preuve pendant leurs fréquentations. «Au fond, c'est mon erreur, se dit la nouvelle mariée. J'ai mal choisi le moment pour poser ma question.» Et elle s'activa autour du poêle.

Les dames avaient apporté de grands chaudrons de fonte contenant des soupes, du ragoût de porc et des fèves au lard. Mais quand, au son de l'Angélus de midi, les participants à la corvée s'apprêtèrent à entrer dans la nouvelle maison pour dîner, ils virent arriver Anne-Marie conduisant la victoria de l'auberge de la Côte. L'aubergiste lui faisait livrer une oie énorme, toute dorée, fumante dans l'air frais, en guise de cadeau de noces aux nouveaux époux.

Tous les participants eurent droit à une tranche de la volaille, qui s'ajouta aux assiettes généreuses. On s'installa tant bien que mal autour de la table de cuisine toute neuve, au désespoir silencieux de Victoire qui craignait qu'on l'abîmât, et sur des tables improvisées, constituées de portes posées sur des bûches. Jamais pique-nique ne se déroula dans une atmosphère plus chaleureuse. Pourtant, le goûter fut expédié, tant les travailleurs avaient hâte de parachever leur œuvre. Il restait à poser les tuiles du toit et à recouvrir de planches de pin et d'épinette les planchers et les murs.

Vers quinze heures, tout fut terminé.

C'est à cette heure qu'arrivèrent les violoneux qui s'étaient fait remarquer à la fête de Mai. La musique succéda à la cacophonie des marteaux.

Quelques jeunes femmes se mirent à valser avec leurs enfants et les hommes rangèrent leurs outils. En plus de leur semaine de travail, ils venaient de se donner corps et âme à une tâche accablante et, sans l'avouer ouvertement, plusieurs auraient souhaité qu'on leur offre un petit remontant. Or, Cyprien, qui ne consommait aucun alcool, n'avait pas pensé à ce détail. Heureusement, quelqu'un d'autre l'avait fait pour lui.

Vers quinze heures trente, on vit venir Simon à pied, un paquet sous le bras. Il apportait un petit bidon de fer-blanc contenant deux pintes d'alcool.

– Un peu de Saint-Pierre ! lança-t-il à la ronde en dévissant le bouchon.

Tous les hommes se pressèrent autour du jeune maréchal-ferrant et tendirent qui un verre, qui une tasse. On trinqua aux nouveaux mariés. Les rires fusèrent, les chansons aussi, et un gigueur se mit à danser.

– Bien bon petit blanc, mon gars ! s'exclama Pit Poirier en tendant de nouveau son gobelet. Dis-moi donc, Simon, où trouves-tu du petit boire pareil ?

– Dans le puits du curé ! rétorqua moqueusement le maréchal-ferrant.

Pit comprit que le jeune homme ne voulait pas révéler le nom de son fournisseur. Aussi le prit-il à part dès qu'il en eut la chance.

– Pourrais-tu me dire, entre nous, où je pourrais me procurer un peu de ton « eau bénite » ? À cause de la prohibition, c'est difficile d'en trouver.

Simon comprit qu'il tenait un client.

– Je connais un marin des îles de la Madeleine qui va de temps à autre à Saint-Pierre-et-Miquelon. À l'occasion, je lui passe une commande pour mes amis.

– Vas-tu le voir bientôt ?

– Peut-être bien...

– Penses-tu que tu pourrais me commander quelques gallons de gin ou de rhum pour les fêtes ? Je voudrais faire des petits cadeaux aux cultivateurs qui m'ont donné des contrats de moissonnage.

– Je pense que ça peut s'arranger. Je t'en parle dès que j'ai des nouvelles, acquiesça Simon.

La fête prit fin avec la tombée du jour. Tous ces agriculteurs devaient rentrer chez eux pour s'occuper de leur troupeau. Cyprien et Réjeanne remercièrent avec effusion leurs concitoyens et les invitèrent à revenir visiter leur maison au début de l'été, lorsque le four à pain serait construit, l'intérieur, aménagé, et que les plates-bandes seraient fleuries.

Les gens partis, Cyprien s'assit à table et posa sa tête sur ses mains.

– Vous avez l'air exténué, risqua Réjeanne.

– Je suis à bout de forces.

– Vous avez travaillé avec tellement d'ardeur…

– Ce n'est pas le travail qui m'a épuisé, c'est la foule. Tous ces gens qui se hâtaient en tous sens comme s'il se fût agi d'une course, le bruit infernal des marteaux, les cris des mères et les pleurs des enfants.

Cyprien fit une pause. Réjeanne s'était assise face à lui et tentait de deviner ses pensées. Le film des événements de la journée se déroulait dans la mémoire de l'artiste. Il reprit :

– Vous comprendrez que je suis un solitaire. Je ne voudrais pas pour tout l'or du monde me retrouver prisonnier d'un groupe. Je serais incapable de le supporter.

Puis, relevant la tête, il ajouta, avec un pâle sourire :

– Heureusement, tout est fini. Il ne manque qu'une maisonnette d'oiseaux. Le résultat dépasse mes espérances, bien qu'un grand ménage s'impose.

– Ne vous inquiétez pas de cela, Cyprien; nous avons tout le temps devant nous. Pour le moment, je vais infuser du thé et préparer le repas du soir.

– D'accord pour le thé, dit Cyprien, mais que diriez-vous si nous allions rejoindre votre famille pour le repas? La maison est dans un tel état…

Réjeanne promena un regard autour d'elle. C'est vrai que des copeaux, de la sciure et des bouts de planches traînaient encore ici et là, mais ça n'avait rien de dramatique. Elle aurait préféré rester à la maison, préparer un souper léger – une omelette ou des crêpes – et se blottir contre son homme, établir enfin ce contact physique qui semblait rendre d'autres femmes, telle Cléophée, si heureuses.

Cyprien revenait à la charge, mais avec son sourire le plus désarmant.

– Qu'en dites-vous, madame mon épouse?

Réjeanne ne pouvait pas refuser.

Les Bouffard furent étonnés de voir surgir les Lanoue; ils n'avaient pas prévu leur visite, s'attendant à ce que les amoureux profitent enfin de leur intimité. Réjeanne se sentit obligée d'expliquer :

– Notre nouvelle maison se trouve dans un tel désordre qu'il est presque impossible d'y préparer un repas convenable. Pouvons-nous manger ici?

– Mais bien sûr, ma fille, répondit Victoire. Nous avons déjà pris notre repas, mais je vais vous préparer quelque chose de simple et rapide : que diriez-vous d'une omelette ou de quelques crêpes?

Réjeanne faillit s'emporter, mais elle se ressaisit.

– Tout juste ce qu'il nous faut! renchérit son mari.

Si la situation frustrait l'aînée, au moins y trouvait-elle une consolation : Victoire s'était spontanément remise au poêle. Le trousseau de Réjeanne n'était pas complet, tel que l'avait prévu sa mère, mais Julie Gaumond, qui avait subi un entraînement intensif depuis quelque temps et confirmait son talent naturel, finirait seule de remplir le coffre en cèdre de la mariée.

Pierre, qui, pour une fois, avait accepté l'offre d'aide de Simon, était parti à l'étable depuis longtemps. Les deux frères en revinrent au moment où Anne-Marie retirait les couverts du jeune couple.

– Ah! on va pouvoir jouer aux cartes! fit l'aîné.

– Nous allions partir, répondit Réjeanne.

– Juste une petite partie de canasta, ma sœur…

– Pourquoi pas? intervint Cyprien. Mais juste une.

Réjeanne ravala sa déception. Il était vingt-deux heures quand les nouveaux mariés rentrèrent finalement chez eux.

Le ciel qui, au début de la soirée, laissait entrevoir le dernier quartier de la lune se laissait envahir par de lourds nuages. L'air était devenu humide et Tobie grelottait dans sa niche. Le poêle était éteint et la maison était froide. Réjeanne rageait intérieurement : «Quelle idée d'aller chez les voisins manger des crêpes que j'aurais pu préparer ici en maintenant la maison chaude!»

– C'est à croire qu'il va neiger, fit Cyprien, inquiet. Et ma cheminée qui n'est pas terminée. Le plus rapide serait d'allumer le «petit cochon» de mon alcôve et de passer la nuit dans l'atelier. Ce serait moins long à réchauffer que toute la maison.

Cette fois, Réjeanne explosa.

– Il n'en est pas question, mon mari. Votre vie de vieux garçon est finie. Nous allons chauffer notre maison, faire un peu de ménage en attendant que le poêle ronfle et dormir dans notre beau lit neuf, sur notre matelas en mousse de mer qui n'a jamais servi!

Cyprien se mit à ramasser sans mot dire des copeaux de bois qui, en moins de deux, crépitèrent dans le poêle.

Elle-même décontenancée par son accès de colère, Réjeanne prétexta, pour s'y réfugier, qu'elle ferait le ménage de leur chambre et laissa son mari se remettre de leur premier accrochage.

Cyprien encaissa. «Ma femme a raison de ne pas vouloir dormir à l'atelier, mais il n'y a pas de quoi se fâcher. Il faut croire que les nombreuses émotions de la journée ont eu raison de ses nerfs», se dit-il.

Une demi-heure plus tard, il trouva Réjeanne au lit. Elle lisait un programme scolaire que Cléophée lui avait apporté en venant à la corvée. Bien que la porte fût restée fermée, l'air s'était réchauffé grâce à la chaleur d'une lampe à pétrole que l'épouse avait allumée. Ce geste alarma le mari.

– Une lampe à pétrole consume l'air, ma femme. Ne l'allumez jamais sans aérer la pièce. En supposant que vous vous endormiez sans l'éteindre, au matin on vous retrouverait morte.

Réjeanne fut sincèrement contrite; dans sa colère, elle avait oublié de prendre cette précaution.

– Pardonnez-moi, Cyprien, fit-elle piteusement.

L'époux sut qu'il venait de reprendre le dessus.

– Réalisez-vous que je viens de vous sauver la vie? demanda-t-il, ne pouvant réprimer un sourire en coin devant la démesure de son affirmation.

– Oh! cher ami!

Réjeanne regrettait sa saute d'humeur et cherchait maintenant la réconciliation.

– Venez me rejoindre, le lit est douillet.

La chaleur de la maison envahissait maintenant la chambre nuptiale. Cyprien s'assit sur le bord du lit, prit dans ses mains fines celles de son épouse et se pencha vers elle comme pour lui confier un secret.

– Vous parliez de remplir la maison d'enfants. Il s'agit là d'une commande considérable. Nous devrions peut-être nous atteler à la tâche sans délai...

– Je vous avouerai que j'y ai pensé toute la journée, mon mari, fit Réjeanne avec un sourire timide.

L'épouse s'attendait à ce que son homme s'élance dans la belle avenue qu'elle venait de lui ouvrir. Au contraire, ce propos le prit de court : elle eut la pénible impression que cet aveu le troublait.

– Mais vous rougissez!

Les oreilles du mari se découpaient comme des coquelicots sur les murs sombres de la chambre. Il était très embarrassé et ne savait trop quoi dire pour s'en sortir.

– Cette lampe éclaire trop. Laissez-moi l'éteindre, fit-il enfin.

Bien que pour des raisons différentes, les époux s'entendaient sur un point : il valait mieux éteindre cette lampe par trop indiscrète.

Cyprien avait remarqué que Réjeanne portait une splendide chemise de nuit. C'était un cadeau de maman Rose, qui l'avait commandée par la poste à la meilleure lingerie de Québec.

Insatisfaite de la dentelle originale, elle l'avait remplacée par une dentelle fine, élaborée et abondante qu'elle avait confectionnée elle-même.

En soufflant la lampe, Cyprien regretta un peu de ne pouvoir admirer cette merveille mais se consola à la pensée qu'il pourrait combler cette lacune au matin. Il retira donc ses vêtements dans le noir, enfila un long sous-vêtement tout neuf et s'agenouilla de son côté du lit conjugal.

– Au nom du Père, du Fils et du Saint-Esprit...

* * *

Une semaine s'était écoulée depuis le mariage de Réjeanne et Cyprien. En ce premier dimanche de novembre 1913, tous les signes avant-coureurs de l'hiver se manifestaient. La surface du sol avait gelé au cours de la nuit et on aurait pu patiner sur l'étang de la ferme. Le vent soufflait franc nord et quelques flocons de neige épars voletaient un moment avant de se poser parmi les herbes jaunies.

Réjeanne, maman Rose et Cyprien revenaient ensemble à pied de la grand-messe. Pierre, Victoire, Simon et Anne-Marie les doublèrent en quatre-roues. Médéric était resté à la maison, et Antoine s'était attardé au magasin général.

– Je sens qu'on a l'hiver sur le dos, grand-maman, fit Réjeanne. Même qu'il passe des tourbillons de neige au bout des terres, ajouta-t-elle en portant son regard sur les fermes du rang 1.

– C'est pas de la neige, ma fille, c'est les «oiseaux de neige», les petits oiseaux de l'île d'Orléans. Tu as raison : quand tu les vois fuir vers le sud, c'est que la neige s'en vient.

De nombreuses volées de bruants des neiges comptant chacune des milliers de ces passereaux blancs se posaient quelques instants dans les chaumes, y glanant des grains perdus, puis reprenaient nerveusement l'air pour se poser plus loin. Ils s'attarderaient ainsi de ferme en ferme jusqu'à la vallée de la Chaudière, la remonteraient pour atteindre la rivière Connecticut et de là fileraient vers un hiver sans neige.

Le manège des bruants sembla réjouir la vue de maman Rose.

– Quel dommage qu'on ne puisse pas les attraper l'automne ! Je vous en ferais un festin ! s'écria l'aïeule. Mais attendez qu'ils reviennent, à la fin de mars : si Pierre et vous, Cyprien, pouvez m'en prendre trois ou quatre douzaines, je vous préparerai un festin d'ortolans grillés, comme on faisait chez mes parents, à l'île.

Médéric avait traversé chez Pierre et attendait sa femme.

– As-tu vu les oiseaux de neige, mon vieux ? lui demanda-t-elle avec enthousiasme en arrivant, des lueurs de gourmandise courant encore dans ses yeux.

– Ouais, répondit Médéric d'un air sombre. Les oiseaux de neige descendent tôt : l'hiver va être long.

Toute la famille fut interdite. Réjeanne souffla à l'oreille de sa mère :

– Grand-père semble vraiment déprimé.

– Prenez-donc un petit blanc avec moi, grand-papa. Il me semble que ça vous remonterait ! proposa Simon.

– Tu as peut-être bien raison, admit le vieux en acceptant un verre.

On avait convenu, maintenant que Réjeanne en avait pris livraison, qu'on installerait sans tarder le monument funéraire sur le site d'inhumation de Cyrille. Victoire ayant, après la messe, demandé au curé de venir réciter quelques oraisons de circonstance, ce dernier rejoignit la famille Bouffard au cimetière à quinze heures.

On recommanda une fois de plus l'âme du défunt au Père éternel, après quoi on avança le tombereau. Les quatre jeunes hommes prirent à force de bras la pierre tombale et la déposèrent sur son socle. Ensuite, Pierre arracha du sol à demi gelé la croix temporaire pour la rapporter.

La famille, qui était venue à bord des deux voitures à chevaux, reprit en silence la direction du rang 1. Arrivé chez lui, Médéric retint un moment sa bru.

– Victoire, j'ai une faveur à vous demander. J'aimerais garder la croix de mon fils en souvenir.

Victoire la lui accorda. Ni elle ni aucun de ses enfants n'émirent le moindre commentaire mais ils n'en pensèrent pas moins : Médéric n'acceptait vraiment pas la mort de son unique fils.

11

MAMAN ROSE avait raison : la neige arriva moins de vingt-quatre heures après les bruants. Le soir, il gela à pierre fendre. Au matin, un soleil anémique tenta bien de conquérir les hauteurs du village, mais il s'évanouit dans une masse de nuages gris perle venus de l'est.

Pierre, dont les bêtes avaient passé la nuit dans l'étable, comprit qu'il ne pourrait plus les faire paître avant mai. Nourrir, nettoyer et surtout abreuver un troupeau deux fois par jour constituait un fardeau supplémentaire, mais il releva le défi avec l'optimisme de la jeunesse. Les vaches produisant de moins en moins en fin de cycle laitier, dans quatre à six semaines elles seraient taries complètement pour une période de près de trois mois et il n'aurait plus alors qu'à les entretenir. Il y parviendrait sans mal.

Surpris par le froid, Cyprien constata qu'il ne pourrait pas terminer sa cheminée de briques avant l'hiver. Alors, il dut consolider le tuyau métallique qu'il avait installé en guise de cheminée temporaire afin qu'il corresponde aux règles de sécurité élémentaires. Après quoi il s'attela au parachèvement de l'intérieur de sa maison. Son objectif était de terminer d'abord les pièces du rez-de-chaussée, puis, au cours de l'hiver, de s'attaquer aux chambres.

La maison des Lanoue comptait huit pièces : une cuisine, une salle à manger, un salon et une chambre des maîtres au rez-de-chaussée, quatre chambres à l'étage. L'escalier y menant débouchait sur un large passage éclairé par une lucarne ; de chaque côté s'alignaient deux chambres. Au fond de ce passage, sous la lucarne, l'ébéniste installerait plus tard une baignoire pour les enfants, une baignoire de cuivre et de laiton plus petite que celle qui trônait déjà dans un coin de la chambre des maîtres et que Réjeanne avait voilée d'un rideau de dentelle et décorée d'un petit tableau, de quelques bouquets d'herbes odorantes et de fleurs séchées.

Par un beau samedi matin de début décembre, Cléophée Mercier frappa à la porte : elle venait reprendre le programme scolaire qu'elle avait prêté à sa remplaçante le jour de la corvée. Même si elle arrivait à l'improviste, Réjeanne se réjouit de la voir. Comme Cyprien était parti négocier un contrat de mobilier d'église et ne rentrerait que le soir, elle aurait amplement le temps de bavarder avec son amie.

Les deux jeunes femmes se versèrent du café, parlèrent de la grossesse de Cléophée, discutèrent d'enseignement et des préparatifs que devrait effectuer Réjeanne, et cassèrent du sucre sur le dos de leur mari. La nouvelle mariée voulut faire visiter sa maison. Sans le dire, l'institutrice mourait d'envie de voir le résultat final de la tâche à laquelle elle avait contribué. Quand elle aperçut la grande baignoire rutilante dans la chambre des maîtres, elle échappa une exclamation enthousiaste :

– Quel plaisir vous devez avoir là-dedans ! s'écria-t-elle.

– Comment, « vous » ? Tu ne penses toujours pas que nous prenons notre bain ensemble ? se scandalisa Réjeanne.

– Ah non ? fit Cléophée avec un sourire mi-moqueur, mi-incrédule.

– Cyprien n'accepterait jamais cela.

– Et pourquoi donc ? demanda la joyeuse institutrice, sentant bien qu'elle touchait là une corde sensible.

La question de Cléophée sema la confusion chez son amie. Elle ne savait trop que répondre.

– Parce que Cyprien est… bien trop propre.

– C'est une bonne raison, répondit diplomatiquement Cléophée, mais il ne sait pas ce qu'il manque ! ajouta-t-elle avec un éclat de rire.

La jeune femme, qui ne voulait pas indisposer son amie, sentit que cette dernière souhaitait peut-être mettre fin à cette conversation qui risquait de tourner à la confidence. Elle cueillit son manteau au passage et annonça son départ. Réjeanne aurait aimé la retenir mais n'osa pas.

Cet entretien avait ébranlé la jeune épouse. Elle était mariée depuis plus d'un mois et rien de ce qu'elle avait imaginé ne s'était produit. Elle était passée à un cheveu de s'en ouvrir à Cléophée, mais, au dernier moment, son orgueil l'en avait empêchée.

Réjeanne n'avait pas voulu se confier à Cléophée et elle savait que ce serait inutile de parler à sa mère. Maman Rose était trop vieille pour comprendre la jeune génération et aurait pris le parti de Cyprien. Anne-Marie était trop jeune et Pierre, trop inexpérimenté. La jeune femme se sentit soudain bien seule.

S'approchant de la fenêtre, elle promena un regard pensif sur son beau pays. L'humidité de la nuit, venue du fleuve ou de la rivière à demi gelée, avait formé une couche de givre qui, flottant sur la neige, la rendait immatérielle. Pour ajouter à l'illusion, le soleil plongeait dans les cristaux et les faisait scintiller comme autant de diamants.

Levant les yeux, Réjeanne vit l'église de son village se découper dans l'azur, son image grossie par la densité de l'air cristallin. La maison de Dieu lui apparut soudain comme le seul refuge qui lui restât. Profitant du fait que son mari était absent, elle résolut de monter y faire des dévotions.

* * *

Le grand repas du dimanche midi chez la famille Bouffard était toujours très animé. Les nouvelles de tout un chacun étaient passées en revue, tous les sujets d'intérêt familial y étaient soulevés, voire discutés. C'est à cette occasion que fut abordée la question de la Noël à l'île d'Orléans.

Du fait que Médéric n'avait eu qu'un seul enfant, les Bouffard n'avaient pas de parenté à Rivière-Boyer. Ils comblaient cette lacune en visitant une fois l'an leurs parents de l'île d'Orléans et de Québec.

Traditionnellement, le clan entier, Médéric en tête, passait Noël chez l'oncle Siméon, son frère aîné, à l'île d'Orléans, et Pâques chez l'oncle Aldéric, son jumeau, à Québec. Mais qu'arriverait-il cette année ? C'est Victoire qui aborda la question.

Après le dessert, elle prit une dernière gorgée d'infusion de menthe sauvage, essuya machinalement ses lèvres, posa sa petite cuillère d'argent sur son napperon et demanda à la ronde :

– Les avents sont commencés. Je dis qu'on va arriver à Noël bien avant d'être prêts. Alors, je vous demande maintenant : est-ce que nous irons réveillonner chez l'oncle Siméon comme par le passé ? Qu'en pensez-vous ? Tiens, toi, Antoine ?

Réjeanne nota avec satisfaction que sa mère, depuis qu'elle était retournée au poêle, se hasardait à prendre des initiatives.

Antoine releva fièrement la tête. C'était la première fois que, dans une question d'intérêt familial, on lui demandait son avis en premier et la proposition de sa mère lui confirma que, du fait qu'il gagnait maintenant sa croûte, il était traité en adulte.

– Je vote pour y aller. D'autant plus qu'on fera le voyage en bateau. Je pourrais même trouver un capitaine de goélette qui nous traverserait à partir de Saint-Michel : à défaut de cocher, nous aurions notre capitaine privé !

La famille ne put s'empêcher de sourire devant l'enthousiasme du benjamin.

– Et toi, Simon ? demanda sa mère.

Le forgeron faisait tourner les feuilles dans sa tasse comme pour y lire l'avenir mais ne se décidait pas à compléter le rituel. Il leva les yeux vers Victoire.

– Dans le passé, c'est papa qui assumait les frais de ce voyage. C'était une sorte de récompense qui s'ajoutait à l'argent de poche qu'il nous donnait. Vous savez que, depuis la mi-novembre, je ne travaille que deux jours sur six, du fait que les chevaux sont partis en bon nombre au chantier de l'Anglais. Comme je dois payer pension, j'ai tout juste assez d'argent pour passer l'hiver et je ne peux me payer un voyage à l'île. J'en suis peiné parce qu'il y a de belles filles par là, ajouta-t-il avec une moue.

Anne-Marie serait prise à l'auberge, et Pierre ne pourrait peut-être pas se faire remplacer.

Maman Rose se tourna vers son mari.

– Qu'en dis-tu, mon vieux ?

– Je vais te dire la même chose, ma femme, que je vais dire à tout le monde : cette année, je n'ai pas le goût de fêter.

Sur quoi le vieillard baissa la tête. La famille vit de grosses larmes rouler sur ses joues de plus en plus ravinées.

Il était clair qu'on n'irait pas à l'île. Tous quittèrent la table en silence, laissant à maman Rose le soin de consoler son conjoint. Les jeunes hommes se regroupèrent autour de Cyprien, Anne-Marie commença la vaisselle et Réjeanne entraîna Victoire dans sa chambre.

– Maman, trouvez-vous comme moi que grand-papa dépérit ?

– Ton grand-père est bien triste.

– Est-il malade ?

– Non, mais il est rongé par des idées noires. On dirait que sa vie s'est arrêtée avec la mort de Cyrille.

– Pourtant, c'était lui le plus fort dans l'épreuve, fit valoir Réjeanne. C'est lui qui a tenu tête au curé Bouillé.

– Peut-être, mais souviens-toi qu'il s'est effondré la veille de l'enterrement, quand il a refermé le couvercle du cercueil. Maman Rose me dit qu'il ne se console pas de la perte de son fils.

– Parce que Pierre a sauvé le vieux bien, je pensais que grand-père remonterait la côte.

– Non, au contraire. Je vais te confier un petit secret que tu vas garder pour toi mais que tu pourras confier à une seule personne, et je te dirai qui dans un moment : au retour du cimetière, après la pose de la pierre tombale, ton grand-père a demandé à garder la croix temporaire qui marquait la sépulture de Cyrille. Eh bien, au lieu de la ranger au grenier pour plus tard, il l'a fixée au mur de sa chambre, au pied de son lit, et passe ses nuits à la regarder en priant.

Réjeanne fut consternée.

Sa mère continua :

– Je ne t'ai pas demandé ton avis pour le voyage de Noël dans notre famille parce que je désire que toi, au moins, tu y ailles. Si tu consens à nous représenter, je paierai votre voyage, à Cyprien et à toi. Ce sera une manière de voyage de noces. Puis tu pourras parler à ton oncle Siméon de l'état de son frère Médéric.

Réjeanne se dit confiante que Cyprien serait d'accord et proposa qu'on aide Anne-Marie, qu'on avait abandonnée avec tout le travail.

En passant par le salon, les deux femmes trouvèrent Pierre dans ses journaux, Simon et Antoine encore avec Cyprien. Cette fois, c'est Simon qui recourait aux lumières de l'ébéniste. Et ce dernier tentait de le convaincre de faire mieux :

– Si tu es capable de faire des roues de charrette, tu seras capable de faire des roues de buggy et de voiture fine. Ce n'est pas plus de travail, ça prend moins de matériel et ça se vend trois fois plus cher. Un seul point cependant : tu auras besoin d'un tour à bois et d'un chien pour l'actionner.

Jadis, pour occuper les temps morts de l'hiver, Cyrille, après avoir coupé son bois de chauffage, passait le reste de la saison froide dans son atelier à fabriquer des roues de charrette. Utilisant du bois de ses érables séché un an à l'avance, il taillait à la main de solides rayons qu'il regroupait à l'intérieur d'une jante de bois d'un diamètre approprié. Il portait ces roues de rechange au forgeron qui, pour occuper lui aussi les heures creuses, leur posait une jante de fer plat, à la suite de quoi il les exposait pour vente dans sa boutique. Les deux amis arrivaient ainsi à combler avec profit les besoins des défricheurs et des cultivateurs de leur paroisse.

Mais voici que le marché changeait. D'une part, la demande pour des roues de voiture de route augmentait au rythme de l'évolution de la prospérité des gens; d'autre part, les premières roues en acier faisaient leur apparition. La production devrait s'adapter.

Bien qu'il eût acquis, en même temps que la ferme, une importante quantité de bois à faire des roues, Pierre n'avait ni le temps ni l'envie de se livrer à cette industrie. Par contre, Simon, qui en avait appris la technique avec son père et qui se trouvait en demi-chômage, voulait tirer profit de ses connaissances. Il avait acheté le bois de Pierre et commencé à fabriquer de grandes roues de tombereau quand il en vint à parler de marché avec son beau-frère.

– Crois-tu, Cyprien, qu'il vaudrait la peine d'investir dans un équipement de fabrication?

– Peut-être. Qu'est-ce que Pierre en pense?

Pierre, qui écoutait d'une oreille distraite, quitta un moment son journal des yeux.

– Investir dans un équipement à fabriquer des roues à rayons? Je dis que ce serait une erreur : les jours des roues de bois sont comptés. Bientôt l'automobile remplacera les voitures de sortie et on dotera les voitures de ferme de roues avec pneumatiques.

Simon s'insurgea.

– Tu rêves, mon frère! Penses-y : des roues avec pneumatiques sur les voitures de ferme, nous ne verrons pas ça de notre vivant!

Pierre, d'avis contraire, renchérit :

– Moi, je vous dis qu'un beau matin quelque bricoleur va prendre les essieux et les roues d'une voiture automobile accidentée et les ajuster à une voiture de ferme. Plus que ça : je serais intéressé à acheter cette voiture.

– Pour quelle raison? demanda Antoine, qui voyait mal les avantages d'un tel équipement.

– Parce que les roues d'automobile étant beaucoup moins grandes que les roues de bois actuelles, la voiture sera moins haute et plus facile à charger. De plus, les roues actuelles sont étroites et coupent le sol; les voitures s'embourbent et versent facilement. Des roues avec pneumatiques auraient une portée beaucoup plus large et permettraient de charger davantage.

– C'est notre père qui t'a dit ça? s'enquit Simon, soudain méfiant devant ces trop bonnes raisons.

– Non. C'est le bon sens, laissa tomber modestement l'aîné en reprenant son journal.

* * *

Rivière-Boyer, le lundi 9 décembre 1913.

INVITATION À L'INAUGURATION DE LA CIMENTERIE BORG

Chers concitoyens,

Veuillez, par la présente, prendre avis que M. Olof Pettersson, président de la Borg Company of Canada Ltd, vous invite personnellement à l'inauguration de la cimenterie Borg, le dimanche 22 décembre à midi.

Cette invitation s'adresse à tous les citoyens de Rivière-Boyer, quels que soient leur âge et leur condition.

Vous trouverez ci-joint le programme des festivités de même qu'un laissez-passer pour votre famille.

Au nom du président Pettersson,

Bjorn Palme, secrétaire.

Cette invitation, que toutes les familles trouvèrent en même temps dans leur courrier, fut accueillie à l'égal d'un message céleste et eut le même effet.

La plupart des citoyens n'avaient jamais vu, et encore moins reçu, une lettre avec en-tête et armoiries d'une compagnie industrielle, sur du papier riche et translucide comme du parchemin d'évêché.

Maman Rose exprima assez bien les sentiments de toute la population :

– C'est l'invitation la plus excitante que nous ayons reçue de toute notre vie ! Médéric craignait que les étrangers nous oublieraient dès qu'ils auraient bâti leur usine. Aujourd'hui, ils nous invitent. C'est bien pour dire qu'il ne faut pas penser mal !

Le jour dit, à la sortie de la messe dominicale, on vit tous les chevaux de voiture prendre en même temps la direction du fleuve. Les barrières de la Borg étaient grandes ouvertes et ils s'y engouffrèrent à l'unisson.

Les conducteurs attachèrent leurs bêtes à l'abri des palissades afin de les protéger du vent du large et les couvrirent de couvertures, puis, leur laissez-passer à la main, se présentèrent avec leur famille à la porte principale, où l'ingénieur Ebbe Carlsson les accueillait.

Les convives avaient revêtu leurs plus beaux atours. Toutes les toilettes que les femmes avaient confectionnées pour le jour de l'An, elles les portaient aujourd'hui, et il y avait fort à parier que plus d'un mari avait quitté la maison le matin en arborant la cravate neuve qui lui était destinée comme cadeau de Noël.

Les contribuables purent enfin voir cette usine dont le conseil municipal avait permis la construction grâce à un engagement financier considérable. Personne ne fut déçu. La bâtisse, immense quand on la comparait aux plus grandes constructions de la région, était divisée en deux surfaces distinctes : l'aire de production, et l'aire de remisage et de chargement.

Cette dernière, aménagée pour recevoir les bateaux de transport, était évidemment la plus vaste, mais, pour le moment, elle était vide et la porte flottante était fermée. L'aire de production, par contre, était en partie occupée par les premières machines. Une rangée de bureaux, qui semblaient accrochés au plafond comme des cages, dominait l'extrémité de cette aire.

On avait convenablement chauffé l'aire de production et on y avait érigé huit tables de vingt couverts. C'est ici qu'on attendait les convives. Anthime Leblond était déjà en grande conversation avec Bjorn Palme.

– Monsieur le maire, lui disait le secrétaire, une table d'honneur a été préparée pour recevoir les personnalités publiques. Nous vous inviterons, votre épouse et vous, à y siéger. Vous serez placés à la droite de notre président, je viendrai ensuite et tiendrai compagnie à votre femme. À gauche du président siégeront les autres membres du conseil et le curé. Après moi seront placés les ingénieurs de notre cimenterie. Est-ce que cette disposition vous convient?

Le secrétaire se pencha à l'oreille d'Anthime et poursuivit :

– Quelles sont vos relations avec la famille de l'ancien maire?

Anthime fut pris de court par cette question. Il rajusta le nœud de sa cravate, lissa ses moustaches, regarda à gauche et à droite pour gagner du temps et répondit prudemment :

– Même si nous étions des adversaires en politique, je n'étais pas en mauvais termes avec Cyrille Bouffard. Mais ses enfants et moi, on ne s'est pas beaucoup parlé depuis sa mort. À quoi voulez-vous en venir?

– Nous souhaitons que notre projet soit un facteur d'unité dans la paroisse, que cette inauguration se fasse sous le signe de la réconciliation. Que diriez-vous si nous invitions l'aîné des fils Bouffard, Pierre, celui qui a pris la ferme de son père, à se joindre à nous? Sa présence à table aurait valeur de symbole.

Le maire suppléant interrogea sa femme du regard, puis répondit :

– Eh bien, pourquoi pas? Pour autant qu'il soit d'accord.

– Ce jeune homme a-t-il une compagne? s'enquit encore l'industriel. Elle pourrait venir avec lui.

– Pas à ma connaissance, fit Anthime.

Sa femme intervint prestement :

– Notre fille Madeleine pourrait l'accompagner, juste pour la convenance, proposa-t-elle d'un air détaché.

– Encore faudrait-il le trouver, fit Anthime en cherchant alentour.

– Le voilà justement qui arrive ! fit remarquer sa femme en pointant le menton. Vas donc lui présenter M. Bjorn. Moi, je vais parler à notre fille.

Quand on invita les hôtes de la table d'honneur à s'asseoir, les Bouffard eurent la surprise de voir Pierre y prendre place, entre le secrétaire de la compagnie et la fille de l'adversaire politique de son père. Le jeune homme, qui ne nourrissait pas d'ambitions politiques, avait bien accueilli les arguments du secrétaire.

La population de Rivière-Boyer était, dès son arrivée, tombée sous le charme. Elle poussa des exclamations quand les plats furent servis.

On avait accueilli les gens avec des coupes de porto et la musique d'un petit orchestre classique dont les musiciens portaient des queues-de-pie.

Au centre de chaque table, sur de vastes plateaux ovales, les cuisiniers avaient dressé de petites pyramides en paraffine entourées et couvertes de tous les fruits disponibles à cette époque de l'année : melons, raisins rouges, verts, bleus et de Malaga, pommes, pêches, poires, ananas, bananes, citrons de Messine, oranges de la Californie et de la Jamaïque.

On disposait maintenant devant les invités d'immenses aspics de légumes dont la gélatine colorée épousait les couleurs de la mer. Après quoi le personnel de service tout entier disparut pendant quelques instants pour revenir à la queue leu leu, l'aubergiste en tête et le boucher Thomas Corriveau fermant la marche, chacun portant un immense plateau ovale sur lequel trônait un goret rôti avec une pomme rouge en cire dans sa gueule.

Un tonnerre d'applaudissements se fit entendre. Ébahi comme tous les autres invités, Pierre se pencha vers son voisin de gauche et lui demanda :

– Comment avez-vous réussi un tel miracle ?

– Ce sont les gens d'ici, dont votre sœur Anne-Marie, qui ont tout fait, répondit-il modestement. Comment trouvez-vous cela ?

– Absolument délicieux ! s'exclama Pierre. Qu'en penses-tu, Madeleine ? fit-il en se retournant vers sa voisine.

La fille d'Anthime venait de mordre à belles dents dans un morceau de longe doré à souhait. Ne pouvant répondre, elle roula de petits yeux noirs, vifs et gourmands qui en disaient long sur son appréciation.

Pierre, qui avait perdu de vue Madeleine Leblond depuis la petite école, ne reconnaissait plus cette jeune fille de vingt ans un peu grasse mais bien tournée. Le dernier souvenir qu'il avait d'elle remontait au moment où ils avaient quitté ensemble l'école du village à la fin des classes. Elle, alors âgée de quatorze ans, était une grande adolescente maigre et peu jolie, agressive comme on peut l'être à cet âge. Il pleuvait et Cyrille était venu chercher ses enfants en quatre-roues. Pierre, seize ans, avait offert à Madeleine de monter avec eux. Comme elle avait refusé, les frères et sœurs du garçon l'avaient taquiné sur son échec auprès des femmes. L'automne suivant, il était entré au petit séminaire.

Madeleine marqua une pause, essuya ses lèvres et se tourna vers Pierre, attendant ses questions. Mais son voisin ne pensait déjà plus à la nourriture.

– Dis-moi, Madeleine, comment se fait-il que je ne t'aie pas remarquée à la fête de Mai ?

– Pour la raison toute simple que je n'y ai pas assisté depuis plusieurs années.

– Tu étudiais ?

– Les années passées, j'étais au couvent, mais, cette année, je me trouvais au Lac-Saint-Jean.

– Tu voyages beaucoup comme ça ?

– Non. C'est exceptionnel. Mon père vient du Lac et sa mère vit encore là-bas. Comme elle est tombée malade au printemps, mon père m'a demandé de l'aider.

– Elle vit seule là-bas ?

– Ses autres enfants, tous plus jeunes que mon père, sont établis dans la région, mais ils n'ont pas d'enfants assez vieux pour s'occuper d'une malade. Alors, papa m'a envoyée. Tu es déjà allé au Lac-Saint-Jean ?

– Non. C'est comment ?

Une véritable conversation s'engagea entre les deux jeunes gens qui, jusqu'alors, ne s'étaient préoccupés que de faire bonne figure.

Au café, le secrétaire se leva, fit signe aux musiciens de faire une pause et demanda la parole.

– Chers concitoyens, commença-t-il, j'aimerais d'abord connaître votre opinion sur le repas que vous ont préparé messieurs l'aubergiste et le boucher de votre village.

Les marmitons eurent droit à une ovation. L'enthousiasme était à son comble. Bjorn Palme eut du mal à reprendre la parole.

– Notre président souhaite maintenant vous dire quelques mots.

Un silence respectueux s'établit dans la salle. Olof Pettersson, rigide et très officiel, déclara solennellement :

– Cette inauguration est la fête exclusive des citoyens de Rivière-Boyer. Comme tout le mérite de la création de cette industrie leur revient, aucun politicien extérieur n'a été invité.

À cette remarque, les contribuables ne purent retenir leur bruyante approbation. Le président continuait déjà :

– Avec le temps et la croissance des ventes, cette industrie créera de nombreux emplois. Nos ouvriers travailleront cinquante heures par semaine mais jouiront d'une heure de repos le midi ; de plus, ils auront congé le samedi, ce qui est unique dans l'industrie locale mais la règle dans notre pays. Pour le moment, trois machines sont en place, mais d'autres seront ajoutées au besoin. Les intéressés peuvent voir immédiatement une démonstration de leur fonctionnement. Merci.

Le président et les ingénieurs quittèrent d'un coup la table. Tout le monde, jusqu'aux jeunes enfants, voulut voir de près les spécialistes qui faisaient cracher à leurs machines des tuyaux de ciment de tous diamètres. Après quoi les gens commencèrent à rentrer chez eux.

Au moment de partir, Pierre, que Madeleine n'avait pas quitté d'une semelle, la reconduisit auprès de ses parents, assez heureux de s'en libérer. Anthime, qui se pavanait, ne tarissait pas d'éloges sur la façon dont la Borg avait honoré la population. Sa femme était moins loquace. Le jeune fermier lui demanda :

– Et vous, madame Leblond, que pensez-vous de ce banquet ?

– La Suède, c'est un pays au bord de la mer, n'est-ce pas ? lui demanda-t-elle.

– Oui. C'est un des quatre pays scandinaves.

– Comment se fait-il que ces Suédois nous ont servi du porc et non du poisson ?

12

Quand Réjeanne et Cyprien revinrent de l'île d'Orléans, le 31 décembre, un message attendait la jeune femme. Cléophée Mercier désirait la voir.

Les Bouffard et les Lanoue fêtèrent le jour de l'An 1914 ensemble, échangeant vœux et cadeaux. À un moment donné, Simon, perfide, laissa tomber négligemment :

– J'aurais pensé, Pierre, que tu inviterais Madeleine Leblond à dîner ?

– Une belle fille avec les coins ronds, renchérit Antoine qui s'était mis de mèche avec son frère.

Pierre les regarda, courroucé.

– Cette fille, ce n'est pas mon genre et vous le savez. Si vous pensez faire sauter mon bouchon à m'en parler, vous faites fausse route.

Les deux complices comprirent que leur plan avait échoué et cherchèrent autre chose. Tout de même, leur frère avait trop vivement réagi, signe que cette fille ne le laissait pas indifférent.

Le lendemain, Cyprien et Réjeanne rendirent visite à Cléophée et Gaudias. Cléophée était alitée. Gaudias veillait près d'elle, inquiet.

– Qu'est-ce qui t'arrive ? s'enquit Réjeanne avec empathie.

– C'est ma grossesse. Je suis constamment fatiguée et j'ai mal partout, répondit la jeune femme.

– Crois-tu que tu pourrais perdre ton bébé ?

Gaudias devança sa femme :

– Je ne pense pas, parce qu'elle ne fait pas de fièvre. Mais il faut être prudent. Je dis qu'elle doit rester au repos complet.

– Tu as vu le médecin? demanda encore Réjeanne.

– Non. Comme je n'ai pas eu de fièvre ni de perte de sang, il n'y a pas vraiment d'urgence. De toute façon, le docteur Pelletier va s'arrêter ici en faisant sa tournée cette semaine.

– Qu'est-ce que je peux faire pour toi?

– Il vaut mieux, Réjeanne, que tu prennes ma classe dès maintenant. C'est plus tôt que j'avais prévu, mais je sais que tu es fin prête.

– Qu'en dites-vous, Cyprien?

– Je ne peux pas m'y opposer, chère amie; nous en avons déjà discuté.

* * *

Anne-Marie, qui cueillait quotidiennement à la poste le courrier de sa famille, arriva quelques jours plus tard avec une lettre destinée à Pierre. Il l'ouvrit en grande hâte dès son retour de l'étable.

– Quelle bonne surprise! Mon ami Hervé Francœur vient prendre le dîner des Rois!

– Dans ce cas, il fêtera ton anniversaire avec nous! s'exclama Victoire.

– Mon anniversaire est le 7 janvier, maman, pas le 6.

– Ça ne fait rien : comme ton ami sera là, on le célébrera aux Rois, fit Victoire avec enthousiasme. Je vais te faire un gâteau roulé à la gelée de pembinas, comme dans le temps. On dirait que le goût de cuisiner me revient.

Le jour des Rois, Hervé Francœur arriva à midi pile. Il conduisait une rutilante carriole rouge mandarin que tirait un canadien ressemblant comme un jumeau à Souris. Simon se précipita pour dételer la bête et la mettre à l'écurie pendant que Pierre accueillait son ami.

La plus grande crainte qu'avait éprouvée Pierre en optant pour l'agriculture était de perdre ses amis. Or, il était resté en communication épistolaire avec la plupart d'entre eux, et voilà qu'Hervé lui consacrait un de ses rares et précieux jours de congé. Cette visite le rassurait beaucoup.

Réjeanne, qui ne perdait pas la main, aida Victoire à préparer le repas, ce qui laissa à cette dernière toute la latitude pour préparer son fameux gâteau roulé. Pour une fois, il remplacerait la traditionnelle galette des Rois.

Ce dessert, généreusement additionné de crème fraîche fouettée, connut tout le succès qu'il méritait. Repu, Hervé choisit ce moment pour dévoiler le cadeau qu'il avait apporté à son hôte. Il sortit un moment et tira de son traîneau un grand sac de toile dont il dévoila le contenu à table.

– Un coq en cuivre! s'exclama Pierre.

– C'est plus qu'un coq, mon ami, précisa Hervé. C'est une rose des vents surmontée d'un coq mobile. Si tu l'installes sur le toit de ta grange, tu le verras briller dans le ciel et t'indiquer la direction du vent, ce qui vaut un bulletin météorologique.

Plus tard, les deux amis se retirèrent au salon pour bavarder.

– Comme ça, Hervé, tu as choisi le droit? J'ai une bonne nouvelle pour toi : je serai ton premier client, commença Pierre.

– Je ne me voyais ni prêtre ni notaire. J'ai hésité entre la médecine et le droit et, comme je ne déteste pas la controverse, je serai avocat. Mais, dis-moi, tu ne regrettes pas d'avoir opté pour l'agriculture? Je t'avouerai que ton choix m'a étonné.

– Après la mort de mon père, j'ai découvert que mes racines étaient ancrées bien plus profondément dans la terre que je ne l'avais cru. Non seulement je ne regrette rien, mais je suis très fier de ma décision. Grâce à la mécanisation, le monde agricole est sur le point de subir une grande transformation. L'agriculture cessera bientôt d'être le refuge des ratés. Nous passerons de l'agriculture de survivance à l'agriculture professionnelle.

– Tu parles comme mon frère Guillaume et comme le député Lavergne.

– Parlant de ton frère, je l'ai revu au temps des récoltes. La stratégie agricole de Lavergne a-t-elle évolué?

– Le plan de Lavergne est maintenant au point et Guillaume reviendra bientôt pour l'expliquer et recruter des membres. Le maire Leblond et toi serez les deux premiers cultivateurs qu'il rencontrera.

– Dis-lui que je l'attends avec impatience.

– Au fait, tu m'avais écrit que Leblond était l'adversaire politique de ton père dans le projet de la cimenterie. Quelles sont tes relations avec lui?

Pierre raconta à son ami le rôle qu'il avait joué dans l'inauguration de la cimenterie, puis ajouta :

– Sa femme m'a même jeté sa fille dans les pattes et je n'ai pas pu m'en défaire avant la fin de la cérémonie.

– Elle est comment, cette fille?

– Deux ans plus jeune que moi, pas laide, bien faite, avec des yeux de carnassier.

– Un côté animal, donc. Elle te plaît?

– Ce n'est pas mon genre et je ne me verrais pas la marier, mais elle a un côté charnel qui me fascine.

– Étrange réaction de la part d'un homme rationnel comme toi. Méfie-toi de tes instincts profonds.

– Je suis résolu à me tenir loin d'elle. Je n'aurai d'ailleurs pas l'occasion de la côtoyer avant la prochaine fête de Mai. Y viendras-tu encore cette année? Je t'invite.

– J'espère pouvoir y assister. La fête de l'année dernière a été très réussie.

Les amis bavardèrent encore un long moment, puis Hervé consulta sa montre.

– Bon, je dois partir.

– Ferais-tu une faveur à mon frère Antoine? Pourrais-tu le déposer à sa pension de Saint-Michel puisque tu passes devant?

Chemin faisant, Antoine fit part à Hervé de sa passion pour les bateaux et lui raconta que les jeunes constructeurs maritimes de son atelier avaient formé une équipe et préparaient un canot à glace pour participer à la course du mardi gras.

– Feras-tu partie de l'équipe, Antoine? lui demanda le séminariste.

– Pas cette année, car je suis trop jeune; beaucoup de garçons sont plus musclés que moi. Mais j'aimerais faire quelque chose pour aider l'équipe de Saint-Michel.

– Cette course à travers les glaces me rappelle les courses en toboggans que nous faisions dans les écores de Beaumont quand j'avais ton âge. Je gagnais toujours, même contre mon frère Guillaume.

– Et pour quelle raison? fit l'adolescent, soudain fortement intéressé.

– Mon grand-père était d'avis que courir contre Guillaume, beaucoup plus âgé, représentait pour moi un défi inégal. Il m'avait donc confié un secret qui me donnait toujours l'avantage. De fait, c'est le seul jeu où je gagnais à tous les coups contre lui et ça le mettait hors de lui, pour mon plus grand plaisir et celui de mon grand-père, évidemment.

Antoine tremblait d'envie de connaître ce secret.

– Maintenant qu'il ne te sert plus, ton secret, me le donnerais-tu?

– En échange de quoi? fit malicieusement l'étudiant.

– Je n'ai rien à t'offrir pour le moment, si ce n'est du sucre à la crème de ma sœur Réjeanne, mais souviens-toi qu'on a un jour ou l'autre besoin d'un plus petit que soi…

Hervé se faisait encore prier.

– Je ne sais pas si mon secret s'applique aux canots…

– Dis, je verrai toujours.

* * *

Antoine rentra à sa pension assez pensif. Le secret d'Hervé le laissait perplexe. Son ami lui avait dit que ce qui s'appliquait à un traîneau produirait peut-être l'effet contraire sur un canot. Comme il avait juré de se taire, il ne pouvait demander l'avis de personne et, pour le moment, il ne pouvait rien vérifier, la construction du nouveau canot de l'équipe n'étant pas terminée.

Les deux derniers dimanches avant le carême, Antoine ne parut pas aux dîners dominicaux, ce qui était quasi impardonnable. Les deux fois, il envoya un mot par la poste disant qu'il était retenu par un surcroît de travail à l'atelier. Victoire n'en croyait rien et se confia à Réjeanne.

– Je crois que ton frère est amoureux, peut-être même de sa logeuse, dont il nous a dit tant de bien. Si c'était le cas, ce serait bien scandaleux.

– Maman, je crois Antoine quand il dit qu'il est occupé par la préparation du canot de l'équipe. Je ne pense pas que son patron le retienne. Je crois qu'il reste volontairement. Cette course le passionne et il ne veut rien manquer des préparatifs. De toute façon, nous aurons des nouvelles de lui mercredi matin : Pierre et Simon ont décidé d'aller ensemble voir la course du mardi gras et de participer à la fête qui suivra. Pierre s'est entendu avec Cyprien pour qu'il donne à manger et à boire au troupeau.

– Pierre ne peut pas partir comme ça et abandonner les vaches ! s'inquiéta Victoire.

– Ne vous en faites pas, maman. Pierre sait que c'est la dernière fois qu'il peut partir veiller avant que ses vaches ne commencent à vêler. Il faut le comprendre. Il est célibataire comme Simon et n'a pas souvent l'occasion de rencontrer des filles.

– Si tu le vois ainsi, ma grande..., convint Victoire en échappant un soupir de résignation.

* * *

Le cœur d'Antoine battait comme celui d'un malfaiteur quand il entra dans la chalouperie de Saint-Michel aux premières lueurs du jour, en ce dernier dimanche avant le carême. Cependant, contrairement à celui d'un cambrioleur, le sac qu'il portait était plein à l'entrée.

Même s'il savait qu'à cette heure Donat dormait comme une marmotte, parce qu'il était rentré tard d'une veillée, et que le père Guertin ne pouvait voir la chalouperie de chez lui, Antoine craignait d'être surpris. Il fit donc par l'intérieur le tour de l'atelier et regarda par chaque fenêtre pour s'assurer que personne ne surveillait ses allées et venues depuis les maisons d'alentour.

Il avait longuement réfléchi avant d'appliquer le secret d'Hervé au canot à glace de ses amis. Il avait d'abord vérifié que le truc était efficace sur un traîneau. Pour le reste, il se fiait à son jugement. «De toute façon, se disait-il, l'équipe de Saint-Michel, malgré ses efforts et ses préparatifs, a toujours fini en dernière position contre les gars des îles. Elle ne pourra faire pire. Et si ça marchait?»

Antoine se mit donc à l'œuvre avec la détermination et l'acharnement du passionné qu'il était et ne sortit de la boutique que lorsque toute la population du village fut entrée à l'église pour la grand-messe.

* * *

Comme toujours, la course devait avoir lieu à l'étale, au point culminant de la marée haute, alors que l'eau couvre entièrement les battures et permet de s'approcher à la rame tout près des berges, appelées «remparts» en hiver quand elles sont hérissées de glaces.

Beau temps ou mauvais temps, le départ aurait lieu au pied du phare de l'île aux Grues, à quinze heures, et les gagnants toucheraient le rempart de Montmagny soixante-quinze minutes plus tard dans les meilleures conditions.

Pierre et Simon attelèrent Souris aussitôt après le petit déjeuner. Ils se couvrirent de la meilleure «peau de carriole», une fourrure de bison doublée d'une couverture de laine, et s'apprêtaient à sortir de la cour quand leur mère entrouvrit la porte de la cuisine et leur cria :

– Votre pierre chaude, les garçons!

– C'est vrai, on oubliait la pierre à savon, fit Pierre.

Il sauta à terre et courut prendre dans le four un bloc de talc large et plat qui leur tiendrait les pieds au chaud.

Les deux frères arrivèrent à Saint-Michel à neuf heures pour y prendre leur benjamin. Ils trouvèrent Antoine au quai, plus nerveux que s'il allait prendre part à l'épreuve, offrant des encouragements à ses collègues. L'objectif des coureurs était modeste : se payer une pinte de bon sang et ne pas terminer la course en dernière position.

– On y va ! cria Donat.

L'homme de proue dénoua l'amarre qui retenait le canot au quai. Le chef d'équipe et barreur n'eut à donner que trois coups d'aviron pour que le canot se retourne dans le courant et soit emporté vers l'aval.

– Pourquoi l'équipe part-elle aussi tôt ? demanda Pierre.

– Pour profiter de la marée descendante, répondit Antoine. En partant maintenant, mes amis arriveront à Saint-Antoine-de-l'Isle-aux-Grues sans effort, à condition qu'aucun embâcle ne se forme devant eux. Ils seront frais et dispos pour la compétition de cet après-midi.

– Eh bien, intervint Simon, si nous voulons arriver au rempart de Montmagny à temps pour la fin de la course, vaut mieux tout de suite fouetter Souris !

* * *

À l'instar des insulaires et des visiteurs de Montmagny, Donat et ses hommes avaient aligné leur canot au suroît de l'île, au pied du phare, sous l'œil alerte de son gardien, Désiré Vézina. Le temps était gris, quelques flocons de neige voletaient ici et là, mais il ne faisait pas vraiment froid. C'est l'humidité qui les faisait grelotter. L'humidité et la nervosité.

– Pourvu que ce maudit canon ne tire pas sur nous…, grommela Benoît Roy, un rouquin, parent du forgeron de Rivière-Boyer.

Le drôle regardait le canon qu'on avait installé tout en haut de la berge, où il se découpait sur le ciel.

– Tu sais bien que non, le rassura Donat. Il est chargé à blanc. De toute façon, c'est un petit canon.

– Un canon n'est jamais petit quand tu te trouves devant ! lui rappela un autre canotier.

Donat, qui ne savait que faire pour calmer l'anxiété de ses amis, consulta sa grosse montre de poche. « Plus que dix minutes », se dit-il. Il eut une idée.

– Sais-tu, Benoît, que ce canon a une histoire?
– Tu vas me dire qu'il a fait la guerre?
– Non, justement; il n'a servi qu'en temps de paix. Au siècle dernier, ce canon appartenait à McPherson Lemoine, le seigneur de l'île aux Grues. Il n'a jamais tiré de boulet. Le seigneur, qui était armateur et possédait plusieurs goélettes et bateaux de transport, avait fait fortune à Boston mais passait la belle saison ici, dans son manoir de l'île aux Oies. Quand il voulait aller à Québec, il surveillait le passage d'un de ses bateaux et tirait un coup de canon pour signaler au capitaine d'envoyer une chaloupe le chercher!
Donat allait poursuivre l'histoire quand il remarqua du mouvement autour du fameux canon. Le maire et un groupe de dignitaires s'en approchaient. Aux côtés du premier magistrat se trouvait Armand Lavergne, le député de Montmagny.
Une voix tonitruante fit sursauter le chef d'équipe. C'était le héraut de la course qui, juché sur le solage du phare, criait dans son porte-voix.
– À vos canots! Le coup de départ sera tiré dans trois minutes!
– Vos rames sont en place? Vos mocassins, vos jambières de cuir, vos crampons sont bien attachés? s'enquit une dernière fois Donat.
Il se plaça à la poupe et ses quatre coéquipiers s'installèrent sur les côtés.
L'annonceur fit une pause, s'assura que tous les participants étaient à leur place, et continua :
– Cette année, la course se fera entre huit équipes de cinq hommes : quatre équipes des îles, trois équipes de Montmagny et une équipe de Saint-Michel.
La population entière de l'archipel était massée aux abords du phare. Donat et ses copains sentirent tous les regards se poser sur eux. Des regards moqueurs, à ce qu'il lui sembla.
– Au moins, on ne leur porte pas ombrage, se consola tout haut le jeune homme. Nous n'avons jamais gagné contre eux.

Ses hommes eurent un haussement d'épaules fataliste.

Le maître de cérémonie continuait.

– Les seules règles appliquées seront celles de la navigation. Les deux juges d'arrivée, un de Montmagny, l'autre de l'île, seront postés au rempart de Montmagny et disqualifieront tout canot qui coupera la voie à un autre. Le canot gagnant sera celui qui touchera le premier le rempart sud. Dans soixante secondes, le très honorable Armand Lavergne, député de Montmagny, tirera le coup de canon annonçant le départ. Faites le salut des canoteurs !

D'un seul mouvement, trente-deux rames et huit avirons s'élevèrent à la verticale et s'entrechoquèrent sous les applaudissements de la foule et les cris de défi, puis le canon tonna, projetant un inoffensif nuage de poudre noire que le noroît dispersa rapidement.

Sportifs d'un jour mais marins de toujours, ces hommes glissèrent leurs canots sur les cent mètres de glaces qui encombraient la berge et prirent la mer allègrement, même si la plupart d'entre eux ne savaient pas nager.

Malgré les encouragements lancés par leurs supporters, aucune équipe ne se démarqua pendant les premières minutes. Les marins ramaient furieusement mais leurs forces étaient trop égales et la mer trop calme pour qu'un canot puisse en devancer un autre.

Le premier obstacle se dressa à moins de deux cents mètres de la rive.

– Glaces mouvantes devant ! On rame ! cria le barreur.

Les rames, protégées de l'usure à la hauteur du tolet par un manchon de cuir et enduites d'huile de lin afin que le verglas ne s'y forme pas, étaient munies à leur extrémité de pics en acier leur permettant de s'agripper aux glaçons.

Sur trente mètres, des cubes de glace de toutes tailles heurtèrent les flancs du canot, mais les avironneurs ne levèrent même pas la tête. Pourtant, l'équipe de Saint-Michel ne gagna pas une foulée d'avance.

– Nos adversaires ont vu des glaces avant aujourd'hui ! grommela Donat.

L'embarcation déboucha sur une mare d'eau libre. Un peu plus loin, le barreur vit se profiler un obstacle d'une autre nature.

– Embâcle devant ! cria-t-il.

Ses marins connaissaient la procédure et attendirent le commandement en avironnant à fond.

Un vaste champ de glaçons tournait lentement sur lui-même, porté par un profond mouvement de l'eau. Fallait-il le contourner ou le franchir ? Valait mieux foncer. Donat jugea que sa texture semblait ferme et chercha des yeux une anfractuosité où il pourrait faire entrer son canot. Il n'en vit aucune. Il faudrait donc aborder les blocs hérissant le pourtour.

Joignant le geste à la parole, il cria trois fois :

– Ensemble !... Ensemble !... Ensemble !

Les rames et l'aviron plongèrent deux fois à l'unisson dans l'eau noire. Au deuxième mouvement, la pince du canot toucha la glace, et Benoît Roy, homme de proue désigné, bondit dessus tout en s'agrippant à la lisse, au cas où le frasil céderait sous ses pieds. Le canot, libéré de son poids, releva la tête comme un animal marin et, sous l'impulsion du troisième élan, bondit littéralement sur l'embâcle.

La manœuvre ayant été exécutée à la perfection, des cris d'appréciation fusèrent de l'île.

– Parfait, les gars ! se contenta de lancer le capitaine en jetant un rapide coup d'œil autour.

Il ne devançait aucune autre équipe mais, à tout le moins, il tenait la dragée haute aussi bien aux insulaires qu'aux riverains.

Les choses prirent une autre tournure dès que les canoteurs empoignèrent leur embarcation pour la traîner sur la couche de glace. Il leur sembla tout à coup que le canot glissait sur les crêtes avec l'aisance d'une plume.

– Sus aux bourdignons ! s'écrièrent-ils en courant à toutes jambes.

Donat n'y comprenait rien mais ne pensait surtout pas à demander des explications. Une seule chose importait : son équipe prenait incontestablement de l'avance.

Son canot voguait de nouveau quand les sept autres équipages arrivèrent à l'eau libre et le barreur put voir l'ahurissement se lire sur leurs visages.

– On va gagner ! s'exclama Rolland Gagné, qui en était à sa première course.

– Pas sûr, rétorqua Donat, mais nos adversaires vont avoir chaud !

Ce n'est pas sans peine que les solides marins des îles rejoignirent l'équipe de Saint-Michel et commencèrent à la dépasser. Mais un nouveau champ de glaces bouchait l'horizon. Rendue vulnérable par l'anxiété, l'équipe de tête, celle des Bernier, rata l'abordage. Un marin mit le pied entre deux glaçons et disparut un moment dans le frasil avant d'être repêché par ses compagnons. La barque prit une forte bordée d'eau et, en moins de deux, l'équipe se retrouva à l'avant-dernière position.

La course atteignait maintenant le milieu du chenal et, de la berge de Montmagny, la foule commençait à reconnaître les participants. Antoine, Pierre et Simon cherchaient leurs amis parmi les banquises, mais, pour le moment, les canots, blancs de givre, ressemblaient à des kakawis.

Soudain, un cri domina la foule :

– Regardez les gars de Saint-Michel. Ils courent comme des lièvres !

Antoine n'en croyait pas ses yeux. Ayant abordé les derniers la banquise la plus proche, ses amis remontaient une fois de plus le peloton et s'approchaient dangereusement de la tête. Sans doute gonflés à bloc par leur succès inattendu, ils avaient maintenant espoir de gagner la course.

Les trois frères Bouffard observaient la scène, fascinés. L'homme de chevaux taquina l'homme de bateaux :

– Je ne sais pas quelle avoine ont mangé tes amis, mais ils pètent le feu !

Les observateurs les plus avertis surveillaient les mouvements de l'eau. Pierre avisa un vieil homme qui gardait les yeux rivés sur un petit goupe de glaçons, devant eux.

– Ça serait-il indiscret de vous demander ce que vous cherchez à voir? demanda-t-il poliment.

Le bonhomme ne demandait pas mieux que d'étaler ses connaissances.

– Tu vois le tapon de glace qui bouge pas, là, devant? D'une minute à l'autre, il va virer à l'est. Ce sera le signe que la mer commence à redescendre.

– Et qu'est-ce que ça vous dit?

– Tu vois les canots qui s'en viennent droit sur nous?

Intrigués par la conversation de leur frère, Simon et Antoine se rapprochèrent.

– Je les vois, confirma Pierre, et pour le moment il y en a trois qui sont presque étrave à étrave, dont celui de Saint-Michel.

– Pas pour longtemps, prédit le vieux.

– Que va-t-il arriver? demanda le cultivateur, incrédule.

– D'ici dix minutes, le canot bleu va prendre les devants et gagner la course.

– Et pourquoi donc? intervint Antoine, de plus en plus intrigué.

– Ce canot, c'est celui des Lachance, les meilleurs marins des îles.

Le vieillard interrompit son explication et désigna l'agglomération de glaçons.

– Le tapon prend vers l'est; à c't'heure, la mer descend.

Simon jeta un coup d'œil aux trois canots de tête et poussa une exclamation :

– Votre canot bleu n'arrivera pas le premier de la façon qu'il dérive, son père. Il s'éjarre à l'ouest!

Le canot des Lachance s'était effectivement détaché des autres et prenait une tangente d'au moins quinze degrés qui semblait le mener droit vers les battures, en amont de Montmagny.

– Tu te trompes, mon gars, fit le bonhomme avec une flamme vive dans l'œil. La mer descend rapidement et dans quelques minutes elle va déporter tous les canots vers l'aval.

Les Lachance compensent pour le courant et vont tomber pile au pied des juges pendant que leurs adversaires vont être déportés vers L'Anse-à-Gilles et même Cap-Saint-Ignace.

– Le père, si vous dites vrai, je vais vous payer un petit coup ! promit Simon.

– Prépare ton flasque, mon jeune, parce que tu vas en avoir besoin !

Pendant un moment, le canot bleu poudre sembla errer. Pour l'heure, l'équipe de Saint-Michel était en tête et cherchait, tout en respectant le règlement, à monopoliser la trajectoire jusqu'au point d'arrivée.

Contrairement aux Lachance, les adversaires immédiats de l'équipe de Saint-Michel, l'équipe des Vézina, semblaient forcer moins vers l'amont. Mais ce n'était que stratégie : quand Donat barra à l'ouest pour maintenir sa position, les Vézina bifurquèrent soudain dans un angle mitoyen entre les Lachance et l'axe de la rivière du Sud.

Du haut de la berge glacée, les spectateurs approuvèrent la manœuvre avec force hourras. Maintenant, la course se faisait entre les Vézina et les Lachance. Soudain, on eût dit que ces derniers redoublaient de vitesse : leur barreur, Jos Lachance, venait de trouver le courant qu'il cherchait.

– Ils sont lancés en orbite ! s'écria Pierre.

Éberlués, les trois frères assistèrent alors à une magistrale démonstration de navigation. Pendant que le canot adversaire zigzaguait à la recherche de la bonne position, le célèbre canot bleu décrivit une ellipse parfaite qui le mena, sans un coup d'aviron perdu, jusqu'au pied des juges avec une confortable avance sur tous les autres. Quelques minutes plus tard, les champions sautaient sur la glace et tiraient leur embarcation en sécurité, sous les acclamations de leurs fidèles admirateurs.

Tous les autres équipages, les Vézina en deuxième place, les Bernier en quatrième, furent bien accueillis ; ils avaient mené un valeureux combat. Pourtant, Donat et l'équipe de Saint-Michel reçurent une ovation digne de champions. Antoine et ses frères s'étaient avancés pour congratuler Donat et ses coéquipiers. Ces jeunes hommes, pourtant épuisés, ne contenaient plus leur fierté.

– Imagine, Antoine, braillait Donat, la troisième position ! Je ne comprends plus rien. C'est un miracle !

– C'est parce que j'ai prié fort, affirma modestement le seul membre de l'équipe qui n'avait pas navigué et qui pourtant était le grand artisan de cette réussite.

Fort de son secret, Antoine venait de découvrir sa vraie vocation. Il ne se contenterait pas de construire des bateaux. Il déploierait désormais toutes ses énergies à améliorer leurs performances. Se retrouvant près de Pierre, il lui dit :

– Si tu n'y vois pas d'objection, je vais aller fêter avec mes amis et je rentrerai à Saint-Michel avec eux. Et attention à ton âme : les filles de Montmagny ont le diable au corps !

– Ne t'inquiète pas pour mon âme ni pour mon corps. L'un et l'autre sont pris par l'agriculture comme les tiens par la navigation.

Pierre chercha Simon et l'aperçut en bruyante conversation avec leur vieil interlocuteur. Leur différence d'âge ne semblait pas présenter d'obstacle aux libations et le vieillard tanguait déjà dangereusement.

– Je sais pas où tu prends ton petit blanc, mon jeune, mais je ne soufflerais pas une chandelle avec : j'aurais trop peur de sauter comme un pétard chinois, disait son ami d'un jour.

– Attention à ma potion. Elle fait monter la houle ! le prévint Simon.

– C'est pas toi qui rames !

Le deux frères abandonnèrent le vieux à ses mirages et se dirigèrent vers le manoir seigneurial des Érables, où l'avocat Rousseau, qui avait des vues politiques, offrait buffet et danse au grand public. Ils s'amusèrent ferme et reprirent la route alors que la lune était déjà haute.

– As-tu trouvé la femme de ta vie, mon Simon ? demanda Pierre à la blague.

– Pas plus cette fois-ci que les autres, avoua Simon.

– Quel genre de fille aimerais-tu ? demanda Pierre comme ils arrivaient à l'orée de la plaine.

– Je t'avoue que je ne le sais pas au juste, parce qu'aucune ne m'a encore chaviré le cœur. Les filles trop belles sont idiotes ou prétentieuses, et les filles sensibles et talentueuses ne me trouvent pas à leur goût. Ce n'est pas facile, l'amour. Et toi, à quelle fille rêves-tu?

– Je pense à quelque grande fille assez instruite pour comprendre la société et s'intéresser à ce qui se fait ailleurs. Mais je n'ai pas de nom en tête.

– Il n'y a pas beaucoup de filles de ce genre à Rivière-Boyer.

– C'est la raison pour laquelle je tente de correspondre avec des filles qui me sont recommandées par Hervé Francœur et d'autres anciens confrères de classe, mais je dois t'avouer qu'elles ne semblent pas pressées de venir vivre à la campagne.

– Si je comprends bien, nous ne te marierons pas ce printemps, conclut Simon.

– C'est aussi mon impression.

– Alors, dormons un peu.

– Et qui va conduire?

– Ne t'inquiète pas : Souris connaît le chemin et sait que de l'avoine l'attend à sa crèche. Elle ne s'arrêtera qu'à la porte de l'écurie.

Les deux garçons avalèrent un dernier coup, remontèrent leur peau de carriole jusqu'aux yeux et sombrèrent dans un sommeil émaillé de canots à glace, de chevaux et de jolies filles.

13

– LES ANCIENS DÉFRICHEURS se réunissent chez Thadée et Jasmine Léonard pour fêter le mardi gras. Viens-tu avec nous, mon vieux ?

– Tu veux y aller, toi ?

Maman Rose, une femme forte, avait depuis longtemps décidé de ne pas se laisser entraîner dans la neurasthénie de son mari.

– Victoire et moi, on peut y aller à pied au clair de lune ; il ne fait pas trop froid. Mais ça te ferait du bien de sortir, pour une fois, au lieu de rester ici à te morfondre. Revoir tes anciens amis…

– Mes anciens amis m'ont oublié. Ils ne viennent plus me voir.

– Des amitiés, ça s'entretient. Tu ne les as pas invités aux fêtes. Sois heureux qu'eux t'invitent encore.

– Si je suis en dette envers mes amis, je vais les recevoir avant d'accepter d'autres invitations. Ce soir, vas-y avec notre bru, mais je te dis de les inviter pour le samedi saint au soir.

– Comme tu veux.

Resté seul, Médéric éteignit la lampe et se coucha mais ne s'endormit pas. Bientôt des êtres imaginaires hantèrent son esprit. Le vieillard tenta de les chasser en priant pour les morts.

Médéric récita longuement des Ave sur son grand chapelet dont les grains en bois de pommier épousaient la couleur de ses mains basanées. Sur le crucifix de ce chapelet, un christ de cuivre bruni par le temps était fixé aux mains par deux clous à tête de rubis.

Médéric ne pria pas pour le salut de l'âme de son fils, mais pour le retour miraculeux de ce dernier. Dans quarante jours, on célébrerait la résurrection du fils de Dieu. Pour quelle raison son Cyrille bien-aimé ne ressusciterait-il pas lui aussi? Pourquoi ne reviendrait-il pas passer quelques semaines sur sa ferme, à temps pour aider Pierre aux prochaines semences, par exemple. Après, il pourrait repartir pour toujours.

Sur cette vision, il posa son chapelet sur la crédence, en ayant soin de l'enrouler sur lui-même et de poser la croix par-devers lui, et il s'endormit, rasséréné.

Le vieil homme sommeillait sans doute depuis quelques heures lorsqu'il se réveilla en sursaut. Était-ce un cauchemar ou la réalité? Il lui semblait avoir entendu quelqu'un marcher autour de la maison, sur la croûte de neige durcie.

Rose n'était pas encore revenue; il n'était sans doute pas très tard. Médéric écouta longuement, mais n'entendit plus rien : il ne faisait pas assez froid pour faire péter les clous du lambris et aucune bête ne rôdait. Son regard vide erra autour de la pièce et s'attarda longtemps sur la grande croix qu'il avait rapportée du cimetière. L'objet semblait flotter dans la pénombre, à contre-jour de l'astre des nuits, et la vision du retour de Cyrille revint hanter l'esprit du vieillard.

Petit à petit, Médéric sentit le sommeil revenir et, sur le point de sombrer dans la torpeur, il se tourna sur le côté pour caler sa tête dans l'oreiller. C'est alors qu'il eut une vision. Sous la forme d'une vipère.

Une vipère brun cuivre, avec des annelures couleur bois de pommier qui se perdaient dans l'ombre. Lovée sur la crédence, elle avait une tête triangulaire aux reflets métalliques qu'elle penchait un peu vers lui. Elle le fixait de ses yeux rouges, deux petits yeux rubis qui brillaient maintenant à la faveur d'un rayon de lune.

– Satan!

Le défricheur avait crié de toutes ses forces. Se dressant sur son séant, il assena à la bête un coup de poing avec la même force qu'il trouvait jadis pour arracher une souche ou mâter un cheval rétif. Son chapelet éclata en mille miettes, les grains roulant partout dans la pièce.

L'homme se leva, haletant, trempé de sueur. Non seulement il était seul, vieux et fatigué, mais voilà que les démons s'en prenaient à lui.

Le lendemain, à la messe du mercredi des Cendres, Médéric sentit l'étau de l'angoisse se resserrer encore davantage sur lui lorsque le curé Bouillé écrasa du pouce les cendres sur son front :

– Médéric, tu es poussière et tu retourneras en poussière !

Ces paroles, que le fondateur de Rivière-Boyer prit pour une malédiction, le troublèrent au plus haut point. Le matin suivant, il demanda à voir Simon.

– Aurais-tu le temps de me conduire à Saint-Michel ?

– Bien sûr; quand vous voudrez.

– Partons tout de suite.

Les deux hommes firent le trajet en silence.

– Où est-ce que je vous dépose ?

– Chez le notaire Dussault.

* * *

Quelques jours plus tard, Pierre, avant de monter dormir, alluma une lampe-tempête et passa à l'étable et à l'écurie pour effectuer une dernière inspection avant la nuit.

Tout semblait normal. Les chevaux dormaient debout, la tête basse. Les porcs ronflaient. Les poules, écrasées dans leurs cages, ne risquèrent qu'un œil. Toutes les bêtes à cornes étaient allongées et Pierre allait sortir quand il remarqua qu'une taure soufflait fortement. Il s'en approcha et constata qu'elle allait mettre bas.

La Blanche, sa taure la plus prometteuse, était étendue de tout son long et deux petits sabots translucides écartaient les lèvres de sa vulve. Il fallait l'assister.

Le cultivateur retourna à la maison et puisa dans le réservoir du poêle un seau d'eau chaude à laquelle il ajouta du savon du pays. Puis il trouva un grand chiffon propre et retourna avec son équipement auprès de la parturiente.

C'était la première mise bas de la jeune vache. Il fallut plus d'une demi-heure pour que les pattes avancent de quinze centimètres. Encore une demi-heure et un museau noir apparut sous la membrane du placenta. La taure fit des efforts et haleta pendant de longs moments mais rien ne bougea. Alors, elle sombra dans un demi-sommeil.

C'est le rejeton qui réclama la sortie. Son nez ayant crevé la membrane, il s'était mis à respirer nerveusement et il s'agita. Pierre trempa alors une main dans l'eau savonneuse, puis, s'approchant de la bête en couches, dégagea doucement le nez du veau et remonta jusqu'à ses yeux.

La mère consentit alors un effort important et la tête apparut tout d'un coup. Le sujet se présentait bien et tout se déroulait normalement, mais il faudrait du temps.

Presque une heure encore s'écoula avant que la mère trouve l'énergie de faire passer les épaules et elle n'y réussit qu'avec l'aide patiente de son maître. Pierre lui accorda quelques minutes de repos, puis l'aida de nouveau. Cette fois, le veau fut expulsé d'une seule venue.

Le petit resta affalé un moment, puis se mit péniblement sur ses pattes. La mère fit de même et le lécha affectueusement. C'était un beau mâle mi-blanc, mi-noir, le premier descendant de Timoune.

Minuit avait depuis longtemps sonné à l'horloge grand-père quand Pierre rentra. Victoire, qui n'avait pas fermé l'œil, lui offrit du thé et des biscuits avant de lui demander :

– Et puis, mon fils, quelles sont tes impressions ?

– Maman, vous ne me verrez jamais plus heureux que cette nuit. Mon troupeau compte un sujet de plus !

* * *

Les jours allongeant, à la mi-mars, maman Rose monta du sous-sol une boîte de terreau qu'elle avait préparé à l'automne et enfoui sous une botte de paille pour le préserver du gel.

Le 19, le jour de la fête de saint Joseph, elle mit en terre des graines de pétunias, les arrosa et les mit à germer sur le rebord de la fenêtre de la cuisine.

– J'en ai semé plus que moins, confia-t-elle à son mari. J'aurai des saint-joseph pour Réjeanne si elle veut se donner la peine de les transplanter.

– Tu me prends toute ma place, gémit Médéric.

– Bien non, mon vieux ; il te reste tout l'espace dont tu as besoin. Et ne t'avises pas de cracher dans ma boîte à fleurs.

Tous les matins, après un petit déjeuner qu'il prenait sans enthousiasme, Médéric s'accoudait à cette fenêtre, du côté du levant, d'où il pouvait voir sa terre, celle de Pierre et toutes les fermes du rang 1.

Un petit vol de corneilles découpa le ciel, annonçant le printemps. Le vieillard n'y fit pas attention. Il cherchait quelque chose au bout des champs, au trécarré des terres. Il cherchait un signe. Un signe que son fils unique reviendrait. Ce qu'il vit en lieu et place de ce signe figea son sang dans ses veines.

Médéric constata avec étonnement d'abord, avec panique ensuite, qu'il avait perdu un sens. Il avait perdu le sens de la profondeur. Tous les objets extérieurs lui apparaissaient à la même distance ; seule leur taille variait. Le paysage, qui lui était pourtant si familier, lui semblait maintenant un tableau. Le tableau inerte d'un peintre absent. Le vieil homme sombra alors dans le découragement.

Dès lors, l'état de santé du vieillard ne cessa de péricliter. Maman Rose eut beau lui faire prendre des pilules fortifiantes, rien n'y fit. Médéric sombra dans une profonde neurasthénie.

Le dimanche des Rameaux, le patriarche ne put, pour la première fois de sa vie, participer au dîner de famille : il était terrassé par une pneumonie. Cyprien et Réjeanne, qui avaient fait bénir des ramilles de leur grand sapin en guise de palmes, en apportèrent une au grand-père. Ils constatèrent que le malade étouffait sous la congestion pulmonaire. Maman Rose avait accroché au cou de son mari, avec son scapulaire, une pochette de laine contenant un gros carré de camphre. Elle semblait fort inquiète et s'en ouvrit à sa petite-fille.

– Ton grand-père ne va pas bien.

– Il y a longtemps qu'il se détériore, se souvint Réjeanne.

– Depuis la mort de ton père.

– Je croyais qu'il en ferait son deuil, comme nous.

– Eh bien non! Il croit que Cyrille reviendra aider Pierre pour les semailles.

De la chambre, on entendit Médéric gémir. Cyprien s'y précipita et posa sa main sur le front brûlant du malade. Sentant cette main d'homme le toucher, Médéric s'écria :

– Cyrille! Tu es revenu!

Les femmes avaient suivi l'ébéniste. Ce dernier se tourna vers elles, l'air sombre.

– Forte fièvre; il délire. Nous allons le veiller.

– Je vais avertir le reste de la famille et nous nous relaierons, proposa Réjeanne.

– Posez-lui des serviettes d'eau froide sur le front, Cyprien, pendant que je vais lui préparer une mouche de moutarde, décida maman Rose.

– Je peux aller chercher le médecin si vous préférez, lui offrit Cyprien.

– Les médecins ne peuvent rien contre une pneumonie. Si son état empire, nous demanderons les derniers sacrements.

Réjeanne puisa dans une tinette de graisse de lard une louche de saindoux auquel elle mélangea de la moutarde en poudre jusqu'à former une pâte jaune. Pendant ce temps, sa grand-mère couvrit la poitrine de Médéric d'une généreuse couche de gras animal afin de protéger son épiderme contre les brûlures que pourrait causer le médicament. Elle appliqua la pâte médicinale par-dessus et couvrit le thorax avec une pièce de lin grossier.

Les compresses d'eau froide n'eurent qu'un effet temporaire contre la fièvre, et la mouche de moutarde ne réussit pas à libérer les poumons. Les membres de la famille veillèrent Médéric à tour de rôle. Au matin, le vieil homme fut pris de violentes convulsions. Simon courut chercher le curé Bouillé.

Le mourant sembla réagir positivement aux prières du prêtre et ouvrit les yeux. Constatant que sa famille était réunie autour de lui, à l'exception de Réjeanne, retenue par sa classe, il dut comprendre que sa dernière heure était venue. Il referma les yeux mais fit signe de la tête quand le confesseur lui demanda s'il regrettait ses péchés, ce qui lui valut l'absolution.

Peu après midi, Médéric Bouffard, le fondateur de Rivière-Boyer, ouvrit grands les yeux, sembla fixer un point au loin, s'épanouit en un large sourire et s'écria :

– Cyrille !

Après quoi il s'éteignit paisiblement.

* * *

La famille Bouffard pria tout l'après-midi auprès du défunt.

Quand le jour tomba, Pierre, Simon et Cyprien lui firent sa toilette et le parèrent de ses plus beaux habits. Au retour de l'école, Réjeanne s'en fut avertir les vieux amis de la côte de Glaise et les invita à venir veiller le corps.

On reçut les premiers compagnons de Médéric au salon, en toute simplicité. Sa dépouille avait été étendue sur un grand sofa et couverte d'une catalogne. Dans la mort, le défricheur avait retrouvé sa sérénité et sa dignité.

Cette veille ne ressemblait pas à celles que l'on réservait habituellement aux défunts. Ses amis prièrent peu et parlèrent beaucoup. Du passé. À mi-voix. Allongé parmi eux, Médéric semblait prêter l'oreille. Quand le jour tomba, ils le saluèrent d'une dernière oraison et prirent congé.

– Bonsoir, maman Rose. Soyez courageuse. Nous serons là pour les funérailles.

Les jeunes Bouffard aussi retournèrent chez eux. Seule Victoire voulut rester.

– Maman Rose, je vais passer la nuit avec vous.

– Non, merci, Victoire; je préfère rester seule avec mon mari. Je vais lui parler un peu, pour la dernière fois. J'ai encore des choses à lui dire. À lui tout seul…

– Je comprends ça. Je reviendrai demain matin, dans ce cas.

– Faites quelque chose pour moi, Victoire : demandez à Simon d'aller chez le notaire demain matin chercher le testament de Médéric.

Simon fut de retour pour midi avec une grande enveloppe scellée qu'il remit à sa grand-mère, qui l'attendait avec Victoire, Cyprien et Pierre.

Rose se retira seule dans sa chambre avec le pli. Au bout de quelques minutes, elle en ressortit, l'air désemparé, tenant le testament dans sa main tremblante.

– Vous ne le croirez pas. Médéric demande à être enterré à Québec !

Sa bru se précipita pour la soutenir.

– Voyez vous-même, Victoire, dit maman Rose en lui tendant le document. Vous pouvez lire tout haut. Ça intéressera tout le monde.

Les jeunes hommes se regardèrent en hochant la tête.

Victoire lut :

Moi soussigné Médéric Bouffard, sain de corps et d'esprit, donne et lègue en parts égales à mes cinq petits-enfants tout mon argent liquide et en placements, y compris la créance de mon petit-fils Pierre Bouffard.

Je lègue et donne à mon petit-fils Pierre Bouffard ma terre et ma maison à la condition qu'il y maintienne mon épouse Rose, née Rose Robutel, aussi longtemps qu'elle le voudra et jusqu'à sa mort si tel est son désir.

Mon petit-fils Pierre devra accepter cette condition par écrit devant notaire dans un délai de sept (7) jours, à défaut de quoi ma terre et ma maison seront donnés et légués à mon épouse Rose, qui en disposera comme bon lui semble.

Mon dernier désir est que ma dépouille soit inhumée au cimetière de la paroisse Jacques-Cartier, à Québec, sur le lot où sera enterré mon frère Aldéric à sa mort.

En foi de quoi j'ai signé devant maître Joseph-Samuel Dussault, notaire à Saint-Michel, comté de Bellechasse, le jeudi 7 mars 1914.

Médéric Bouffard, défricheur.

Maman Rose était atterrée.

– Je peux pas le croire. Médéric, le premier défricheur de Rivière-Boyer, qui refuse d'être enterré dans le village qu'il a fondé !

– Depuis la mort de son fils, il a boudé tout ce qui s'est fait dans la paroisse, remarqua Pierre.

– Il faut croire que sa famille lui a toujours manqué, supposa Victoire.

– Ce qu'il regrettait le plus, dit maman Rose, c'est, dans sa jeunesse, d'avoir été séparé de son jumeau Aldéric. Il a trouvé le moyen de se rapprocher de lui pour de bon.

– Son dernier souhait pose un problème pratique, fit remarquer Pierre. Nous devrons demander à un entrepreneur de pompes funèbres de Québec de venir prendre le corps. Le mieux serait que j'aille à mon tour à Saint-Michel et télégraphier de la gare. J'avertirai l'oncle Aldéric et trouverai une maison funéraire.

– Je ne laisserai pas partir la dépouille de mon mari avant que le curé ait célébré une messe d'enterrement, déclara Rose.

Ainsi fut fait. Le requiem de Médéric, prononcé le jeudi saint à Rivière-Boyer, attira toute la paroisse. Après la cérémonie, son cercueil fut expédié par train à Québec. Son inhumation eut lieu le samedi saint dans la paroisse Jacques-Cartier. Ce dénouement inattendu permit aux Bouffard de conserver avec l'oncle Aldéric des liens qui autrement se seraient probablement effrités. Ce dernier insista en effet pour que, selon la tradition, la famille de son frère fête Pâques avec lui.

14

Les bruants des neiges étaient réapparus pendant la semaine sainte. Ils étaient arrivés de la vallée de la Chaudière en bandes plus compactes encore que celles qu'on avait vues défiler à l'automne et ils avaient piqué droit vers l'île d'Orléans.

Pierre et Cyprien, qui revenaient d'une courte visite chez maman Rose, s'étaient arrêtés un moment pour les regarder passer.

– Voilà bien une promesse que grand-maman ne pourra pas tenir cette année, avait dit Pierre avec regret.

– De quelle promesse parles-tu ? avait demandé son beau-frère, qui avait de toute évidence oublié.

– De nous faire un festin d'oiseaux de neige. Souviens-toi.

– Ça me revient… Mais le moment serait mal choisi pour en parler, avait convenu l'ébéniste.

Et les jeunes hommes avaient oublié leur déception. Mais le sujet revint au moment où ils s'y attendaient le moins.

– J'ai une belle surprise pour vous, annonça la tante Honorine, la femme d'Aldéric, au dîner pascal. Au lieu d'une oie, avant le jambon, je vais vous servir des ortolans rôtis. C'est un cadeau de Siméon. Il a pris plusieurs douzaines de petits oiseaux de neige cette semaine à l'île d'Orléans.

Cyprien, dont la mère dédaignait le gibier, n'en avait jamais goûté. Il fut étonné.

– Ces volailles sont à peine plus grosses que mon pouce ! s'exclama-t-il en les voyant.

– Il ne faut pas vous fier à leur taille, le rassura Réjeanne. Goûtez-y plutôt.

Posant, à l'instar de tous, sa main devant sa bouche pour constituer un écran, l'artisan se concentra un moment dans la dégustation des minuscules volatiles.

– Je n'ai jamais goûté de chair à la fois aussi grasse et aussi savoureuse, convint-il.

– Ça ne se mange pas, ça se tète! clama l'oncle Aldéric avec verdeur.

Tout le monde fut d'accord sur ce point et le repas prit une allure de fête malgré les circonstances moins heureuses qui étaient à son origine.

Les Bouffard durent prendre le train de quatorze heures trente car Pierre était pressé de rentrer. Il avait confié le troupeau à Jos Labrie, qui se faisait aider par Ti-Rouge Marceau, mais il ne pouvait s'éloigner longtemps de son étable à la période des naissances. Il était temps qu'il revienne : une vache mit bas deux génisses le soir même.

Simon se remit à l'enclume dès le lendemain. Plusieurs défricheurs du fond de la paroisse qui passaient l'hiver à haler au chantier de Langlois revenaient pour Pâques avec des chevaux de halage fatigués et mal en point. Ils leur donneraient du repos, de l'avoine, des soins et des fers neufs avant les semences. Suivraient les chevaux loués au chantier. Leur contrat cesserait juste avant la drave, qui coïncidait avec la débâcle.

Quand, six jours après le décès de Médéric, sa mère demanda à Pierre ce qu'il avait décidé concernant le testament de son grand-père, il répondit :

– Ce n'est pas un cadeau, cet héritage. C'est un pari.

– Ce n'est pas l'avis de tes frères et sœurs, lui confia sa mère.

– Sont-ils jaloux?

– Ils ne sont pas jaloux, tu le sais bien, mais ils te trouvent chanceux.

– S'ils calculaient un peu, ils changeraient d'avis.

– Explique-moi, demanda Victoire, qui semblait partager le point de vue de ses autres enfants.

– Présentement, comme je la loue, je bénéficie de tous les avantages de cette terre à la seule condition de payer un loyer fixe. En acceptant de la prendre en héritage, je devrai faire vivre grand-maman, ce qui me coûtera plus cher que le loyer. En fait, c'est comme si je l'achetais, cette terre. Je vais la payer avec l'entretien de maman Rose. C'est donc dire que, si j'accepte, je vais débourser un prix qui ne sera déterminé que par le nombre d'années de vie de mon aïeule. Et comme elle est en bonne santé, je risque de payer longtemps et cher.

La logique du raisonnement ébranla Victoire.

– Donc, tu ne vas pas la prendre, fit-elle, un peu déçue.

– Je n'ai pas dit ça. Comme j'ai jusqu'à demain pour décider, je vais réfléchir encore un jour.

L'après-midi, Pierre vit arriver les ti-frères Descôteaux.

– Où étiez-vous passés? Je ne vous ai pas vus depuis quelque temps. Ni à la messe ni au magasin général.

– On arrive du chantier de l'Anglais, répondirent-ils en canon.

– C'est donc ça. Je vois que vous vous êtes fait des muscles.

– Des jambes surtout, précisa l'un d'eux. On a halé pendant cent jours avec nos chevaux.

– Qu'est-ce que je pourrais faire pour vous?

– Il paraît que tu as hérité de la terre de ton grand-père… Tu es pas mal chanceux, fit l'un d'eux.

– Moins chanceux que tu ne penses, parce que tu ne connais pas les conditions. Je n'ai pas accepté encore.

– Dommage. On aurait voulu louer l'érablière. On s'est dit qu'avec toutes les vaches qui vêlent ces temps-ci, tu n'aurais pas le temps de faire du sucre.

– Sur ce point, vous n'avez pas tort. Mais, dites-moi, vous qui êtes bûcherons, est-ce que le bois d'érable se vend par les temps qui courent?

– L'érable de sciage se vend le gros prix à la manufacture de meubles de Montmagny parce que les cultivateurs de

Bellechasse ne veulent plus en enlever de leurs terres. Ils préfèrent garder leurs érablières pour le sucre.

– Dans ce cas, décréta Pierre, je peux vous louer mes deux érablières, celle de ma terre et celle de mon grand-père, parce que je vais accepter son héritage.

Les ti-frères ne comprirent rien à la volte-face de leur ami mais convinrent d'un prix avec lui.

Quand ils furent partis, Victoire, qui s'occupait à cuisiner pendant la visite des Descôteaux mais qui avait discrètement suivi la conversation, demanda à Pierre :

– Si tu as loué les deux érablières, c'est que tu acceptes finalement l'héritage de ton grand-père. Je suis comme les ti-frères : je ne comprends pas pourquoi.

– Dans l'évaluation de l'héritage, je n'avais pas tenu compte de la valeur à court terme des érables comme bois de sciage. Mon érablière et celle de grand-papa n'ont jamais été abattues. Elles sont constituées d'arbres adultes de première qualité qui pourraient rapporter un gros prix n'importe quel matin pour le bois de meubles. En d'autres mots, ce sera de l'argent en banque si jamais j'ai un coup dur. Maintenant j'ai une bonne raison d'accepter l'héritage.

– J'ai l'impression d'écouter ton père, laissa tomber Victoire.

* * *

Après les bruants des neiges, ce furent les bernaches qui apparurent un beau matin dans le ciel, suivies de près par les canards noirs, les pilets et les sarcelles. On vit même quelques oies des neiges.

La débâcle était passée sans affecter la centrale électrique et la Borg augmentait lentement sa production. Elle procurait maintenant de l'emploi à quelques manœuvres, dont Benjamin Leblond, le fils du maire, car le conseil, dans l'euphorie de l'inauguration, avait confirmé son titre à Anthime.

Les heures d'ensoleillement augmentaient chaque jour, pour le plus grand plaisir de tous. Un soir, revenant de l'auberge, Anne-Marie surprit Réjeanne qui bêchait la terre.

– Tu fais un jardin ?

– Pas un potager. Il aurait fallu labourer un coin l'automne dernier. Juste un coin de fleurs, pour égayer la maison. Grand-maman m'offre des jeunes plants de pétunias.

– C'est la première fois que je te vois sortir depuis des mois. Comment est-ce que ça va à l'école ? Penses-tu à la fin de l'année scolaire ?

– Entre un peu voir les cahiers de mes élèves. Tu pourras juger toi-même.

Des bruits de construction attirèrent l'attention d'Anne-Marie comme les deux jeunes femmes passaient devant l'atelier.

– Cyprien travaille fort ? s'enquit-elle.

– D'une clarté à l'autre, et il doit refuser des contrats, répondit Réjeanne.

Les cahiers de ses élèves étaient encore posés sur la table de la cuisine. Réjeanne avait interrompu une séance de correction pour prendre l'air.

– Regarde comme mes petits cultivateurs travaillent bien, dit-elle avec fierté en montrant des cahiers propres et bien tenus.

– Pas trop de fautes dans les dictées ?

– La dictée, c'est le secret du français. Je suis la méthode de Cléophée : nous travaillons deux textes par semaine, un à la fois. Les élèves lisent d'abord en silence. Ensuite, je le leur fais raconter dans leurs mots pour vérifier s'ils ont bien compris le sens de l'histoire. Puis ils copient le texte une fois. Quand ils ont bien assimilé le sens et le vocabulaire, je donne le texte en dictée sur une feuille volante. Les élèves corrigent eux-mêmes leurs fautes en comparant avec leur première copie, puis je redonne le même texte en dictée une deuxième fois, dans leur cahier cette fois.

– Et c'est ce que tu révises ce soir.

– Oui, et les résultats sont très satisfaisants, comme tu peux le constater.

– Tu sembles aimer vraiment ce travail, comprit la cadette.

– Je ne savais pas à quoi m'attendre quand j'ai accepté. Maintenant, je pense déjà à l'an prochain. Cléophée ne reviendra probablement pas. Elle sera sans doute prise par son bébé.

– Elle accouchera bientôt ?

– Je n'en ai pas de nouvelles, mais c'était prévu pour mai.

Réjeanne éloigna les cahiers comme on repousse une tentation.

– Assez parlé d'école ! Comment ça va à l'auberge ?

– Ça marche rondement.

– La clientèle n'a pas diminué maintenant que l'usine est terminée ?

– Pas vraiment. Les entrepreneurs qui ont bâti l'usine et la centrale ne passaient à l'auberge que pour discuter occasionnellement avec le grand patron, M. Pettersson. Ils prenaient quelques repas, pas plus. Ils ne viennent plus mais, avec le printemps, ce sont les commis voyageurs qui s'attardent. Avant, ils devaient coucher à Saint-Michel. Maintenant, ils soupent chez nous et, comme le paysage et notre cuisine leur plaisent, beaucoup s'attardent et finissent par dormir ici.

– Mais les ingénieurs, eux, ils ne devaient pas retourner en Suède ?

– C'est ce que tout le monde prédisait, mais aucun n'est parti. Ils se sont faits représentants de commerce. Ils voyagent partout dans l'est du Canada et des États-Unis et offrent les produits de l'usine. Personne ne parle de s'embarquer ; bien au contraire, ils prennent des habitudes de sédentaires. Ce n'est pas l'aubergiste qui s'en plaindrait.

– Ils vont peut-être s'établir par ici. Ce seraient des beaux partis...

Réjeanne tendait malicieusement la perche à sa jolie sœur.

– Ce n'est pas du monde comme nous autres ni pour nous autres, fit Anne-Marie.

– Que veux-tu dire ?

– Ces hommes te regardent toujours de haut, comme s'ils attendaient l'occasion de te sauter dessus.

– Et ce travail te plaît? demanda Réjeanne, soudain inquiète du bien-être de sa cadette.

– L'attitude des Suédois n'est qu'un désagrément sans importance. Ce sont des clients généreux. J'aime rendre service aux gens et nous ne manquons pas de clientèle. Tous les étrangers qui passent par ici s'arrêtent chez nous. J'ai même vu Jacques Latour la semaine dernière.

– Ton danseur de la fête de Mai? Qu'est-ce qu'il faisait par ici, ce don Juan?

– Il a commencé le commerce du bétail. Il achète des bêtes à cornes pour les expédier par train aux enchères de Québec ou les vendre aux bouchers de Beaumont à Montmagny. Comme c'est le temps des veaux, il est venu faire le tour des fermes pour en acheter.

– Est-il encore fâché contre toi?

– Au contraire, il fait patte de velours.

– Pour mieux t'attraper au détour, je parie.

– Il a de la suite dans les idées. Il m'a demandé de l'accompagner à la prochaine fête de Mai. C'est déjà dans quinze jours!

– Tu as accepté?

– J'ai refusé qu'il vienne me prendre, mais je lui ai promis une danse, peut-être deux…

– Tu joues avec le feu.

– Je joue avec un loup mais je ne suis pas le petit chaperon rouge. J'ai appris à me méfier des hommes depuis que je travaille dans le public. Mais, parlant d'hommes, comment est ton Cyprien? Nous ne pouvons jamais en parler au repas du dimanche, toute la famille est autour.

– Comme tu vois, c'est un gros travailleur. Et il a tellement de talent! Tu devrais voir le baldaquin d'église qu'il est en train de construire. Une splendeur!

– Et avec toi, il est comment? Je suis étonnée qu'il te vouvoie encore.

À ce moment, le soleil tombait. Les jeunes femmes entendirent Cyprien fermer les portes de son atelier. Il entrerait d'un instant à l'autre. Réjeanne sut qu'il prodiguait en passant une caresse à Tobie quand elle perçut le son familier des coups de sa grosse queue que le chien balançait contre sa niche. C'était le seul signe de sa présence : cet animal n'aboyait jamais. Réjeanne coupa court aux confidences :

– Laisse-moi juste te dire que Cyprien est un bien bon gars.

* * *

À la première heure un lundi matin, Simon eut la surprise de voir arriver Bjorn Palme à la forge. Contrairement à son habitude, le jeune industriel arrivait à pied.

– Puis-je vous parler en privé, Simon? demanda-t-il, toujours poli.

Simon sortit.

– Votre cheval est-il malade, monsieur Bjorn?

– Au contraire, il va très bien. Il s'agit de mon deuxième cheval.

Je ne savais pas que vous en aviez deux, fit Simon, surpris.

– Je viens de l'acquérir. Voici ce qui m'amène : dans mon pays, je faisais partie d'un club de propriétaires de chevaux de selle. Il n'y a pas de galop ici, mais il y a un important club de trot et amble à Québec. J'ai assisté à plusieurs courses emballantes l'an passé et j'ai même participé à quelques-unes. Voici qu'un club de trot et amble se forme maintenant à Montmagny et j'ai décidé d'en faire partie. J'ai acheté un cheval de première classe aux éleveurs de Beauport et je le recevrai par le train de ce soir.

– Désirez-vous que je vous conduise à la gare de Saint-Michel pour en prendre livraison?

– Plus que cela. Anne-Marie, que je vois quotidiennement à l'auberge, m'a vanté votre amour des chevaux et votre talent pour les dresser. Je voyage beaucoup et ne peux consacrer à un cheval tout le temps qu'il faudrait pour le maintenir au meilleur de sa condition. Simon, accepteriez-vous de prendre mon cheval en pension et de lui assurer un entraînement quotidien? Il suffit de le faire courir tous les jours une demi-heure. En retour, je vous paierai grassement.

– Il y a des offres qu'on ne rêve même pas de recevoir et la vôtre en est une. J'accepte avec plaisir!

Simon décida de garder cette bonne nouvelle pour lui; l'honneur de parler de son acquisition revenait au Suédois, estimait-il. Après son travail, le forgeron passa par l'auberge et partit avec l'ingénieur. Les deux hommes rentrèrent tard et personne ne vit la bête. Un cheval spécial attire toujours l'attention et Simon s'attendait à ce que la nouvelle se répande dans le village, mais le secrétaire de la cimenterie partit en voyage le mardi et, apparemment, sans avoir soufflé mot à personne de son acquisition.

Le soleil se levant très tôt en mai, Simon se mit à entraîner le cheval de Bjorn Palme à l'aube, avant même de prendre son petit déjeuner. C'était une bête comme le jeune homme n'en avait jamais vu.

Ce hongre avait le corps fin, les membres longs et la tête haute. Il attendait avec fébrilité qu'on l'attelle à son sulky et, dès qu'on lâchait les rênes, il partait d'un long trot et se mettait naturellement à ambler dès la troisième foulée. Il courait à une vitesse vertigineuse : en une demi-heure, Simon remontait le chemin Bouffard jusqu'au pont du Grand Bras et parcourait les rangs 4, 3 et 2 avant de rentrer chez lui. Il pouvait laisser l'animal courir à fond de train en toute sécurité : à cette heure, les cultivateurs n'encombraient pas les chemins.

Bjorn Palme ne revint de voyage que le samedi midi. Sa première démarche fut pour son cheval de course. Il s'arrêta à la forge et Simon sortit à sa rencontre.

– Alors, comment va notre bête? demanda-t-il au maréchal-ferrant.

– Elle se porte à merveille.

– Pourrais-je faire son entraînement demain matin?

– Certainement. Mais ne désirez-vous pas la montrer au public ce soir? C'est la fête de Mai. Toute la paroisse y sera. On vous l'a dit?

– Vous êtes d'avis, Simon, que les gens aimeraient voir mon nouveau cheval?
– Il ferait sensation.
– Mais personne ne m'a invité à cette fête.
– Que diriez-vous d'y conduire Anne-Marie?
– Croyez-vous qu'elle accepterait? Si oui, je veux bien.
– Je le lui demanderai pour vous et, si elle accepte, je préparerai votre voiture pour vingt heures.
– Entendu.

En quittant la boutique à la fin de la journée, Simon croisa Réjeanne dans le village.

– Où vas-tu comme ça? demanda-t-il, fort surpris de la rencontrer à cette heure.
– Mme Eugénie m'a demandé de veiller sur l'assistance, comme l'an passé, et m'invite à prendre le repas du soir avec elle et monsieur le curé. C'est tout un honneur. Tu seras à la fête?
– Je ne voudrais pas la manquer pour tout l'or du monde, déclara énigmatiquement son cadet. Je passe prendre Anne-Marie à l'auberge et nous rentrons à la maison nous changer.

Anne-Marie attendait Simon avec impatience.

– Hâtons-nous, fit-elle. Nous avons tout juste le temps de souper et de nous préparer. Pierre, maman, Cyprien et maman Rose viendront en quatre-roues. Pourras-tu me conduire à la salle paroissiale?
– J'ai un service à te demander, laissa tomber Simon.
– Ce n'est pas dans tes habitudes. Que veux-tu?
– J'aimerais que tu laisses le Suédois Bjorn te reconduire à la fête. C'est un étranger et ça l'intimide d'arriver seul.
– C'est mauvais de fréquenter la clientèle.
– Fais-le pour moi; il vient de me donner un bon contrat et je veux lui faire plaisir. Dès que vous arriverez à la fête, tu lui présentes quelques-uns de nos amis et tu le congédies.
– Tu es bien sûr que c'est pas une histoire de garçons, encore?

– Non, non, juré, craché ! fit Simon qui ne pouvait dissimuler des plis malicieux au coin de ses yeux enjôleurs.

Anne-Marie se doutait de quelque chose mais, comme elle aimait bien son frère, elle accepta.

– D'accord, mais juste pour l'arrivée.

Peu avant vingt heures, Simon et Anne-Marie prirent la route. Cependant, au lieu de monter la côte de Glaise, Simon se dirigea vers l'extrémité du rang 1, longea la rivière par le chemin de portage et, à la Grande Croix, remonta vers le village par la côte de Roches.

– Peux-tu me dire pourquoi tu fais ce détour ? s'impatienta Anne-Marie. On est déjà tard.

– J'emmène son nouveau cheval au Suédois et je veux lui laisser l'honneur de le montrer lui-même au public. Personne ne le verra si nous passons par ici.

– Bien du mystère pour rien ! s'exclama Anne-Marie, contrariée.

En arrivant au sommet de la côte, Simon vit de loin qu'un grand cheval gris pommelé occupait déjà la seule place disponible devant la forge. « Le coq est arrivé », constata-t-il en silence. Il s'arrêta à l'auberge et y déposa Anne-Marie.

– Je reviens dans un moment, lui lança-t-il en repartant.

Il alla mettre le pur-sang à l'écurie et rejoignit sa sœur. Quand il arriva dans le hall, Bjorn Palme s'était déjà porté à la rencontre de la jeune fille.

– Monsieur, Anne-Marie accepte que vous la conduisiez à la fête, à la condition que vous lui rendiez sa liberté dès l'arrivée. Des amis qu'elle vous présentera l'attendent mais je vous tiendrai compagnie. Si cela vous convient, je vais amener votre cheval immédiatement.

– Je veux bien, fit l'ingénieur. Comme il fait doux, nous vous attendrons dehors sous le baldaquin.

Le jeune forgeron contourna l'auberge et revint quelques minutes plus tard avec non pas le pur-sang mais le premier cheval du Suédois.

– Simon, j'attendais mon nouveau cheval ! fit l'ingénieur, déçu.

– Anne-Marie a vu votre cheval de course à l'entraînement et elle a peur qu'il ait une réaction devant la foule. J'ai attelé celui-ci pour ménager ses émotions.

Simon comptait que, ne voulant pas déplaire, Bjorn Palme accepterait cette explication. Il avait parié juste.

– Vous avez bien fait, Simon. Je ne voudrais pas effrayer votre sœur. Quant à mon nouveau cheval, nous l'attellerons demain matin.

– Au contraire, monsieur Bjorn. Reconduisez d'abord ma sœur à la fête et je viendrai échanger vos bêtes pendant qu'elle vous présentera à ses amis. Alors, vous pourrez montrer votre nouveau cheval aux intéressés.

Voyant le manège de son frère, Anne-Marie comprit qu'il tramait quelque chose.

– Partons, lança Simon. Je vous précède à pied et je prendrai soin de votre animal à l'arrivée.

Une distance d'à peine cent mètres séparait l'auberge de la salle paroissiale. Le cheval de Palme voulut se précipiter mais son maître le retint, s'assura que sa compagne était confortablement installée, puis laissa la bête avancer au petit trot. Simon put donc, tel qu'il le souhaitait, assister discrètement à l'arrivée du Suédois.

Une petite troupe de jeunes gens s'était formée autour de Latour. Plusieurs garçons intéressés aux chevaux sortaient de la salle paroissiale pour voir en pleine lumière le fameux cheval pommelé qui avait devancé Souris l'année précédente. Le groupe s'attardait encore sur le trottoir quand Bjorn Palme arriva avec Anne-Marie à la porte de la salle paroissiale.

Simon, qui arrivait à grands pas, put voir le chapeau melon de Latour s'agiter nerveusement. Le jeune forgeron contourna rapidement le buggy et prit la bride du cheval pendant que le beau Suédois tendait galamment la main à la ravissante jeune femme. Sans jeter un coup d'œil alentour, Anne-Marie, qui redoutait de se trouver prise entre deux feux, piqua droit vers la salle paroissiale où elle savait trouver sa famille et ses amis. Son chevalier servant la suivit comme un caniche bien dressé.

Simon vit le visage de Latour devenir cramoisi quand Anne-Marie passa au bras de Palme. Dès que le couple eut franchi les portes, le commerçant de bétail explosa :

– Regardez la Bouffard qui se pavane avec le premier étranger venu !

– Braille pas, Latour, lança Simon. Ma sœur a choisi celui qui a le meilleur cheval !

– Toi, Piton, mêle-toi pas de ça ! répliqua Latour, furieux.

– Tu ferais mieux d'enlever ton cheval de devant la boutique, que j'y attache celui du Suédois, fit Simon.

– Cette place, c'est la place du meilleur cheval, et le meilleur cheval du canton, c'est le mien, clama Latour.

– Si j'étais toi, je ne parierais pas là-dessus !

Les admirateurs de Latour s'animèrent. La perspective d'une course leur rappelait la compétition enlevante de l'année précédente. « Une course ! Une course ! lui criait-on. Ce cheval est facile à battre ! »

C'était aussi l'avis de Latour : le cheval que l'étranger conduisait était beaucoup moins grand que son étalon bleu et ne présentait aucun signe permettant de croire qu'il puisse le vaincre.

– Je parierais contre n'importe quel cheval des alentours ! s'enhardit le marchand de bestiaux.

À ce moment, le Suédois, auquel Anne-Marie avait donné congé tel que convenu, sortait de la salle paroissiale. Le voyant revenir, Simon lança son défi à Latour :

– Jusqu'à la Grande Croix ! Je gage une pinte de rhum sur le trotteur de M. Bjorn !

– Pari tenu ! répondit Jacques.

L'ingénieur arrivait. Il vit que la petite troupe entourant l'homme au chapeau melon était fort animée. Simon lui fit signe de s'approcher et lui glissa à l'oreille :

– Monsieur Bjorn, ce grand type au chapeau anglais désire faire une petite course contre vous. Ce serait l'occasion idéale pour présenter votre nouveau cheval.

Le Suédois hésita.

– Croyez-vous que je devrais accepter? Je ne voudrais pas indisposer un concitoyen.

– Ce Latour n'habite pas Rivière-Boyer; il vient d'un autre village et lance des défis à tout venant. Les gens d'ici ne seraient pas fâchés qu'il perde. J'ai d'ailleurs parié sur votre cheval. Je sais que vous gagnerez facilement!

– Dans ce cas, je veux bien, mais il faudrait que je porte un cache-poussière, fit le Suédois, que le défi tentait beaucoup, au fond.

– Monsieur Bjorn accepte! lança Simon à Latour et à ses amis. Il passe à l'auberge changer de vêtements et sera là dans dix minutes!

Des hourras accueillirent la réponse. Simon remit les rênes à l'ingénieur.

– Revenez vite avec votre nouvelle bête, souffla Simon. Je vous attends ici.

Palme partit changer de cheval et Simon entra pour rejoindre sa famille. Réjeanne remarqua que son jeune frère était surexcité et lui en demanda la cause :

– Il va y avoir une course de chevaux dans quelques minutes, fit simplement le forgeron.

– Tu ne vas pas encore courir contre Latour? s'alarma l'aînée.

– Non, pas moi. C'est Bjorn Palme qui va l'affronter.

– C'était donc ça! s'exclama Anne-Marie, qui comprit du coup le manège de son frère.

– C'était donc quoi? s'intéressa Pierre.

– Simon a réussi à provoquer Latour pour qu'il coure contre le Suédois, mais le Jacques, il ne sait pas ce qui l'attend!

– Intéressant, fit Antoine qui savait, lui, contre quel cheval l'étalon bleu allait courir. Je crois que je vais aller faire des paris…

C'était moins le défi que le spectacle qui intéressait Cyprien.

– Allons voir cette course, mon épouse, dit-il à Réjeanne. Profitons des plus belles minutes du soir.

La nouvelle s'était répandue à la vitesse d'une calomnie. Le mouvement de la foule signala aux violoneux qu'ils pouvaient faire relâche. Les gens avaient hâte de voir cette compétition.

– Tu sembles fort affairé, Antoine.

Réjeanne, qui n'approuvait pas les paris, constatait bien que son jeune frère ne partageait pas ses scrupules.

– Tout le monde veut gager sur Latour, répondit le faiseur de chaloupes. Je parie à trois contre un sur le Suédois !

– Si tu perds, tu seras ruiné, lui fit remarquer sa mère.

– Mais si je gagne, je serai riche, rétorqua le jeune homme en riant.

Maman Rose eut un frisson.

– Les jeunes sont donc fantasques ! se désola-t-elle.

Toute la population de Rivière-Boyer se répandit sur le terre-plein aux portes de la salle paroissiale.

Jacques Latour avait un faire-valoir en la personne de Paul-Yves Pelletier, le fils du médecin de campagne. Autant le père était sérieux et avait le sens du devoir, autant le fils était fat, paresseux et fêtard.

L'ineffable Pelletier avait avancé le cheval bleu au centre de la voie publique et le tenait par la bride. Son compagnon, encore entouré par ses admirateurs, se préparait à prendre les rênes quand une clameur s'éleva de la terrasse. Son adversaire arrivait avec, attelé à son buggy, son nouveau pur-sang.

L'effet de surprise fut total. À la vue de cette bête incomparable, la faveur du public passa derechef à l'ingénieur. Des applaudissements se prolongèrent pendant tout le temps qu'il mit à contourner l'église pour se placer à la ligne de départ. Latour blêmit : il comprit que Simon Bouffard venait de lui tendre un piège. Une seule alternative : courir ou déclarer forfait.

Le marchand de bétail regarda autour de lui, cherchant du renfort. Ses amis d'un jour retraitaient prudemment. À l'exception des parieurs, la foule rigolait. Simon, pour sa part, se tenait au premier rang des spectateurs et exhibait un petit flasque d'alcool pour rappeler à Latour son pari.

« Contre n'importe quel cheval », avait-il dit. Il fallait courir.

Le Suédois aligna son trotteur nez à nez avec l'étalon bleu et, en garçon discipliné, attendit le signal du départ, non sans chercher du regard qui régissait la course. « Apparemment personne », fut-il forcé de constater.

Latour, pour sa part, décida qu'il allait remporter cette course coûte que coûte. Tout en faisant signe discrètement à Pelletier de se retirer, il prit en main son fouet à mise, en défit la réserve pour donner à la lanière sa longueur maximale, et, sans prévenir son adversaire, fouetta son cheval, qui bondit en avant.

Le trotteur de Bjorn, auquel son maître avait même passé le masque réglementaire des courses sous harnais, sentait à l'excitation de la foule que le départ serait sonné d'un instant à l'autre. Quand il vit son congénère bondir en avant, il s'élança lui aussi, et le Suédois, un moment désemparé, dut se ressaisir et le conduire.

Pierre observait les deux buggys quand il sentit une main chaude et pulpeuse se poser sur son bras. En même temps, une voix minaudière lui lançait un défi :

– Si le Suédois gagne, je t'invite à danser. S'il perd, tu m'invites à dîner demain ?

Pierre sursauta.

– Et toi, tu gagnes de toute façon ! rétorqua-t-il en se retournant brusquement, un peu irrité.

Madeleine Leblond ne retira pas sa main. Pierre ne la repoussa pas. La jeune fille le fixait avec son sourire juvénile et ses petits yeux de martre. L'homme de la terre sentit les dents du joli carnassier se refermer sur sa chair.

– D'accord, concéda-t-il à contrecœur.

Pierre n'avait pas revu la fille du maire Leblond depuis l'inauguration de la Borg. Pourtant, le souvenir de cette rencontre lui revenait souvent et lui procurait un sentiment qui le gênait.

Le désir qu'il éprouvait pour la jeune fille se heurtait à son intelligence, à son éducation, à l'idéal qu'il se faisait des femmes en général et de celle qui serait la sienne en particulier.

Dans son buggy qui cahotait violemment sur les cailloux de la côte de Roches, Bjorn Palme, que la poussière aveuglait à demi, reprenait tant bien que mal le contrôle de son coursier. Ce dernier, qui avait au départ commis l'impardonnable erreur de se mettre au galop, avait pris un retard considérable. Son conducteur l'ayant remis à l'amble, il gagnait maintenant du terrain, mais l'étalon bleu coutourna la croix du chemin avec trois longueurs d'avance.

Maintenant, le pur-sang du Suédois avait retrouvé sa discipline et déployait toute l'ardeur qu'il avait en réserve. La foule s'était répartie de chaque côté de la rue Principale et avançait jusqu'à l'intersection de la rue de la Beurrerie pour mieux voir l'arrivée. Les deux adversaires avaient disparu vers la rivière mais n'allaient pas tarder à revenir. Soudain, deux têtes surgirent au sommet de la côte, l'une blonde, l'autre portant melon, deux hommes dominant des bêtes qui couraient à perdre haleine.

Des exclamations fusèrent : le cheval de Bjorn Palme arrivait à la hauteur de celui de Jacques Latour. Celui-ci, voyant que sa bête commençait à flancher, sentit le désespoir monter en lui.

L'ingénieur le doublait irréfutablement quand, ne pouvant plus rien tirer de sa bête, il dirigea son fouet vers son adversaire. Les spectateurs ahuris virent voler la lanière de cuir, qui s'abattit contre le blond étranger et s'enroula autour de lui comme un serpent.

Latour tira violemment sur le manche dans l'espoir de faire basculer son adversaire, mais ce dernier tint bon et, son cheval prenant une avance décisive, finit par arracher le fouet des mains du marchand de bestiaux et le laissa traîner derrière.

Des cris de protestation s'élevèrent des gorges des spectateurs mais se changèrent en bravos quand le Suédois immobilisa sa bête devant la forge, où Simon l'appelait à grands moulinets des deux bras.

Battu et désarmé, Latour ne se rendit pas à la ligne d'arrivée. Il fit demi-tour devant le magasin général, où Pelletier l'attendait, et s'enfuit vers Saint-Vallier sous les moqueries des habitants de Rivière-Boyer.

Simon, jubilant, saisit le cheval à la bride pendant que ses nouveaux admirateurs aidaient Bjorn Palme à descendre de voiture, à délier le fouet et à battre la poussière de son surtout.

Le Suédois triompha modestement, ce qui eut pour effet d'augmenter encore l'estime que la population portait déjà aux Européens. Quant aux gens qui blâmaient Latour de l'avoir fouetté, le gagnant leur déclara que, pour peu civilisées qu'elles soient, de telles manières n'étaient pas nouvelles : elles remontaient aux arènes de la Rome antique.

Puis, récupérant l'arme de son adversaire, Bjorn Palme remercia chaleureusement l'entraîneur de son cheval :

– Mon cher Simon, ce fouet constitue le trophée le plus précieux de toute ma carrière d'amateur de chevaux, passion que je partage avec vous. Je dois à votre entraînement d'avoir gagné cette course et je vous invite à l'auberge pour partager avec moi le verre du vainqueur.

– J'accepte avec plaisir, répondit le forgeron. En retour, je vous offrirai, le jour où il honorera son pari, un verre du rhum que me doit maintenant Jacques Latour !

DEUXIÈME PARTIE

Temps de guerre

15

La fête de Mai 1914 connut un succès plus grand encore que toutes les précédentes. Comme chaque année, on avait, le troisième samedi de ce mois, célébré l'espoir. Car l'espoir était permis.

Personne ne faisait fortune mais, d'un coin de terre, on pouvait toujours arracher son pain et celui de tous les enfants que la Providence vous envoyait. À l'école du rang, on pouvait apprendre les rudiments du français et du calcul. Si, à coups d'épargne et de sacrifices, on réussissait à faire passer un fils par le petit séminaire, il pouvait devenir notable. Et puis il y avait maintenant ces industries nouvelles qui promettaient de créer la richesse. On fêtait un jour, un soir, et on reprenait le collier le jour suivant. Mais on le faisait avec cœur parce qu'on avait fêté.

Le lundi matin suivant, maman Rose reprit son tricot, Victoire se rassit à son métier à tisser, Réjeanne s'en fut enseigner, Pierre partit aux champs avec Ti-Rouge, Simon déposa Anne-Marie à l'auberge en se rendant à la forge et Antoine retourna à la chalouperie.

Pour sa part, Cyprien, qui avait regagné son atelier à l'aube, reçut en cours de journée une lettre par la nouvelle poste rurale.

– Réjeanne, dit-il à sa femme quand elle rentra de l'école, j'ai une grande nouvelle à vous annoncer : Louis Jobin accepte enfin notre invitation. Il traversera de Beaupré dimanche et viendra dîner.

– J'ai vraiment hâte de connaître ce grand sculpteur. Moi aussi, j'ai une bonne nouvelle : Cléophée a accouché d'un fils samedi soir pendant que toute la paroisse était à la fête de Mai.

– Y a-t-il eu des complications ?

– Aucune. Sa mère et sa grand-mère ont fait les sages-femmes et le bébé est normal. Cléo se remet bien et Gaudias est aux anges.

– Alors, nous irons les féliciter dès qu'ils pourront nous recevoir. En attendant, je retourne à mon atelier et vous laisse le soin d'établir le menu de dimanche.

Mais Réjeanne retint son mari. Elle voulait en savoir plus.

– Votre ami Jobin viendra avec sa femme ?

– Je présume qu'il viendra seul. Sa femme Flore, qui était passablement plus âgée que lui, est décédée il y a sept ans. Je n'ai pas entendu dire qu'il se soit remarié.

– Et de quoi a-t-il l'air ?

– Il est mince et de taille moyenne. Mais avec sa longue barbe ondulée, il ressemble aux statues des apôtres et des saints qu'il sculpte si bien.

– Il ne vous dit rien d'autre dans sa lettre ?

– Qu'il viendra en barque et qu'il a un contrat à m'offrir.

– Prometteur !

Quand Cyprien et Réjeanne arrivèrent à l'église de Rivière-Boyer pour la grand-messe, Louis Jobin y était déjà. Il s'était assis tout en avant, au deuxième banc de la rangée latérale, derrière les marguilliers. Cyprien le désigna du menton à sa femme mais le couple resta en retrait.

En attendant que débute l'office, le statuaire de soixante-neuf ans était assis et promenait un regard scrutateur sur le chœur.

Réjeanne eut l'impression qu'il priait silencieusement. Cyprien, lui, sut au regard systématique qu'il promenait sur l'autel et le baldaquin que le maître examinait attentivement son mobilier. De son jugement dépendrait peut-être l'offre que Jobin avait à lui faire.

À l'*Ite missa est*, le couple s'attarda quelque peu dans son banc, escomptant accoster le visiteur quand il se dirigerait vers la sortie. Au lieu de cela, Jobin disparut vers la sacristie. Quelques minutes plus tard, il surgit par une petite porte voisine des fonts baptismaux et, après une pieuse génuflexion, s'approcha de l'autel, qu'il ausculta littéralement.

Cyprien se pencha à l'oreille de sa femme :

– Il examine mon travail en détail. Sortons prendre l'air.

Réjeanne sentit que son mari vivait un moment d'angoisse; il lui avait dit à Saint-Michel que Jobin était aussi exigeant pour les autres que pour lui-même.

L'ébéniste n'eut pas à douter longtemps de son talent. Le vieil homme sortit sur le parvis quelques minutes plus tard et déclara tout de go :

– Tu as fait du beau travail, Cyprien. Continue comme ça.

Cyprien échappa un soupir de soulagement. Tournant ses vifs yeux noirs vers Réjeanne, le visiteur la salua courtoisement.

– C'est mon épouse Réjeanne, fit Cyprien en guise de présentations.

– Votre mari travaille bien, madame, laissa tomber le sculpteur sans plus de préambule. Je suis venu l'engager.

– Montez, on discutera de ça à la maison, ordonna l'ébéniste.

La jeune femme estima que leur invité en venait un peu trop vite aux faits. Elle voulut meubler la conversation.

– Vous n'avez pas eu de mal à traverser? s'informa-t-elle.

– Sainte-Anne-de-Beaupré, où je demeure, est presque en face d'ici, sur la rive nord. En calculant les marées, ça se traverse facilement, d'autant plus que c'est le temps des grandes mers. Mais il faudra que je reparte à deux heures cet après-midi.

– La volaille sera prête quand nous arriverons à la maison. Vous aurez tout le temps de manger, de jaser et de fumer, assura la ménagère.

– Je ne fume pas et, malgré ça, deux de mes ateliers ont brûlé dans le passé. Le feu est mon seul ennemi, madame, précisa l'artiste.

– Mon mari ne fume pas non plus, lui rappela Réjeanne.
– Comme ça, il épargne deux fois!

L'invité dîna avec appétit. De toute évidence, il était en grande forme. Réjeanne ne put s'empêcher de comparer à son grand-père cet homme à peine plus jeune que Médéric. «Si grand-papa avait eu un but dans la vie, il serait encore avec nous», songea-t-elle.

La grande horloge sonna une heure.

– Et puis avez-vous bien des commandes par les temps qui courent? demanda Cyprien, qui voyait le temps s'envoler.

Il voulait en savoir plus sur l'offre de Jobin.

– Plus que je ne suis capable d'en produire, je vais te dire.

Le statuaire marqua une pause, avala une dernière bouchée de tarte au suif, prit une gorgée de tisane de menthe et poursuivit :

– J'ai à livrer deux statues grandeur nature pour la façade du séminaire de Sherbrooke, un *Frontenac* et un *Lord Elgin*. En revenant, il faut que j'arrête à Saint-Georges-de-Windsor, dans le comté de Richmond, pour signer un contrat dont je veux te parler.

– Je vous rappelle que je ne fais pas de statues.

– Non, mais tu fais du mobilier. Le curé Joseph-Hercule Roy, qui m'a connu au temps où je produisais sculptures et mobilier, voudrait que je lui fasse trois autels, un retable, un baldaquin, un banc d'œuvre, quatre statues d'extérieur recouvertes de cuivre, deux grands anges à trompette pour l'intérieur et une niche.

– Toute une commande! s'exclama l'ébéniste. Il y en a bien pour un an de travail!

– Ou pour six mois à deux. Je prendrai le contrat si tu acceptes de faire le mobilier, proposa Jobin.

Réjeanne n'intervint pas mais ses yeux étincelèrent de satisfaction : un deuxième contrat important depuis le début de leur mariage, et ses gages d'institutrice en plus. La prospérité de son ménage semblait assurée.

– J'ai fabriqué un petit mobilier pour une église de la Beauce l'automne dernier et fini ma maison cet hiver, mais, pour le moment, je n'ai pas beaucoup de commandes. Livrer un gros mobilier avec baldaquin serait bienvenu. D'autant plus que j'ai un bon atelier, comme vous avez vu.

– Il y a un problème, laissa tomber Jobin.

– Lequel? demanda l'ébéniste, soudain inquiet.

– Il faut produire le mobilier sur place.

– À Saint-Georges? fit Réjeanne, un peu incrédule.

– Oui.

– Pourquoi? demanda Cyprien.

– Une idée de curé, répondit Jobin, un peu gêné. L'abbé Roy considère que le fait de pouvoir vérifier la progression des travaux va activer la générosité des paroissiens. Le presbytère est doté d'un hangar aussi grand que ton atelier; le curé le met à ta disposition.

– C'est bien attirant, mais je suis marié et je veux vivre dans ma maison.

– Ta femme pourrait t'accompagner. Le curé vous trouvera du logement.

– J'enseigne, monsieur Jobin, et je ne peux pas abandonner mes élèves, intervint Réjeanne.

– Vous pourrez vous visiter. Le train du Grand Tronc passe par Saint-Georges plusieurs fois par semaine.

Cyprien, qui, un instant, avait vu rutiler l'argent, était déçu.

– Je vais y penser.

Jobin se renfrogna.

– Tu n'as pas grand temps pour y penser; il faut que je prenne la marée à deux heures.

Les jeunes époux se regardèrent. Au même moment, l'horloge sonna la demi-heure. Le visiteur crut bon de laisser les amoureux en tête-à-tête.

– Si tu permets, je vais jeter un coup d'œil à ton échoppe, fit-il avec tact.

Dix minutes plus tard, l'ébéniste, l'air soucieux, rejoignait le maître.

– C'est d'accord, mais j'aurais une faveur à vous demander.

Jobin écouta attentivement la demande et revint vers la maison avec Cyprien. Réjeanne avait l'air triste.

– Madame, je comprends que c'est un grand sacrifice pour vous deux, mais vous ne le regretterez pas. J'accepte d'enseigner la statuaire à votre mari. Ce sera d'autant plus facile pour lui qu'il est déjà un bon sculpteur. Il pourra s'exercer le soir et je jugerai ses travaux quand je passerai le voir. Dès qu'il pourra produire correctement des formes humaines, je lui donnerai des contrats. Comme ça, il pourra travailler ici.

Réjeanne se secoua. C'était une fille courageuse et elle comprenait l'importance de ce contrat pour son mari.

– Vous êtes bien bon, monsieur Jobin, et Cyprien vous admire depuis l'âge de dix ans. Le saviez-vous ?

– C'est vrai, confirma Cyprien avec enthousiasme, voyant que la bonne humeur de sa femme revenait. Je vous raconterai ça en vous reconduisant à votre chaloupe.

Le temps pressait. Cyprien fouetta son cheval, et les deux hommes se hâtèrent vers la rivière. Réjeanne resta seule. « Ouais, se dit-elle, le mariage, ce n'est pas comme j'avais pensé. »

* * *

– Regardez, maman : quel drame !

Pierre, survolté, étalait *L'Événement* du vendredi 29 mai 1914 sur la table de la cuisine.

– Et dire que ça s'est passé presque à notre porte !

Le quotidien de Québec portait à la une :

UNE ÉPOUVANTABLE CATASTROPHE MARITIME

Le magnifique palais flottant du C.P.R., l'*Empress of Ireland*, frappe à deux heures cette nuit le charbonnier *Storstad* et coule à pic devant Métis, dix minutes après l'accident, entraînant dans les profondeurs du fleuve plus de 1 074 passagers.

– Épouvantable ! Il n'y a pas d'autre mot, convint Victoire qui fut secouée d'un frisson d'horreur.

Pierre s'absorba un long moment dans la lecture de l'article.

– Et puis ? s'impatienta sa mère.

– Pour tout vous dire, le journal ne nous en apprend pas beaucoup plus, parce que au moment d'aller sous presse le nombre des victimes n'était pas officiellement établi. Le journal rappelle plutôt le naufrage du *Titanic*, survenu il y a deux ans presque jour pour jour.

– Et le charbonnier, lui ?

– Ça devait être un bateau solide puisqu'il n'a pas coulé et que son équipage a porté secours aux passagers du paquebot.

– Mais comment des bateaux aussi gros peuvent-ils se frapper ?

– Il y avait du brouillard.

– Nous en saurons peut-être plus demain avec Antoine qui revient.

Le milieu maritime, avec le télégraphe et des marins qui voyageaient en tous sens, était toujours le mieux informé de toute tragédie en mer, et Antoine connaissait la plupart des faits. Il s'empressa de tout raconter à sa famille qui l'attendait.

– L'*Empress of Ireland* a quitté Québec pour Liverpool à quatre heures et demie de l'après-midi jeudi avec 1 477 passagers et hommes d'équipage, précisa-t-il. Les deux bateaux se sont rencontrés au large du phare de Pointe-au-Père. Les deux équipages ont repéré les feux de signalisation de l'un et l'autre bateau à huit milles de distance et tout allait normalement.

– S'ils étaient en vue l'un de l'autre, pourquoi est-ce qu'ils se sont frappés ? Les capitaines étaient coq-l'œil ou quoi ? s'indigna maman Rose.

– Selon le gardien du phare, un banc de brume a tout à coup dérivé de la terre et les deux bateaux se sont perdus de vue. Ils ont échangé des signaux de sirène pour indiquer leurs positions mais l'*Empress* s'est arrêté, ce qu'il n'aurait pas dû faire. Le charbonnier, croyant le paquebot passé, a continué son chemin et l'a harponné dans le côté. Avec un trou de quatorze pieds par quarante-cinq pieds au flanc, l'*Empress* a coulé en quatorze minutes.

– Tout le monde doit être mort, s'exclama Réjeanne en réprimant un frisson.

– Eh bien non, étonnamment. Grâce à un pelleteur de charbon, beaucoup de passagers de l'*Empress* ont été sauvés. Il a détaché des chaloupes de sauvetage et réveillé les gens.

– Un homme courageux sans doute, fit Simon.

– Courageux et surtout expérimenté, précisa le benjamin. Il était pelleteur de charbon à bord du *Titanic* quand celui-ci a coulé !

– En voilà un qui a une bonne étoile, s'émerveilla Anne-Marie.

– Finalement, combien y a-t-il eu de victimes ? demanda Victoire.

– Le compte final n'est pas fait encore parce que deux autres bateaux, le *Lady Evelyn* et l'*Eureka*, ont recueilli des passagers.

Quelques jours plus tard, les journaux rapportèrent qu'on avait établi le bilan comme suit : 1 012 morts, 465 survivants.

– C'est la plus grande tragédie maritime jamais survenue au pays, précisa Pierre, et la deuxième plus importante de l'histoire après le naufrage du *Titanic*.

– Et dire que ton petit frère s'entête à vouloir construire des bateaux encore plus rapides, laissa tomber Victoire en secouant la tête.

* * *

Dans les premiers jours de juin, Anne-Marie rentra un soir avec une demande qui étonna Victoire :

– Maman, mon patron aimerait vous rencontrer.

– Moi ? Mais que me veut-il ? Je ne le connais même pas.

– Justement, il désire vous connaître.

Victoire, qui fréquentait peu de gens en dehors du cercle des tisseuses, se trouva intimidée par cette invitation.

– Mais pour quelle raison veut-il me voir ?
– Il vous le dira lui-même, maman.
La veuve replaça nerveusement ses cheveux comme si le visiteur se trouvait dans l'antichambre.
– Et quand viendra-t-il ?
– Vous le rencontrerez à son bureau. Je viendrai vous prendre demain à dix heures avec la victoria de l'auberge et vous ramènerai après l'entrevue.
– C'est bien mystérieux, ma fille.
– Il veut probablement vous proposer quelque chose. De l'épouser, peut-être. Il est veuf ! ajouta la rieuse jeune femme.
Le visage de Victoire se rembrunit.
– Ne parle pas de ça, Anne-Marie. Ce serait déshonorer la mémoire de mon défunt mari.
– Excusez-moi, maman ; je n'ai pas voulu vous faire de peine.
Le nuage qui avait un moment assombri le front de Victoire s'estompa.
– D'accord, je le verrai. N'empêche que c'est bien étrange, tout ça.
Au cours de la dernière année, les cheveux de Victoire s'étaient enrichis de plusieurs fils d'argent et ses chic vêtements noirs mettaient en relief son élégante coiffure. Elle avait beaucoup de classe pour son humble condition et son arrivée en voiture couverte fit tourner la tête à de nombreux commis voyageurs qui s'attardaient au foyer de l'auberge.
Ludger Duchesneau l'attendait. Toujours obséquieux, l'aubergiste se précipita à sa rencontre.
– Merci infiniment, madame Bouffard, d'avoir accepté de vous déplacer. Vous êtes d'une élégance irréprochable.
– Je suppose que ce n'est pas pour parler de mes toilettes que vous désirez me voir.
Anne-Marie sourit intérieurement : « Maman se méfie toujours des langues de miel. »
– Non pas de vos toilettes, mais de vos tissages, madame, précisa l'hôtelier.

Ce sujet lui tenant à cœur, Victoire s'adoucit.
– Et en quoi mes pièces vous intéressent-elles?
L'aubergiste demanda à Anne-Marie de servir de la limonade.
– Je vous explique, répondit-il. Depuis la construction de la centrale électrique et de l'auberge, de plus en plus d'étrangers et d'hommes d'affaires s'arrêtent à Rivière-Boyer. Comme notre établissement est le plus récent de la région, donc le plus moderne et le plus confortable, non seulement ils s'y attardent, mais ils y reviennent et attirent d'autres visiteurs.
– Est-ce que cela me regarde? demanda Victoire.
– Permettez-moi de terminer, chère madame. Beaucoup des gens qui nous visitent aimeraient se procurer quelque souvenir d'ici pour offrir en cadeau en retournant chez eux. Votre réputation de tisseuse artisanale n'est plus à faire et je veux acheter vos pièces pour les mettre en vente ici même, à la réception de l'auberge.
– Vous croyez qu'elles pourraient intéresser vos clients de passage? s'enquit Victoire, qui doutait encore de son talent.
– J'en suis persuadé, particulièrement si elles sont signées et présentées adéquatement. J'ai commandé à Cyprien Lanoue, votre gendre, de jolies niches décorées de dorures véritables comme il en fait pour les statues des églises, à cette différence près qu'elles seront vitrées et verrouillées. J'y exposerai vos pièces, pour lesquelles je commanderai à Montréal des signatures en fil d'or sur ruban de soie noire. Votre talent sera connu à travers tout le Québec et même au-delà, ajouta flatteusement l'aubergiste.
Victoire semblait tentée mais hésitait encore.
– Je n'ai jamais travaillé pour les étrangers et je ne sais pas si je pourrai remplir toutes vos commandes.
– Pour vous aider à imaginer ce que représentera cette tâche, établissons une liste des pièces que nous pourrions offrir au public, proposa le marchand.
Une heure plus tard, Anne-Marie reconduisait sa mère à la maison.

– Tu savais, toi, ce que ton patron voulait me proposer?

– J'avouerai, maman, que je m'en doutais un peu, surtout depuis qu'il a commandé des présentoirs à Cyprien. Mais ce n'était pas à moi de vous en parler.

– Tu crois que je pourrai arriver à fabriquer des choses vendables?

– J'en suis persuadée. Vous travaillez tellement bien.

– Et si je ne suffis pas à la tâche?

– Eh bien, vous embaucherez Julie Gaumond.

– C'est une solution à laquelle je n'avais pas pensé.

– Mais ne l'appelez pas tout de suite. Les ventes commenceront lentement et vous pourrez fournir à la demande sans aide, du moins au début.

Quand Pierre rentra des champs à l'Angélus, sa mère s'activait autour du poêle en fredonnant la pétillante chanson de Guilleri :

Il s'en fut à la chasse,
À la chasse aux perdrix, Guilleri...

Emporté par le rythme, Pierre enchaîna :

Il monta sur un arbre
Pour voir ses chiens couri...

Et Victoire compléta :

Mais la branche cassa
Et Guilleri tombit!

Pierre était renversé mais ravi.

– Mais, maman, vous chantez! Que se passe-t-il?

– C'est le printemps, mon fils. Le printemps, toutes les femmes chantent!

* * *

À la mi-juin, la production laitière atteignit son apogée, les pâturages donnant en cette période de la belle saison l'herbe la plus tendre et la plus abondante. Avec les vaches qu'il avait ajoutées à son troupeau en remplacement des moutons et des poules, Pierre était devenu de loin le plus important fournisseur de la beurrerie.

À cause de l'heure de plus en plus tardive à laquelle son frère terminait son train, Simon ne pouvait plus livrer la crème en se rendant à la forge et le jeune cultivateur devait le faire lui-même. Cette balade lui permettait de se reposer un peu et surtout de rencontrer les autres agriculteurs.

Un matin, Jean-Baptiste Fortin, un cultivateur du Grand Bras, un rang nouveau en amont de la rivière, demanda à Pierre :

– Avec toute la crème que tu produis, mon gars, tu dois jeter beaucoup de petit-lait.

– Je n'en jette pas une goutte. Et vous ?

– J'en donne bien un peu aux veaux et aux cochons, mais, de ce temps-là, je jette le plus gros à la rivière.

– Combien avez-vous de veaux, monsieur Fortin ?

– J'en ai deux. Et toi ?

– Dix-huit.

– Dix-huit veaux ! Moi, si j'élevais dix-huit veaux, j'aurais pas le temps de défricher de la terre neuve !

– Je n'ai pas le temps non plus ! rétorqua Pierre. Sauf que, au lieu de travailler de mes bras, je fais fructifier ce que vous donnez aux poissons. À l'automne, je vais avoir dix-huit petits bœufs fin gras à vendre à l'encan. Mais j'y pense : vous jetez votre petit-lait au ruisseau ? Répandez-le au moins sur vos champs.

– Pourquoi ? demanda Jean-Baptiste, étonné.

– Parce que le lait contient du calcium ; ça vaut de la chaux.

– Tu penses ça, toi, mon gars ?

– Je ne le pense pas, j'en suis certain.

Le bonhomme Fortin souhaita une bonne journée au jeune cultivateur et reprit la route sans perdre son air incrédule.

Il avait toujours le même air le dimanche suivant quand Pierre le revit à la réunion des cultivateurs, une assemblée convoquée par Guillaume Francœur.

Depuis que Pierre et Réjeanne l'avaient rencontré à la démonstration de moissonneuse-lieuse, Francœur avait vu un à un tous les agriculteurs de Rivière-Boyer, des plus prospères aux plus humbles. Il avait évalué le degré d'information de chacun et estimait que le temps était venu de leur présenter son patron.

Armand Lavergne, député de Montmagny, avait l'étoffe d'un homme d'État. Son collègue, Albert Galipeault, député de Bellechasse, enrageait chaque fois que Lavergne faisait une incursion dans son comté, mais ce dernier l'ignorait superbement. Pierre avait hâte de l'entendre. Il déposa donc Victoire à l'église dès neuf heures et entra sans tarder à la salle paroissiale, où se tenait la réunion.

Guillaume Francœur présentait déjà Lavergne.

– Messieurs, la messe étant à dix heures, nous ne disposons que de soixante minutes pour discuter d'un sujet dont dépend votre prospérité. M. Armand Lavergne, député de Montmagny, travaille depuis plus d'un an à la mise au point d'une stratégie agricole globale pour le Québec. L'objectif de ce plan, tel que je l'ai exposé à chacun de vous, est d'améliorer la condition des agriculteurs par l'augmentation de leurs revenus. Je laisse au député Lavergne le soin de vous exposer son plan.

Armand Lavergne, assis à une petite table sur l'estrade, avait relu une dernière fois ses nombreuses notes de travail pendant qu'on le présentait. Pierre entendit un des Descôteaux pères dire à son frère :

– Écoute-le bien nous lire l'épitre de saint Matthieu. Ça va être long.

Le député se leva, déposa ses feuilles et, avec l'aisance d'un parlementaire d'expérience, se mit à haranguer son auditoire.

– Messieurs, commença-t-il, vous me faites un grand honneur de venir ce matin écouter mon message. Il sera bref.

Pour deux raisons : premièrement, le plan que j'ai à vous proposer est court et simple; deuxièmement, je désire que, par vos questions et vos commentaires, vous m'aidiez à l'améliorer.

Le deuxième Descôteaux se pencha à son tour vers son frère et souffla :

– On a perdu, il ne lira pas !

Lavergne continuait :

– Depuis un siècle et demi que les Canadiens français ont été abandonnés à eux-mêmes dans les circonstances dramatiques que vous connaissez tous, l'agriculture a été notre refuge et notre planche de salut. Pendant ce temps, le conquérant s'est installé tout à son aise dans le reste du pays et s'est lancé dans l'agriculture professionnelle avec un succès enviable. Il suffit de comparer les rendements à l'acre des fermes ontariennes avec celles du Québec pour prendre conscience que nous traînons loin derrière : en gros, nos voisins produisent deux fois plus que nous dans les mêmes conditions, et font deux fois plus d'argent avec des terres comparables.

Lavergne prit ses feuilles en main comme s'il allait citer des chiffres, mais ce n'était qu'une astuce pour river l'attention de son auditoire. Il continua :

– Il n'y a pas de raisons liées au sol ou au climat pour que nous ne produisions pas autant qu'eux. Nous pourrions nous apitoyer sur notre marge de retard. Je vous dis au contraire qu'elle nous donne d'une éloquente façon la mesure précise du potentiel d'amélioration qui est à notre portée !

Les cultivateurs de Rivière-Boyer se virent soudain riches. Des applaudissements spontanés accueillirent les propos du député. Celui-ci poursuivit :

– L'amélioration de notre condition ne se fera pas sans efforts. Quatre obstacles se dressent sur notre chemin : les trois premiers sont dans notre tête, le dernier est d'ordre financier. Si nous abattons les trois premiers, le quatrième se réglera facilement.

Le sanguin Jos Labrie, que ces propos enthousiasmaient, ne put retenir une exclamation :

– Dis-nous ça tout de suite!

Le député, habitué au chahut du parlement, poursuivit son exposé comme s'il n'avait rien entendu :

– Les trois premiers obstacles sont le manque de méthode, le manque de discipline et le manque de cohésion. Le quatrième est le manque de crédit.

Comme ses voisins, Pierre ressentit un pincement au cœur. Au fond d'eux-mêmes, les cultivateurs de Rivière-Boyer savaient bien qu'ils manquaient de méthode et de discipline. Le digne fils de Cyrille se savait sur la bonne voie : le fait de travailler avec méthode et discipline avait fait la bonne fortune de son père et ferait la sienne, il n'en doutait pas. «Et pourtant, se reprocha-t-il, je taille encore des coins ronds.»

Le député déposa alors ses feuilles, sembla se recueillir un instant et, tel un prédicateur de retraite fermée, prit sa voix la plus posée pour aider ses sujets à faire leur examen de conscience agricole.

– Ai-je fait le contrôle laitier? Ai-je fait la rotation des cultures? Ai-je exploité mes champs au maximum? Les ai-je drainés? Les ai-je engraissés autant qu'ils en avaient besoin? Ai-je accordé à chaque récolte tout le soin qu'elle requérait?

Et le politicien d'expliquer et d'approfondir chaque point. Sa voix prit de l'autorité quand il en vint à parler de discipline. Elle s'éleva davantage quand il aborda la cohésion.

– Il faut vous unir, mes amis! Un petit arbre ploie sous le poids d'un oiseau minuscule; mais liez assez de harts ensemble et vous pourrez bâtir un pont! Les agriculteurs ont formé des associations dans chaque paroisse de mon comté et déjà leur poids politique se fait sentir. Quand je parle en leur nom au gouvernement, le gouvernement écoute et réagit. Des associations de paroisse se forment maintenant dans les localités de la rive sud, dans les Bois-Francs et dans les Cantons-de-l'Est. Demain, le mouvement touchera tout le Québec agricole et nous formerons une puissante fédération.

Nous obtiendrons alors pour nos produits un prix raisonnable, et, surtout, nous accéderons enfin au financement qui nous a toujours manqué. Je vous le dis, la clé du développement est le financement. Il nous faut du crédit agricole !

Le député fut chaudement applaudi. La cloche de l'église tinta. Il regarda sa montre et constata :

– Déjà le Seigneur nous appelle; la messe commencera dans dix minutes. Je vous remercie de m'avoir écouté aussi attentivement et vous laisse aux bons soins de mon secrétaire Guillaume Francœur, qui vous aidera à vous constituer en association si vous désirez faire front commun avec les autres agriculteurs du Québec.

Lavergne prit ses papiers, les fourra dans son porte-documents et descendit de l'estrade pour saluer son collaborateur et les quelques cultivateurs qui s'étaient approchés de lui, le plus attentif étant le fils Bouffard.

Voyant Jean-Baptiste Fortin qui s'apprêtait à quitter les lieux, Pierre le rappela.

– Père Fortin, venez jaser un peu avec Guillaume Francœur. Il reste quelques minutes avant la messe.

Comme il ne pouvait s'esquiver, le bonhomme s'approcha avec méfiance. Voulant l'amadouer, le secrétaire lui demanda :

– Et vous, monsieur Fortin, que pensez-vous de ça, que les agriculteurs s'unissent?

– Moi, je pense que c'est défier le ciel. Si les cultivateurs s'unissent, ils vont pouvoir affamer le monde. Le bon Dieu veut pas ça ! Salut !

* * *

Langlois, alias l'Anglais, revint du chantier pour la Saint-Jean-Baptiste. Il ramenait avec lui quatre chevaux exténués et décharnés qu'il largua le lendemain de la fête chez Meno Roy pour les faire ferrer.

– Arrange-les-moi pour qu'ils soient vendables, demanda-t-il au maréchal-ferrant.

Meno appela Simon.

– On va en ferrer un tout de suite; mets les trois autres à l'écurie.

Simon examina les pauvres bêtes et les trouva vraiment en mauvais état. Elles étaient à ce point épuisées qu'elles n'avaient pas mué. Elles étaient crottées et leur poil d'hiver était hirsute. Il se tourna vers Langlois :

– Tu ne préférerais pas les mettre au clos, leur donner deux poignées d'avoine par jour et un peu de graines de lin, le temps qu'elles se refassent un beau poil et que la corne de leurs sabots rallonge? Ça leur ferait un meilleur ferrage, supplia presque l'apprenti forgeron.

L'Anglais fut inflexible :

– Faut pas t'apitoyer, mon Piton. C'est rien que des picouilles. Étrille-les si tu veux; toi et Meno, posez-leur des fers neufs, et moi je fais savoir à Jacques Latour qu'elles sont à vendre.

Langlois tourna les talons. Simon prit trois des chevaux, les plus abattus, et les mena à l'écurie, où il leur offrit de l'eau. Puis il s'approcha du quatrième pour l'emmener près de la forge.

C'était un cheval plus grand que les autres et d'apparence plus jeune. Il semblait fort méfiant. Quand Simon tendit la main pour empoigner son licou, l'animal leva vivement la tête comme pour éviter un coup.

– Ce cheval a été battu, diagnostiqua l'ami des bêtes. Tiens, regarde, il porte des cicatrices récentes dans la face. Le poil n'a pas encore repoussé, ajouta-t-il à l'intention de son patron.

– Il sera peut-être difficile à ferrer, s'inquiéta Meno, qui replaçait des fers déjà rouges sous les charbons incandescents. Nous allons commencer par les pattes de devant.

À ce moment, une silhouette de femme apparut dans l'embrasure de la porte grande ouverte.

– Bonjour, les hommes de chevaux!

Les forgerons se retournèrent.

– Mais c'est Réjeanne ! fit Simon, étonné. Quel bon vent t'amène ?

– Les classes sont terminées et je suis en vacances. Alors, je viens faire un tour en ville… Je vais saluer Mme Eugénie, passer au magasin général et me payer un dîner à l'auberge aux bons soins d'Anne-Marie. J'en profite pendant que je suis « veuve » .

Meno désigna les chaises en babiche destinées aux visiteurs.

– Prenez une chaise, ma petite dame, et regardez-nous travailler. Ça nous fera de la compagnie.

– Non, je vous remercie. Je voulais seulement dire bonjour à mon frère et c'est fait.

– Alors, bonne journée, et repasse n'importe quand, lança l'apprenti.

– Occupons-nous maintenant de ce cheval, fit Meno, qui n'avait pas de temps à perdre.

Le forgeron contourna l'animal et s'en approcha lentement par-devant. Il prenait soin de garder ses mains toujours à vue de la bête.

– *Wo*, *wo*, commanda-t-il d'une voix rassurante.

Un frisson secoua le cheval, qui jeta de nouveau la tête en arrière, arrondit les naseaux et coucha ses oreilles sur son cou. Meno réussit à le faire avancer un peu et attacha la corde du licou à un poteau. Puis il posa fermement sa main sur son cou et, tout en maintenant une pression rassurante, la descendit jusqu'à l'épaule, puis jusqu'à la patte.

Quand le maréchal-ferrant voulut soulever la patte avant pour examiner l'état du sabot, le cheval se cabra au point que ses oreilles touchèrent le plafond de la boutique et il se mit à battre l'air de ses deux sabots.

– C'est un cheval mauvais, fit Meno. Gare-toi, Simon. Il va ruer et tenter de nous mordre. On va le mettre dans le travail.

L'animal avait remis les pattes à terre mais renâclait. Entendant le grabuge, deux vieux qui sortaient de l'église se hâtèrent d'occuper les chaises de babiche. Les forgerons les ignorèrent.

– Un cheval mauvais, c'est rare, dit l'un.

– Ça va barder, répliqua l'autre en se frottant les mains.

– Prépare le travail, ordonna Meno à son bras droit.

Un travail de forge consistait en une structure faite de quatre solides poteaux plantés dans le béton du plancher et reliés à la charpente du toit. C'était la camisole de force des chevaux. Chacun de leurs membres était attaché à un poteau, une sangle retenait leur tête pour les empêcher de mordre, et deux autres les empêchant de se cambrer.

– Je me demande combien Langlois accepterait pour ce cheval révolté ? fit Simon. Je le garderais quelque temps pour le réconcilier avec le monde.

– Notre tâche n'est pas de guérir les chevaux mais de les ferrer, lui rappela son patron.

Simon se mordit les lèvres.

Meno détacha la corde et le cheval crut qu'on allait le libérer. Il suivit assez docilement le forgeron, qui l'entraîna entre les poteaux du travail. L'apprenti passa au cheval une première courroie en haut des genoux. Quand il sentit que Simon l'attachait, l'animal comprit qu'on l'avait dupé. Il voulut se cabrer mais déjà Meno lui fixait sur le dos une large sangle dont il accrocha les extrémités à des anneaux fixés dans le plancher. Deux autres sangles, tout aussi fortes, passèrent sous son cou et derrière son cul. La bête se trouva paralysée, mais pas à bout de ressources.

Quand Meno saisit une première patte de devant pour en tailler la corne, le cheval se mit à hennir. Quand le forgeron posa le fer rouge sur son pied, les hennissements se changèrent en véritables cris de colère.

– Il crie comme un verrat, constata le boucher Corriveau qui passait par là.

Les passants affluèrent, mais les forgerons ne les virent même pas.

Les hommes travaillaient rapidement. Meno taillait la corne, donnait les commandes, clouait les fers. Simon activait le soufflet, faisait rougir les fers, leur donnait la forme que commandait son patron.

– Un fer numéro 4… Un peu plus ouvert… Les crampons plus virés à l'intérieur… Comme ça.

Les vieux y allaient de leurs commentaires :

– Meno n'a jamais eu peur d'un cheval !

– Faut dire qu'il est bien équipé.

– N'empêche que l'étalon fait trembler la bâtisse.

En sortant du magasin général, Réjeanne remarqua l'attroupement à la porte de la forge et ne put résister à l'attrait de la foule. Elle s'approcha et assista au spectacle, qu'elle jugea assez terrifiant.

Après une pause de trente secondes au cours de laquelle il avait retiré sa casquette de cuir et épongé la sueur de son front, Meno saisit une patte de derrière, forçant le cheval à maintenir son équilibre sur trois membres. Furieux, l'animal se mit à pisser. Il lançait de courts et violents jets d'urine fumante qui s'écrasaient sur le béton et éclaboussaient le forgeron, ce qui ne semblait pas l'importuner.

La foule demeurait silencieuse. L'opération ferrage était devenue un combat entre le cheval de trait et l'homme de fer.

– Fer numéro 5, un peu fermé… Crampons O.K… Ça va.

La sueur coulait en ruisselets sur les avant-bras du maréchal-ferrant et l'écume roulait sur l'encolure de la bête. L'épreuve achevait, mais le cheval criait encore et pissait par coups, comme on tire du fusil.

– Autre fer pareil… Il fait juste !

Quand Meno laissa tomber la quatrième patte, les spectateurs l'applaudirent. Le cheval, ayant retrouvé son équilibre, laissa libre cours à sa colère. Il cria et se débattit tellement que la petite foule recula.

Réjeanne avait peur que l'animal casse tout. Elle regardait, paralysée, ce déchaînement d'une force de la nature et se demandait si elle ne devait pas fuir.

Finalement, la bête sembla s'apaiser. Simon commença à défaire prudemment ses liens. Il détacha d'abord les pattes de devant, puis la sangle du cou, tout en prévenant les coups de dents. Il délia ensuite les pattes de derrière et la sangle des fesses. Sentant sa liberté revenir, l'animal réagissait bien. Seule la sangle du dos, la plus importante, le retenait encore.

Meno se plaça devant le cheval, auquel il avait passé un solide câble au cou en plus du licou. Il se préparait à retenir l'animal en enroulant le câble autour d'un des poteaux du travail s'il tentait de reculer trop précipitamment.

Sur un signe de son patron, Simon décrocha d'un coup sec la sangle du dos. Le cheval eut alors une réaction imprévisible : au lieu de reculer, il se jeta de côté sur Simon.

Voyant son frère disparaître derrière le cheval enragé, Réjeanne échappa un cri d'effroi :

– Simon ! Sors de là !

Retenu par le câble que Meno pressait contre un poteau, l'animal sautait des quatre pattes à la fois, dans l'espoir de se libérer. Simon esquiva tous les coups sauf le dernier : un sabot de derrière, ferré à neuf, s'abattit sur la pointe de sa chaussure.

Le jeune homme aurait pu être piétiné à mort, mais, heureusement, Meno tenait ferme et le cheval lança son arrière-train dans l'autre direction. Simon sortit à cloche-pied, le visage convulsé de douleur. Réjeanne se précipita à son secours.

– Sortez, tout le monde ! cria Meno.

Le forgeron enroula le câble deux fois autour du poteau et l'attacha. Puis, évitant les pattes du cheval qui ruait encore, il vint soutenir son brave assistant.

– As-tu le pied cassé ? lui demandait Réjeanne, qui partageait la douleur de son cadet.

– Je ne sais pas.

– Est-ce que les os ont craqué ? demanda à son tour Meno.

– Oui, je crois.

Le forgeron défit la chaussure de son compagnon. Il eut du mal à la retirer tellement le pied était enflé.

– Il faudrait de la glace, constata Réjeanne. Mais où en trouver ?

Meno eut un éclair d'inspiration :
– L'auberge a une neigère.
– J'y cours, fit Réjeanne.
Simon transpirait à grosses gouttes sous la douleur. Meno trouva un seau d'eau et y plongea le pied de son assistant. Quelques minutes plus tard, Réjeanne et Anne-Marie apportèrent des serviettes et de la neige en cristaux que l'aubergiste avait mise en réserve dans un caveau.
Réjeanne examina de nouveau le pied : il saignait un peu.
– Ça aurait pu être pire, fit Meno. Si son pied s'était trouvé sous le crampon du fer, il serait en bouillie. Seul son gros orteil semble affecté.
L'aînée entoura le pied blessé de cristaux froids et de serviettes, puis elle décréta :
– Il faut l'emmener chez le médecin.
– Pas nécessaire, ma sœur, intervint Simon. Dans quelques jours, ça va passer.
– Pas question, rétorqua Réjeanne avec autorité. Ça peut tourner en gangrène.
– Je peux vous prêter un cheval et une voiture, offrit le forgeron.
– J'apprécie beaucoup.
Anne-Marie et Meno retournèrent à leur travail et Réjeanne conduisit son jeune frère chez le docteur Pelletier, à Saint-Vallier.
L'enflure s'étant partiellement résorbée grâce à la glace, le médecin put constater les dommages.
– Tu as un orteil cassé, mon jeune homme. Il te faut un plâtre.
– Et ça va prendre combien de temps à guérir? s'inquiéta Simon.
– Je te dirai ça quand tu reviendras dans quarante jours.
Simon fut atterré.
– Pas tout l'été dans le plâtre?
– Je crains bien que oui, fit le médecin avec compassion. Mais tu seras guéri pour la chasse au canard.

– Je ne chasse même pas le canard, fit Simon avec dépit.

– Ne te décourage pas, intervint son aînée, ça aurait pu être bien pire. Ce cheval aurait pu te piétiner à mort.

– Si je pose un bloc de bois sous ton pied, tu pourras effectuer des travaux légers, le consola le médecin.

Réjeanne et Simon reprirent le chemin de la maison. Le jeune homme était sombre et sa sœur respectait son silence. Finalement, Simon laissa tomber :

– J'aurais bien dû l'acheter, ce maudit cheval.

Réjeanne crut que son frère délirait.

16

Les commissaires d'école se réunirent le deuxième lundi du mois, comme d'habitude. Il pleuvait légèrement en ce doux soir de juillet. Juste ce qu'il fallait pour retarder la récolte du foin sans étancher adéquatement la soif de la terre.

– Deux malheurs en un, conclut Gaudias Mercier, le mari de Cléophée, qui venait d'accepter un siège à la commission scolaire dans la foulée de sa paternité récente.

En arrivant, Réjeanne aperçut son amie Délina Tremblay, institutrice à l'école du village, qui la salua avec chaleur.

– Réjeanne, je te félicite pour ton succès dans l'enseignement. Je savais que tu avais le talent nécessaire, mais je ne croyais pas que tu réussirais aussi bien dès la première année. Tu postules pour l'an prochain ?

– Je suis ici pour ça, confirma son ancienne élève.

Une douzaine de contribuables, surtout des cultivateurs de l'extrémité de la paroisse, étaient déjà assis et attendaient avec impatience que l'assemblée commence. L'année précédente, on leur avait promis une école au Grand Bras et ils tenaient à ce que le projet soit réalisé.

Le secrétaire appela les commissaires à l'ordre, prit les présences, constata que l'assemblée était légalement constituée et que le quorum était atteint. Puis il lut l'ordre du jour :

– Point un : lecture et approbation des résolutions de la dernière assemblée; point deux : construction d'une école au coin du rang du Grand Bras; point trois : embauche de trois institutrices; point quatre : varia.

Roland Lebreux, le président, prit la parole :

– Messieurs, l'année scolaire qui vient de se terminer a été marquée par deux événements principaux : la construction d'une école au coin du rang 2 et l'embauche d'une nouvelle institutrice. Le temps arrive peut-être de construire une troisième école et de trouver une troisième enseignante. Parlons d'abord de l'école prévue au rang du Grand bras.

Le président avait échappé le mot «peut-être». Il n'en fallait pas plus pour enflammer l'auditoire.

La discussion dura deux heures. Les frères Descôteaux, commissaires d'école en plus d'être échevins, commençaient à bâiller en stéréo.

– Bon, fit Lebreux, parlons des maîtresses d'école. Délina, prendras-tu l'école du village encore cet automne?

– Bien oui, fit l'intéressée.

– Même salaire que par le passé?

– Je suppose, acquiesça l'institutrice.

– Engagée à cent cinquante piastres pour l'année, payée en dix versements, indiqua le président au secrétaire, qui traduisit l'entente en résolution.

Réjeanne assistait pour la première fois à une assemblée de la commission scolaire. Elle n'en revenait pas qu'on consacre autant de temps à certaines décisions et aussi peu à d'autres. Son tour arrivait déjà.

– Réjeanne, prendras-tu l'école du rang 2 encore cet automne? lui demanda le président.

– Je ne demande pas mieux, répondit-elle.

– Cent piastres, proposa Jean-Baptiste Fortin, lui aussi commissaire.

Réjeanne ne put retenir son étonnement.

– Pourquoi cent piastres? Cléophée en recevait cent cinquante, comme Délina, et, pour la période où je l'ai remplacée, j'ai reçu son salaire.

Fortin répliqua aussitôt :

– Parce que t'as pas d'expérience.

Réjeanne fut offusquée.

– J'ai fait mes preuves, non?

Fortin revint à la charge :

– À part de ça, tu as un mari qui te fait vivre.

– Quant à ça, je pourrais rester chez moi, menaça Réjeanne qui n'admettait pas qu'on la traite ainsi.

Roland Lebreux, qui avait bien connu Cyrille Bouffard, vit que la fille était digne de son père et que la commission scolaire était sur le point de perdre une excellente candidate.

– Si on disait cent vingt-cinq? proposa-t-il.

Avant que Réjeanne n'ait eu le temps de répondre, Gaudias Mercier intervint :

– Réjeanne a fait aussi bien que ma femme. Je propose qu'on la paye le même salaire : cent cinquante dollars.

Réjeanne se pencha vers Délina et lui souffla à l'oreille :

– Ils me mettent aux enchères, comme une bête à cornes!

Les citoyens commencèrent à s'agiter sur leur chaise. Le président Lebreux les rappela à l'ordre d'un coup de maillet sur la table.

– Un vote à main levée, ordonna-t-il. Qui vote pour cent piastres?

Jean-Baptiste Fortin et un autre commissaire levèrent la main.

– Qui vote pour cent cinquante piastres?

Gaudias seul leva la main.

– Qui vote pour cent vingt-cinq piastres?

Les Descôteaux levèrent la main. Le vote était également réparti. Le président se pencha vers la jeune institutrice :

– Si tu acceptes cent vingt-cinq, je vote avec les Descôteaux.

– D'accord, acquiesça Réjeanne, comprenant qu'elle n'obtiendrait pas davantage.

– Adopté à la majorité, trompetta le secrétaire.

Délina et Réjeanne remercièrent les commissaires de leur confiance et quittèrent l'assemblée au moment où Jean-Baptiste Fortin proposait qu'on offre cent dollars par an à la troisième institutrice, qui restait d'ailleurs à dénicher.

La jeune Bouffard était encore sous le choc.

– Je n'en reviens pas comme nous sommes mal payées. Même mon frère forgeron et ma sœur serveuse reçoivent un meilleur salaire que nous.

– Que veux-tu? répondit Délina avec résignation. Enseigner, c'est un métier de femmes.

* * *

Antoine, qui revenait dans sa famille chaque dimanche, arrivait généralement le matin pour la grand-messe. En ce troisième week-end de juillet, Victoire eut la surprise de le voir arriver le samedi soir.

– Quelle surprise de te voir arriver aussi tôt, mon grand! Tu t'ennuyais de nous?

– Oui et non, fit Antoine, embarrassé par cette question. Oui, vous me manquez toujours un peu; non, pas plus que d'habitude. Je suis venu plus tôt parce que j'ai des essais à effectuer.

– Ah oui? Des essais de quoi? Je peux savoir?

– Des essais de bateaux. Je vous montrerai ça demain. En attendant, est-ce que je peux vous emprunter du fil à coudre moyen, du numéro vingt, disons?

– Bien sûr. Si c'est pour coudre des boutons, du numéro dix serait plus résistant, risqua la mère.

– Non. Le numéro vingt est plus fin et cause moins de friction.

Victoire était perplexe : «Il a dû venir en barque par la rivière, faut croire...»

Quand il revint de l'étable après le train du lendemain matin, Pierre aperçut son jeune frère qui se livrait autour de l'étang de la ferme à un curieux manège. Pieds nus dans l'eau, son pantalon roulé jusqu'en haut des genoux, il tendait de part et d'autre du petit lac des fils qu'il disposait parallèlement les uns aux autres à quelques centimètres au-dessus de la surface de l'eau. L'aîné compta huit fils fortement tendus et retenus à chaque extrémité par des petits poteaux enfoncés dans le lit de l'étang. Il ne put résister à la tentation de se moquer du benjamin.

– Qu'est-ce que tu inventes là? Un nouveau piège à grenouilles?

Offusqué, Antoine ne répondit pas tout de suite. Il acheva de poser un neuvième fil et releva la tête.

– Je fais des essais de bateaux.

Devant la mine sérieuse de son jeune frère, l'aîné fut intrigué.

– Il n'y a même pas de barque sur l'étang.

– Regarde : j'ai neuf voiliers dans mon sac.

Le jeune constructeur aligna sur l'herbe neuf coques qu'il avait soigneusement emballées pour le transport. Neuf coques de vingt centimètres, neuf mâts et neuf voiles miniatures.

– J'ai fabriqué ces voiliers à la machine. Ils sont parfaitement identiques, à l'exception du revêtement de peinture. C'est la vitesse des bateaux avec des revêtements de peintures différents que je veux mesurer.

– Il me semble que la coque a plus d'importance que tout le reste comme facteur de vitesse, non?

– Tu te trompes. Il y a des milliers d'années que les hommes construisent des bateaux et la forme des coques n'a plus de secrets pour personne. Il faut chercher la vitesse ailleurs.

– Tu ne crois tout de même pas que la vitesse d'un bateau est affectée par la peinture de sa coque? s'étonna le cultivateur.

– J'en suis convaincu, mais il me reste à le prouver, rétorqua le chaloupier. Et si tu as la curiosité d'assister à mes essais, tu connaîtras les résultats en même temps que moi.

Victoire, qui venait d'accueillir Réjeanne, vit entrer Pierre en trombe et saisir une revue agricole et une chaise.

– Où vas-tu comme ça? C'est bientôt le temps de se préparer pour la messe.

– Je vais assister aux essais de bateaux d'Antoine.

– Pas au fleuve?

– Non. Sur l'étang.
– Des vrais enfants ! fit Victoire, qui n'y comprenait rien.
– Je peux venir ? s'enquit Réjeanne.
– Pourquoi pas ?

Les deux aînés sortirent ensemble. La question de sa mère, Pierre l'adressa à son frère :

– Au fait, pourquoi ne fais-tu pas ces essais sur le fleuve ?

Antoine était fier que ses aînés prennent le temps d'assister à ses tests. Aussi était-il disposé à leur expliquer sa démarche.

– À cause des courants et de la marée, qui faussent les données. Pour mener à bien mes essais, j'ai besoin d'un plan d'eau calme et d'un vent constant.

Pierre expliqua à sa sœur :

– Notre frère fait des essais scientifiques pour mesurer la friction de l'eau sur la peinture des bateaux.

Puis, se tournant vers le benjamin :

– Avant de chercher des preuves, quelle est ta théorie ?
– Entre un bateau et l'eau se trouve la couche de peinture. Or, on peut se rendre compte, juste à passer la main dessus, que les recouvrements de peinture sont plus ou moins doux les uns par rapport aux autres. Ma théorie est que plus la peinture est douce au toucher, moins elle cause de friction à l'eau et plus le bateau ira vite.
– Eh bien, nous te laissons travailler, fit Réjeanne.

Pendant que Pierre lisait le *Bulletin de la ferme*, un nouveau magazine agricole, elle cueillit un bouquet de fleurs sauvages.

Chaque groupe de trois bateaux d'Antoine, soigneusement numérotés, était recouvert d'une peinture différente. Il suffisait de les lancer tous les neuf au même moment pour vérifier leur performance.

Pierre observait le manège du coin de l'œil avec amusement mais n'intervint pas. Chaque coque était munie de deux œillets du côté du vent. Il suffisait de passer un des fils dans ces œillets pour que le bateau suive une trajectoire précise ; de cette façon, toutes les embarcations devraient franchir la même distance.

Pour le premier lancement, les bateaux furent placés en ordre numérique : ceux portant les numéros 4, 5 et 6 finirent en tête.

– Il y avait peut-être plus de pression du vent au centre que sur les côtés, dit Antoine. Je vais les lancer de nouveau, mais en désordre cette fois.

Le résultat fut le même. Cette fois, Pierre avait laissé tomber sa revue et Réjeanne l'avait rejoint. Un troisième essai effectué dans un ordre tiré au sort confirma le résultat : le deuxième groupe de bateaux gagnait toujours. Antoine rayonnait de satisfaction.

– Je viens de prouver que ma théorie tient !

– Si tes bateaux sont identiques, ce qui à vue d'œil semble le cas, il y a des chances que la peinture ait une influence importante sur la vitesse du bateau, convint l'aîné.

Réjeanne se demandait où son jeune frère voulait en venir.

– Dis-moi, pour quelle raison t'intéresses-tu autant à la performance des bateaux ?

– Pour la course de canots du mardi gras. Je voudrais tellement que l'équipe de Saint-Michel gagne.

– Elle s'est bien classée, ton équipe, à la dernière course. La troisième position, c'est excellent.

– Parce que j'avais trafiqué le canot, laissa tomber le benjamin, qui brûlait depuis des mois de partager son secret.

Réjeanne fut interdite. Pierre fronça les sourcils, l'air dubitatif.

– Qu'est-ce que tu racontes ? Tu as modifié le canot de ton équipe sans que tes compagnons le sachent ?

– C'est ce que j'ai fait. Il suffit de cirer la coque avec la cire en pâte que nos mères utilisent pour astiquer les planchers. C'est un truc de ton ami Hervé Francœur.

Réjeanne fut scandalisée.

– Tu as du toupet !

– Je me suis dit qu'au pire les gars de Saint-Michel prendraient la dernière place, comme d'habitude. Mais ils ont décroché la troisième.

Pierre, qui approuvait les risques calculés, se montra fort impressionné.

– C'est donc pour cette raison que votre canot glissait si facilement sur les bourdignons de glace et que tes compagnons prenaient de l'avance?

– Tu as compris. Et tu as compris aussi pourquoi vous devez garder le secret avec moi.

– Et que comptes-tu faire des résultats des essais de ce matin?

– Maintenant que j'ai prouvé l'influence de la peinture sur la vitesse, je vais trouver la peinture au fini le plus glacé qui existe, quitte à l'inventer moi-même. Je pense même à mélanger de la peinture avec du vernis, et d'autres trucs du genre.

Les plus vieux voyaient maintenant les jeux de leur frère d'un autre œil. Une perspective attrayante s'ouvrait devant lui.

– Te rends-tu compte, Antoine, où ta recherche peut te mener? demanda Réjeanne.

– J'en suis très conscient, mais elle ne me mènera où tu penses que si je fais mes preuves en course.

* * *

Hervé Francœur, qui n'avait pas pu participer à la fête de Mai à cause d'épreuves scolaires, avait proposé à Pierre Bouffard de lui rendre visite en juillet. Ce dernier avait demandé à son ami de venir plutôt après les foins, afin d'avoir plus de temps à lui consacrer. Maintenant bien au courant des habitudes familiales des Bouffard, le séminariste arriva pour le repas de midi, le dimanche 2 août. Pierre sortit et l'accueillit avec autant d'empressement que s'il se fût agi d'un parent. Comme il comptait séjourner quelques jours, on lui assigna la chambre d'Antoine, le jeune homme devant retourner en fin d'après-midi à son chantier naval.

En garçon bien éduqué, Hervé présenta ses condoléances à maman Rose, qu'il n'avait pas revue depuis le décès de

Médéric. Il s'enquit de la santé de Victoire et voulut voir ses travaux, congratula Réjeanne pour son succès dans l'enseignement et prit des nouvelles de Cyprien. Il pria Anne-Marie et Simon de lui raconter, elle l'inauguration de la Borg et lui l'accident qui lui avait valu un plâtre. Quand vint le tour du plus jeune, Hervé lui demanda :

– Et toi, Antoine, quand je t'ai vu aux Rois, tu travaillais à la préparation du canot de ton équipe en vue de la course du mardi gras. Elle s'est déroulée comment, cette course ?

– Eh bien, au lieu d'arriver en dernière position comme par le passé, nous avons pris la troisième place !

Antoine portait sur le visiteur un regard intense. En plus de l'enthousiasme, Hervé crut y lire de la reconnaissance.

– Et comment expliques-tu ce succès inespéré ?

– Un ange veillait sur nous, un ange déguisé en bon vieillard.

– Voilà que tu invoques les personnages célestes ! s'étonna Anne-Marie, qui ne comprenait pas son langage hermétique.

Hervé esquissa une mimique complice.

– À chacun ses dévotions ! rétorqua le benjamin avec un sourire énigmatique.

– Les dévotions semblent porter chance à tout le monde, fit tout bonnement remarquer maman Rose.

– Je ne suis pas sûre de ça, laissa tomber Réjeanne en baissant les yeux.

Un ange passa. Les Bouffard ne s'attendaient pas à cet aveu. C'était la première fois depuis qu'elle était devenue adulte que l'aînée laissait entrevoir son angoisse.

Trop heureux d'avoir un invité bien informé, Pierre fit diversion en lui demandant à brûle-pourpoint :

– Toi qui côtoies les milieux intellectuels par tes études et les milieux gouvernementaux par ta famille, que pense-t-on en général de la situation politique en Europe ?

– Elle est très tendue : l'Autriche, qui fait partie de l'empire allemand, a attaqué la Serbie il y a cinq jours, et l'Allemagne a déclaré la guerre à la Russie hier même.

– Mais, pour déclarer une guerre, il faut une raison, un prétexte, intervint Antoine qui ne suivait pas l'actualité.

– Le prétexte était tout trouvé : l'assassinat, à Sarajevo, le 28 juin dernier, de l'archiduc d'Autriche, François-Ferdinand, par un Serbe de Bosnie, Gavrilo Princip. L'Autriche a attaqué la Serbie un mois plus tard, jour pour jour.

– Ce qui inquiète sans doute le plus les observateurs est la personnalité de l'empereur Guillaume II, fit remarquer Pierre.

– Ce Guillaume II de Hohenzollern est un fou, déclara Hervé. On raconte que, l'hiver dernier, il est arrivé à Monte-Carlo avec sa suite et a fortement insisté pour entrer à l'hôtel de Paris avec son cheval !

– Ah ! voilà qui est intéressant, s'exclama Simon qui imaginait la scène.

– Les Monégasques ont dû déployer des trésors de diplomatie pour l'en dissuader.

– Est-ce que ce sont ces bouffonneries qui lui ont valu le surnom de « chien enragé de l'Europe » ? demanda Réjeanne.

– Non, répondit Hervé. Guillaume II a hérité du nom et du caractère belliqueux de son grand-père, Guillaume Ier, qui a livré trois guerres : la guerre des Duchés, celle contre l'Autriche et celle contre la France.

– Cette nouvelle guerre pourrait-elle s'étendre à d'autres pays ? s'inquiéta maman Rose.

– C'est ce que craignent les nations d'Europe, enchaîna Hervé, surtout celles qui partagent une frontière avec l'Allemagne.

– Mais, avant de déclarer la guerre, il faut la préparer, intervint Antoine. Il faut accumuler des armes et bâtir des bateaux.

– Je comprends maintenant ton intérêt pour le sujet ! se moqua Pierre.

Hervé s'interposa :

– Antoine a raison : il y a plusieurs mois que Guillaume II accumule des armes, augmente ses effectifs militaires, renforce sa marine. Et les Anglais en font autant.

– Y a-t-il des chances pour que cette guerre s'étende jusqu'ici ? demanda Réjeanne, soudain inquiète.

– Dans les milieux diplomatiques, on croit que non. L'agriculture allemande ne suffirait pas, croit-on, à supporter un grand conflit.

– Pas de pain, pas de guerre ; pas de terre, pas de pain, dit sentencieusement Pierre.

– Vous croyez, Hervé, que nous ne sommes vraiment pas menacés ? demanda encore timidement la grand-mère.

– Maman Rose, Rivière-Boyer est sans doute bien loin de la pensée des Allemands, répondit le séminariste avec un doux sourire.

Le repas dominical des Bouffard se termina sur ces paroles rassurantes.

Le lendemain, le lundi 3 août 1914, alors que la paix la plus totale régnait à Rivière-Boyer, l'Allemagne déclara la guerre à la France.

17

Les événements se précipitèrent. Le lendemain, le mardi 4 août 1914, l'Allemagne envahissait la Belgique.

Pierre et Hervé lisaient et relisaient les quotidiens.

– Voilà que l'Angleterre déclare la guerre à l'Allemagne et se porte à la défense des Belges. Elle n'est pas attaquée; pourquoi se presse-t-elle? demanda Pierre.

– La clé de toute guerre est la suprématie en mer. À cause du ravitaillement. L'armée allemande se déplace vers l'Atlantique. C'est pour y arriver le plus vite possible qu'elle fonce à travers la Belgique. L'Angleterre ne défend pas vraiment les Belges, elle tente d'empêcher les Allemands d'arriver jusque chez elle.

Hervé Francœur commençait à craindre que, à cause des liens de son pays avec l'Angleterre, la guerre ne s'étende au Canada. Lui qui avait rassuré tout le monde les jours précédents, il était maintenant le plus inquiet de tous. Il se mit à pester contre les quotidiens.

– Ces journaux sont pourris : rien que des titres et des généralités. Pas de plans, pas d'illustrations. Oui, Guillaume II est présomptueux, mais où son armée est-elle rendue? Où se déroulent les combats? Combien y a-t-il de pertes? Qui l'emporte? C'est ça que nous voulons savoir!

– Les déclarations de guerre auront pris tout le monde par surprise, fit valoir Pierre. Les reporters ne sont pas encore arrivés sur place. Faire circuler l'information prend du temps et des services techniques.

– Il faut aller aux sources, trouver un point de chute des agences de nouvelles de l'Europe, s'impatientait l'étudiant.

– Les fils de presse se trouvent dans les salles de rédaction de nos journaux mêmes, lui rappela l'agriculteur. Demain les quotidiens publieront les informations qu'ils reçoivent à cette heure. À quoi bon t'agiter? Viens plutôt avec moi faire le tour de mes prés, histoire de nous assurer que les bêtes à cornes ont de la pâture et de l'eau en quantité suffisante.

– J'admire ta sérénité toute terrienne, fit Hervé, mais je crois que je ne pourrai supporter plus longtemps l'angoisse dans laquelle m'ont jeté ces deux déclarations de guerre en autant de jours. Si cela ne t'offusque pas, je vais rentrer.

– Tu n'auras pas plus de nouvelles à Beaumont qu'ici.

– Je ne rentre pas dans ma famille; je vais retourner à Québec et hanter le bureau de mon oncle J.-N. Francœur, député de Lotbinière, de même que celui d'Armand Lavergne. C'est encore dans les milieux gouvernementaux qu'on est le mieux informé.

Simon devait voir le docteur Pelletier pour faire enlever son plâtre. Il pourrait déposer Hervé à la gare.

– Alors, je compte sur toi pour me dire ton avis sur les conséquences à long terme de ce conflit, rappela Pierre à son ami.

– Je t'écrirai souvent.

– Et n'oublie pas ma requête spéciale...

– Promis : je vante tes qualités à toutes les filles que je rencontre. Enfin, à presque toutes!

Un claquement de cordeaux fit partir la jument en trombe.

– Et ça se dit votre ami! cria Pierre à Hervé qui disparaissait dans un tourbillon de poussière.

* * *

Simon revint tard le soir. Pierre et Anne-Marie dormaient déjà mais leur mère ne pouvait fermer l'œil. L'apprenti forgeron entra comme un voleur et regagna sa chambre avant que Victoire n'ait pu sortir de la sienne. Quand, après avoir enfilé un peignoir, elle se rendit à la porte de son fils, elle crut déceler une odeur d'alcool.

«Pauvre petit gars, se dit-elle, il a encore pris un coup. Ce n'est pas bon pour lui.»

La bonne mère fit demi-tour et se résigna à ne prendre des nouvelles de son fils que le lendemain matin. Mais Simon quitta la maison à l'aube avec sa voiture.

«Il est bien pressé. Qu'est-ce qui lui arrive?» se demanda Victoire.

La mère confia son inquiétude à Réjeanne dès qu'elle la vit.

Réjeanne se fit rassurante :

– Une chose est sûre : si le médecin ne lui a pas imposé un second plâtre, c'est qu'il est guéri. Il a dû prendre un petit coup hier pour fêter sa guérison et s'est jeté dans le travail dès ce matin. À tout hasard, je passerai le voir à la forge cet après-midi.

Quand Réjeanne demanda à Meno Roy où était son frère, ce dernier se montra surpris.

– Je n'ai pas vu Simon depuis avant-hier, quand il est parti faire enlever son plâtre. Si tu le vois, fais-lui savoir que j'ai besoin de lui.

Simon ne rentra pas ce soir-là, mais sa famille eut de ses nouvelles le lendemain de façon inattendue. Pierre reçut une lettre de son ami Hervé.

Mon cher Pierre,

Il n'y a pas qu'en Europe que le malheur frappe les gens. Parce que nous étions fort en avance pour le train, j'ai accompagné Simon chez le médecin, histoire de tuer le temps. J'étais à ses côtés quand le docteur Pelletier lui a retiré son plâtre.

Comme le pied semblait parfaitement guéri, ton frère a enfilé un bas, a mis sa chaussure et s'est levé. C'est quand il a effectué le premier pas qu'il a découvert son infirmité.

On eût dit que la foudre l'avait frappé : son visage a pris une expression douloureuse que je n'oublierai jamais. Il ne s'est pas plaint. Il a seulement dit : « Je ne me trouverai jamais de femme avec une patte semblable. »

Je crois qu'il n'aura pas trop de toute la compassion de sa famille pour surmonter cette épreuve, terrible pour un jeune homme fier. Je te prie de lui faire toutes mes amitiés, comme je vous fais, à toi et à ta charmante famille, toutes les miennes. »

Sincèrement, ton confrère et ami,

Hervé Francœur.

– C'était donc ça ! s'écria Réjeanne. Mais de quelle infirmité parle ton ami ?

– Il suppose que nous avons vu notre frère, remarqua Pierre.

– Il faut aller à sa recherche.

– Inutile. Il est parti avec Souris et Dieu sait où il se trouve. Nous devrons attendre qu'il revienne.

– C'est peut-être mieux ainsi, fit l'aînée, compatissante. Entre-temps, il aura cuvé sa peine.

Le jeune forgeron, qui ne voulait pas être vu, rentra très tard, escomptant que les siens dormiraient. Pierre et Victoire l'avaient attendu longtemps mais avaient succombé au sommeil. Cependant, Réjeanne et Anne-Marie l'attendaient encore. Quand un bruit de trot se fit entendre dans la cour, la cadette, complice de Simon depuis toujours, sortit à sa rencontre sans emporter de fanal.

Elle n'eut pas de mal à se diriger vers l'écurie malgré la pénombre. Elle attendit son frère à la barrière, sachant qu'il mettrait sa bête au clos. Ce dernier perçut un mouvement et crut que c'était un malfaiteur.

– Hé ! toi.

– C'est moi, Anne-Marie, répondit doucement la jeune fille.

– Ah !

Elle ouvrit la barrière pour laisser passer le cheval.

– Que fais-tu là, en pleine nuit !

Anne-Marie chercha la main de son frère.

– Ta main tremble.

– Il fait un peu frais, c'est le mois d'août, répondit évasivement le jeune homme.

– J'ai appris ton infirmité.

Piqué au vif, Simon retira vivement sa main.

– Comment? Par qui?

– Pierre a reçu une lettre d'Hervé ce matin. Il croyait que nous t'avions vu et il t'envoie ses amitiés.

– Comme ça, tout le monde le sait?

– Seulement notre famille.

– C'est déjà trop.

Anne-Marie constata que son frère n'était pas ivre, bien qu'une odeur de moût flottât encore autour de lui.

– Viens manger une bouchée, ça te réchauffera. C'est vrai que l'air est frais.

Simon eut la surprise de trouver Réjeanne au poêle. Il s'avança timidement.

Prévenante, Réjeanne n'avait allumé qu'une chandelle de suif qu'elle avait posée au milieu de la table. De cette façon, toute la partie inférieure de la pièce était noyée dans l'obscurité.

– Je m'attendais à pire, fit l'aînée en se retournant pour voir son frère gagner prestement la table. Simon claudiquait fortement mais ne boitait pas au point de s'en trouver handicapé.

– C'est bien assez grave comme ça! Je boîte comme un cheval à la patte cassée. Il vaudrait mieux m'achever.

Réjeanne comprit que le moral de son frère était au plus bas.

– Je t'ai fait une soupe comme dans notre famille, à l'île d'Orléans. Une soupe avec les premiers poireaux du jardin et les dernières patates du caveau.

Simon consomma le plat sans parler. Réjeanne lui apporta du jambon froid, des pommes de terre rissolées et un peu de fèves au lard. Puis elle versa du café pour les trois. Simon ne disait pas un mot, mais ne semblait pas manquer d'appétit puisqu'il ne refusait rien.

Anne-Marie avait posé sa main sur le bras de son frère. Ce dernier ne repoussait pas ce geste d'amitié. L'aînée laissa tomber trois carrés de sucre dans les tasses et y versa un peu de crème.

– Maintenant, que comptes-tu faire ?

– Je retournerai à la forge dès demain.

– Je peux te dire que Meno va être bien content de te revoir. Il craint de te perdre.

Réjeanne disait vrai, mais elle cherchait surtout à redonner une raison de vivre à son frère. Elle eut l'impression de réussir puisqu'il dit :

– Ce bon Meno, il doit avoir pris du retard. Un peu d'aide sera la bienvenue.

Simon se leva et monta l'escalier. Réjeanne remarqua qu'il posait toujours son pied blessé en premier et faisait porter tout le poids de son corps sur l'autre.

Les deux sœurs le regardèrent disparaître dans le passage du haut avec la même pensée :

«Pauvre Simon ! Lui qui est tellement sensible.»

* * *

L'Association des Producteurs agricoles, l'A.P.A., de Rivière-Boyer était maintenant bien formée. Malgré la réticence de quelques cultivateurs réactionnaires, l'idée de se regrouper pour améliorer leurs conditions de vie avait gagné la majorité des agriculteurs, en commençant par les plus prospères. Le maire Anthime Leblond en avait accepté la présidence.

L'assemblée inaugurale était prévue pour la troisième semaine d'août, entre les foins et les récoltes. Cette fois, Guillaume Francœur, le bras droit du député Armand Lavergne, serait là. Pierre avait d'ailleurs prévu d'inviter Hervé à cette assemblée. C'eût été l'occasion d'une rencontre-surprise pour les deux frères. Mais Hervé était parti et Pierre s'y retrouverait seul. Une idée lui vint en voyant arriver Réjeanne pour le café de l'avant-midi :

– Dis, si tu n'as rien à faire, pourquoi ne m'accompagnerais-tu pas à l'assemblée de l'A.P.A. cet après-midi ?

Réjeanne avait une bonne raison d'accepter.

– Guillaume Francœur, qui est un homme du gouvernement, aura peut-être des nouvelles de la guerre.

Le frère et la sœur se retrouvèrent donc à la salle paroissiale immédiatement après le repas de midi. Comme ils arrivèrent les premiers, Réjeanne, par réflexe d'institutrice, passa prendre la clé au presbytère et ouvrit les portes. Elle aligna les chaises et les tables, disposa les crachoirs aux points stratégiques, ouvrit les rideaux et aéra les lieux. Ces préparatifs ravirent le maire.

– C'est à croire qu'on était attendus !

Anthime s'installa et posa un regard distrait sur la jeune femme. Tout à coup, son œil d'administrateur de la chose publique s'anima. « Ouais..., se dit-il, bonne idée ! »

Malgré le temps maussade, tous les membres firent acte de présence, même Jean-Baptiste Fortin, qui s'était rallié au groupe in extremis.

– Si tu suis pas les autres, tu te retrouves tout seul ! avoua-t-il.

Le président remercia les membres pour s'être présentés aussi nombreux. Il remercia également Guillaume Francœur d'être venu tel que promis, mais, avant de le présenter, il voulut régler un point qui avait été laissé en suspens lors de la dernière assemblée.

– On s'était dit, à la dernière réunion, qu'on se trouverait un secrétaire, si possible quelqu'un d'instruit. Avez-vous des noms à proposer ?

Des hochements de tête accueillirent la question.

– Eh bien, moi, j'ai trouvé quelqu'un. Quelqu'un d'instruit, qui connaît l'agriculture et qui ferait un bon travail comme secrétaire.

Tous les cous se tendirent. Quel candidat ce vieux renard avait-il déniché auquel personne n'avait pensé ? Anthime, lui, promenait sur l'assemblée le regard amusé du politicien sûr de son effet. Il se permit même de faire languir son auditoire.

– Ça nous fera un bon secrétaire, même si c'est une femme.

Réjeanne chercha du regard les autres femmes présentes à l'assemblée : elle était la seule. Avec le seul mot «femme», Leblond tenait son auditoire bien en main.

– J'ai pensé..., hésita-t-il volontairement, j'ai pensé à Réjeanne Bouffard.

Une rumeur d'approbation courut dans la salle. Réjeanne se leva, confuse.

– Mais, monsieur le président, je ne suis pas fermière!

– Ma belle madame, rétorqua avec un sourire enjôleur le président-maire, il n'est pas nécessaire d'être conseiller pour être secrétaire municipal et il n'est pas nécessaire d'être cultivateur pour être secrétaire de l'A.P.A.

Pierre tira sa sœur par la manche.

– Accepte, lui souffla-t-il.

– Est-ce toi qui m'a proposée?

– Non, mais, en l'absence de Cyprien, ça te changera les idées.

Réjeanne haussa les épaules.

– Bon, j'accepte.

– Viens t'asseoir à la table des administrateurs, ma fille, fit pompeusement le président. La plume t'attend!

C'est sous des sourires mi-moqueurs, mi-admiratifs que la jeune femme tira sa chaise entre Anthime Leblond et Guillaume Francœur. La place était symbolique : c'est Réjeanne qui servirait de lien entre le représentant agricole et le représentant politique.

Le président dressa ensuite le portrait de l'A.P.A. de Rivière-Boyer : le nombre de membres, l'encaisse, les démarches entreprises.

– Mes amis, nous en sommes à orienter notre action future et la personne la mieux placée pour éclairer notre chemin est le secrétaire particulier du député Lavergne : Guillaume Francœur.

Guillaume se leva.

– Madame, messieurs, commença-t-il courtoisement, j'ai écouté avec grand intérêt le bilan de votre association tel que l'a tracé votre dynamique président.

Anthime s'agita sur sa chaise et prit un air de fausse modestie. L'invité continua :

– Je constate que vous êtes fin prêts pour exécuter un grand pas en avant et il se peut qu'une occasion exceptionnelle s'offre à vous dans peu de temps.

Cette fois, ce sont les cultivateurs qui s'agitèrent. Quelle bonne nouvelle le messager apportait-il ? Il poursuivait déjà.

– Pour faire la guerre, il faut de la nourriture, et les pays en guerre ne peuvent pas cultiver à plein rendement. Les hommes sont au front, et seuls les vieillards et les femmes travaillent aux champs, à la condition qu'il ne s'y déroule pas de bataille.

Les membres de l'A.P.A. commençaient à voir où le jeune conseiller voulait en venir.

– Dans les milieux gouvernementaux, on est d'avis que l'agriculture de l'Allemagne et de l'Autriche est déficiente, mais il ne faudrait pas la sous-estimer : il est certain que ces pays feront des pieds et des mains pour produire au maximum. Des combats se déroulent présentement en Belgique, ce qui compromet les récoltes. Quant à la France et à l'Angleterre, nous estimons qu'elles ont des réserves pour douze mois.

Le conseiller but une gorgée d'eau et s'éclaircit la voix. On aurait pu entendre voler un moustique.

– Si la guerre dure plus d'un an, ces deux pays, amis de circonstance, vont manquer de nourriture et faire appel à nous. Il ne faut pas attendre que les Français et les Anglais manquent de blé pour en semer. Il faut labourer plus, il faut labourer mieux. Il faut semer plus, il faut semer mieux. Il faut élever plus de bétail, il faut intensifier le contrôle laitier.

La voix d'un opposant s'éleva au fond de la salle :

– Si on produit plus, les prix vont tomber !

– Les prix ne tomberont pas si nous faisons front commun, rétorqua Francœur. Je vous rappelle qu'en Ontario une ferme comparable aux nôtres rapporte deux fois plus.

– Et si la guerre s'arrête, ton plan va tomber à l'eau, lança quelqu'un d'autre.

Francœur avait réponse à tout :

– Nous exporterons vers les États-Unis. Ce pays est en plein essor industriel et il a besoin de plus que notre mousse de mer ! lança-t-il, faisant allusion à la récolte des algues de l'île Verte.

– Et si les Allemands arrivaient jusqu'ici ? s'inquiéta Jos Labrie.

– Il faudrait d'abord qu'ils arrivent jusqu'à l'Atlantique, mais les trois nations côtières vont se battre à mort pour les en empêcher. Vous avez constaté que l'Angleterre a pris moins d'une journée pour se porter à la défense de la France. Si nos amis réussissent à leur couper la voie de l'Atlantique, les Allemands tenteront d'atteindre la Méditerranée. Alors, la guerre va se porter vers le sud et elle risquera de durer longtemps. Notre fortune va se jouer dans quelques semaines. Lisez attentivement les journaux.

* * *

La nouvelle qu'espérait Guillaume Francœur parvint aux agences de presse trois semaines plus tard. Dans sa hâte d'atteindre l'Atlantique, une partie de l'armée allemande fonça sur Paris en empruntant la vallée de la Marne. Les Français se portèrent à sa rencontre et le combat s'engagea le 6 septembre. Cinq jours plus tard, l'armée de Guillaume II devait rebrousser chemin. Même s'ils occupaient encore la majeure partie de la France, les Allemands venaient de perdre la course à l'Atlantique.

– Ah ! regarde les journaux, dit Pierre à Réjeanne. Les Français ont réussi à sauver Paris. Si on en croit Guillaume Francœur, la guerre sera longue.

Réjeanne jeta un coup d'œil aux titres par-dessus l'épaule de Pierre.

L'institutrice avait repris l'enseignement et s'y dévouait corps et âme, ce qui ne l'empêchait pas de passer tous les soirs chez Pierre à l'heure où il terminait son train.

– Je vais écrire immédiatement au conseiller de l'A.P.A. et lui demander son avis. S'il confirme, nous tiendrons une réunion, avec ou sans lui.

La réponse ne tarda pas à arriver.

Madame la secrétaire de l'A.P.A. de Rivière-Boyer,

Au gouvernement, on croit que, après leur échec en France, les Allemands porteront la guerre vers le sud et vers l'est.

L'Allemagne, l'Autriche-Hongrie, la Russie, la Belgique, l'Angleterre et la France sont déjà engagées dans ce conflit. On peut prévoir que d'autres pays, tels la Roumanie, le Portugal, l'Italie et le Japon, seront touchés aussi. De là, Dieu seul sait comment évoluera la situation. Une chose est pratiquement assurée à ce moment : la guerre n'est pas près de se terminer.

Je vous rappelle que l'Allemagne est un pays redoutable : elle produit davantage de charbon et d'acier que la Grande-Bretagne. L'ambition de Guillaume II est de contrôler toute l'Europe. Je le répète, la guerre sera longue et les combattants auront besoin de pain et de viande sous peu.

Réjeanne lut attentivement la lettre de Guillaume Francœur et, comme le contenu n'était pas confidentiel, permit à Pierre d'en prendre connaissance avant de la remettre à Anthime Leblond.

* * *

Francœur ne put assister à la réunion de l'A.P.A. mais demanda à rencontrer son président, sa secrétaire et les membres du conseil s'ils pouvaient se libérer le premier samedi d'octobre. Le point le plus central de la paroisse étant l'école du rang 2, celle où enseignait Réjeanne, on convint de s'y réunir à dix heures. C'était d'autant plus commode que le président et un membre du conseil, Elzéar Brochu, habitaient dans ce rang.

Réjeanne s'y rendit tôt pour accueillir les membres. Francœur arriva peu après elle. De nombreuses bernaches s'étaient arrêtées dans les champs de blé et d'avoine pour y glaner les grains perdus.

– J'arrive avec les outardes, chère madame, et, comme elles, je ne ferai que passer ! annonça le conseiller avec bonne humeur.

– Nous sommes quelques minutes en avance mais je vois déjà venir la voiture du président au bout du rang, répondit la secrétaire.

Réjeanne se trouvait momentanément seule avec un jeune homme et cela lui faisait tout drôle. Elle connaissait assez bien Guillaume pour n'éprouver aucune crainte et pourtant elle ne se sentait pas très à l'aise avec lui. Elle s'occupa en allumant la fournaise à bois. Inconscient du trouble qu'il provoquait, Francœur, détendu, jeta un regard circulaire sur cette école qu'il voyait pour la première fois.

– Vous avez une belle école toute neuve. On vous loge bien, à Rivière-Boyer.

– On nous loge bien mais on nous paie mal, si vous voulez le savoir, rétorqua l'institutrice, heureuse de trouver un sujet de conversation qui ne soit pas directement personnel.

– Si mal que ça ?

– L'institutrice du village, qui a une longue expérience, ne reçoit que cent cinquante piastres par année. Et moi qui travaille autant, j'ai moins. Les commissaires ne voulaient donner que cent piastres à l'institutrice de la nouvelle école du Grand Bras, sous prétexte qu'elle a peu d'élèves.

– Ce sont des salaires de famine !

– Je voudrais bien savoir combien les enseignants, hommes et femmes, sont payés ailleurs.

– Je peux vous trouver ça facilement, si ça peut vous rendre service. Je vais demander à la secrétaire de M. Lavergne de vous faire parvenir les rapports de l'Instruction publique.

Le conseiller inscrivit une note à ce sujet dans son agenda pendant que Réjeanne accueillait Anthime Leblond.

La réunion fut brève mais les participants en sortirent convaincus que l'agriculture était promise à un brillant avenir. Le plus difficile restait cependant à accomplir : travailler avec méthode, discipline et cohésion.

En sortant du conciliabule, Anthime jeta un regard nostalgique sur les oies sauvages qui picoraient dans le champ d'Elzéar.

– D'après ce qu'ils nous disent, mon Zéar, on va devoir échanger nos fusils contre des charrues !

– C'est pas sûr que je vais vendre mon fusil, mais c'est certain que je vais acheter une charrue neuve, rétorqua l'intéressé.

* * *

Dix jours plus tard, Réjeanne recevait une grande enveloppe portant dans le coin gauche le nom et l'adresse du député Lavergne. « Ce Francœur est un homme de parole », se dit-elle en se rappelant le dynamique jeune homme. « Bel homme en plus, ce qui ne gâche rien. » Mais, soudain prise de honte pour avoir pensé à un autre homme que le sien, elle chassa vite de son esprit l'image du conseiller.

L'enveloppe contenait d'éloquents rapports de l'Instruction publique que Réjeanne montra sans délai à son frère.

– Pierre, tu ne le croiras pas : les instituteurs protestants sont payés trois fois plus cher que les instituteurs catholiques.

– Parce que les Canadiens anglais sont riches et que les Canadiens français sont pauvres.

L'institutrice continuait ses comparaisons.

– Comment expliques-tu, alors, que les institutrices soient payées trois fois moins cher que les instituteurs ?

– Parce que les hommes ont des familles à faire vivre.

Réjeanne rosit d'indignation.

– Payer un ouvrier en fonction de ses besoins et non de son travail est rétrograde, paternaliste et injuste. Toi qui es célibataire, accepterais-tu de vendre ta crème trois fois moins cher sous prétexte que tu n'as pas de famille à faire vivre?

Pierre accusa le coup mais fut surpris par l'ardeur avec laquelle son aînée le rabrouait.

– Ne te fâche pas. Je suis d'accord que tu devrais recevoir le même salaire que Délina Tremblay.

– Tu n'as pas compris. Ce n'est pas ma cause que je défends. C'est contre l'injustice générale faite aux enseignantes que je m'insurge.

Pierre mesura l'immense portée de cette phrase.

– Penserais-tu à défendre toutes les maîtresses d'école du Québec?

– Je pense que le mouvement de défense doit commencer là où l'injustice est le plus grande. À ce que je vois, c'est à Rivière-Boyer que revient l'honneur douteux de payer ses enseignantes le plus mal au Québec!

– Tu n'exagères pas un peu?

– Après m'avoir négociée à rabais, les commissaires d'école, Jean-Baptiste Fortin en tête, ont offert cent piastres par année à l'institutrice du Grand Bras. Connais-tu une seule localité au Québec qui paie moins?

– La disparité est flagrante, admit piteusement le cadet. Que comptes-tu faire?

– Si vous, les agriculteurs, êtes capables de vous unir pour défendre vos intérêts, je ne vois pas pourquoi nous, les femmes enseignantes, nous ne pourrions pas en faire autant!

* * *

Les premiers appels au patriotisme des Canadiens français apparurent ces jours-là dans les quotidiens. Ils connurent peu de succès.

Devant l'apathie des Québécois, le ministère de la Milice décida de mettre sur pied un régiment francophone. La création du Royal canadien-français fut annoncée dans une grande assemblée publique tenue au parc Sohmer, à Montréal, le jeudi 14 octobre 1914. Quinze mille personnes, presque tous des hommes, s'y massèrent pour voir sir Lomer Gouin, sir Wilfrid Laurier, le docteur Arthur Mignault, Rodolphe Lemieux et une brochette d'orateurs des deux grands partis politiques fraterniser sur une même scène et lancer un appel unanime au sens civique des Canadiens français.

Pierre, qui, quelques jours plus tard, rencontrait par hasard les ti-frères Descôteaux, leur demanda :

– Vous deux qui cherchez de l'emploi, ça ne vous tenterait pas de vous enrôler ?

– On ne parle même pas anglais, fit l'un d'eux. Et puis cette guerre, ce n'est pas notre guerre ; c'est la guerre des gens des vieux pays.

– Quand les Allemands viendront à Rivière-Boyer, on se battra, renchérit l'autre. Pas avant.

– Y a-t-il de vos amis qui pensent à partir ?

– Dans les gens qu'on connaît, il n'y en a pas. On gagerait fort que pas un gars de Rivière-Boyer va vouloir s'enrôler.

– C'est bien aussi mon avis, fit l'agriculteur.

Quelques jours plus tard, la poste rurale livra chez les Bouffard une lettre au nom d'Antoine. Elle provenait de la Royal Navy. Victoire, comme tous ses enfants, dut résister très fort à la tentation de l'ouvrir. Simon proposa même :

– On n'a qu'à la passer sur le bec de la bouilloire et la colle va fondre. Maman pourrait lire la lettre et la recacheter. Si Antoine est conscrit, il faut qu'on le cache.

Victoire s'y opposa.

– Il n'y a pas de conscription et il n'y en aura pas. Quand l'armée veut forcer quelqu'un à s'enrôler, elle vient le chercher, elle n'envoie pas des lettres. Cette lettre ne nous regarde pas ; attendons qu'Antoine l'ouvre.

L'enveloppe brune était placée bien en vue quand Antoine arriva le samedi soir. Malgré l'heure relativement tardive, personne n'était couché. On jouait à la dame de pique pour tromper l'impatience.

Antoine salua les siens et s'engagea dans l'escalier, faisant semblant de ne pas avoir vu le pli.

– Tu as reçu une lettre importante, Antoine, lui dit sa mère.
– Ah oui ?
– De la Royal Navy, ajouta Réjeanne.

Les joueurs avaient laissé tomber leurs cartes. Le jeune homme comprit qu'il ne pourrait pas s'esquiver.

Le pli ne contenait qu'une feuille blanche et le message ne faisait pas trois lignes. La belle humeur d'Antoine s'évanouit.

– C'est bien ce que je craignais…, laissa-t-il tomber.
– Quoi ? Quoi ? firent les autres, qui se consumaient de curiosité.
– Trop jeune…
– Trop jeune pour quoi ? s'impatienta Pierre.
– Pour la marine.
– Tu voulais t'enrôler ? s'étonna Simon.
– Je voulais travailler à la performance des bateaux de guerre et je me suis dit que les gens de la marine militaire seraient les plus intéressés aux résultats de mes recherches. Mais on me trouve trop jeune pour le service. Je suis d'autant plus déçu que mon chantier est à la veille de manquer de commandes et que, étant le dernier embauché, je vais me retrouver sans travail cet hiver.
– Malheureux ! s'écria Pierre. Une fois enrôlé, tu aurais été envoyé au front comme chair à canon ! Prends-tu conscience que ta passion pour les bateaux a failli te coûter la vie ?

Réjeanne partageait l'avis de Pierre mais comprenait les motivations d'Antoine.

– Ne lui fais pas de reproches, Pierre. Notre frère a cru bien faire mais, pour une fois, il aurait dû nous consulter avant de se lancer à l'aventure. Ça lui servira de leçon.

Antoine avait l'air piteux. Victoire vint à sa rescousse :

– Vous voyez bien que votre frère est fatigué. Donnez-lui une chance de se reposer et nous en reparlerons calmement demain. L'important, pour le moment, est qu'il ne parte pas à la guerre.

Le jeune homme profita de l'accalmie pour se retirer. Sa famille ne revint pas sur le sujet le lendemain. Quand il rentra au travail le lundi matin, Donat, le chef de la production, convoqua une réunion générale.

– J'ai une grande nouvelle à vous annoncer : nous avons décroché un important contrat pour fabriquer des vedettes.

– Des quoi ? demanda un vieux.

– Des vedettes. Ce sont de petits bateaux rapides qui servent à porter les officiers et les messages entre les vaisseaux de grande taille ; ils servent aussi à la police militaire. Nous désespérions d'obtenir des contrats de guerre. Vous le savez comme moi, le peu de profondeur de l'eau à notre quai nous empêche de construire des goélettes ou des transporteurs. Mais, avec la construction des vedettes, nous aurons du travail tout l'hiver et, si nous le faisons bien, nous pourrons espérer d'autres commandes.

– Vive la guerre ! s'écria le voisin d'Antoine.

– Pense à ceux qui vont mourir au front, lui souffla ce dernier.

De toute évidence, les nuits de samedi et dimanche lui avaient porté conseil.

* * *

La cimenterie Borg n'arrivait pas à créer tous les emplois que l'émissaire Izaac Goodman avait fait miroiter. Même que, selon Benjamin Leblond, le fils du maire, qui y travaillait toujours, la production avait régressé.

Pourtant, ce n'était pas faute d'efforts des Suédois au chapitre des ventes. Ces gens partaient en mission toutes les semaines et rentraient à toute heure du jour ou de la nuit, leurs vêtements parfois souillés par les travaux agricoles ou de voirie.

À la requête de son patron, le secrétaire Bjorn Palme avait, au début d'août, vendu son cheval de course. Comme la compagnie lui fournissait maintenant une voiture automobile, il semblait faire contre mauvaise fortune bon cœur. Son véhicule à moteur amusait d'ailleurs beaucoup les cultivateurs, qui sortaient à peine de l'ère des bœufs de joug.

Un soir où elles en parlaient, Anne-Marie dit à Réjeanne :

– Il n'y a pas que le secrétaire de la Borg qui conduit une voiture automobile neuve. Il y a aussi Jacques Latour.

– Tu l'as vu ? demanda Réjeanne, soudain méfiante.

– Il est arrivé cet après-midi au volant d'un camion automobile flambant neuf, plus noir que son buggy et plus long que la voiture du président Pettersson. Un étranger l'accompagnait. Comme Pierre, il croit à la guerre et pense faire fortune dans le commerce du bétail. Il dépense déjà au bar l'argent qu'il va gagner.

– Méfie-toi de cet homme, c'est un serpent.

– J'en ai appris beaucoup sur les hommes depuis que je travaille dans le public, et maintenant je les vois venir de loin.

Latour reparut à l'auberge le mercredi vers treize heures. Il gara d'abord son véhicule sous le baldaquin, bloquant toute circulation devant l'auberge. L'aubergiste Duchesneau, qui sortait chasser, rebroussa chemin et vint prier son client de placer son véhicule dans la cour latérale, ce qu'il fit sans trop rechigner.

Quand il revint, Anne-Marie remarqua que Latour avait l'air un peu éméché. Elle lui proposa le menu du midi.

– Je n'ai pas très faim. Juste une petite omelette me suffira. Mais apporte-moi une bouteille de ton meilleur vin rouge, belle enfant.

La commande tardive indisposa le chef.

– C'est vraiment la dernière commande que j'accepte. Je dois aller à la gare de Saint-Michel quérir mes commandes de provisions.

Anne-Marie apporta un saint-émilion dont elle fit approuver le choix par son hôte, après quoi elle le déboucha et huma le bouchon.

– Il sent bon le terroir et il est fruité, comme dit mon patron. Tu devrais l'aimer, dit-elle à Jacques.

Latour fit tourner le vin dans son verre et le huma.

– C'est vrai qu'il sent la terre noire, mais toi aussi tu sens les fruits sauvages, remarqua-t-il.

– Comme ce vin, je viens de la terre et j'en suis fière! répliqua-t-elle du tac au tac.

Latour goûta le vin et approuva :

– Il est comme toi : il a un goût de «revenez-y»! déclara-t-il.

Anne-Marie tourna les talons et s'en fut offrir un dessert à Olof Pettersson. Le président de la Borg, qui était le dernier client avant l'arrivée du marchand de bestiaux, avait jusqu'ici observé la scène en affichant un air goguenard.

– Prendrez-vous du dessert, monsieur Olof? lui demanda la jolie serveuse.

– Seulement un thé, que vous me servirez à ma chambre dans une demi-heure, je vous prie. Je travaille ici, cet après-midi.

– Dans ce cas, je vous apporterai une pleine théière de thé anglais.

– Très aimable! fit le Suédois.

«Tiens, le voilà qui me complimente, remarqua Anne-Marie. C'est nouveau.»

Elle revint à la cuisine au moment où le chef endossait son long manteau.

– L'omelette est prête. Tu prépareras le dessert toi-même. Tu sais faire la crème fouettée?

– J'ai été élevée à la crème, chef! l'assura la rieuse jeune femme.

Elle apporta l'omelette mais remarqua que Latour la regardait venir d'un œil torve. Il s'était lui-même servi un deuxième verre de vin. Anne-Marie lui en fit reproche :

– Laissez-moi le plaisir de vous servir, cher client, fit-elle d'un air ingénu mais en gardant prudemment ses distances.

– Faites-moi le plaisir de boire un verre avec moi, chère madame! répondit Latour sur le même ton.

– Vous savez bien que ça m'est interdit pendant les heures de travail, cher monsieur.

– Bah! nous sommes seuls…

– Mais Dieu nous regarde, répondit malicieusement l'hôtesse.

– Sainte nitouche en plus, grogna Latour.

À ce changement de ton, Anne-Marie coupa court.

– Je vais remplir le bar mais je garderai un œil sur toi, mon cher danseur. Mange en paix et bon appétit !

Latour promena un regard autour de lui. Le seul autre client était monté à sa chambre, l'aubergiste était parti à la chasse, conduit par le garçon à tout faire, le cuisinier passait sous la fenêtre en quatre-roues et la femme de chambre semblait repartie puisque rien ne bougeait là-haut.

Le grand jeune homme ne toucha pas à l'omelette mais but un long trait de vin.

– Le bon vin réjouit le cœur de l'homme ! déclara-t-il tout haut.

De la pièce voisine, Anne-Marie entendit la citation biblique et répliqua tout bas par une citation du petit catéchisme : « Mais l'alcool rend l'homme semblable à la bête. »

Au lieu de dîner, Latour se mit à chanter à tue-tête :

Plus haut, plus haut, mon amant,
C'est plus haut que je souffre,
Plus haut, plus haut, mon amant,
C'est plus haut que je souffre tant !

Il répéta le couplet, prit une gorgée de vin et continua, en prenant une voix de basse :

Plus bas, plus bas, mon amant,
C'est plus bas que je souffre,
Plus bas, plus bas, mon amant,
C'est plus bas que je souffre tant !

– Ce vin est diablement bon ! constata-t-il tout haut en buvant encore.

Puis il reprit, en mugissant comme un taureau :

Plus loin, plus loin, mon amant...

Anne-Marie bondit dans l'embrasure de la porte :

– Pas de chansons grivoises, Jacques Latour. On n'est pas à la taverne du Chien-d'Or, ici !

L'avertissement avait été lancé d'un ton péremptoire.

– Toutes mes excuses ! fit l'intéressé en hochant la tête.

Il enfila une longue gorgée de vin et la jeune femme retourna vaquer à ses occupations. Tout en vidant les caisses d'alcool, elle écoutait attentivement. « Plus un bruit. Cette fois, je l'ai mis à sa place ! » pensa-t-elle.

Assez fière d'elle, elle reprit son travail. Mais, au moment où elle plaçait deux bouteilles de whisky et de brandy sur des tablettes élevées, tournant de ce fait le dos au bar, Latour l'attaqua par-derrière. Il lui plaqua sa puissante main gauche sur la bouche et, de la main droite, dégrafa prestement sa jupe.

Pendant une fraction de seconde, la jeune femme ne voulut pas lâcher les précieuses bouteilles. Puis elle les laissa tomber au sol où elles s'écrasèrent avec fracas.

De ses deux mains, Anne-Marie dégagea sa bouche et poussa un cri de détresse. De sa chambre, Olof Pettersson l'entendit et s'élança dans l'escalier. À mi-chemin, il aperçut l'ivrogne qui farfouillait sa braguette tout en retenant sa victime qui criait toujours comme une perdue. Le Suédois n'eut aucun doute quant aux intentions du maquignon.

Latour vit arriver cet homme beaucoup plus âgé que lui et crut pouvoir l'éliminer d'un solide coup de poing. L'ingénieur se trouvait juste de l'autre côté du bar et présentait une cible parfaite. Le violeur lâcha un moment sa proie et s'élança pour assener de toutes ses forces un uppercut à son adversaire. Comme son poing vengeur allait atteindre le visage du Suédois, ce dernier esquiva le coup, saisit vivement son poignet d'une main et posa l'autre sous son aisselle. Anne-Marie vit Jacques s'envoler littéralement par-dessus le bar et atterrir sur le dos.

– Vous l'avez tué, monsieur ! s'exclama-t-elle.

– Arts martiaux japonais, mademoiselle.

Quand il revint à lui, Latour vit Olof Pettersson qui le regardait, les bras croisés, l'air sévère.

– Vous avez assez bu, mon ami. Rentrez chez vous maintenant. Mais ne partez pas sans payer : vous devez un repas et trois bouteilles à notre hôtesse.

Presque aussi ébranlée que son turbulent client, Anne-Marie ragrafait sa jupe et replaçait sa coiffure. Latour tira une poignée de billets de sa poche, les lança sur le bar et sortit en titubant. Un moment plus tard, le camion automobile noir repartait lentement.

Dans son énervement, la jeune femme, au lieu de remercier son sauveur, avait saisi une vadrouille et épongeait furieusement l'alcool. Le président de la Borg l'observait d'un œil amusé. Soudain, elle prit conscience de son ingratitude.

– Oh ! pardon, monsieur Olof. Vous m'avez sauvé la vie. Je ne pourrai jamais vous remercier assez ! Qu'est-ce que je pourrais faire pour vous prouver ma gratitude ?

– M'apporter ce thé anglais, peut-être, répondit-il avec un sourire aimable. Je monte à ma chambre.

La jeune femme reprit ses sens pendant que l'eau du thé bouillait. Elle choisit la plus belle théière de l'auberge, la théière personnelle de son patron absent, infusa le thé, disposa des biscuits anglais dans une assiette de cristal, plaça le tout sur un plateau d'argent et monta à l'étage.

Son cœur battait encore quand elle frappa à la porte de Pettersson mais son frais visage avait retrouvé son teint rosé.

Le président était assis dans un large fauteuil. Il était en chemise et avait retiré son inséparable boucle. Après avoir posé le plateau sur une table basse, Anne-Marie voulut lui exprimer sa gratitude une fois de plus.

– Monsieur Olof, je ne sais quoi faire pour vous remercier encore.

– Je vais vous le dire, mademoiselle, fit-il avec un regard condescendant.

– Comment donc, monsieur ? demanda candidement la servante.

– Approchez un peu.

– Mais pourquoi ?

La jeune femme commençait à se méfier.

– Approchez…

Cet homme avait toujours été correct. Elle obtempéra.

– Assoyez-vous, fit doucement l'étranger en ouvrant les bras pour la prendre sur ses genoux.

– Mais non ! Que pensez-vous, monsieur ? Je ne suis pas une fille de joie !

– Vous ne voulez donc pas me manifester votre reconnaissance ?

– Pas de cette façon, en tout cas !

Pettersson se leva d'un bond.

– Puisqu'il en est ainsi, jeune fille, je devrai vous enseigner les bonnes manières !

Anne-Marie, qui avait vu de quelle façon le Suédois avait disposé de son adversaire, crut sa dernière heure venue. Elle se précipita vers la porte, mais un bras solide et velu la retint. La trop belle Anne-Marie, qui se savait seule avec son sauveur, crut qu'elle perdrait sa virginité de violente façon.

– Au secours ! Au secours ! cria-t-elle éperdument.

Contre toute attente, elle entendit quelqu'un monter l'escalier en vitesse. On frappa à la porte de la chambre.

– Monsieur, vous avez appelé ? demanda une voix connue.

Bjorn Palme était rentré subrepticement. Il avait fort bien reconnu la voix d'Anne-Marie mais, toujours diplomate, il s'était d'abord adressé à son patron.

– Ce n'est rien, monsieur Palme, fit Pettersson.

– J'ai cru entendre une femme appeler au secours, insista le secrétaire.

L'industriel comprit alors que Palme ne repartirait pas sans qu'il lui ait ouvert.

– Ce n'est rien, je vous dis. Mlle Bouffard a failli renverser une magnifique théière et a instinctivement réclamé de l'aide. Elle descend maintenant.

Anne-Marie saisit le goûter et ouvrit la porte. Bjorn Palme esquissa un mouvement pour entrer dans la chambre mais s'attarda sur le pas de sa porte et jeta un coup d'œil furtif à la jeune femme. Il ne fut pas dupe : les biscuits anglais étaient encore parfaitement rangés.

– Je suis rentré en avance de mission et il m'a semblé détecter une forte odeur d'alcool en bas. Est-ce que tout va bien, mademoiselle ? demanda-t-il d'un ton amène.

– Tout va bien, crâna Anne-Marie. Excusez-moi, il y a un peu de ménage à faire avant le retour du patron.

La jeune femme déposa le plateau à la cuisine, jeta un manteau sur ses épaules et sortit précipitamment. Elle revint plusieurs minutes plus tard avec la femme de chambre.

– Tu vois ce que je te disais, Florida ? Un client ivre a cassé deux bouteilles pleines. Il faut faire un bon ménage et aérer la pièce. Heureusement qu'il a payé généreusement. Je te donnerai tout le pourboire.

18

Sous la houlette de l'A.P.A., agriculteurs et colons de Rivière-Boyer s'étaient attelés à leur charrue avec ardeur. Tout champ qui n'avait pas été retourné depuis trois ans était évalué. En cas de doute sur sa productivité pour l'année à venir, on le labourait et on le fumait abondamment. Les agriculteurs tenaient des assemblées où on discutait savamment des techniques d'amendement du sol et du choix des semences. Leur association invitait comme conférenciers divers spécialistes de l'école d'agriculture de Sainte-Anne-de-la-Pocatière. Réjeanne dut correspondre fréquemment avec le conseiller Francœur et le rencontrer à quelques occasions. Évitant toujours de se trouver seule avec lui, elle prenait soin de ne le voir qu'en compagnie du président-maire Leblond.

Une des mesures fondamentales préconisées par Lavergne était le contrôle laitier. Elle consistait à évaluer avec précision la production de chaque vache et à éliminer toute bête dont le rendement était insuffisant. Étonnamment, cet exercice répugnait à la plupart des cultivateurs.

– Il faudrait, se plaignaient les Descôteaux en assemblée, tracer des colonnes dans des petits cahiers noirs et peser nos seaux de lait pour lire le total à la fin de l'année. La vache qui a le plus bas total, il faudrait l'envoyer à l'abattoir. Même si elle ne t'a jamais corné ni rien fait !

D'autres innovations étaient tout aussi suspectes. Un bel après-midi d'octobre, alors que Pierre prenait sa pose quotidienne d'avant la traite, son voisin Jos Labrie arriva chez lui à bout de souffle et entra sans même frapper.

– Pierre, tes vaches ont sauté la clôture ! Elles sont toutes passées dans ton jeune trèfle ! Un beau champ de même ! Elles vont tout le détruire !

– Calme-toi, Jos, et viens t'asseoir un peu.

– Quand la grange est en feu, on ne s'assit pas, mon gars !

– La grange n'est pas en péril et le trèfle non plus. C'est moi qui fais paître mes vaches dans la prairie pour quelques heures, histoire de leur remplir la panse. Assieds-toi, que je t'explique.

– Si tu penses qu'il n'y a pas d'urgence, je vais m'arrêter une minute, convint Jos en reprenant ses esprits.

Victoire étant penchée sur un tissage compliqué, son fils servit lui-même du thé et des biscuits au gruau à son voisin, qui reprenait péniblement son souffle.

– Il faut que tu saches une chose que nos pères ne savaient pas, Jos. Après la récolte, les plantes font une repousse qui leur sert à tirer du sol des réserves en vue de l'année suivante. Une fois les réserves accumulées dans les racines, le regain n'a plus d'utilité. Il sera détruit par le gel et l'hiver. Aussi bien en faire profiter nos vaches.

– C'est les professeurs de La Pocatière qui t'ont dit ça ? demanda Jos d'un ton dubitatif.

– Ils ont découvert ça d'une façon inattendue. Des cultivateurs de cette région se plaignaient que les bernaches mangeaient tout leur trèfle en descendant vers le sud. L'année suivante, les agronomes ont voulu évaluer les dommages en mesurant le rendement des champs touchés. Ils ont découvert qu'il n'y avait pas de différence de rendement entre les champs rasés par les outardes l'automne précédent et ceux qui ne l'avaient pas été.

– Si c'est le cas, pourquoi est-ce que tous les cultivateurs ne lâchent pas leurs vaches dans le trèfle ?

– Parce que beaucoup aiment la chasse et qu'un certain nombre ne croient pas aux agronomes. Mais moi, j'ai fait un choix : j'ai choisi d'être agriculteur et je veux être encore meilleur que mon défunt père.

Au souvenir de son ami, Jos Labrie se gratta le cou pour cacher son émotion. Il croqua un biscuit, but un peu de thé et remit sa casquette.

– Je pense, mon gars, que Cyrille serait fier de toi.

* * *

Cyprien étant encore absent, Réjeanne pouvait consacrer tout son temps à ses élèves. Elle le faisait avec dévouement, mais aussi avec un plaisir évident.

À la visite quotidienne qu'elle rendait à sa famille, elle racontait à Victoire et à Pierre les prouesses de ses chers élèves.

– Le petit Guimond, c'est mon meilleur en calcul mental. Dire qu'il ne savait même pas ses tables d'addition quand je l'ai pris. Et la petite Roy, elle qui détestait l'école, vous devriez voir ses cahiers. Un modèle de propreté !

Réjeanne assistait à la messe du dimanche avec les Bouffard, passait la journée avec eux comme au temps où son père vivait, mais rentrait chez elle après le repas du soir. Elle enseignait toute la semaine, préparait son ordinaire et soignait la jument de Cyprien. Le samedi matin, elle faisait son lavage et son ménage ; l'après-midi, elle passait au magasin général acheter les vivres pour la semaine, puis entrait à l'église pour prier.

Il y avait longtemps maintenant qu'elle demandait au Seigneur de lui envoyer la lumière et pourtant le Seigneur ne semblait pas entendre sa prière. Mais elle priait quand même parce que c'était tout ce qu'elle pouvait faire pour soulager sa détresse.

Ce samedi-là, Réjeanne accomplit son rituel en se hâtant. Le vent avait tourné au nord. Il faisait froid et les outardes volaient haut.

Au magasin général, le «carré à patates», cet espèce d'enclos extérieur où le marchand exposait les pommes de terre, était presque vide : les familles avaient fait leurs provisions pour la saison froide. Réjeanne se félicita d'avoir choisi quelques semaines auparavant les plus beaux tubercules et de les avoir enfouis dans son carré de sable, au sec sous la maison, avec les carottes et les navets de son jardin.

Elle fit ses emplettes et entra à l'église. Celle-ci était sombre sous le ciel gris. Seuls quelques lampions fumaient encore. La lampe du sanctuaire ne brillait pas, signe que les saintes espèces n'étaient pas présentes dans le tabernacle, ce qui était inhabituel. Réjeanne pria quand même.

Elle pria avec ferveur pour sa famille, pour ses élèves, pour Cyprien et pour elle. Comme l'église n'était pas chauffée, elle se mit à grelotter. Absorbée dans ses prières, elle ne remarqua pas l'arrivée d'une femme grande et mince toute de noir vêtue, avec un petit chapeau sévère posé à l'horizontale sur un chignon relevé. Sa seule coquetterie : un col de dentelle absolument impeccable.

Cette paroissienne s'installa en retrait et se mit à prier aussi. Cependant, au bout d'un long moment, elle vit les épaules de la jeune femme tressaillir. Quittant son prie-Dieu, elle s'en approcha.

– Réjeanne, pleurez-vous? demanda-t-elle en posant délicatement la main sur l'épaule de l'institutrice.

– Madame Eugénie!

– Êtes-vous malade, chère enfant?

– Je grelottais un peu, je crois. J'allais partir.

– Puis-je vous inviter au presbytère? Venez vous réchauffer avant de prendre la route. Vous n'avez pas long à faire, mais le temps a viré au froid.

– Merci, madame, fit Réjeanne avec gratitude.

Les deux femmes sortirent et Réjeanne suivit docilement Mme Eugénie jusqu'au presbytère. Elle s'assit dans la cuisine, à la table des domestiques et la ménagère infusa du thé.

– Voilà qui chassera votre frisson, fit son amie en versant la fumante décoction.

Il faisait bon et chaud dans la cuisine du presbytère, mais le curé semblait absent.

– J'ai remarqué que la lampe du sanctuaire était éteinte, signe que les saintes espèces ne sont pas présentes au tabernacle. Monsieur le curé serait-il malade? s'enquit Réjeanne.

– Non, Dieu merci. Il est en voyage et a mis les saintes espèces en lieu sûr avant de partir. Il participe à une réunion d'information du clergé au sujet de la guerre.

– Ainsi, vous êtes seule.

– Oui, mais peut-être pour moins longtemps que vous; monsieur le curé revient ce soir. Votre Cyprien revient-il bientôt?

– À sa dernière visite, il prévoyait un mois; c'était il y a deux semaines.

– Il revient régulièrement?

– Oui. Un dimanche par mois. Il arrive le samedi après-midi et reprend le train le lundi.

Réjeanne but un peu de thé.

Une drôle de pensée traversa son esprit : «Je mettrais bien un peu de gin dans mon thé, comme papa faisait parfois quand la vie lui pesait lourd sur les épaules.» Mais il n'était pas question d'exprimer ouvertement ce souhait.

Eugénie s'aperçut que la pensée de sa protégée s'égarait. Se demandant ce qui troublait Réjeanne, elle lui tendit la perche :

– Votre mari est parti depuis le début de l'été, et nous arrivons à l'hiver. Vous manque-t-il beaucoup?

– Pas trop. L'enseignement m'occupe.

– Mais la présence physique d'un homme, ça compte pour une femme, s'enhardit l'aînée.

Réjeanne fut étonnée que son amie aborde le sujet des relations conjugales.

– Qu'en savez-vous, madame Eugénie, vous qui êtes célibataire?

– Qui vous a dit que je n'avais pas de mari?

– Tout le monde le dit.

– Je vais vous faire une confidence, Réjeanne, fit Eugénie en baissant la voix, mais promettez-moi de garder le secret : je suis mariée comme vous, et, comme vous, j'attends mon mari. Je sais ce que c'est que d'attendre un homme : j'attends le mien depuis vingt ans.

– Chère amie… ! s'exclama Réjeanne avec compassion. Je vous connaissais si peu.

C'était au tour d'Eugénie de siroter son thé et de se perdre dans ses pensées. Réjeanne respecta son silence un long instant, mais voulut bientôt en savoir plus.

– Vous l'aimiez beaucoup ?

– Ce fut l'amour de ma vie, répondit la ménagère avec une ferveur qui surprit Réjeanne.

– Mais pourquoi est-il parti ?

Puisque Eugénie avait amorcé la confidence, Réjeanne n'était plus gênée de demander des détails.

– C'était un voyou. Il a été condamné à la prison et, quand il en est sorti, il a disparu. Je présume qu'il avait trop honte pour revenir à la maison. Il a choisi la fuite.

– Mais comment une femme peut-elle aimer un tel homme ? demanda Réjeanne, qui prenait soudain conscience qu'elle ne connaissait pas grand-chose à l'amour.

– C'était un voyou, mais un voyou au cœur d'or.

– Un voyou a le cœur noir, non ?

– Pas toujours, au contraire. Cet homme aimait rire, danser, boire et chanter. Il adorait la musique et recherchait la compagnie des femmes. Il était charmant, charmeur, généreux. Il voulait faire plaisir à tout le monde, tout le temps. Il aurait voulu fêter jour et nuit, mais, pour fêter, il faut de l'argent et il n'en avait jamais. Je vous laisse imaginer le reste.

– Et vous l'aimiez tant que ça ?

– Je l'aimais d'amour, je l'aimais de passion. Et c'était réciproque, du moins quand il était là.

– Et quand il était absent ?

– Eh bien, je l'attendais et priais pour son retour, et je prie encore. Comme vous faites peut-être, chère enfant.

– Mon Cyprien est un homme bien différent du vôtre.

– De ce que j'en ai vu, il n'est pas un voyou, remarqua Mme Eugénie.

– Mais il n'est pas homme de passion non plus. J'ai parfois l'impression qu'il vit dans un autre monde.

– Une femme a besoin de passion, de flamme ! s'enhardit l'aînée.

– Le feu de mon homme fait peu de flammes, mais il est toujours présent. Pour vous le décrire en un mot, je dirais que c'est un saint homme. Vous devriez voir les madones qu'il a commencé à sculpter. Un jour, il fera des chefs-d'œuvre.

Eugénie comprit que Réjeanne n'en dirait pas plus. « Somme toute, elle n'est pas satisfaite, mais elle est plutôt heureuse. On peut pas tout avoir dans la vie », se dit-elle.

La fin du jour approchait. Réjeanne entendit son cheval hennir, signe qu'un congénère approchait. Une voiture s'arrêta à la porte du presbytère.

– Ça doit être monsieur le curé, fit la ménagère.

– Eh bien, je me sauve, dit Réjeanne en prenant son manteau.

Mme Eugénie s'était redressée, avait vérifié son chignon et arborait de nouveau son air officiel.

– Ce qui se dit dans un presbytère reste au presbytère, rappela-t-elle à sa protégée.

– J'ai compris, répliqua Réjeanne.

Réjeanne reprit la route. Était-ce une illusion ? Il lui sembla que le temps était plus doux.

* * *

Cyprien revint au début de novembre. Réjeanne l'accueillit avec joie. Son mari revenait avec ses outils, son chien Tobie, une importante somme d'argent et une caisse de statues, dont les plus récentes étaient fort réussies.

– Tel que promis, Louis Jobin a examiné régulièrement mes travaux. Il a corrigé les proportions que je donnais à mes personnages. Il a affirmé les traits de leur visage et remonté un peu les fronts pour les dégager. Je pourrais maintenant dégrossir les formes pour un statuaire professionnel comme Jobin le faisait lui-même jadis pour un sculpteur de

New York, ou je pourrais sculpter des personnages bibliques statiques : des apôtres, des saints ou les membres de la sainte famille. Jobin va me refiler certaines commandes qu'il n'a pas le temps d'exécuter.

– Alors, vous êtes devenu un vrai statuaire, mon cher Cyprien ! fit Réjeanne, pleine d'admiration.

– Oh ! non, pas encore, répondit son mari avec modestie.

– Mais que manque-t-il à vos œuvres ?

– Le mouvement ou la force d'expression.

– Je ne comprends pas.

– Si vous voyiez l'ange à la trompette que mon maître a sculpté pour la paroisse Saint-Calixte de Plessisville, vous comprendriez. Je me suis arrêté en route pour l'admirer.

– Comment est-il, cet ange ?

– Il a les ailes déployées et les cheveux rejetés en arrière. Le vent gonfle ses manches et entrouvre sa robe, ce qui dégage sa jambe. Son pied se pose sur un globe, comme s'il arrivait du ciel. Cet ange, dont vous jureriez qu'il est vivant, souffle dans une trompette qu'il tient délicatement avec deux doigts de la main droite. Il tend son bras gauche pour maintenir son équilibre et semble prêt à reprendre son vol.

Cyprien s'était levé pour mimer la position de l'ange, ce qui, l'espace d'un moment, fit de lui un danseur de ballet. Réjeanne ne l'avait jamais vu aussi inspiré.

– Il vous suffit donc de faire bouger vos personnages.

– Le mouvement ajoute parfois à la force d'expression, mais n'est pas absolument nécessaire. Un personnage recueilli peut parfois dégager beaucoup de force.

– Je vois que vous avez beaucoup réfléchi à votre art pendant ce long séjour.

– J'ai réfléchi mais j'ai lu aussi. Je vous ai même rapporté des coupures de journaux.

Certaines étonnèrent Réjeanne.

– C'est quoi, cette affaire d'espions ?

– Les journaux de Québec n'en ont pas parlé ?

– Mais quels journaux lisiez-vous donc à Saint-Georges ?

– Le quotidien local est *La Tribune*, de Sherbrooke. Mais le curé Roy était aussi abonné à *La Presse*, pour les nouvelles internationales, disait-il.

– Et c'est *La Presse* qui rapportait ces histoires d'espions?

– Oui, et à plusieurs reprises. Des espions travaillant pour le compte de l'Allemagne ont été arrêtés à l'île Sainte-Hélène. Ils avaient un canot et étaient en possession d'armes, se disant à la chasse. D'autres avaient établi un poste émetteur dans un appartement de Longueuil. La police a tout saisi mais les a relâchés. Le lendemain, ils avaient repris le service et la police les a arrêtés une deuxième fois.

– Et c'est sérieux, ces histoires?

– Au début, la police de Montréal arrêtait les espions, les interrogeait un peu et les relâchait, tellement elle ne les prenait pas au sérieux. Mais bientôt les éditoriaux ont dénoncé ce peu de sévérité. Par la suite, les espions ont été remis à la police fédérale.

Réjeanne, qui était une femme prudente, fut très impressionnée par ces nouvelles.

– Croyez-vous, mon mari, que la guerre nous menace?

– Pas immédiatement, mais peut-être à l'avenir.

– Les Allemands n'ont pas réussi à atteindre l'Atlantique. Les Anglais et les Français les ont repoussés vers l'est, rappela Réjeanne.

– Mais ils peuvent réussir la prochaine fois, passer par le Sud ou le Nord. On a signalé la présence de plusieurs sous-marins dans la mer du Nord.

– Pensez-vous que nous devrions prendre des précautions?

– Nous pouvons faire des provisions.

– J'ai déjà fait une réserve de sucre, de farine, de sel et de légumes pour l'hiver, comme à chaque année. Quant à la viande, nous pouvons compter sur les animaux de Pierre.

Cyprien et Réjeanne convinrent de ne pas s'alarmer davantage. Après tout, ce qui se passait à Montréal ne les touchait que de très loin. Ils allaient reléguer leurs craintes aux oubliettes quand, une semaine plus tard, Pierre les alerta, un soir qu'ils visitaient Victoire.

– Regardez donc cette nouvelle du *Soleil* : un espion allemand du nom de Hoffman a été arrêté avec des plans détaillés du port de Québec. Je vais finir par les croire, vos histoires d'espions !

Réjeanne et Cyprien se gardèrent bien de faire tout commentaire sur le coup. Mais, de retour chez eux, ils se devaient d'en discuter.

– Cette fois, ça devient sérieux, laissa tomber Cyprien. Des espions qui font du canot autour de l'île Sainte-Hélène, ça peut toujours être des chasseurs de canards, surtout en ce temps-ci de l'année. Mais un espion qui dresse les plans du port de Québec, ce n'est pas pour la pêche à l'éperlan. Ça présage une attaque ou une invasion.

– L'ennemi ne peut venir que par le fleuve et passera donc à notre porte. Il fera peut-être comme Wolfe jadis, qui a saccagé les villages de la rive sud. Nous serions sur son chemin, calcula Réjeanne.

– Je pourrais bâtir une cachette, au cas où l'ennemi fouillerait la maison, suggéra l'ébéniste. Ça pourrait nous sauver la vie.

– Vous croyez que ça peut arriver ?

– Nous sommes une colonie de l'Angleterre, je vous le rappelle. Et, en cas de guerre, les colonies sont toujours des cibles de choix. À chaque guerre entre la France et l'Angleterre, le Canada a été touché.

– Si nous préparons une cachette, les gens vont se moquer de nous ! Ils ne croient pas à la guerre. Même pas ma famille, fit Réjeanne.

– Il faut la bâtir en secret.

– Pourriez-vous le faire ?

– Très facilement. Il suffit de choisir le bon moment. Je vais dessiner un plan sans tarder.

Réjeanne prenait conscience que, contrairement à ses frères, son mari croyait vraiment à la probabilité que le Québec soit le théâtre d'une guerre imminente, ou tout au moins d'une invasion. Cette perspective la troubla profondément.

Quand, au cours des agapes de Noël, Cyprien annonça qu'il donnait en cadeau à sa femme un vaisselier de coin en bois blanc sculpté et rehaussé de dorures, toutes les autres femmes Bouffard furent jalouses.

– Il est beau comme un autel, s'extasia Réjeanne. Il est déjà sculpté et attend dans l'atelier. Il ne reste qu'à l'installer.

– Le rêve de ma vie ! s'exclama maman Rose.

– Mais vous n'aurez pas de place où le mettre, prétendit Pierre. Votre salle à manger n'est déjà pas trop grande.

– J'ai tout prévu, corrigea l'ébéniste. Je déplacerai légèrement la cloison de la salle à manger pour gagner de l'espace et je le placerai dans l'encoignure.

– Mais cela t'obligera à repeindre les plafonds, remarqua Simon.

– De seulement une pièce sur deux, précisa Cyprien.

– Nous en profiterons pour appliquer des couleurs plus claires, renchérit sa femme. Ça fera plus moderne.

Après les fêtes, l'ébéniste prépara son matériel avec un soin minutieux et attendit la pleine lune de janvier. Un léger redoux précéda le changement de quartier de l'astre, puis une masse d'air glacial venu de l'Arctique remonta le Saint-Laurent et paralysa toute sa vallée pour quelques jours. Réjeanne dut même renvoyer ses élèves chez eux avec un billet explicatif : elle n'arrivait pas à chauffer son local adéquatement. Les parents ne furent pas surpris car cela se produisait chaque hiver.

– Voilà le moment idéal pour procéder à nos aménagements secrets, lui dit Cyprien. Nous ne risquons pas d'être surpris par des visites impromptues.

Les cloisons du rez-de-chaussée étant porteuses, l'ébéniste construisit d'abord des supports temporaires avec des poteaux et des madriers. Ensuite, il défit les quatre cloisons une à une et les déplaça chacune de trente centimètres. Ainsi se constitua à leur point de jonction un espace carré de soixante-dix centimètres de côté pouvant accueillir deux personnes debout ou une personne assise pour aussi longtemps que leur patience ou leur peur les y retiendrait. Le plus important : cet aménagement était absolument indétectable du fait que chacune des pièces gardait sa forme originale.

Cyprien ménagea une entrée et installa un siège repliable que Réjeanne capitonna soigneusement afin de le rendre confortable et surtout silencieux quand on l'abaisserait. Il ne restait plus qu'à cacher l'entrée avec le vaisselier.

L'ébéniste avait conçu ce meuble triangulaire en forme de niche, de telle façon que les dimensions du haut étaient identiques à celles du bas. Cette forme permettait également qu'on le suspende par un côté à des charnières dissimulées dans le mur.

Grâce à cette particularité que seul un ébéniste d'expérience était capable de réaliser correctement, on pouvait, quand on savait comment actionner le loquet camouflé, faire pivoter le meuble entier, même avec son contenu, pour accéder à la cachette. Ce loquet pouvait être actionné tant de la salle à manger que de l'intérieur de la cache. Des plinthes sculptées, posées au bas et au haut du meuble, donnaient l'impression qu'il était fixé au plancher et au plafond de la pièce, impression qui se confirmait quand on tentait de le bouger.

Le dimanche suivant, Réjeanne invita sa famille pour le repas du midi, sous prétexte de faire admirer son meuble. Cyprien et elle voulaient voir si ces gens familiers avec les lieux remarqueraient la différence.

– On ne dirait même pas que tu as agrandi la salle à manger, s'extasia Pierre. Ça doit être une illusion d'optique due aux nouvelles couleurs. Avec le vaisselier en place, il reste pratiquement le même espace disponible qu'auparavant.

L'aîné exprimait ainsi l'opinion de tous. Les Bouffard n'y avaient vu que du feu. Cyprien et Réjeanne échangèrent un regard complice. Les yeux de l'artiste brillaient de fierté, ceux de son épouse, d'admiration.

* * *

Les chevaux loués au chantier de Langlois étant partis aux premières neiges, Simon se retrouva sans emploi. N'eût été sa réputation croissante de fournisseur d'alcool de contrebande, il aurait connu des vaches maigres. Mais, au temps des fêtes, ses poches étaient pleines d'argent. C'est en janvier que la famine le rattrapa : ses clients, qui avaient fait provision de petit blanc pour la période des célébrations, n'achetaient plus.

Simon offrit à Pierre de couper son bois de poêle et celui de maman Rose, ce qui ne prit qu'une semaine. Puis le forgeron se retrouva sans travail.

Mais, pour une fois, la chance l'attendait. Langlois, qui louait de plus en plus de chevaux, sentit le besoin d'embaucher un forgeron pour son chantier. Ami de Jacques Latour, il n'aimait pas plus que de raison tout ce qui s'appelait Bouffard. Néanmoins, comme il ne trouvait personne d'autre, il offrit le travail à Simon, qui ne pouvait refuser une telle offre.

Antoine, pour sa part, travaillait comme un galérien à la construction des vedettes. Cela ne l'empêchait pas de poursuivre ses expériences. Il n'avait qu'une idée en tête : faire aller ses petits bateaux plus vite, toujours plus vite.

La chalouperie ayant fermé ses portes pour le jour férié de l'Immaculée Conception, le 8 décembre, Antoine partit effectuer des essais sur neige dans les pentes abruptes qui encadrent la berge du Saint-Laurent à l'est de Saint-Michel.

Il se mit donc à comparer la vitesse sur la neige de neuf coques divisées en trois groupes portant des types de revêtement différents. Concentré sur ses essais, il n'entendit pas venir Donat, son patron, qui, contre toute probabilité, passait par là.

– Qu'est-ce que tu fais ici? demanda-t-il.

Antoine eut un violent sursaut et, se retournant, arriva nez à nez avec le fusil de Donat. Sous le coup de la surprise, il répondit par une question impertinente :

– Qu'est-ce que tu fais là toi-même? Cours-tu après un malfaiteur?

– Je chasse.

– La chasse est finie depuis des semaines.

– C'est le temps des kakawis.

– Des quoi ?

– Des kakawis, des petits canards de la Basse-Côte-Nord qui arrivent ici avec les glaces. Je profite de mon jour de congé, comme toi. Mais toi, tu joues aux bateaux ? Tu t'ennuies de l'été ?

Antoine était découvert. S'il confirmait le jeu d'enfant, son employeur ne le prendrait jamais plus au sérieux. S'il révélait la nature de ses recherches, il devrait partager son secret.

– Je prépare la course de canots.

Donat n'en crut rien.

– Voyons donc ! Comme si on pouvait préparer une course de canots à glace en taillant des jouets !

Antoine était de nouveau acculé. Il devait sauver sa crédibilité.

– C'est de cette façon que j'ai préparé la course du printemps dernier.

– Tu n'y as même pas participé, mon pauvre Antoine.

– C'est ce que tu penses.

– Ah oui ? Et comment ?

Cette fois, Antoine dut lâcher le paquet : le truc de la cire en pâte que lui avait livré Hervé, son application en cachette sur le canot de l'équipe le dimanche précédant la course, les résultats spectaculaires et inexpliqués de l'équipe de Saint-Michel.

S'il avait été à moitié idiot, Donat n'aurait même pas écouté son apprenti. Mais il ne l'était pas du tout et il prêta au jeune Bouffard un intérêt croissant.

– Et où en es-tu avec tes essais, lui demanda-t-il poliment. Si tu consens à me le dire, mais sens-toi bien libre ?

– J'en suis aux revêtements de peinture. J'ai déjà effectué les tests sur l'eau l'été dernier à la ferme. Je les répète maintenant sur la neige afin de voir si les résultats sont les mêmes.

Donat s'assit et déchargea même son fusil. Il considérait maintenant les petits bateaux d'un air songeur.

– Ce que tu cherches, c'est la peinture qui offre le moins de friction contre l'eau, conclut le chef de chantier. Pour mettre toutes les chances de notre bord dans la course.

– C'est ça.

– Je connais quelqu'un qui pourrait nous aider à la trouver.

– Il ne faut pas partager notre secret ! s'exclama Antoine, qui voyait s'envoler tout leur avantage.

– Quelqu'un dont c'est l'intérêt de le faire dans le plus grand secret, précisa Donat.

– Qui donc ?

– Les chercheurs de la Canadian Navy. As-tu pensé combien il serait important pour la marine de gagner ne serait-ce qu'un demi-nœud ? En temps de guerre, il n'y a pas de petites victoires.

– Cette idée ne me serait jamais venue à l'esprit, mais maintenant que tu le dis, c'est évident.

– Le seul fait d'aborder le sujet avec ses représentants montrera à quel point nous avons à cœur de construire de bons bateaux, ajouta Donat. Ça peut nous valoir d'autres contrats.

– Et la première place à la course du mardi gras..., susurra Antoine.

Trois mois plus tard, la réponse parvenait aux deux complices sous forme de plusieurs caisses de peinture codée.

La nouvelle peinture fournie par la marine présentait un fini lisse et dur comme du verre. Cette fois, Donat mena les essais avec son jeune ami. Les deux compères constatèrent que les coques 4, 5 et 6, portant la peinture spéciale, glissaient beaucoup plus rapidement sur la neige que toutes les autres. Ils ne purent malheureusement répéter les essais sur l'eau mais parièrent sur le produit et, dans les jours précédant la course, en recouvrirent la coque du canot à glace de leur équipe.

– On est fin prêts, lança Donat avec satisfaction quand il eut constaté que son embarcation avait un fini à nul autre pareil.

– Pas tout à fait, fit Antoine.

– Et qu'est-ce qu'il me faudrait faire d'autre ? demanda le chef d'un air dubitatif.

– Enlever du poids à ton équipe…

Antoine regardait son maître avec les yeux implorants d'un basset. Donat le toisa de pied en cap.

«Il n'est pas gros, mais il a du courage, se dit-il enfin. Et puis même si on ne gagne pas, il trouvera des idées pour l'avenir. Des bras, ça compte, mais des idées aussi…»

– D'accord, tu en feras partie, laissa-t-il finalement tomber.

L'équipe de Saint-Michel réédita son exploit de 1913, bien qu'Antoine ne fît visiblement pas le poids. À plusieurs reprises, le canot gris, barré par Donat, menaça la position du célèbre canot bleu poudre des Lachance et vint à quelques coups d'aviron de prendre la deuxième position.

Comme Simon était au chantier, Pierre avait invité Anne-Marie pour l'arrivée de la course et la fête qui suivit. Le frère et la sœur d'Antoine se trouvèrent par hasard voisins de table de Jos Lachance, de l'île au Canot, qui racontait la course à sa fiancée Philomène Pruneau, de l'île Sainte-Marguerite. Ils purent juger de l'impression qu'avait fait l'équipe de Saint-Michel sur ses adversaires par ces propos du chef de l'équipe gagnante :

– Si jamais ils apprennent à naviguer dans nos courants, ils vont nous battre. Je ne comprends pas ça : dans leur équipe, il y en a un qui est maigre comme une hart !

19

CHAQUE JOUR, Pierre lisait les quotidiens avec avidité et en résumait le contenu à Victoire. Dans les premiers mois de la guerre, les journaux consacrèrent quotidiennement leur première page à l'événement. Mais, après la victoire française sur la Marne en septembre 1914 et la déroute des Allemands qui s'ensuivit, le conflit perdit de son intérêt. Une chronique remplaça les nouvelles du jour. Le quotidien des soldats prit le pas sur le sort des armées.

Au printemps 1915, le gouvernement canadien ayant inondé la presse agricole de placards publicitaires incitant les cultivateurs à produire davantage afin de venir en aide à l'Empire britannique, les agriculteurs de Rivière-Boyer, constamment inspirés par Armand Lavergne et désormais convaincus que leurs champs recelaient de l'or, s'étaient mis à élever du bétail avec application, à cultiver leurs terres avec frénésie.

On avait célébré Pâques, l'Ascension, le fête des Mères, la fête de Mai et la Saint-Jean-Baptiste dans l'euphorie. On attendait maintenant le temps des foins avec anxiété.

Pierre Bouffard n'échappait pas à l'enthousiasme général. Comme il avait amélioré les revenus de la ferme grâce aux mesures de spécialisation qu'il avait prises, il pouvait non seulement faire face à ses obligations financières mais employer Ti-Rouge à plein temps. Toutes les chambres de la maison étant de la même grandeur, il lui assigna celle que Réjeanne occupait jadis.

Au printemps, il avait emblavé plusieurs champs et fumé les autres. Pour la première fois, il avait épandu de l'engrais chimique sur les champs ensemencés, ce qui avait inquiété maman Rose.

– C'est des produits pas naturels que tu tripotes-là, mon petit-fils. Tu n'as pas peur de forcer la terre? lui avait-elle demandé avec sa sollicitude habituelle.

– C'est le secret de la réussite des Allemands, grand-maman. Les journaux agricoles en parlent abondamment, et même *Le Devoir* en fait mention.

Pierre avait aussi fait l'acquisition d'un second taureau, qu'il revendrait à l'automne, quand il aurait fait le service et se serait engraissé. Quant à Timoune, il avait pris du poids et du coffre, mais gardait la taille mince. C'était un taureau de première classe.

Le temps des foins arriva enfin. Les trèfles rouges étaient denses, le mil était haut, la récolte serait exceptionnelle.

Chaque jour, Pierre faucha plus que tous ses voisins et réussit toujours à engranger avant la rosée du soir.

Il avait gardé son meilleur trèfle pour la fin et il commença à le faucher au moment où ses voisins ramassaient le foin de leurs derniers champs. Il comptait le mettre à l'abri le jour même, mais, en fin d'après-midi, il n'était pas encore sec.

– Ça ira à demain, dit-il à Victoire en rentrant du train.

Maman Rose, qui se trouvait là, lui fit remarquer :

– Il n'y a pas de rosée, ce soir. C'est signe de pluie pour demain.

– Il fait très chaud et l'humidité n'est pas encore condensée, grand-maman, avait-il répondu avec assurance.

Mais, au matin, il n'y avait toujours pas de rosée. Une chaleur lourde, humide, écrasante assaillait hommes et bêtes. Pendant la traite, les vaches étaient nerveuses; les mouches leur tiraient le sang sans relâche.

– Les mouches sont collantes, il va mouiller, prédit Ti-Rouge.

Mais le beau temps se maintint. Le trèfle finit de sécher et, à onze heures, Pierre et son engagé commencèrent à l'engranger.

Jos Labrie avait fini ses foins la veille. Dans le rang 2, Elzéar Brochu avait également terminé. Tous ses voisins aussi, à l'exception d'Anthime Leblond, qui ramassait les dernières veillottes, aidé par ses enfants.

– Regarde-moi ce beau trèfle qui sent si bon, dit Pierre à Ti-Rouge.

Ce dernier, enfermé dans son univers étroit, prêtait peu d'attention aux éclats de fierté de son maître. Pendant que celui-ci se penchait en extase sur sa récolte, le pauvre Adzo observait le ciel avec inquiétude. Des nuages violets qui s'accumulaient à l'horizon ne présageaient rien de bon.

Les deux hommes n'avaient pas encore récolté la moitié du champ quand le ciel se voila complètement. Un vent violent s'éleva, retournant les feuilles des érables et des ormes.

– Une sorcière ! s'écria Ti-Rouge.

Pierre leva la tête : une colonne d'air chaud s'élevait en tourbillon au bout de son champ et, telle une tornade miniature, aspirait des colonnes de foin jusqu'à dix mètres dans les airs.

Pierre prit alors conscience que la pluie ne tarderait pas.

– Il faut nous hâter, mon homme !

– Je ne peux pas faire plus, répondit Ti-Rouge qui suait à grosses gouttes.

«Cette fois, je n'y arriverai pas, pensa Pierre. Perdre du fourrage aussi précieux, quel malheur !» se désola-t-il en courant d'une veillotte à l'autre.

De chez elle, Réjeanne, qui voyait monter l'orage, se dit qu'elle devrait bien venir en aide à son frère mais, au moment où elle allait annoncer son intention à Cyprien, ce dernier l'appela à l'atelier. Il était absorbé dans un travail important et voulait demander l'avis de son épouse.

– On va avoir de l'aide, patron, s'écria soudain Ti-Rouge qui foulait la charge.

Pierre regarda instinctivement du côté de sa maison et ne vit venir personne. Personne non plus ne venait de chez Jos

Labrie ni de plus loin dans le rang 1. Il leva la tête vers son homme à tout faire, croyant qu'il fabulait. Ti-Rouge regardait en direction du rang 2. Pierre se retourna.

Madeleine Leblond et un de ses jeunes frères, Paulin, un adolescent de quinze ans, s'approchaient à travers champs, portant râteaux et fourches à l'épaule.

– Maman nous a dit de venir t'aider. L'orage s'en vient et tu vas perdre ton trèfle. Je vais faire les *vailloches* et Paulin va t'aider à charger.

Sans attendre la réponse, Madeleine se mit à enrouler énergiquement le foin à l'aide de son gros peigne de bois et à façonner de petites meules.

Pierre ne dit mot et se mit à charger furieusement la charrette, le jeune Paulin l'imitant comme il pouvait.

Il fallut peu de temps pour compléter la charge.

– Ti-Rouge, va vite à la grange avec Paulin. Je vais préparer la prochaine charge avec Madeleine.

Les deux garçons partirent vers les bâtiments avec la charrette qui oscillait dangereusement chaque fois que l'attelage traversait une rigole. Inquiet, Pierre les regarda aller, puis, pour chasser son angoisse, se tourna vers Madeleine.

– C'est bien aimable d'être venus, Paulin et toi.

– Il y a des moments pour rendre service, répondit la jeune femme sans lever les yeux.

Le vent, pourtant encore chaud, se mit à souffler régulièrement du nord, aspiré par la dépression qui venait du sud. Le ciel virait à l'indigo au loin, au-dessus de l'Etchemin et de la Chaudière.

Quand les deux garçons revinrent avec la voiture vide, il y avait déjà presque assez de veillottes pour la remplir. Pierre et Paulin la chargèrent en vitesse pendant que Madeleine continuait à façonner des meules.

– Déjà cinq heures de l'après-midi, constata le cultivateur en tirant sa Westclox de sa poche. On a l'orage sur le dos. Allez décharger, les deux garçons, et, si la pluie commence, ne revenez pas. Allez plutôt chercher les vaches. Le reste de la récolte restera dans le champ.

Ti-Rouge et Paulin repartirent vers la grange. Pierre rejoignit Madeleine, qui n'avait pas fait relâche un instant et prenait même un peu d'avance.

En vraie fille de la terre, Madeleine Leblond besognait à un rythme égal, avec une efficacité qui rappelait à Pierre le plaisir qu'il éprouvait jadis à travailler avec sa sœur Anne-Marie. La longue jupe de la jeune paysanne ne gênait nullement ses mouvements et elle se déplaçait avec aisance. Madeleine Leblond connaissait bien les travaux de la terre et les exécutait avec un plaisir évident.

Ses deux aides arrivaient à la grange quand Pierre jugea qu'il y avait maintenant assez de veillottes pour combler la prochaine charge.

– Nous allons nous arrêter et nous reposer un peu, ordonna-t-il. Il ne sert à rien de monter trop de mulerons.

– Tu as raison. S'il pleut, il faudra les étendre pour les faire sécher, acquiesça la fermière.

– Viens t'asseoir, on va respirer un peu.

Ce disant, Pierre entraîna la jeune femme sous le grand orme à l'ombre duquel il gardait sa boisson préférée.

Madeleine s'assit en tailleur et enleva son chapeau de paille. Ses cheveux étaient collés sur son front par la sueur. De grosses gouttes coulaient sur son cou et se perdaient dans son corsage.

– Un peu d'eau de gingembre ?

Le jeune homme se penchait sur sa voisine et lui offrait à boire. Elle prit le gobelet sans mot dire. Pierre s'assit à côté d'elle.

Poussée au bout de ses forces par l'effort soutenu, Madeleine reprenait lentement son souffle et promenait un regard sur la plaine. Malgré le soulagement de la pause, de nouvelles gouttes perlaient à son front.

– La pluie s'en vient, dit-elle. Tous les voisins sont rentrés.

Pierre admira un long moment cette belle jeune femme au teint rosi par l'effort. Il suivit de l'œil une perle liquide depuis sa source, la cueillit du bout du doigt juste avant qu'elle ne disparaisse entre deux seins et la posa sur sa langue. Puis il s'étendit sur l'herbe chaude et attendit l'orage, pensif.

– Une sirène..., laissa-t-il tomber au bout d'un long moment.

Madeleine se pencha vers lui.

– Pourquoi dis-tu cela?

– Parce que tu goûtes le sel, comme si tu sortais de la mer.

– C'est romantique...

Leurs yeux se rencontrèrent. Des lèvres charnues, un souffle chaud, une poitrine généreuse. Pierre n'avait qu'à ouvrir la bouche pour croquer le fruit mûr.

L'orage s'annonçait. Les premières gouttes d'une pluie chaude s'écrasèrent sur leur visage. Les deux aides ne reviendraient pas.

Madeleine ne repoussait pas Pierre, ne protestait pas. Tout au plus guidait-elle son élan.

Une première vague passa qui laissa les amants désemparés. Chacun voulut réconforter l'autre et ils se rapprochèrent. Dans leurs baisers profonds, ils trouvèrent toute la douceur du monde, toute la saveur de la terre, toute la force de leur instinct.

Bientôt une deuxième vague de désir les submergea, qui se mêla à la pluie et à leur sueur. Le grésillement d'un éclair et un roulement de tonnerre les ramenèrent sur terre.

– Il faut rentrer, laissa tomber Pierre à contrecœur.

– Il le faut bien, convint tristement Madeleine.

– Dis à chez vous que le gros de la récolte est sauvé, lui demanda-t-il en lui caressant les joues.

– Je ferai ça, répondit-elle en guise d'adieu.

* * *

– Hervé, te voilà enfin!

Les deux amis ne s'étaient pas vus depuis un an, puisque Hervé n'avait pu venir aux Rois. Mais il n'avait cessé d'envoyer de ses nouvelles.

Pierre entraîna son ami au salon et lui offrit des rafraîchissements.

– Que dirais-tu d'une bonne Frontenac froide ? J'en ai dans la source.

– Ah ! la bière qui aide la tempérance, comme dit la publicité.

– Une publicité qui scandalise ma mère et maman Rose, tu sauras.

Les deux amis parlèrent de tout. De leur famille, de leur santé, de leurs amours, Pierre omettant de parler de Madeleine mais confessant à Hervé son peu de succès en correspondance amoureuse. Ils parlèrent des études d'Hervé, qui complétait sa deuxième année de droit. De l'agriculture en général, qui était bien lancée grâce à l'inspiration d'Armand Lavergne et au travail de Guillaume Francœur. De la ferme de Pierre en particulier, dont la production augmentait sur tous les plans. Et ils parlèrent de la guerre.

– Elle te préoccupe toujours autant ?

Pierre se souvenait combien les déclarations de guerre successives avaient bouleversé son ami douze mois plus tôt, causant même son retour précipité à Québec.

– Toujours autant, admit Hervé, mais de moins pressante façon.

– De toute manière, cette guerre dure déjà depuis un an et elle tire à sa fin. Le mois dernier, *Le Devoir* rapportait que le grand général français Joffre, fort d'une armée de deux millions d'hommes, était sûr de la victoire et n'attendait que le moment opportun pour écraser les Allemands, son seul souci étant de ménager le plus possible ses soldats. Et voilà que d'Amsterdam parvenait hier la nouvelle que l'Allemagne est au bord de la faillite, ce qui n'a rien d'étonnant.

– Dans les milieux politiques que je fréquente, on voit la chose tout autrement : on croit que cette guerre va perdurer.

Fort surpris, Pierre se redressa sur son fauteuil.

– C'est diamétralement opposé à ce que je crois, mon cher. Sur quoi se fonde cette opinion ?

– En particulier sur l'avis de hauts dirigeants du gouvernement anglais, notamment lord Kitchener et plus encore un de ses proches, lord Edward Carson, avec lequel nos plus grands hommes politiques sont en communication.

– Les membres du Parlement anglais n'admettraient jamais publiquement que l'armée de l'Empire britannique est inférieure à celle du Reichstag !

– Ils le font implicitement. Le mois dernier, lord Kitchener lançait un appel pressant en faveur de l'enrôlement volontaire, et depuis lord Carson ne cesse de répéter que si cette mesure s'avère insuffisante, il faudra parler d'enrôlement obligatoire.

– Mais c'est de la conscription !

– Les parlementaires anglais n'ont pas encore prononcé le mot publiquement, mais ça ne saurait tarder.

– Je dis que cette guerre tire à sa fin, maintint Pierre. La preuve, c'est qu'elle s'éloigne de plus en plus des rives de l'Atlantique.

– Tu regardes la situation selon une perspective nord-américaine, mon cher. Si tu la voyais d'un œil européen, tu constaterais qu'au contraire elle se rapproche de l'objectif allemand : le Kaiser lorgne l'Égypte et l'Asie Mineure, qui contrôlent le canal de Suez et la mer Rouge. Cette porte d'entrée lui donnerait accès à l'Afrique centrale, à la Perse et à l'Inde, où il pourrait multiplier la taille de son empire à même les propriétés britanniques.

Le plus important cultivateur de Rivière-Boyer se sentit tout à coup bien petit. Son ami nommait les pays du monde comme lui chacun de ses clos. Mais il n'allait tout de même pas capituler.

– Au rythme où vont les choses, cette guerre va manquer de soldats avant que l'Angleterre ait le temps de voter la conscription. La fin est forcément proche.

– Prends-tu conscience que vingt millions d'hommes sont présentement répartis sur les divers fronts ? On n'arrête pas une telle marée humaine en criant : «Hola !» De plus, on le réalise maintenant, ce n'est pas une guerre de corps à corps mais une guerre d'équipement et de munitions. Au seul chapitre des sous-marins, à la déclaration de guerre, les Alliés estimaient que les Teutons disposaient tout au plus d'une cinquantaine de sous-marins. Ils en ont déjà coulé soixante-dix et pourtant il en sort de partout. Quant aux munitions, les Français parlent de retirer cinq cent mille hommes des tranchées pour les envoyer dans les usines, pendant que chez les Anglais le colonel Winston Churchill, premier lord de l'Amirauté, se plaint de n'avoir qu'un fusil pour six soldats à l'entraînement.

Cette fois, Pierre flancha. Les arguments de son ami étaient de taille.

– Mais que fais-tu des prédictions du maréchal Joffre ? Il n'est pas le dernier venu, il me semble.

– La meilleure défense est l'attaque. Du temps où il s'illustrait à Madagascar, Charles-Césaire Joffre ne faisait pas de sentiment ; aujourd'hui, il ramollit. Un général qui n'attaque pas n'est déjà plus un général. Je te prédis que Joffre sera démis de ses fonctions avant la fin de la guerre.

– Tout de même !

– Je te parie une bouteille de Dubonnet, lança le citadin. Ça te remontera !

– Et moi, mon prochain veau ! répliqua le terrien. Ça t'habillera les côtes !

Pierre était heureux. Il venait de retrouver avec son ami l'esprit fanfaron qui les animait jadis.

20

La rentrée des classes de septembre 1915 se fit dans une atmosphère de conflit qui n'avait rien à voir avec la guerre. Les enseignantes affrontaient la commission scolaire de Rivière-Boyer sur la question des salaires.

Les commissaires avaient d'abord sciemment omis d'inscrire le sujet à l'ordre du jour de l'assemblée mensuelle de juillet, moment où ils auraient dû normalement le régler. Puis, à l'assemblée d'août, ils l'avaient reporté à l'assemblée de septembre.

L'origine du différend remontait à 1913 où, en cours d'année, Réjeanne Bouffard avait remplacé Cléophée Mercier, qui était payée cent cinquante dollars par an. Pour le reste de la session, elle avait reçu le salaire de Cléophée, mais, l'année suivante, elle avait, à son grand déplaisir, dû subir une diminution de vingt-cinq dollars.

En juin 1915, avant la fin de l'année scolaire, Réjeanne avait pris à part Délina Tremblay et Élisabeth Leblond, une nièce du maire et la jeune enseignante du Grand Bras, pour aborder de front la question des salaires.

– Délina, il serait temps que vous demandiez une augmentation de gages, lui avait-elle suggéré.

Cette suggestion avait pris son ancienne institutrice au dépourvu.

– Mais voyons ! Je n'ai pas besoin de plus que ce que je gagne présentement.

– Ce n'est pas une affaire de besoin, c'est une question de justice, lui avait expliqué Réjeanne. Selon le plus récent rapport de l'Instruction publique, les institutrices de la campagne gagnent en moyenne cent soixante-quinze piastres par année au Québec. Vous qui êtes une enseignante bien plus compétente que la moyenne, vous recevez moins.

– Les commissaires ne voudront pas payer plus, tu le sais bien, ma bonne fille, avait timidement avancé l'aînée.

– L'agriculture rapporte beaucoup par les temps qui courent et la paroisse ne manque pas d'argent. Demandons et nous verrons bien.

– Il faudrait peut-être considérer la chose sous un autre angle, avait proposé Élisabeth.

– Et comment donc? demanda Délina.

– En ne demandant pas d'augmentation pour vous-même, vous nous empêchez d'en demander une pour nous, Réjeanne et moi. Or, nous estimons que, nos besoins mis à part, nous ne sommes pas assez payées pour le travail que nous effectuons.

Délina, qui n'avait jamais eu à se préoccuper du sort des autres enseignantes, était restée songeuse.

– Bon, je vais y penser, avait-elle dit.

Délina n'avait pas fait que penser à la question des salaires. Elle qui était la belle-sœur de Roland Lebreux, le président de la commission scolaire, elle avait discrètement abordé la question avec lui à l'occasion d'une réunion de famille.

Lebreux, un vieux renard, s'était entendu avec ses collègues pour que le sujet n'apparaisse pas à l'ordre du jour de l'assemblée de juillet. Quand Réjeanne avait soulevé la question à la fin de l'assemblée, il avait perfidement répondu :

– On a oublié. Ça ira à la prochaine assemblée; il est déjà tard.

La stratégie de Lebreux était d'atermoyer pour mettre de la pression sur le personnel enseignant. À l'assemblée d'août, il avait décrété :

– Commençons l'année au même salaire que l'an passé et je vous promets que ce sera le premier sujet discuté à l'assemblée de septembre.

Lebreux escomptait que les trois institutrices n'iraient pas enseigner ailleurs car elles résidaient dans la paroisse. Il avait gagné son pari.

Pour leur part, Réjeanne et Élisabeth n'étaient pas dupes et étaient bien conscientes qu'elles se faisaient manipuler. Mais tant que Délina ne s'affirmerait pas, leur position resterait faible. Elles fourbirent donc leurs armes pour l'assemblée du deuxième lundi de septembre. Elles arrivèrent d'ailleurs les premières à la salle paroissiale.

– Tu commences, proposa la plus jeune.

– Non, dit Réjeanne. Nous avions convenu que tu ferais ta demande la première, parce que tu es la moins payée, et que je prendrais ensuite la relève. J'ai apporté le rapport de l'Instruction publique pour le citer devant tout le monde.

– L'idée est de démontrer que Délina est mal payée et que nous sommes plus mal payées qu'elle, rappela Élisabeth.

– C'est ça.

L'assemblée débuta à l'heure prévue.

– Premier sujet à l'ordre du jour : le salaire des maîtresses d'école, annonça le président. Est-ce qu'elles sont présentes? demanda-t-il le plus sérieusement du monde en promenant un regard interrogateur sur l'assistance.

Réjeanne leva la main.

– Présente.

Élisabeth fit de même.

– Et Délina? demanda Lebreux.

Il y eut un silence, puis quelqu'un toussota au fond de la salle.

– Ma femme ne viendra pas. Elle n'est pas bien ce soir.

C'était son mari, Léon Tremblay.

Les deux institutrices se regardèrent, déconfites. L'absence de Délina n'était pas le fait du hasard. Leur plan avait été saboté.

– Puisque toutes les intéressées ne sont pas présentes, on reportera cette discussion à plus tard, déclara le président en se retenant de sourire.

Réjeanne était encore sous le choc quand, entre les récoltes et les labours, elle revit Guillaume Francœur à l'occasion d'une réunion du conseil de l'A.P.A., tenue, comme d'habitude, un samedi à l'école du rang 2.

Profitant du fait que le président-maire Leblond s'attardait à bavarder avec Elzéar Brochu, Guillaume Francœur se pencha vers la secrétaire et lui demanda à l'oreille :

– Dites-moi, Réjeanne, ce rapport de l'Instruction publique que je vous ai fait parvenir, vous a-t-il finalement servi à quelque chose ?

– Je vous raconterai après l'assemblée, si cela vous intéresse.

Réjeanne croyait que le conseiller oublierait la chose mais, au contraire, quand les membres quittèrent la salle, il s'attarda sur le pas de la porte et demanda :

– Avez-vous le temps de me parler de vos négociations salariales ?

– Votre temps est plus précieux que le mien, cher ami.

– Ma journée est finie, ma semaine aussi. J'ai tout le temps de vous écouter. Il déposa son porte-documents et retira son chapeau.

Pour la première fois, Réjeanne se trouvait seule à seul avec le conseiller. Elle ne le chassa pas.

– La commission scolaire, son président en tête, nous a « passé un sapin », commença l'institutrice.

Elle raconta leurs négociations avortées. Guillaume ne put s'empêcher de sourire.

– Ce Lebreux pourrait faire de la petite politique. Il est retors comme un serpent.

– En attendant, nous restons mal payées.

Guillaume, dont la fiancée était très malade, trouvait un certain réconfort à s'entretenir avec cette jeune femme si dynamique. Il voulut juger de sa clairvoyance.

– Et que ferez-vous l'an prochain ?

– Je cherche une stratégie de négociation depuis cet échec et je n'en trouve pas. Vous qui avez de l'expérience, pourriez-vous me faire quelque suggestion ?

– La solution ne se trouve pas à Rivière-Boyer.

– Je suis établie ici et ne désire pas aller enseigner ailleurs.

– Ce n'est pas ce que je veux dire. On vous traiterait pareillement dans les autres paroisses. Ces petites commissions scolaires se comportent toutes de la même façon : avec paternalisme. Votre erreur est de négocier vous-même vos conditions salariales.

– Que faire alors? Nous ne pouvons tout de même pas engager un avocat!

Réjeanne ne voyait pas où Francœur voulait en venir.

– Votre problème est sans doute le même que celui de toutes les institutrices de la campagne, comme le laisse supposer le rapport de l'Instruction publique. Vous êtes deux fois moins payées que les enseignantes des villes.

– Et on nous demande le même rendement. Nos élèves subissent les mêmes examens que ceux des grands centres.

– À travail égal, salaire égal, établit le conseiller.

– C'est un beau principe de justice sociale, mais comment le faire appliquer?

– Il faut faire comme les agriculteurs, chère amie : vous unir.

D'un coup, Réjeanne vit ce que cela impliquait.

– Unir toutes les institutrices des campagnes du Québec, avez-vous pensé au travail que cela représente?

– L'équivalent de la grande pyramide d'Égypte, estima Francœur.

– Pensez au nombre de pierres, fit Réjeanne qui les comptait mentalement.

– Chéops n'a pas commencé avec une pierre mais avec une idée…

Réjeanne comprit que Guillaume venait de lui passer les dés. Maintenant, c'était à elle de jouer.

– Si chaque village apportait deux ou trois pierres…, commença-t-elle.

Avec une belle complicité, le conseiller enchaîna :

– Vous pourriez bâtir une pyramide. Vous avez compris.

À cette idée, Réjeanne s'allumait.

– Pour tout grand œuvre, il faut un architecte...

– Mais avant tout un maître d'œuvre.

Les dés lui revenaient encore. Plus moyen de les relancer.

– De quoi faire réfléchir, admit-elle.

Puis, saisissant brusquement son manteau, elle laissa tomber :

– Le temps file; il faut que je rentre. Puisque vous passez à ma porte, accepteriez-vous de me déposer à la Petite Croix?

– À votre service. J'allais vous l'offrir.

Guillaume observait Réjeanne avec des yeux rieurs. Elle s'en rendit bien compte.

«Maudit homme! songea-t-elle. Il joue avec mes tripes et il le sait.»

Pourtant, au moment de descendre de voiture, elle lui demanda :

– À votre connaissance, y a-t-il un moyen d'obtenir les noms des enseignantes œuvrant à la campagne?

– Pour tout le Québec?

– Disons pour le comté de Bellechasse, d'abord.

– Je peux facilement les obtenir pour le comté de Montmagny, le comté pour lequel je travaille officiellement. Quand j'aurai trouvé la filière pour mon comté, je la remonterai jusqu'au vôtre.

– Cela m'aidera à réfléchir, lança-t-elle en prenant résolument le chemin de la maison.

– Je constate que votre machine à penser est déjà en marche!

Réjeanne fit mine de ne pas avoir entendu.

Guillaume s'attarda un moment à la regarder aller et nota que cette belle femme se déplaçait avec un joli balancement des hanches.

* * *

À l'époque où les bruants des neiges migrent vers le Sud, Réjeanne reçut la liste des noms de toutes les enseignantes de son comté et du comté voisin. Elle tira à la courte paille le nom d'une institutrice par paroisse et se mit au travail.

À chacune, elle écrivit ce qui suit :

Chère collègue,

Je n'ai pas le plaisir de vous connaître mais je fais néanmoins appel à votre coopération pour le projet qui suit.

À la lumière d'un récent rapport de l'Instruction publique, je constate que les institutrices œuvrant dans les paroisses agricoles du Québec reçoivent en moyenne la moitié du salaire des enseignantes des villes.

Je tente présentement d'établir à quel niveau de salaire se situe chaque corps enseignant de notre région par rapport au reste du Québec, dans le but d'établir une comparaison dont je vous ferai parvenir copie.

Si je prends cette initiative, c'est que celui de notre paroisse occupe probablement le dernier rang. Dites-moi simplement, je vous prie, quel est le salaire moyen des institutrices de votre paroisse.

Deux enseignantes sur trois lui répondirent immédiatement. Sur sa liste originale, Réjeanne marqua d'une étoile les noms des collègues sur lesquelles elle pouvait compter. Des localités dont elle n'avait pas reçu de réponse, elle choisit un second nom et envoya la même lettre. La deuxième missive connut un succès de cinquante pour cent.

Cyprien ne s'opposait pas à cette démarche mais trouvait ce travail futile. Pourtant, il en suivait les résultats avec intérêt.

– Ferez-vous un troisième envoi? demanda-t-il à sa femme.

– Non. Les données de cinq paroisses sur six me suffisent amplement. Il importe plus d'entretenir un lien avec les collègues qui ont répondu que de courir après les brebis perdues. Elles se joindront d'elles-mêmes au troupeau si jamais troupeau il y a.

– Parce que vous comptez en constituer un ?
– J'y pense, mais je ne sais pas très bien comment m'y prendre.
– Peut-être pourriez-vous demander à un pasteur ? suggéra son mari.
– Je n'en connais pas.
– Notre curé, peut-être. N'est-il pas un pasteur ?
Réjeanne n'y avait pas pensé. En s'arrêtant à l'église, un samedi après-midi de décembre, pour y faire ses dévotions, elle aperçut l'abbé Bouillé qui commençait à installer les décorations de Noël avec l'aide du sacristain. Elle se dirigea résolument vers la sacristie, l'aborda et lui fit candidement part de son projet. La réaction du pasteur fut sans équivoque :
– Ne te mêle pas de ça, ma fille. Reste chez toi et élève tes enfants. Mais, j'y pense : tu n'es pas encore enceinte ?
– Le bon Dieu n'a pas encore voulu.
– Ça ne serait pas que tu empêches la famille ?
Cette question fit bouillir Réjeanne.
– Je vous jure que non, monsieur le curé.
– Es-tu certaine que tu fais tout ce qu'il faut ?
Cette fois, c'en était trop. Réjeanne releva fièrement la tête et dit :
– Je ne suis pas à la confesse, monsieur le curé. De toute façon, je n'ai rien à confesser.
Et elle tourna les talons avant que le curé ne la presse davantage.
Réjeanne n'eut pas trop du trajet de retour chez elle pour apaiser son irritation. Pourtant, elle ne souffla mot à Cyprien de son entretien raté. Déjà, elle avait un plan de rechange.
En arrivant à la maison, elle prit sa plume et, de sa plus belle écriture, dressa à l'encre le tableau comparatif des salaires payés dans toutes les provinces du pays de même que dans les États américains voisins. Ensuite, elle fit dissoudre de la gélatine dans une grande lèchefrite et s'en servit pour reproduire son tableau en autant de copies qu'elle avait de correspondantes.

L'institutrice profita du répit des fêtes pour informer ses collègues du résultat de son étude : bien qu'elles fussent un peu mieux rémunérées qu'elle, ses consœurs des comtés de Bellechasse et de Montmagny comptaient parmi les plus mal payées du Canada. Elles gagnaient, par année, ce qu'une institutrice gagnait en deux mois en Colombie-Britannique.

Aux données comparatives qu'elle leur faisait parvenir, Réjeanne joignait une question : «Pensez-vous que nous pouvons y faire quelque chose? Si oui, quoi?»

* * *

Pour célébrer le passage de 1915 à 1916, les Bouffard, au lieu d'éparpiller leurs épargnes en étrennes diverses, se cotisèrent pour acheter en commun un gramophone Pathé et une généreuse provision de disques de la même compagnie, qu'ils confièrent à Pierre puisque c'est à la maison paternelle que la famille se réunissait les dimanches et jours de fête.

Abstraction faite de la pension que Simon et Anne-Marie payaient assidument, on ne parlait jamais d'argent. On consommait la viande des animaux de la ferme et les légumes du potager. Lors des réunions, Réjeanne cuisinait les plats principaux et maman Rose fournissait les desserts. Simon offrait un petit blanc à qui le souhaitait, Antoine trouvait les meilleurs bonbons de Saint-Michel, et Anne-Marie, à l'occasion, apportait de l'auberge les dernières nouveautés culinaires.

Les Bouffard vivaient à l'aise, et Pierre était presque prospère. On aurait pu dire qu'ils vivaient sous un ciel parfaitement bleu, n'eût été un sombre nuage qui se profilait à l'horizon. Petit à petit, sur leur bucolique campagne, s'étendit l'ombre de la conscription.

Les journaux du temps feignaient de ne pas la voir venir. Seules deux voix s'élevaient au milieu de l'incrédulité et de l'insouciance générales : celle d'Armand Lavergne, député de Montmagny, et celle d'Henri Bourassa, fondateur du *Devoir*.

Pierre, qui se savait un candidat tout désigné pour la conscription, faisait remarquer à sa sœur aînée :

– Étonnant, tout de même. Compare les quotidiens : *Le Soleil*, organe officiel du parti libéral, n'en parle jamais; *L'Événement*, conservateur, non plus; seul *Le Devoir* s'y intéresse au point d'y revenir pratiquement tous les jours. L'enrôlement obligatoire serait-il aussi imminent?

Réjeanne, qui pensait à la sécurité de son mari et à celle de ses trois frères, partageait l'inquiétude de Pierre.

– Il y a presque deux ans que les grands journaux ne font état que d'avances et de victoires. S'ils disent la vérité, comment se fait-il que les Alliés n'aient pas encore vaincu les Allemands?

– La question est de savoir s'ils nous mentent ou s'ils ignorent eux-mêmes la vérité.

* * *

Une surprise attendait les paroissiens de Rivière-Boyer à la grand-messe de la fête des Mères : un jeune prêtre étranger les accueillit au service religieux. Au prône, il annonça :

– Je suis l'abbé Émile Sylvestre. Son Éminence, le cardinal Louis-Nazaire Bégin m'a commandé de venir prêter main-forte à votre curé, l'abbé Bouillé, dont les forces ont décliné dernièrement. Je pourrai entendre les confessions le samedi après-midi, pendant et après les vêpres du samedi soir, de même que dès huit heures tous les dimanches matin. De plus, je célébrerai la grand-messe à l'heure habituelle. Pour sa part, votre curé continuera à exercer son ministère pendant la semaine et, à compter de dimanche prochain, il célébrera une messe basse chaque dimanche à huit heures.

On discuta de cette nomination et de ce nouveau service dans tous les foyers. Chez les Bouffard, Simon et Antoine s'en réjouirent.

– J'aurai plus de temps pour expérimenter avec mes bateaux, dit l'un.

– Je pourrai partir pêcher toute la journée, fit l'autre.

– Et toi, Pierre, qu'en penses-tu ? demanda l'aînée.
– Ça ne changera rien à ma vie. Mais je dois vous dire que je connais cet abbé.
– Où l'as-tu rencontré ? s'enquit Victoire, étonnée.
– On ne m'a pas présenté à lui mais je l'ai vu au petit séminaire. Il faudra que je demande à Hervé Francœur qui il est.

Pierre n'eut pas le temps d'écrire à son ami. Le lundi, il recevait une lettre de lui.

Mon cher Pierre,

Un drame vient d'ébranler notre petite communauté séminariste : l'aumônier de l'A.C.J.C. vient d'être démis de ses fonctions et nommé vicaire dans ta paroisse. L'abbé Émile Sylvestre était un confrère et un grand ami personnel de mon frère Guillaume ; ils ont obtenu leur diplôme au même moment, il y a deux ans.

En plus de ses fonctions de professeur d'histoire, l'abbé Sylvestre fut nommé en septembre 1913, donc après ton départ, aumônier de la cellule du séminaire de l'Association catholique de la Jeunesse canadienne-française.

Or, faisant sienne l'opinion émise par notre aumônier, cette association à laquelle tu appartenais et dont je suis encore membre s'est récemment prononcée publiquement contre le service militaire obligatoire en dehors du Canada.

Le cardinal Bégin, qui est favorable à la conscription et se méfie des tendances nationalistes de l'A.C.J.C., a voulu neutraliser l'abbé Sylvestre. En le nommant vicaire dans ta paroisse, il le met hors d'état de nuire pendant les week-ends, moment où il consacrait le plus de temps à son œuvre sociale.

Je ne pourrai participer encore cette année à votre charmante fête de Mai, mais je te prie de présenter mes chaleureuses salutations à ce jeune prêtre d'avant-garde.

L'abbé Sylvestre se présenta à la fête de Mai en compagnie de Guillaume Francœur. Ce dernier lui présenta Réjeanne et Pierre.

– Bienvenue dans notre beau pays, fit l'agriculteur. Je vous connais déjà un peu et je vous inviterai bientôt à partager notre repas familial du dimanche midi.

– Comment pouvez-vous dire que vous me connaissez?

Et Pierre de raconter la correspondance échangée avec son ex-confrère de classe. Du coup, le jeune ecclésiastique se sentit comme chez lui. Alors, tous quatre se mirent à circuler dans la salle communale et rencontrèrent une à une chaque famille de la paroisse.

Maman Rose, qui observait leur manège avec intérêt, s'adressa à sa voisine, le femme du maire Leblond :

– Regardez-moi cette jeunesse. C'est si beau de les voir aller tous ensemble! Mais, dites-moi, madame la mairesse, vous avez bien l'air soupçonneuse?

– On dirait qu'ils font de la politique, laissa tomber Mme Leblond, toujours méfiante.

Au prône du lendemain, l'abbé Sylvestre lut entre autres la notice suivante :

– Parmi les événements heureux de cette semaine, nous annonçons ce matin l'engagement solennel de deux jeunes couples de notre paroisse. Deux messieurs Descôteaux, cousins et producteurs de sirop d'érable, déclarent leur intention d'unir dès que possible leur destinée à celle de deux demoiselles Mercier, jumelles et ménagères de leur état. Les quatre jeunes gens, tous de cette paroisse, ont exprimé le souhait que leurs fiançailles soient bénies publiquement à quinze heures cet après-midi.

À cette annonce, Réjeanne pâlit. «Ange-Marie et Marie-Ange, les filleules de Cléophée. Mes plus grandes quand j'ai enseigné à ma première année. Déjà des femmes…»

Jean-Baptiste Fortin était moins angoissé que Réjeanne. Au sortir de l'office, lui qui avait des filles à marier, il clama tout haut sur le parvis :

– La fête de Mai, ça sert encore à quelque chose!

* * *

À la réunion de l'A.P.A. de la fin mai 1916, les agriculteurs de Rivière-Boyer se firent expliquer par Guillaume Francœur le retrait récent de la vie politique d'Armand Lavergne.

– Sa situation était devenue intenable. Élu, comme Henri Bourassa, sous l'étiquette «nationaliste» au gouvernement de la province de Québec, il a anciennement appuyé les tories de Robert Borden et aujourd'hui son passé le rattrape. L'actuel Premier ministre du Canada est un inféodé qui a promis cinq cent mille soldats canadiens aux impérialistes anglais. Il ne pourra remplir sa promesse qu'au moyen de la conscription, mesure à laquelle Lavergne s'oppose vivement. Afin que sa position ne soit pas ambiguë, il a donné sa démission.

Les propriétaires de fermes comprirent qu'ils ne pourraient plus compter désormais que sur eux-mêmes quand Francœur ajouta :

– Vous comprendrez que, dans les circonstances, je perds mon emploi de conseiller.

À la fin de la réunion, Réjeanne lui demanda s'il pouvait l'attendre un peu. Son projet achoppait et elle désirait lui demander son avis.

– Disons d'abord que la liste des institutrices que vous m'avez si aimablement dénichée m'a été fort utile.

– Et comment donc, je vous prie?

– Grâce à elle, j'ai établi un réseau de correspondantes dans cinq villages sur six de mon comté et du vôtre.

– Autant de pierres pour votre pyramide!

– Mais il manque encore l'idée. Je cherche une raison pour réunir toutes ces personnes. Qu'en pensez-vous si je cherchais des appuis pour nous aider dans notre prochaine négociation?

Francœur réfléchit un instant.

– Cela aurait l'air d'une rébellion contre l'autorité scolaire. Vous vous attireriez toutes sortes d'ennuis.

– Si ce que vous dites est vrai, et je n'ai aucune raison d'en douter, ma démarche se heurte à un mur infranchissable.

– Infranchissable, mais pas incontournable…

Réjeanne, qui un moment avait désespéré, se ranima.

– De quelle façon, je vous prie? supplia-t-elle.

– Que diriez-vous d'un congrès pédagogique régional? Un congrès semblable au premier congrès pédagogique provincial qui a eu lieu l'an dernier à Montréal. Vous pourriez y discuter de tous les aspects de l'enseignement dans notre région typiquement agricole, y compris de la question salariale.

– C'est ce qu'il faut! Et ce congrès mettrait sur pied un comité de négociation.

– Vous avez saisi, fit Guillaume, admirant la vive intelligence de la jeune femme. En attendant, vous pourriez créer un comité d'organisation de ce congrès, qui pourrait avoir lieu le printemps prochain.

– Ce qui occupera constructivement mes prochaines vacances scolaires, s'enthousiasma Réjeanne.

Pierre, qui écoutait avec attention, se laissait lui aussi gagner par l'excitation.

– Mon cher Guillaume, s'exclama-t-il, tu devrais faire de la politique!

– J'y pense, laissa tomber le conseiller. Des élections provinciales seront déclenchées d'un jour à l'autre.

Pierre n'avait pas eu le temps de revenir de sa surprise que Guillaume ajoutait, en regardant l'agriculteur droit dans les yeux :

– Encore faudrait-il que quelqu'un me propose comme candidat…

* * *

Quand, en juin 1916, le Premier ministre du Québec, sir Lomer Gouin, annonça la tenue d'élections générales, le député libéral de Bellechasse, Albert Galipeau, confirma sa candidature le jour même.

Galipeau avait écrasé ses adversaires conservateurs dans deux scrutins précédents et, comme aucun candidat tory ne semblait sortir des rangs pour l'affronter, il s'attendait à être élu par acclamation. Il reçut le choc de sa vie quand on lui apprit que Guillaume Francœur, de son village même, se présentait comme nationaliste-indépendant.

Pierre, Hervé Francœur, Simon, Cyprien et Réjeanne avaient mis sur pied une importante délégation qui, une semaine après l'annonce du scrutin, était venue à Beaumont solliciter la candidature de Guillaume. Les jeunes gens qui la composaient, les cinq organisateurs les premiers, avaient un intérêt commun : se protéger contre une éventuelle conscription.

En se lançant trop tôt dans la mêlée, le député Galipeau avait imprudemment ouvert son jeu. Son programme électoral se résumait à deux mots, un slogan lancé au début de la guerre par J.-E. Caron, ministre de l'Agriculture : «Cultivons à outrance!»

Dès sa première sortie publique, Guillaume Francœur pourfendit son adversaire :

– Le député sortant de notre beau comté agricole s'égosille à crier : «Cultivons à outrance!» Moi, je vous demande : «Qui cultivera la terre si nous, les jeunes hommes, la force vive et l'espoir de ce pays, sommes partis verser notre sang dans des contrées lointaines et inhospitalières?» Je vous le dis tout net : je suis contre la conscription. Je m'oppose à l'enrôlement obligatoire et je m'y opposerai tant que le Canada ne sera pas directement attaqué. À l'instar d'Armand Lavergne, je vous rappelle que le Canada ne jouit pas pour le moment de statut autre que celui de colonie. En conséquence, ce n'est pas à nous de défendre la couronne d'Angleterre mais plutôt à la couronne d'Angleterre de nous défendre!

Quand, après sa première assemblée politique, Guillaume rencontra en privé ses chefs de délégation, Réjeanne ne put réprimer son admiration.

– Vous étiez bien préparé et vous sembliez en pleine possession de vos moyens!

– Nous avons un petit secret à vous confier, intervint Hervé. Guillaume bénéficie des conseils de notre oncle Joseph-Napoléon Francœur, député de Lotbinière et politicien de grande expérience. C'est un tacticien remarquable.

– Mais c'est un libéral ! Comment peut-il aider un adversaire ? demanda Pierre.

– D'une part, notre oncle J.-N. aime beaucoup Guillaume, dont il est le parrain. D'autre part, tout libéral qu'il soit, il est très sensible aux idées nationalistes, et si jamais un parti politique important se créait autour de cette option, nous avons le sentiment qu'il s'y joindrait.

– Mais si Guillaume est élu, votre oncle subira les foudres de son parti.

– Notre oncle J.-N. est un gambler. À notre avis, il estime que mes chances sont minces, fit Guillaume.

– Il arrive que les gamblers perdent, même avec un bon jeu, rappela Pierre.

– C'est bien ce que nous allons tenter de prouver, conclut Hervé en se frottant les mains.

L'émergence d'un candidat-surprise causa tout un émoi dans les milieux politiques de la région. Guillaume, toujours poli et mesuré mais efficace, mena rondement une campagne impeccable. Armand Lavergne, qui bénéficiait de l'estime de tout le monde dans la région, appuya la candidature de son ex-bras droit et prit la parole à ses principales assemblées politiques. L'hebdomadaire de Montmagny suivit la lutte épique de près. Même *Le Soleil*, journal libéral, suivit la montée du jeune candidat et surtout du mouvement nationaliste qu'il incarnait.

À mi-campagne, tout semblait indiquer que Galipeau serait battu malgré le soutien indéfectible du ministre de l'Agriculture. La machine à promesses se mit alors en branle et le candidat libéral de Bellechasse l'emporta finalement, par quelques centaines de voix à peine, la plus faible majorité de sa carrière.

Si Guillaume Francœur avait perdu son pari, son oncle Joseph-Napoléon avait gagné le sien, mais au prix de sueurs froides. Les résultats de cette élection lui enseignèrent deux choses : premièrement, son neveu présentait un danger réel pour les libéraux; deuxièmement les idées nationalistes faisaient leur chemin. Il n'allait pas rester indifférent.

Une semaine après le report au pouvoir du gouvernement libéral, Réjeanne attendait fébrilement que son frère rentre des champs pour lui montrer une nouvelle qu'elle venait de lire dans *Le Soleil*.

– Devine qui vient d'être nommé sous-ministre de l'Agriculture.

– Guillaume Francœur, lança Pierre sans même regarder le journal.

– Mais comment le savais-tu?

– C'était à prévoir : les libéraux l'ont neutralisé.

Pierre, qui commençait à comprendre la politique pour avoir passé beaucoup de temps avec Hervé et participé activement à la campagne, fut néanmoins surpris quand Joseph-Napoléon Francœur, député libéral de Lotbinière réélu, déposa peu de temps après en chambre une motion proposant que le Québec se retire de la Confédération canadienne. Ce geste, qui constituait une première, permit à l'oncle J.-N. de passer à l'histoire.

* * *

Peu après les élections, Pierre Bouffard proposa à Anthime Leblond, maire et président de l'Association des Producteurs agricoles, d'organiser un dîner public en l'honneur du nouveau sous-ministre de l'Agriculture.

– Ça ne coûtera presque rien à l'Association, fit valoir Pierre. Chaque cultivateur paiera son billet de participation et le seul déboursé de l'A.P.A. sera pour un cadeau-souvenir.

– Je dois avouer que tu as pas mal raison, mon gars, convint Anthime. Nous lui devons bien ça. Guillaume a fait beaucoup pour nous comme conseiller.

– Et ce n'est rien en comparaison de ce qu'il pourra faire pour nous comme sous-ministre de l'Agriculture…

Anthime ne put réprimer une grimace : il s'en voulait de ne pas l'avoir dit le premier.

– Et quand serait le meilleur moment, à ton avis?

– Entre les récoltes et les labours, je dirais. Il fait toujours beau pendant la pleine lune d'octobre.

Anthime tourna une feuille du calendrier de la bonne sainte Anne.

– Ça donnerait le dimanche midi 11 octobre. À la salle paroissiale, comme d'habitude?

– Plutôt à l'auberge de la Côte, proposa le jeune homme.

– Ce n'est pas dans nos habitudes, objecta le président-maire.

– La salle paroissiale, c'est parfait pour les familles et les enfants. Mais comme les places seront vendues, il est à prévoir que seuls les adultes viendront.

– C'est vrai que ça ferait plus *business*, songea tout haut Anthime. Il paraît que c'est de même à la ville.

– Les temps changent..., glissa Pierre.

Anthime réprima une remarque qu'il se fit à lui-même : «Il a du Timoune dans le nez, le Bouffard!»

– Et pour le cadeau?

– Les cadeaux, c'est l'affaire des femmes. Demandez à notre secrétaire.

– Puisque notre secrétaire est ta sœur, est-ce que tu peux le lui demander pour moi?

– Quel budget?

Au mot «budget», Anthime tiqua.

– Vous autres, les jeunes, vous ne parlez plus d'argent, vous parlez de budget! Comme si l'argent, ce n'était que des chiffres.

Pierre sourit : il était devenu un homme d'affaires et Anthime était encore un cultivateur. Anthime devina ses pensées et rougit.

– Disons un montant raisonnable, mais pour quelque chose de qualité.

– Idéalement, quelque chose de bon goût qui nous représente bien.

– C'est ce que je veux dire, convint Anthime.

Anthime Leblond posa un long regard pensif sur l'image du calendrier de la basilique, la bonne sainte Anne tenant la Sainte Vierge enfant sur ses genoux, leurs longues robes bleues tombant jusqu'à terre et leurs auréoles étoilées s'entremêlant. «Ouais, se dit-il, les temps changent…»

* * *

Tous les habitants de Rivière-Boyer protestèrent à l'idée de payer leur écot pour le dîner offert à Guillaume Francœur, mais tous sans exception y assistèrent, la plupart y amenant un fils ou une fille aînée.

Le soleil d'octobre inondait la salle à manger de sa belle lumière dorée. Ludger Duchesneau n'avait rien négligé pour que son établissement arbore un air de grande fête. À l'extérieur, il avait couronné la porte d'entrée d'une large banderole bleu et blanc, les couleurs politiques du candidat. À l'intérieur, il avait couvert les tables de nappes et napperons de lin, achetés à Victoire. Dans des vases de grès disposés dans les coins se dressaient de grands bouquets de phragmites.

Les invités s'attendaient à un repas d'oies sauvages ou de porcelet rôti, la spécialité de la maison. L'aubergiste innova encore une fois : il demanda à Anne-Marie et à son équipe de servir un agneau à la broche parfumé au romarin, avec des gourganes au beurre en guise de flageolets. Les invités, dont la plupart n'avait jamais consommé d'autre viande ovine que de l'odorant ragoût de mouton, goûtèrent d'abord avec circonspection cette chair délicate et rosée, mais, ravis par la saveur de cette nouveauté, lui firent honneur et en redemandèrent.

Anne-Marie avait dressé une table d'honneur, qui accueillait neuf personnes : au centre, Anthime Leblond, le président-maire et sa femme; à sa droite, Guillaume Francœur, Réjeanne Lanoue, la secrétaire de l'Association, l'abbé Émile Sylvestre, qui remplaçait l'abbé Bouillé, au repos, et Cyprien, qui tenait près de lui un mystérieux colis.

À leur gauche, Leblond avait placé successivement Elzéar Brochu, qui représentait les directeurs de l'A.P.A., sa fille Madeleine, que la mère avait tenu à inviter, et Pierre Bouffard, auquel Anthime avait confié le rôle de présentateur.

Pour l'heure, on oublia la guerre, la conscription et les élections. On parla d'agriculture, d'élevage, de labours, de récoltes, de conserves, et de la chasse qu'on n'aurait pas encore le temps de faire cette année.

Constatant qu'elle ne l'accompagnait pas, Réjeanne s'enquit de l'état de santé d'Yvonne Saint-Gelais, la fiancée de Guillaume.

– Son état s'améliore-t-il?

– Je regrette infiniment de devoir vous dire que non, chère madame, lui confia Guillaume. Sa famille songe même à la confier à un sanatorium, où elle recevrait des soins meilleurs que ceux que ses parents et moi lui prodiguons.

– Son moral doit être bas, dit l'institutrice avec une compassion sincère.

– Elle est très forte moralement et fait preuve d'un courage admirable. En voulez-vous un exemple? Je lui ai demandé son avis avant de me lancer en campagne électorale. J'ai subordonné ma décision à son approbation, lui rappelant que je la priverais encore davantage de ma présence, mes fins de semaine étant réservées aux discours publics.

– Et elle était d'accord?

– Non seulement elle était d'accord, mais elle m'a incité fortement à faire le grand saut, disant que j'en tirerais forcément bénéfice.

– Si j'en juge par votre nomination, elle avait bien présumé.

– Peut-être est-elle plus clairvoyante que moi en politique. Mais parlez-moi de votre projet d'association professionnelle, fit Guillaume qui désirait manifestement changer de sujet.

Sa question indisposa Réjeanne.

– Je n'ose pas trop vous en parler.

– Quelque chose ne va pas?

– Je crains de rencontrer l'opposition du clergé, avoua l'institutrice.

L'abbé Sylvestre, qui parlait d'architecture religieuse avec Cyprien, se retourna vivement.

– De quoi s'agit-il, je vous prie ? Auriez-vous ourdi un plan pour renverser l'Église de Rome ? demanda-t-il avec un sourire enjoué.

Guillaume intervint avant que Réjeanne n'ait eu le temps de répondre. Se penchant devant elle, il révéla à son ami :

– Mme Lanoue travaille depuis quelque temps à la préparation d'un congrès pédagogique régional d'où devrait émerger une association d'enseignantes. Permets qu'elle te raconte sa démarche.

Réjeanne décrivit tout son cheminement et les raisons qui le motivaient.

– *Dignum et justum est!* s'écria l'ecclésiastique. Et où est-ce que le bât blesse ?

La jeune femme se tortilla sur sa chaise, puis se résigna à raconter la rebuffade qu'elle avait subie de la part du curé Bouillé.

Cyprien intervint :

– Mais, chère épouse, vous ne m'aviez pas dit cela !

– Je n'ai pas osé, confessa-t-elle.

L'abbé Sylvestre ne partageait pas les idées conservatrices de son confrère.

– Le droit d'association est un droit sacré, à l'égal de la liberté d'expression. Je peux vous garantir que, sur le plan moral, l'Église n'y voit pas d'objection, bien au contraire.

Réjeanne regarda le jeune abbé avec reconnaissance ; elle se sentit soulagée d'un grand poids.

– Vous en êtes bien sûr ?

– Sûr au point de vous offrir au grand jour mon appui et ma collaboration.

– Vous ne pouvez savoir à quel point je vous en suis reconnaissante, s'exclama la jeune femme avec ferveur. Si elle voit le jour, notre association aura besoin d'un aumônier. Pourrons-nous compter sur vous ?

– Depuis ce moment même!

Guillaume se montra ravi.

– Voilà, j'espère, qui nous donnera l'occasion de tenir à trois quelques réunions constructives.

– Ce qui me consolera de la perte de l'A.C.J.C., ajouta le prêtre avec nostalgie.

On arrivait à l'heure des discours. Anthime se pencha en arrière pour s'assurer que Cyprien couvait toujours son colis.

Le maire mourait de curiosité de voir ce qu'il contenait. Pierre avait fait son message à Réjeanne, qui avait consulté en vain le catalogue de la maison Paquette, le grand magasin à rayons de Québec. Déçue, elle avait exposé le problème à Cyprien.

L'artiste avait eu une idée que la secrétaire avait exposée au président, non sans lui montrer une certaine illustration d'un grand livre d'art. Leblond avait approuvé l'idée mais, comme Réjeanne elle-même, n'avait pas encore vu le résultat, dont le secret se trouvait dans le paquet.

Sur un signe d'Anthime, Pierre, qui avait rédigé des notes pendant tout le repas, se leva pour remercier les agriculteurs présents, retracer l'évolution de l'A.P.A. et présenter les invités de marque.

Anthime eut la sagesse de réserver sa salive pour les assemblées locales et insista pour que Guillaume Francœur et l'abbé Sylvestre consacrent à l'auditoire tout le temps dont ils disposaient.

Pendant plus d'une heure les deux amis, la fleur de l'élite montante, tracèrent le portrait de la société de leur temps et peignirent les perspectives d'avenir qui s'ouvraient à elle.

Pierre, qui, par sa formation et la fréquentation récente du milieu politique, connaissait parfaitement la pensée des deux orateurs, suivit d'abord leur exposé avec une attention soutenue. Puis, petit à petit, son esprit erra.

Il n'avait, de tout le repas, engagé aucune conversation avec sa jeune voisine et c'est à dessein qu'il avait consacré son temps à rédiger ses notes de présentation. Mais maintenant la subtile effluve de musc qui était propre à cette femme lui montait de nouveau à la tête.

Il revit Madeleine arrivant avec son chapeau de paille et son râteau à foin. Il se revit travaillant d'arrache-pied avec elle pour sauver la récolte. Il revit monter l'orage à l'horizon. Il en revécut en imagination chaque moment, savourant chaque goutte de pluie chaude et chaque baiser sulfureux.

Pierre ne voulait pas aimer cette fille. Son esprit rationnel désapprouvait ce moment de faiblesse dont le souvenir le poursuivait. En bon chrétien, il avait confessé son péché, mais, si l'absolution avait purifié son âme, elle n'avait pas éteint le feu de son corps.

Transportée par l'éloquence de Guillaume qui en arrivait au point culminant de son exposé, Madeleine choisit précisément ce moment pour poser sa main chaude sur le bras de son voisin. Elle-même surprise de ce geste non prémédité et purement instinctif, elle la retira si vivement qu'il passa inaperçu.

Pierre Bouffard fut ramené à la réalité par une salve d'applaudissements. Anthime se leva et annonça :

– Nous ne laisserons pas partir Guillaume Francœur sans lui offrir un souvenir. Afin de nous rappeler constamment à sa mémoire, nous avons demandé à un artiste de Rivière-Boyer de créer une œuvre pour la circonstance. Ça doit avoir quelque chose à voir avec nos récoltes puisque c'est une adaptation d'une œuvre d'un dénommé Millet !

Si l'abbé ne put réprimer un sourire, son ami garda tout son sérieux. Cyprien se leva, prit le grand sac de toile et, avec son calme imperturbable, vint présenter à Guillaume une sculpture qui le laissa pantois.

Sur une grande plaque de bois de tilleul, Cyprien, utilisant la technique de la ronde-bosse, avait reproduit un angélus. Trois paysans, un homme, sa femme et leur jeune fils, avaient posé leurs instruments agricoles pour un moment de recueillement. La sculpture rappelait certes l'œuvre du célèbre peintre, mais en arrière-plan on reconnaissait le promontoire et l'église de Rivière-Boyer.

– Quel talent ! s'exclama Guillaume. Quel tableau éloquent ! Il occupera la place d'honneur dans mon bureau de sous-ministre. Et si vous avez quelque problème d'ordre agricole à régler, je serai toujours heureux de vous venir en aide dans la mesure des ressources qui sont à ma disposition.

Pendant que l'assistance s'épuisait en applaudissements, Anthime se pencha vers Pierre et lui demanda :

– Pourrais-tu remercier notre invité ?

Le jeune agriculteur avait autre chose en tête.

– Je ne refuse pas, mais que diriez-vous si pour une fois on demandait à Zéar de parler ?

21

IL SEMBLA aux forgerons que l'obscurité arrivait particulièrement tôt en ce troisième vendredi de novembre 1916.

– Tous les plombs de la chasse sont restés dans le ciel ! Je te parie qu'ils vont nous tomber sur la tête sous forme de neige, prophétisa Roméo Roy.

– Tous les plombs qu'on n'a pas tirés ni toi ni moi, fit remarquer Simon.

– Quand les oies arrivent, on n'a pas le temps de chasser, parce qu'il faut préparer les chevaux pour le chantier. Puis quand les chevaux partent pour en haut, les oies s'envolent pour en bas, ça fait qu'on ne peut plus chasser même si on a le temps, se désola Meno.

– Parlant de chantier, penses-tu que l'Anglais va avoir besoin de mes services cet hiver ?

Meno, qui classait ses fers, se frappa le front du plat de sa large main.

– Je voulais te dire : en revenant de dîner, j'ai croisé Jacques Latour qui arrivait à l'auberge. On a jasé un peu. Il cherchait des chevaux pour l'Anglais. Puis, comme ça, en parlant, il m'a dit que Langlois était déjà monté au lac Frontière avec un jeune forgeron de Saint-Vallier.

– Il fait faire ses commissions, le maudit Latour.

Simon était contrarié.

– Le chantier, c'est pas mon fort ; il y a trop de poux, crâna-t-il. N'empêche que ça fait vivre son homme. J'ai bien l'impression que je vais passer l'hiver par ici, à manger mon vieux-gagné.

Meno remarqua que son assistant avait l'air abattu.

– Tu feras comme les autres hivers : des roues de charrette.

– Tu sais comme moi qu'on en vend de moins en moins. J'aurai terminé ma production avant les fêtes, cette année.

– Tu pourrais peut-être faire du bois de poêle ou du bois de sciage.

– Tout un chacun fait son bois de poêle en émondant ses érables. Quant au bois de sciage, il ne faut pas y penser : les cultivateurs gardent leurs arbres pour le sucre. Le sapinage, lui, a déjà tout été coupé depuis longtemps pour les charpentes des maisons et des bâtiments. Les quelques épinettes qui restent valent de l'or.

– Je ne m'en fais pas pour toi ; tu trouveras bien de quoi t'occuper. Et puis tu n'as pas besoin de beaucoup d'argent ; tu n'as pas de famille à faire vivre.

Simon ne dit mot. Sans le savoir, son ami venait de rouvrir la plaie qui saignait perpétuellement en lui. Simon aimait les femmes. Il aimait la présence des femmes. Il les aimait pour leur nature même. Lui si costaud et si fort mais si sensible, il aimait la douceur, la sensualité, la fragilité de certaines femmes tout en admirant leur force de caractère.

Le jeune forgeron, qui aurait tant aimé trouver l'amour et se marier, arrivait rarement à établir un contact avec des filles de ce genre. Quand il en voyait dans les fêtes des villages voisins ou dans les assemblées politiques, ou bien ces jeunes personnes étaient déjà accompagnées ou bien, si on les lui présentait, elles gardaient leurs distances. Il attribuait alors leur réaction à son handicap physique.

Empoignant un grand balai fait de rameaux de cèdre séchés, Simon termina le ménage de la boutique. C'était la dernière journée de sa dernière semaine de travail. En guise de vacances annuelles, Meno lui offrait le dernier samedi payé.

Le jeune forgeron serra la main de son patron et ami, endossa son mackinaw et quitta la boutique à l'heure habituelle, pour passer prendre Anne-Marie.

– Toujours tranquille à l'auberge ?
– Comme d'habitude, répondit-elle en montant dans le buggy.
– Latour ne fait pas de folies ?
– Doux comme un mouton.
– Méfie-toi, c'est un serpent.
– En attendant, avec les Suédois, c'est notre meilleur client.
– Il dépense tant d'argent que ça ? s'étonna Simon.
– Il fait de l'argent comme du poil !
– J'aimerais pouvoir en dire autant !
– Il a trouvé le moyen de se faire accepter comme fournisseur de l'armée. Le jour où il étrennait son camion automobile, il est venu en compagnie d'un lieutenant préposé aux achats.
– Tu vois comme il est un serpent ?
– Il achète les bêtes grasses des cultivateurs de Beaumont à Saint-Vallier, les fait abattre par un boucher de son village et livre lui-même la viande à Valcartier par train. Ses poches sont pleines d'argent et juste assez percées !
– À la façon dont tu en parles, j'ai l'impression que tu commences à le trouver de ton goût. Je devrais peut-être m'inquiéter pour toi.
– Mon frère chéri, Jacques Latour ne mettra jamais la main sur moi.
– Comment peux-tu dire ça ?
– Parce qu'il a déjà essayé et le dos lui fait encore mal.
Alors, pour la première fois, Anne-Marie raconta comment Latour avait tenté de la violer. Elle omit cependant le récit de la deuxième agression.
– Ça me remonte le moral que tu me fasses des confidences, dit Simon.
– Et moi, ça me soulage d'en parler à quelqu'un, soupira Anne-Marie.
Souris tournait le coin du rang. Simon souleva sa casquette et Anne-Marie se signa en passant devant la Petite Croix. Les

deux complices ne parlaient plus, chacun s'étant retiré dans ses pensées.

Quelque chose de léger et de froid se posa sur la joue d'Anne-Marie.

– Tiens, s'exclama-t-elle, *il* neige!

* * *

Il neigea abondamment pendant les deux premières semaines de novembre.

– C'est bon, ça va empêcher la terre de geler profondément, remarqua Pierre. C'est du temps gagné pour le printemps prochain.

Mais son espoir fut de courte durée. Un redoux fit bientôt disparaître toute la couverture nivale, puis le vent froid se mit à souffler du nord et la terre gela dur.

Les lièvres, dont la livrée avait viré au blanc à la première neige, furent pris au dépourvu quand celle-ci fut disparue. Sur le sol brun, ils ne pouvaient plus se cacher. Simon, qui n'avait pas décroché son fusil depuis onze mois, le nettoya et proposa à son frère :

– Tu devrais venir tirer quelques lièvres avec moi.

– Où vas-tu chasser?

– Au bout des sucreries, dans la petite cédrière.

– Bonne idée! Je t'accompagne.

– Tu n'as pas de fusil. Tu pourrais emprunter celui de Jos.

– Pas la peine. Tu sais que je ne chasse pas. Mais ça me donnera l'occasion de faire le tour de mes sucreries.

Victoire leur prépara un goûter et les deux frères marchèrent vivement jusqu'au chemin Bouffard, qu'ils traversèrent en longues enjambées pour entrer dans la forêt.

– C'est frisquet, dit Pierre en réprimant un frisson.

– C'est à cause du vent, répondit Simon. À l'abri du bois, nous serons mieux.

Les deux jeunes hommes marchèrent quelques minutes en silence, Simon fouillant les fourrés du regard, Pierre examinant la cime de ses érables pour y déceler des maladies.

Constatant que leurs intérêts divergeaient fortement, Simon proposa :

– Que dirais-tu si je faisais un crochet par la baisseur, le temps que tu inspectes ton bois ? Au son de la cloche, on pourrait se rejoindre à la cabane à sucre.

– D'accord, convint Pierre. Il est dix heures ; j'ai juste le temps d'inspecter ma forêt.

Simon clopina quelque peu, puis s'arrêta.

– Au fait, laquelle des deux cabanes ? Celle de notre père ou la vieille ?

– Disons celle de grand-père, cria Pierre qui s'éloignait déjà dans la direction opposée.

« Celle de notre père ou celle de grand-père… Si je comprends bien, il n'y a que moi qui n'ai pas ma propre cabane à sucre… »

Pendant deux heures, Pierre put suivre la progression de son frère par l'écho régulier des coups de feu. Quand, peu de temps après l'Angélus de midi, le chasseur arriva à la cabane de Médéric, son sac débordait de pattes et d'oreilles. L'aîné avait déjà allumé le poêle et se chauffait les mains.

– Toute une chasse, à ce que je vois !

– Deux perdrix et une douzaine de lièvres.

– Ça ne vole pas, un lièvre. Ils doivent être massacrés par les plombs.

– Pas du tout. Je tire un pied en avant et seuls quelques plombs les touchent.

– Astucieux. Et qu'est-ce qu'on va faire avec toute cette venaison ?

– D'abord, Réjeanne va nous en faire deux ou trois en civet pour dimanche, puis maman Rose va faire des fèves au lièvre pour la semaine prochaine. Et les autres, on les congèlera dans un baril de blé, comme du porc.

– Va-t-il nous en rester pour les fêtes ?

– Je retourne « magasiner » cet après-midi, promit le disciple de Diane avec une flamme dans l'œil. Mais, dis-moi, comment sont tes arbres ?

– En parfaite santé. Quelques érables malades, quelques têtes cassées par le vent. Juste assez pour le bois à chauffer.

– Tous ces beaux érables, ça ferait du bois à meubles, réfléchit tout haut Simon qui avait bien sa petite idée quant aux fûts de son frère.

– Pas question de les couper. J'ai déjà loué mes érablières aux ti-frères Descôteaux. Mais j'ai pensé à une chose…

– À quoi donc? demanda Simon, soudain fort intéressé par les cogitations de son aîné.

Pierre frottait énergiquement le dessus du vieux poêle de fonte avec le papier huilé de son pain, afin d'en extirper la rouille. Simon dut attendre la réponse. Son compagnon étendit plusieurs tranches de pain de ménage sur la plaque chaude pour les faire griller, puis déclara enfin :

– Quand tu m'as demandé, ce matin, à quelle cabane on se donnerait rendez-vous, celle de notre grand-père ou celle de notre père, ça m'a donné une idée à laquelle j'ai réfléchi tout l'avant-midi.

– Laquelle? fit Simon, de plus en plus attentif.

– Maintenant que je possède les deux terres, je n'ai pas besoin des deux cabanes.

Simon vit se profiler un petit contrat de démolition.

– Laquelle garderais-tu?

– Ni l'une ni l'autre. Si j'avais le temps, je déferais les deux et, avec le bois, j'en bâtirais une plus grande au trécarré de mes deux lots. Une grande cabane avec une petite cuisine et un coin pour dormir en appentis. Et j'en profiterais pour acheter une de ces nouvelles bouilloires à compartiments, une Champion. Comme tu peux voir, les vieux poêles sont troués par la corrosion.

– Tes bâtiments sont pleins de bétail, dit Simon. C'est évident que tu n'as pas le temps. Mais moi, je l'ai.

– Tu ne vas pas ferrer au chantier de l'Anglais après les fêtes, comme l'an passé?

– Bien non, justement.

– Et tu pourrais me bâtir une nouvelle cabane bien centrée entre mes deux terres?

– Tu n'as qu'à me dire où. Voici ce que je te propose : je cesse immédiatement de fabriquer des roues de charrette et je profite du fait qu'il n'y a pas encore de neige pour préparer la base de la future cabane. Ensuite, je démolirai les deux vieilles, je classerai le bois, je le transporterai sur le site et je l'empilerai sous des toiles. Puis je rebâtirai, en commençant par la pièce à habiter. S'il fait trop froid, je pourrai entrer me chauffer de temps en temps.

– Tu penses que tu en es capable?

– Ce n'est pas compliqué. J'ai deux modèles sous les yeux et le bois est déjà coupé au bon angle. Et si je bloque quelque part, je connais un très bon ébéniste…

– C'est vrai… Et tu aurais fini pour les sucres?

– Bien avant ça. À la fin de février au plus tard. Après, je couperai et fendrai ton bois de chauffage pour les deux maisons et la cabane à sucre, et je finirai ma production de roues vers la fin de l'hiver.

– Juste avant de retourner à la boutique, déduisit Pierre.

– Tu calcules comme moi!

– Nous couvrons en bardeaux!

Heureux, les deux frères mangèrent rapidement, fermèrent les clés du poêle et partirent à la recherche du site idéal. Quand ils rentrèrent ensemble à la brunante, ils n'avaient pas un lièvre ni une perdrix de plus.

Les cousins Descôteaux furent ravis à l'annonce de la nouvelle cabane.

– Comme ça, on va pouvoir faire bouillir ensemble au lieu de le faire chacun de notre bord. On pourra même se relayer et dormir à tour de rôle.

– Et faire bouillir sans arrêt, précisa Pierre. Vous pourrez produire plus avec moins d'effort et moins de consommation d'énergie, parce que vous éliminerez les périodes de réchauffement de la bouilloire.

Soudain, un des cousins fut pris de méfiance.

– Mais toi, Bouffard, où est ton intérêt dans tout ça?

– Nos ententes sont faites pour le printemps prochain, mais, pour 1918, on s'en reparlera.

* * *

On passa à 1917 sans presque s'en apercevoir. Jamais hiver ne parut plus court aux Bouffard tellement ils étaient occupés.

Comme l'argent roulait de plus en plus vivement en cette période d'abondance, l'auberge ne désemplissait pas et la boutique de souvenirs vendait rondement. Victoire eut bientôt du mal à fournir à la demande et dut rappeler Julie Gaumond.

Réjeanne enseignait toujours avec succès et son projet de congrès pédagogique, supporté et guidé par le dévoué Guillaume Francœur et le dynamique abbé Sylvestre, suscitait beaucoup d'intérêt. De plus en plus, les enseignantes plaçaient la question salariale au sommet des sujets à débattre, parce que l'inflation des prix résultant de la demande effrénée causée par la guerre dévaluait chaque jour davantage leur maigre revenu.

Les curés, qui maudissaient publiquement le Kaiser, priaient en secret pour que Dieu lui prête longue vie. Profitant de l'euphorie économique et de la générosité publique qu'elle inspirait, ils faisaient redécorer leur église. En conséquence, Cyprien croulait sous les commandes. De plus, Louis Jobin ayant entendu vanter son *Angélus* en ronde-bosse, il lui passait maintenant des commandes de statues.

Pierre aurait voulu garder tous les veaux que lui faisaient ses vaches et le valeureux Timoune, mais il manquait d'espace; il songeait sérieusement à agrandir son étable, mais il jugeait plus prudent d'acquérir d'abord d'autres terres. Malheureusement pour lui, aucune ferme n'était à vendre. Il se consolait en produisant des veaux de meilleure qualité et des vaches donnant plus de lait.

L'aubergiste confiait de plus en plus la gestion de son commerce à Anne-Marie. Le personnel commençait à croire qu'il avait une amoureuse quelque part, parce qu'il s'absentait de plus en plus souvent.

Simon s'était lancé dans la construction de la nouvelle cabane à sucre. En trois semaines, il avait érigé la base en plaçant des poutres neuves sur de gros cailloux, avait dressé la partie inférieure de la charpente et fermé les quatre murs de l'appentis habitable. Il avait même recouvert de tôle son toit pentu.

Le forgeron constata qu'à ce rythme il terminerait son contrat beaucoup plus tôt que prévu. Il décida donc de ralentir un peu, afin de se livrer à des expériences auxquelles il songeait depuis quelque temps. Pierre, qui, en passant de son étable à la maison, voyait de loin monter la fumée de sa nouvelle cabane, aurait été bien étonné, s'il se fût trouvé sous le vent, de constater qu'elle charriait des parfums peu communs…

Antoine travaillait toujours avec passion. Il avait définitivement perdu son allure d'adolescent et sa famille constatait de mois en mois qu'il prenait l'apparence d'un fier jeune homme.

Toujours obsédé par la performance de son équipe à la course sur le fleuve, il étudiait maintenant la forme des bateaux en fonction de leur contact avec chaque type de glace.

Une seule personne semblait échapper à l'accélération générale de la société : défiant le temps à l'instar de sa grande horloge, maman Rose, en parfaite santé à près de soixante-dix ans, avait gardé le même rythme que jadis, tant au fil des jours que des saisons.

On s'était habitué à vivre avec la guerre quand, aux premiers jours de janvier 1917, le gouvernement canadien annonça qu'il procéderait à l'immatriculation des citoyens âgés de seize à soixante-cinq ans.

«Quoi qu'en dise le clergé, la conscription s'en vient, écrivit Hervé à Pierre. Un vent de panique balaye le Québec. Dimanche, l'archevêque de Montréal a fait lire dans les paroisses une lettre pastorale disant : “Il ne s'agit pas de politique. Il ne s'agit pas non plus de conscription. Pour des raisons sérieuses et très sages, approuvées par des hommes éminents, indépendants de tous les partis, le gouvernement désire faire en quelque sorte l'inventaire de toutes les forces et de toutes les ressources dont notre pays peut disposer au point de vue commercial, agricole et industriel. Les renseignements qu'il sollicite seront précieux durant la guerre. Ils le seront également après. À cette fin, un certain nombre de questions seront posées à tous les citoyens âgés de seize à soixante-cinq ans. Il est de haute convenance que nous y répondions."»

À son prône du dimanche suivant, le curé Bouillé reprit les paroles du respecté chef de l'église :

– Les citoyens de notre paroisse ont reçu du gouvernement du Canada un questionnaire qui sème l'inquiétude. Voici ce qu'en dit Son Éminence le cardinal Paul Bruchési, archevêque de Montréal...

Et le bon curé de citer textuellement les paroles du cardinal. Du fond du confessionnal où il attendait les pécheurs, le vicaire Syvestre écoutait, sidéré, l'intervention du chef spirituel de la paroisse.

«L'immatriculation mène tout droit à l'enrôlement obligatoire, ça saute aux yeux! se désola-t-il. Ou notre clergé manque totalement de clairvoyance ou il se fait le complice et même l'apôtre de la conscription!»

Le jeune abbé fut pris d'une douloureuse crise de conscience. Tout à l'heure, lui, Émile Sylvestre, il monterait en chaire et sonnerait l'alarme. Il ferait tout pour épargner des vies innocentes. Il dénoncerait même son curé et son clergé.

Pourtant, quand, à la grand-messe, vint le moment de son prône, le jeune vicaire fut assailli par le doute. Un doute inspiré par la sagesse et l'humilité, mais surtout par la taille du gouffre qui s'ouvrirait devant lui s'il effectuait cette sortie. Aussi se contenta-t-il de déclarer :

– Vous avez reçu ou vous recevrez du gouvernement du Canada des documents relatifs à cette immatriculation dont on parle abondamment. Il appartient à chacun d'y réagir selon sa conscience.

* * *

Le 1er février 1917, la guerre prit une tournure encore plus dramatique avec l'annonce par le Reichstag que les

Allemands allaient intensifier leurs attaques sous-marines. Leur objectif avoué était d'établir un blocus complet autour de la France et de l'Angleterre afin de couper leur ravitaillement.

Depuis le début de la guerre, on signalait la présence de sous-marins allemands même au large des côtes de l'Amérique. Ils arrivaient, bien sûr, par la mer du Nord, mais semaient la terreur dans tout l'Atlantique.

On se doutait bien que les sous-marins ennemis prenaient en chasse les convois de bateaux marchands aux portes mêmes du Canada. Au printemps, on en signala de plus en plus fréquemment dans le golfe du Saint-Laurent. Cependant, la crainte qu'ils inspiraient se changea en véritable psychose quand l'un d'eux évita de peu une collision avec un bateau de pêche entre Gaspé et Port-Menier.

Nicolas Hubert, le marin des îles de la Madeleine qui fournissait à Simon son petit blanc de Saint-Pierre-et-Miquelon, s'en plaignait amèrement :

– Dans le temps, tu surveillais les baleines. À c't'heure, les baleines ont des périscopes et c'est elles qui te surveillent !

Un point demeurait cependant ténébreux concernant les sous-marins ennemis : comment pouvait-on les ravitailler et effectuer l'entretien mécanique de ces engins complexes alors qu'ils se trouvaient aussi loin de l'Allemagne ? Les experts étaient d'avis unanime que, depuis le début de la guerre, les Allemands possédaient quelque part dans l'est de l'Amérique une base d'entretien et de ravitaillement pour leurs machines infernales.

Les polices américaine et canadienne déployaient tous les moyens possibles pour la trouver. On supposait qu'elle se trouvait autour de la péninsule gaspésienne ou dans le nord-est des États-Unis. Mais trois ans de recherches n'avaient abouti à rien. Seul indice valable mais déroutant : l'arrestation, dès le début du conflit, de cet espion qui avait en sa possession les plans détaillés du port de Québec. Le mystère restait donc entier.

* * *

Le temps prouva à l'abbé Sylvestre, dont les divergences d'opinion avec son curé n'avaient échappé à personne, qu'il avait raison : les données de l'immatriculation servirent de base à la conscription.

Pendant qu'à Rivière-Boyer les paroissiens consacraient la troisième semaine du mois à préparer l'incontournable fête de Mai, à Ottawa le cabinet Borden étudiait le détail du bill de la conscription. Le jeudi 24 mai 1917, une foule de trois mille ouvriers de Québec protesta énergiquement contre l'enrôlement obligatoire. Le bill fatidique fut présenté le 11 juin suivant.

Tout au long du débat qu'il suscita, d'innombrables démonstrations publiques, souvent spontanées, rappelèrent aux politiciens que le peuple québécois, malgré l'avis général de ses dirigeants politiques et religieux, s'opposait à la conscription.

Finalement, la Loi du service militaire fut promulguée le 11 septembre 1917. Tous les hommes de vingt à trente-quatre ans étaient appelés sous les drapeaux.

Chez les Bouffard, cette annonce sema la consternation. Si Antoine échappait tout juste à l'enrôlement en raison de son âge, Pierre, Simon et Cyprien étaient appelés. Ils tinrent un conciliabule en compagnie de Réjeanne, Victoire, maman Rose et Anne-Marie. Pierre demanda d'abord son avis à Cyprien.

– Je crains, énonça tranquillement ce dernier, que nous ne puissions rien faire contre cette loi promulguée par un gourvernement élu démocratiquement. Notre seul espoir réside dans le tribunal d'appel, qui devra écouter les motivations de notre refus. Omettre de nous présenter, comme l'exige la loi, ne ferait que mettre notre mauvaise foi en évidence.

Simon partagea l'avis de son beau-frère mais se montra pessimiste.

– Je me présenterai au tribunal, mais je n'ai aucun espoir de m'en tirer. J'ai plus de vingt ans, je suis célibataire et je n'exerce pas un métier lié à la production de guerre. Je serais bien avisé de préparer mon paqueton tout de suite.

Pierre était très inquiet.

– Plus que Cyprien et autant que Simon, je remplis tous les critères de sélection. Il reste à savoir de quoi le pays a le plus besoin : de cultivateurs ou de soldats ?

– Tu devrais demander leur avis à tes amis Hervé et Guillaume Francœur, suggéra Réjeanne.

– Je le fais tout de suite.

La réponse de l'homme politique et de l'avocat fut la même : à leur avis, les trois jeunes hommes étaient des candidats de premier choix pour les drapeaux. Le seul qui aurait des chances de s'en tirer devant le tribunal spécial était le cultivateur, s'il était marié.

– Je ne sais plus où donner de la tête, fit Pierre, découragé.

– J'ai une suggestion à vous faire, intervint Réjeanne. Présentez-vous d'abord à l'examen médical. Ensuite, si nécessaire, devant le tribunal. Qui sait ? Peut-être serez-vous refusés, ou la guerre cessera-t-elle entre-temps. On parle de plus en plus de négociations de paix.

– À moins de nous cacher, proposa Simon.

– Il y a, paraît-il, beaucoup de jeunes hommes qui veulent échapper à l'enrôlement en se cachant, affirma Pierre. Les ti-frères Descôteaux m'ont assuré qu'ils le feraient s'ils étaient appelés.

Victoire ne l'entendait pas ainsi.

– Ne faites pas ça, les garçons. Les annonces du gouvernement disent bien que ceux qui ne répondront pas à l'appel seront considérés comme des déserteurs. La police militaire les pourchassera et ils seront envoyés directement au front, sans préparation ni entraînement, dès qu'elle leur aura mis la main au collet.

* * *

Les trois hommes dormirent très mal pendant deux nuits et, au matin du troisième jour, partirent ensemble vers le bureau médical militaire, installé à Montmagny.

– Qui passera le premier? demanda Simon qui crevait visiblement de peur.

– Tirons au sort, proposa Cyprien.

Tous trois lancèrent une pièce de monnaie en l'air.

– Pas pareil gagne, établit Pierre.

– Pas pareil! s'exclama Simon en comparant les trois pièces. Je passe le dernier. Pile ou face pour vous deux.

Cyprien passa le premier la porte du cabinet médical. Il en ressortit avec un visage impassible.

– Et puis? s'enquirent ses deux compagnons.

– Appelé.

Ses deux beaux-frères furent pris de panique.

– Sortons d'ici pendant qu'il en est encore temps, s'écria le forgeron.

– Pour aller où? Pour faire quoi? demanda Pierre qui cherchait désespérément une échappatoire.

– Notre seule chance est le tribunal, leur rappela l'ébéniste.

– Pierre Bouffard!

Un soldat en uniforme appelait l'agriculteur. Pierre se leva, la mort dans l'âme. Quand il sortit, il avait le visage défait.

– Appelé aussi.

– Simon Bouffard!

Simon fut pris d'un violent tremblement. Lui si costaud et si fort, il eut un haut-le-cœur. Un deuxième soldat aida le premier et ils le supportèrent jusqu'au-delà des portes fatidiques. Ses compagnons se désolèrent pour lui.

Simon sortit dix minutes plus tard. Ses amis croyaient ramasser une loque, mais il rayonnait.

– Rejeté! Avez-vous compris? «*Rejected*», a dit le médecin, un Anglais à part ça!

– Mais comment?

– Pourquoi?

– Parce que je boîte. Finalement, c'est le cheval mauvais qui m'a sauvé la vie!

22

CYPRIEN ET PIERRE convinrent de se présenter ensemble devant le tribunal d'appel.

– Aussi bien y aller tout de suite, avant de commencer les récoltes, proposa Pierre. S'il faut aller se faire tuer, inutile de se décarcasser à travailler; aussi bien tout abandonner immédiatement.

– Plus tôt nous saurons à quoi nous en tenir, moins nous nous ferons de mouron, convint Cyprien.

Réjeanne avait écouté les deux hommes avec attention. Finalement, voyant que leur décision était fermement prise, elle intervint :

– Cyprien ne peut rien pour améliorer son argumentation devant le tribunal, mais toi, tu peux encore faire quelque chose.

– Et quoi donc, je te prie? demanda Pierre, qui avait oublié un détail de la lettre de ses deux amis.

– Te marier, laissa tomber sa sœur en interrogeant son regard avec intensité.

L'agriculteur baissa la tête et se tut un long moment.

Réjeanne se souvenait de la façon dont Pierre avait regardé Madeleine Leblond au premier banquet de l'auberge. Elle avait aussi remarqué qu'ils avaient beaucoup dansé ensemble à la fête de Mai qui avait suivi. Cependant, elle ne se doutait pas que la passion liait ces deux êtres.

– Tu aurais quelqu'un à me suggérer?

L'aînée avait le nom de Madeleine Leblond sur le bout des lèvres mais n'osait le prononcer, de crainte de dévoiler un coin trop intime de l'âme de son cher frère.

– Il y a quelques jolies filles dans la paroisse.
– À qui penses-tu ?
– À Élisabeth Leblond, l'institutrice du Grand Bras, par exemple.
– La nièce du maire ? Peut-être. Je vais y penser.
– Tu n'as pas beaucoup de temps.
– Je le sais.

L'agriculteur s'enferma une journée entière dans sa chambre. Il relut la dernière lettre de ses amis. Il repassa les publications agricoles des dernières années afin d'y revoir les annonces gouvernementales et les articles incitant les agriculteurs à cultiver davantage. Il tenta de se convaincre que l'agriculture était vitale pour l'approvisionnement des soldats mais n'y réussit qu'à demi : ses chances de s'en tirer devant le tribunal d'arbitrage seraient meilleures s'il était marié. Alors, Pierre fit comme il faisait d'habitude lorsqu'il devait affronter une situation : il l'attaqua de front.

Il mit à la poste rurale une lettre adressée à Anthime Leblond, dans laquelle il demandait à le rencontrer chez lui en compagnie de son épouse et de leur fille Madeleine. La réponse arriva par le truchement du jeune Paulin : les Leblond l'invitaient pour le dimanche suivant.

Après un dîner où les hommes parlèrent et où les femmes écoutèrent, Pierre demanda à Anthime la main de sa fille. Anthime consulta sa femme, qui approuva d'un signe de tête. Puis il demanda à sa fille :

– Et toi, Madeleine, qu'est-ce que tu dis ?
– Je dis oui, répondit-elle avec le sourire candide de quelqu'un à qui on offre une friandise.

Pierre rentra chez lui pour le souper ; sa famille l'attendait. Pour la première fois depuis sa sortie du petit séminaire, il avait manqué le dîner dominical. Il n'avait révélé à personne où il était allé. Victoire crut même un moment que son grand fils s'était caché ou était parti subrepticement pour les États-Unis afin d'échapper à l'enrôlement. Elle éprouva un véritable soulagement quand elle le vit revenir tôt.

– Je me marie ! annonça Pierre en franchissant la porte.

Sa famille fut ébahie, à l'exception de Réjeanne. Anne-Marie fut la première à revenir de sa stupeur.

– Quand ça ?

– Samedi prochain.

– Avec qui ? demanda Réjeanne.

– Madeleine Leblond.

– La belle Madeleine, roucoula Simon, un peu envieux.

– Madeleine Leblond, murmura Antoine en roulant des épaules de manière suggestive.

– Mais c'est dans une semaine ! s'écria Victoire, plus affolée par la date prochaine du mariage que par le choix de son fils.

– Maman, je n'ai pas de temps à perdre. Le tribunal militaire siège dans huit jours.

– J'ai juste le temps de livrer mes commandes en cours, remarqua l'ébéniste. Lundi, on passe devant le juge, et on revient à la maison ou on part pour Valcartier.

– Si le tribunal me libère et si les Descôteaux peuvent aider Ti-Rouge, je vais me payer quelques jours de repos. Après tout, il y a trois ans que je travaille sans relâche.

– Parce qu'il ne faudrait pas oublier, à travers toutes nos émotions, que nous aurons une noce, intervint maman Rose en posant son tricot. Moi, je félicite Pierre. Madeleine est une belle fille, c'est une personne travailleuse et les Leblond sont du monde comme nous autres.

– Pas tout à fait comme nous, corrigea Victoire qui déjà voyait débarquer la jeune bru.

– Un petit blanc ne serait pas de trop ! proposa Simon.

* * *

Pierre mena sa cour rondement. Il vit Madeleine chez elle tous les jours. Sa mère et elle semblaient également ravies. Il demanda au vicaire Émile Sylvestre, qui était devenu un ami de la famille, de célébrer leur mariage dans la plus stricte intimité. Cyprien et Réjeanne offrirent leur maison aux nouveaux mariés pour leur nuit de noces, puis leur hospitalité pour leur deuxième journée de vie commune. Ensuite, Réjeanne et Madeleine attendraient ensemble le verdict du tribunal militaire au sujet de leurs hommes.

Ce mariage était tellement précipité que chacun suivait pratiquement page à page dans le livre virtuel des convenances les étapes de sa réalisation. Quand, après la célébration du mariage et le plantureux repas familial que Réjeanne avait insisté pour préparer elle-même et servir chez elle, la porte des Lanoue se referma enfin sur les jeunes époux, ceux-ci se regardèrent, ahuris.

Tant de choses s'étaient passées depuis une semaine. Pierre prit Madeleine par la main, l'entraîna à la fenêtre et attendit, en la tenant par la taille, que leurs deux clans fussent hors de portée de voix. Puis les époux se tournèrent l'un vers l'autre et... éclatèrent de rire, ce qui les détendit. Ils avaient l'impression que leur mariage était une énorme blague.

Mais, enfin, ils étaient seuls. Vraiment seuls et libres de s'aimer. Libres de se découvrir, de se caresser, de se prendre, de se reprendre.

Quand, après la messe basse du dimanche, Réjeanne et Cyprien réintégrèrent leur foyer, ils trouvèrent les amoureux qui riaient et folâtraient encore.

– C'est à croire que vous n'avez pas vu la nuit passer, s'exclama Réjeanne avec un brin d'envie.

Cyprien, un peu gêné, chercha un os pour son chien et sortit par-derrière.

* * *

Le drapeau de leur fière jeunesse en berne, les deux beaux-frères partirent ensemble à l'aube du lundi. L'un avait noyé son angoisse dans l'amour, l'autre, dans la prière. Ils se séparèrent péniblement de leur famille et prirent encore une fois le chemin de Montmagny. Réjeanne et Madeleine les reconduiraient à la gare de Saint-Michel.

Chacun des deux appelés apportait une petite valise avec des vêtements et des effets personnels pour quelques jours, des friandises et du papier à écrire. Aucun des quatre occupants du quatre-roues ne parla en route, de crainte d'éclater en sanglots.

– *Wo!*

En haut de la côte de Glaise, Pierre arrêta les chevaux, sous prétexte de les laisser souffler un peu. Il voulait surtout jeter un long regard sur la vallée de la rivière Boyer, sa petite patrie qu'il ne reverrait peut-être jamais.

La rivière marquait en bleu l'extrémité des champs d'or. Le soleil dépassait déjà l'horizon et dissipait la légère brume qui avait émané du sol pendant la nuit. On pouvait voir aux quatre coins de la paroisse des grappes de vaches émerger des lambeaux de brouillard et se diriger vers leur étable.

La mort de son père n'avait pas réussi à séparer Pierre Bouffard de sa terre natale. La guerre, elle, le faisait. «La guerre, c'est pire que la mort», se dit-il.

Cyprien, pour sa part, contemplait le grand sapin que lui avait confié Médéric et dont il prenait soin comme s'il se fût agi d'une plante exotique. Se séparer de sa femme, de sa maison, de son atelier, de ses ciseaux, de son chien, de son cheval, de son sapin lui retirait le sang du corps.

La contemplation de ce paysage si beau devint insupportable. Les deux hommes détournèrent brusquement la tête et Pierre fouetta ses bêtes.

Plus de cent hommes venus des quatre coins de la rive sud étaient massés dans le grand hall du Palais de Justice et attendaient leur tour de présenter leur défense. Leur famille n'y était pas admise.

Les juges, au nombre de cinq, siégeaient individuellement en compagnie d'un greffier et d'un garde militaire dans une rangée de petits bureaux fermés, séparés du hall par une longue cloison en grillage métallique. Une porte en métal ouvré donnait accès à cette allée que gardaient des soldats en armes.

À mesure qu'un appelé sortait du bureau d'un juge, un autre y était admis, par ordre alphabétique. Peu de conscrits repassaient la porte en sens inverse. La plupart étaient évacués par un couloir latéral qui donnait sur une salle où des militaires les prenaient en charge et les escortaient par petits groupes jusqu'aux wagons d'un convoi de l'armée. Ils partiraient le soir même vers Valcartier pour y commencer leur entraînement.

Pierre fut appelé tôt, vers dix heures. Au greffier, il déclina son nom, son âge, son adresse. Puis le juge prit la relève :

– Métier ou occupation ?

– Agriculteur.

– Célibataire ?

– Marié.

– Propriétaire ou homme engagé ?

– Propriétaire.

– Taille de l'exploitation ?

– Trois cents arpents en culture et pacages, deux cents en érablière.

– Cheptel ?

– Vingt-sept vaches, deux taureaux, quinze taures, dix-huit veaux, trois chevaux.

– Production ?

– Beurre et animaux de boucherie.

– Association professionnelle ?

– A.P.A.

Le juge nota soigneusement ces informations, puis il déposa sa plume et dévisagea Pierre, cherchant quelque tic ou clignement des yeux qui trahirait un menteur. Le jeune homme soutint le regard du magistrat. Ce dernier lui tendit une bible :

– Vous jurez que ces déclarations sont vraies ?

Pierre posa la main sur le livre saint et déclara :

– Je le jure.

– Ces informations seront vérifiées. S'il s'avère que vous avez menti, la police militaire vous cueillera et vous serez traité comme un conscrit, envoyé au front sans plus de préparation. Si vous avez dit vrai, vous ne serez pas ennuyé.

Pierre se redressa fièrement.

– Je dis vrai.

– Dans ce cas, jeune homme, vous êtes libre, déclara le juge. Je n'ajouterai qu'une chose. À l'instar de votre ministre de l'Agriculture, je vous dis : cultivez à outrance!

Pierre était plus ébranlé qu'heureux quand il franchit la porte de métal en sens inverse. Comme il était l'un des rares appelés à revenir sur ses pas, tous les hommes présents se précipitèrent sur lui pour connaître les raisons de ce miracle. Il dut presque se défendre d'avoir dit la vérité.

– Je vous le dis, je vous le répète : je suis cultivateur, je suis marié, j'ai un gros troupeau qui m'attend, et je n'ai dit que la vérité.

Dans le coin le plus tranquille qu'il ait pu trouver, Cyprien attendait patiemment qu'on l'appelle. Son nom fut crié peu après midi. L'artiste se leva, impassible, serra chaleureusement la main de Pierre, empoigna sa petite valise et passa la porte de métal d'un pas ferme. Il sortit quatre minutes plus tard. Son visage était toujours impassible mais plus pâle. Un soldat en armes l'escorta vers le passage latéral.

* * *

Pierre prit le train de quatorze heures, débarqua à Saint-Michel et rentra chez lui à pied sans même s'arrêter à la chalouperie.

Il piqua à travers champs pour éviter qu'un charretier lui offre de monter avec lui. Il avait besoin de fouler le sol pour se convaincre qu'il était bien revenu dans le monde des vivants. Il avait besoin de marcher pour rassurer ses jambes qui tremblaient encore sporadiquement.

Le soleil disparaissait derrière le kamouraska quand, ses habits couverts de chardons, il arriva en vue de son village. Déjà la fraîcheur du soir commençait à se faire sentir et le parfum des verges d'or devenait chaque minute plus lourd.

Bien que libre, le jeune homme n'était pas joyeux. Son épouse le couvrirait de baisers mais que dirait-il à Réjeanne, sa sœur chérie ? Il les vit de loin, depuis le milieu de la côte de Glaise, agenouillées toute deux non pas au pied de la Petite Croix, mais dans le potager.

À voir ces deux femmes fortes et déjà amies chercher le réconfort dans les choses simples et pures de la terre, Pierre Bouffard, fils de Cyrille et petit-fils du fondateur de ce coin de pays, ressentit une immense fierté. Du coup, il sut comment il consolerait son aînée.

Tobie battit la niche de sa grosse queue, ce qui attira l'attention de Réjeanne. Elle leva la tête mais resta bouche bée, croyant avoir une hallucination. Constatant que sa compagne ne se remettait pas au travail, Madeleine se redressa.

– Pierre ! Mais d'où sors-tu ? Tes pantalons sont tout couverts de grakias !

– Je reviens de la guerre…

Puis, regardant avec peine sa sœur aînée, il ajouta :

– Et je reviens seul.

Réjeanne serra les poings.

– Il fallait s'y attendre, dit-elle faiblement. Encore heureux qu'un de vous deux soit de retour.

– Nous l'attendrons ensemble, lui dit Pierre en l'embrassant avec effusion.

Madeleine ne prit pas ombrage que son mari embrasse sa sœur en premier. Elle aurait tout le temps de retrouver son homme.

Le soir, toute la famille soupa chez Pierre. Les femmes Bouffard interdirent à la nouvelle mariée de lever le petit doigt. Le maître de la maison ne fit qu'une courte apparition à l'étable au milieu du train : tout était en ordre.

Son passage ne surprit personne. La nouvelle de sa libération et de son retour avait fait déjà deux fois le tour de la paroisse. Il avertit ses employés qu'il repartait pour le reste de la semaine et leur rappela de prendre bien soin du cheptel, surtout de ne pas laisser Timoune en liberté. Il demanda aux Descôteaux quand ils avaient l'intention de se présenter à l'armée. La réponse des ti-frères fut unanime :

– Le plus tard possible, répondirent-ils en chœur.

Au souper, le cadet dut raconter en détail sa comparution devant le tribunal militaire. Puis il voulut détourner l'attention de sa chance et de la malchance de Cyprien en demandant à Réjeanne :

– Depuis deux semaines, j'ai pratiquement perdu contact avec la réalité, avec la vie des autres. Raconte-moi comment s'est déroulé ton congrès pédagogique.

Réjeanne, qui cachait mal son abattement, sembla revigorée par le souvenir de cet événement. Abandonnant l'idée de tenir le congrès au printemps, ses conseillers et elle avaient symboliquement voulu en faire le clou de la fête du Travail. Elle raconta que plus de cent dix institutrices s'étaient présentées à cette réunion, soit quatre enseignantes sur cinq, ce qui représentait un succès phénoménal.

– Elles étaient tellement enthousiastes ! Une association professionnelle en bonne et due forme a été créée, presque toutes les congressistes y ont adhéré et payé leur écot sur place, et un corps de négociateurs a été formé pour venir en aide à tout membre qui éprouverait des difficultés à se faire payer convenablement pour l'année scolaire qui débute.

– C'est du concret ! Et comment est formé le conseil de ton association ?

– L'A.E.R.S., l'Association des enseignantes de la rive sud, sera dirigée par un conseil formé de six membres et d'une présidente élus, d'un secrétaire-trésorier qui reste à trouver, d'un aumônier et d'un conseiller pour les affaires publiques.

– De nos amis l'abbé Émile Sylvestre et Guillaume Francœur, donc. Mais la présidente, qui est-ce ?

– Je t'avouerai que j'ai été plébiscitée, fit modestement Réjeanne. Le premier objectif de l'association naissante est de consolider sa base en intensifiant une liaison étroite avec les correspondants de chaque paroisse. Comme j'ai déjà établi cette liaison depuis plus d'un an, j'ai accepté de consacrer une année de travail de plus pour le bien commun.

– Et sur le plan des rémunérations, avez-vous établi un objectif de salaires pour l'année prochaine ? s'enquit l'agriculteur, qui sentait tout à coup la question des taxes scolaires monter dans l'échelle de ses préoccupations.

– Le spécialiste des relations de travail nous a recommandé de demander deux cent cinquante dollars par an.

Pierre demeura un instant dubitatif.

– Pas une commission scolaire n'acceptera de payer un tel salaire.

– C'est pourquoi nous aurons besoin des négociateurs experts.

– Tu n'y penses pas ! C'est le double de ce que tu gagnes présentement !

– Prends-tu conscience que tu vends ton beurre deux fois plus cher qu'avant la guerre ?

– C'est à cause de l'inflation provoquée par la demande de provisions au front.

– Et c'est justement cette inflation galopante qui dévalue notre maigre gagne-pain.

– Mais vous autres, les institutrices, vous avez des maris…

Pierre s'arrêta net, choqué. Lui qui se voulait libéral, le voilà qui débitait des propos aussi réactionnaires que ceux de Jean-Baptiste Fortin. Il s'esquiva maladroitement.

– Assez pour ce soir. Ma femme et moi couchons chez toi pour la dernière fois. Demain, nous dormirons dans la famille de Madeleine.

– Maman sera ravie de nous recevoir.

– J'ai dit que nous dormirions dans ta famille, mais pas dans la maison de ton père. Demain matin, nous partons pour le Lac-Saint-Jean. Ce sera notre voyage de noces !

* * *

Pierre, qui n'avait jamais voyagé, fut ravi de l'expérience.

Première surprise, le chemin de fer menant à Roberval était en réalité un chemin de bois. Un dépliant que le préposé à la billetterie remettait à chaque passager lui apprit que, pour des raisons d'économie, les rails de cette voie ferrée étaient en bois d'érable. Ils étaient seulement recouverts d'une lame d'acier qu'on remplaçait quand elle était usée.

Madeleine et son mari furent accueillis avec chaleur et enthousiasme par l'immense famille Leblond. Ses oncles et ses tantes avaient appris par sa mère, une Perron, que la jeune fille avait épousé le meilleur parti de Rivière-Boyer, mais ils ignoraient qu'elle leur rendrait visite.

Sitôt qu'il fut revenu de sa surprise, son oncle Gérard Leblond, le frère d'Anthime, déclara, en traînant les *i* comme son frère :

– Si demain matin on est capable de vous tirer du lit, on va vous emmener faire le tour du lac. On va s'arrêter ici et là parce qu'on a de la parenté dans chaque village. Vous allez voir qu'on est du monde recevant !

Durant cette semaine-là, Pierre perdit complètement conscience du temps. Il passait de maison en maison, de dîner en souper, de souper en veillée. Cette fête perpétuelle lui rappelait ses premiers retours du petit séminaire pour le congé des fêtes. À cette différence près que c'était encore un peu l'été, qu'il faisait chaud, que les nuits étaient courtes et que les journées duraient une éternité.

L'agriculteur tenta bien de discuter de la profession agricole avec les membres de sa nouvelle famille qui cultivaient la terre, mais la plupart ne voulaient pas s'attarder à parler de travail. Le seul intermède sérieux de ce voyage fut la visite de la fromagerie Perron, à Saint-Prime. L'oncle de Madeleine, Adélard Perron, fut enchanté de rencontrer un auditeur intéressé quand il offrit de raconter l'histoire de son entreprise.

– J'ai établi ma fromagerie dès le début de la colonisation du Lac-Saint-Jean, parce que nos cultivateurs n'avaient pas de débouché extérieur pour leur beurre. Le chemin de fer de Québec est arrivé bien plus tard. Par bateau, le beurre, qu'on produit surtout l'été, fondait avant d'arriver à destination.

– Le fromage, ça se garde mieux, convint Pierre.

– Mais le fromage, toutes les régions agricoles en produisent. La compétition était insoutenable à cause des distances et des coûts de transport.

Le bonhomme se racla la gorge et continua :

– Je restais avec des stocks de cheddar sur les bras pendant des mois, des années même. Le fromage, c'est comme le vin : quand il est bien fait, il prend du mieux en vieillissant. Mais les gens du Lac, ils aimaient le fromage frais, pas le vieux ; ils disaient qu'il était trop fort.

L'oncle tira son canif de sa poche et tailla une fine tranche d'une grosse meule.

– Tenez, goûtez.

– C'est vrai qu'il est fort, dit Madeleine.

– Mais il est particulièrement bon, constata Pierre.

– Toujours est-il, poursuivit le fromager, qu'un beau printemps une voiture de touristes s'arrête à la porte. C'étaient des pêcheurs de ouananiches, des Anglais d'Angleterre, qui voulaient acheter un peu de fromage pour leurs provisions. J'ai sorti trois meules de cheddar : un an, dix-huit mois et deux ans d'âge, et je les leur ai fait goûter. Ils ont acheté toute la meule du dernier et, au retour, ils m'ont passé une première commande. Depuis ce jour-là, j'exporte mon meilleur cheddar en Angleterre.

– Même pendant la guerre ? s'étonna Pierre.

– La guerre n'a rien changé à part les prix, qui ont monté tout seuls.

– Avez-vous plusieurs clients ?

– Rien qu'un, toujours le même depuis la première commande.

– Eh bien, s'exclama Pierre, c'est ce qu'on peut appeler un succès. Les cultivateurs de par chez moi auraient quelque chose à apprendre de vous.

– C'est bien simple, ils n'ont qu'à faire comme toi.

– Se marier ? demanda Pierre en lançant un clin d'œil complice au fromager.

– Ce n'est même pas nécessaire. On n'a pas que du bon fromage au Lac, on a des ouananiches itou !

Ses auditeurs comprirent que leur coloré parent ne parlait pas de pêche.

Les amoureux reprirent le train le vendredi matin. Une délégation complète d'oncles, de tantes et de cousins les accompagna jusque sur le quai de la gare. Au moment d'embrasser une dernière fois sa petite-fille, sa grand-mère Orietta Leblond lui tendit un livre.

– Tiens, il a été écrit il y a quatre ans par quelqu'un qui a vécu par ici. Ça t'intéressera.

Madeleine ouvrit le livre, protégé par un papier huilé, et en chercha le titre : *Maria Chapdelaine.*

* * *

Un choc attendait Pierre au retour. Une Réjeanne aux abois faisait le pied de grue, selon leur rendez-vous préalable, à la gare de Saint-Michel. Sans même lui donner d'explications, elle lui tendit une lettre.

– Elle date d'avant-hier et je l'ai reçue aujourd'hui même.

Pierre lut tout haut :

Ma femme, mon amour,

Je ne suis pas capable de supporter la vie de caserne. Sortez-moi d'ici de n'importe quelle façon, je deviens dangereux pour moi et pour les autres. Si je n'ai pas de vos nouvelles d'ici trois jours, je ne réponds plus de rien.

Cyprien.

Pierre lut et relut la courte lettre.

– C'est le cri de désespoir d'un esclave mis aux fers.

– Malgré mes demandes répétées, Cyprien ne m'a jamais écrit. C'est la première fois qu'il le fait. Lui d'ordinaire si calme, il menace sa vie et celle des autres; c'est dire l'état d'agitation dans lequel il se trouve.

– Déserteur, laissa pensivement tomber Pierre. C'est bien le dernier homme que j'aurais pu croire capable de devenir un hors-la-loi.

Affolée, Réjeanne s'agrippa à son frère.

– Il faut faire quelque chose! Il faut le sortir de là! Il faut que tu m'aides, je t'en supplie!

Madeleine ne disait mot, n'intervenait pas. Elle laissait son mari réfléchir.

– Cyprien ne sera pas le premier conscrit à tenter de s'enfuir. Il est certain que le camp est gardé, que les trains, les ponts et le port de Québec le sont aussi.

– Mais la poste fonctionne.

– Nous pouvons donc lui envoyer un message, en déduisit Madeleine. Mais lequel ?

Pierre eut une idée.

– À bien y penser, c'est par voie d'eau que nous avons le plus de chances d'enlever Cyprien, parce que nous comptons un spécialiste des bateaux rapides dans la famille. Et il se trouve ici même, à Saint-Michel. Allons le consulter immédiatement.

Au moment où Donat, le chef de la production de la chalouperie Guertin, sifflait la fin de la journée, il vit arriver trois visiteurs. Il en reconnut deux immédiatement et devina l'identité du troisième.

– Réjeanne et Pierre ! De la belle visite ! Je parie, dit-il en s'adressant au mari, que tu es venu me présenter ton épouse.

– Tu as deviné juste, Donat. Voici Madeleine Bouffard. Il y a une semaine encore, elle s'appelait Leblond.

– Félicitations, madame. Votre nouveau nom vous va aussi bien que votre chapeau neuf !

– Avant que tu commences à courtiser ma femme, Donat, je dois dire que ce n'est pas toi que nous sommes venus voir, mais Antoine.

– Trop tard, comme d'habitude… Les plus belles femmes sont déjà mariées quand je les rencontre, laissa tomber le faiseur de chaloupes avec un faux air de déception. Justement, le voilà, votre sculpteur de bateaux !

Antoine sortait le dernier avec, sur l'épaule, un grand sac de cuir d'où émergeaient pêle-mêle des manches d'outils, des plans et des morceaux de bois.

– Bonjour, la compagnie ! C'est le beau temps qui vous amène ? Aimeriez-vous que je vous reconduise à Rivière-Boyer à la voile ? La marée descend justement…

– On veut te parler de bateau mais pas pour naviguer, laissa tomber Réjeanne.

– Ça me surprend, mais je ne demande pas mieux, répliqua le jeune homme. Le temps est bon, allons nous asseoir devant le presbytère.

Le magnifique presbytère de Saint-Michel était séparé du quai par une large bande d'herbe. Quelques bancs publics y étaient disposés qui accueillaient les promeneurs par les beaux soirs. Mais, à cette heure, toutes les familles se réunissaient à table et le parc était désert.

– Vous ne préféreriez pas venir à la pension et manger un peu ?

– Quand tu sauras ce qui nous amène, tu comprendras pourquoi nous n'avons pas faim, fit Réjeanne.

– Notre mère ou maman Rose sont malades ?

– Pire que cela. Lis.

L'aînée tendit la lettre de Cyprien à Antoine. Comme son frère, il la lut à plusieurs reprises.

– Si vous désirez me voir, c'est que vous pensez le tirer de là en bateau.

Réjeanne, très pâle, attendait la réaction du benjamin.

– Tu as compris.

– Je sais comment faire, mais il me faut un complice : Donat.

– Comment comptes-tu t'y prendre ? demanda l'aînée, soudain vibrante d'espoir.

Antoine exposa un plan simple : s'il parvenait à convaincre Donat de l'accompagner, les deux garçons utiliseraient une vedette du genre de celles que leur atelier produisait pour la marine.

– La police militaire, qui utilise ces bateaux parce que ce sont les plus rapides, pourra nous suivre mais ne pourra pas nous rejoindre. En faisant le coup le soir, nous disparaîtrons dans la nuit.

– Quand comptes-tu tenter ta chance ?

– Demain soir.

– Pourquoi si tôt ?

– Parce que c'est la nouvelle lune et que la nuit est sombre. Aussi parce que demain c'est samedi et que, le samedi soir, les soldats de Valcartier ont une permission. La plupart vont à Québec se saouler ou passer au bordel.

Réjeanne réprima un frisson de scrupule.

– Je comprends Cyprien de ne pas pouvoir endurer un tel régime de vie.

Pierre se leva et partit d'un pas ferme.

– Finalisez les détails, ordonna-t-il aux autres. Je vais chercher Donat.

Le constructeur, qui s'attardait à table, fut étonné de voir arriver Pierre au lieu d'Antoine.

– Thé, café ? lui offrit-il.

– Merci. Viens avec moi, nous avons à te parler.

Bien qu'intrigué, Donat ne posa pas de questions et suivit Pierre sans hésiter. Antoine lui adressa la parole le premier.

– Donat, tu sais que tu peux me demander n'importe quoi. Aujourd'hui, c'est moi qui ai besoin de toi. Pas seulement moi, mais ma sœur Réjeanne et toute ma famille. Si tu acceptes, les meilleurs amis de toute ta vie seront les Bouffard.

– Ça doit être grave, Antoine, pour que tu me parles de même.

– C'est grave.

– Qu'est-ce que je peux faire pour vous autres ?

– Nous avons besoin de toi pour faire déserter Cyprien Lanoue de l'armée.

– En bateau ?

– En bateau.

– Pas avec les bateaux qu'on fournit à la marine ?

– Oui.

– Prends-tu conscience, Antoine, de la gravité de ce que tu me demandes ?

– Je t'ai dit que c'était grave.

Et Antoine d'exposer son plan.

Donat resta un long moment pensif. Le risque était grand, la récompense, mince. Réjeanne tremblait à l'idée qu'il ait le réflexe fort légitime de quitter la table. Mais Donat, le chef d'équipe, l'audacieux sportif, ne reculait pas.

Du moins, pas encore. Pour le moment, il évaluait ses chances de succès. Elles étaient bonnes, à condition de bénéficier de l'effet de surprise et d'agir avec rapidité. Il évaluait aussi les avantages qu'il tirerait de l'aventure : la fierté de réussir, l'amitié des Bouffard, le dévouement inconditionnel d'Antoine. Mais une autre raison le poussait aussi à accepter, une raison très personnelle dont il n'avait jamais confié le secret à personne et qu'il tut encore.

– C'est oui.

– Tu acceptes vraiment? demanda Réjeanne avec ferveur.

– Nous allons passer au pied du quai numéro 12 du bassin Louise à vingt heures trente demain soir. Si ton mari s'y trouve, nous le prendrons. Nous ne passerons qu'une fois.

– Formidable ! s'écria Pierre.

– Comment lui donner rendez-vous? demanda Réjeanne. La poste est trop lente.

– Tu pourrais lui envoyer un télégramme, suggéra Madeleine. Demande-lui qu'il te téléphone au poste télégraphique de la gare. Ça doit être possible.

– S'il peut utiliser un appareil téléphonique, il se trouvera nécessairement dans le bureau d'un supérieur, donc devant témoin.

– Alors, il faut imaginer un message que lui seul comprendra, conseilla Pierre.

– J'y vais de ce pas, fit Réjeanne d'un ton décidé en se levant.

Madeleine partit avec elle. Les trois garçons restèrent ensemble, silencieux, à regarder aller les jeunes femmes. C'est Donat qui trouva un sujet de conversation :

– Alors, Pierre, c'est comment, le mariage?

Pierre n'eut pas trop de deux heures pour raconter son appel sous les drapeaux, son mariage précipité, son passage devant le tribunal militaire, son voyage de noces.

Les premières étoiles brillaient déjà au firmament quand des pas précipités crépitèrent sur les cailloux. Les deux femmes revenaient.

– Je lui ai parlé, cria presque Réjeanne tellement elle était excitée. Il était dans le bureau de son commandant. Il a confirmé qu'il a congé demain. De crainte que la ligne soit épiée, je lui ai lu un court message que j'avais préparé exprès.

– Cyprien a compris le message, mais pas moi, remarqua sa belle-sœur. Mais je l'ai trouvé tellement romantique...

– Et que disait ce message? demanda Pierre en prenant les mains de sa femme.

– Réjeanne a dit : «Un églantier fleurit au pied du quai numéro 12 du bassin Louise. Cueillez-moi une rose demain soir quand s'allumera la première étoile.»

– Attendrissant! s'écria Antoine.

– Pas de sentiments, jeune homme, grogna Donat. Nous avons exactement vingt-quatre heures pour passer à l'attaque.

Réjeanne ne put réprimer sa gratitude : elle posa des baisers sur les joues des deux chaloupiers confus.

Les amis se séparèrent sur-le-champ. Antoine, que la faim tenaillait maintenant, déclara :

– J'espère que la logeuse a mis quelque morceau de côté pour moi.

– Pas si vite, glouton. Nous avons un bateau à mettre au sec, ordonna Donat.

Donat et Antoine hissèrent sur le quai de la chalouperie la première vedette que l'entreprise avait construite, celle qui servait à la fois de modèle pour les autres et de banc d'essai. Une journée de séchage lui ferait perdre du poids et la rendrait apte à recevoir une couche de cire : il ne fallait rien négliger pour assurer qu'elle atteigne la vitesse maximale en fuite.

Pour ne pas éveiller les soupçons en fermant l'atelier le samedi après-midi, Donat offrit nonchalamment à quelques-uns de ses hommes de faire du bateau avec lui après le repas.

– Tu n'y penses pas! C'est le soir des belles! fut leur réponse commune.

Seul Antoine accepta, mais en se faisant promettre tout haut que son patron le reconduirait à son village chemin faisant.

Les garçons avaient maintenant la voie libre. Après avoir mangé rapidement, ils enlevèrent le pare-brise de la vedette et appliquèrent une couche de cire sur sa coque, deux mesures destinées à accroître sa vitesse. Ensuite, ils firent le plein d'essence, en apportèrent un jerricane de provision, s'habillèrent de vêtements sombres et allaient embarquer quand Donat retourna à l'atelier et en rapporta un colis de forme étonnante. Il avait pris un surtout blanc tout neuf, comme en utilisent les préposés à l'atelier de peinture, avait cousu l'extrémité des manches et des jambes, et l'avait bourré de paille.

– Peux-tu me dire ce que tu comptes faire avec un épouvantail ?

Donat ne répondit pas mais un sourire malicieux éclaira un instant son visage. Il fourra la chose sous une bâche.

– Coupe l'amarre !

Antoine entreprit de la décadenasser.

– Non ! Coupe-la !

Cette fois, le ton était péremptoire. Le jeune homme, qui ne comprenait pas la raison de ce geste, s'exécuta pourtant et se promit, en remettant son canif dans sa poche, de ne plus contrecarrer le skipper.

Une heure et quart plus tard, les deux amis longeaient la Canardière. Quand l'embouchure de la rivière Saint-Charles fut en vue, ils s'arrêtèrent au milieu du Saint-Laurent, firent le plein et, question de poids et d'espace, déposèrent le jerricane sur le fleuve qui l'emporta.

– Jumelles ! ordonna le capitaine.

Antoine, qui, à la vue du port, commençait à sentir les affres de la peur, se précipita sur le coffre d'équipements et tendit l'instrument d'optique à son complice.

– Deux sentinelles, une de chaque côté de l'entrée, constata Donat. Nous allons entrer par le coin ouest du bassin, saluer la sentinelle sans nous arrêter, faire demi-tour dans le port et prendre Cyprien au quai numéro 12. Après quoi nous allons foncer vers le coin opposé. Tu t'assoiras à l'arrière et nous placerons ton beau-frère au centre, afin de répartir le poids. Nous nous baisserons tous trois au maximum pour réduire la résistance à l'air.

– Et pour éviter les balles, ajouta Antoine avec un air sombre.

– Il paraît que les carabines Ross de nos soldats sont toujours enrayées, crâna Donat.

Le soleil disparaissait maintenant derrière l'horizon. Entre chien et loup, Mercure s'alluma dans le ciel.

Le courant, fort sur la côte de Beaupré, avait fait dériver l'embarcation de quelques kilomètres déjà. Donat n'avait pas pris d'ancre ni de corde, afin d'éliminer encore du poids. Il remit le moteur en marche, s'assura qu'il ne toussotait pas et demanda à Antoine :

– Paré ?

– Paré !

L'embarcation, peinte aux couleurs de la marine, n'attira pas outre mesure l'attention de la première sentinelle, qui la prit, dans la lumière pauvre de la fin du jour, pour un bateau de patrouille qui rentrait au bercail.

Donat s'en réjouit. Il décrivit nonchalamment un demi-cercle qui l'amena en ralentissant au pied du quai 12, où il cria :

– Cyprien !

À cet appel, la sentinelle du coin est se leva. Le soldat vit une ombre surgir d'entre les ballots et sauter à pieds joints dans l'embarcation. Il comprit du coup qu'il était témoin d'un délit et porta son sifflet à ses lèvres.

Donat poussa le moteur à fond au moment où le gardien en uniforme signalait la fuite. La sentinelle du coin ouest, comprenant qu'elle avait été bernée, déclencha l'alarme générale. Des projecteurs s'allumèrent partout et deux officiers sautèrent dans une vedette à temps pour voir les fuyards contourner la bouée marquant la sortie du port.

Un coup de feu retentit dans le noir. Antoine empoigna Cyprien par le col de son uniforme et l'écrasa avec lui dans le fond de l'embarcation.

Donat jeta un coup d'œil derrière. Le bateau des poursuivants contournait à son tour la bouée. Les fuyards n'essuieraient plus de coups de feu de la sentinelle, le bateau des policiers se trouvant dans sa ligne de tir.

Le chaloupier estima qu'il avait un peu plus de deux cents mètres d'avance sur ses poursuivants. À cette distance, ils ne dépenseraient pas inutilement leurs munitions, les balles ayant, compte tenu des mouvements des deux bateaux, peu de chances d'atteindre leur cible.

Donat crut un moment que les policiers perdraient son bateau de vue, mais c'était sans compter sur le sillage pâle que ce dernier laissait derrière. D'un deuxième coup d'œil, il vit que c'est ce sillage que suivait dans la pénombre le bateau des hommes de loi. De plus, il constata que l'écart le séparant d'eux s'amenuisait : «C'est le poids, grommela-t-il. Nous sommes trois et ils sont deux.»

Il avait choisi à dessein de passer par le côté nord de l'île d'Orléans. Il voulait d'abord donner l'impression qu'il fuyait vers un point de la rive nord et non de la rive sud. Ensuite, il comptait échapper à la vue de ses poursuivants en naviguant à l'ombre des rives de l'île, qui sont hautes de ce côté. S'il était serré de trop près, il prévoyait même d'aborder et de s'enfuir à pied à travers champs, quitte à emprunter une autre embarcation au village de Saint-Jean pour atteindre la rive sud à la rame.

Les fuyards apercevaient maintenant les lumières de Sainte-Anne-de-Beaupré. Le skipper, qui se tenait au milieu du large chenal et gardait le cap franc est, regarda de nouveau derrière. Les poursuivants gagnaient du terrain et se trouvaient maintenant en deçà de cent cinquante mètres. Donat crut voir un des deux hommes se lever.

– Attention, ils vont tirer! cria-t-il à ses passagers en se baissant lui-même encore tant qu'il put.

Un éclair jaune illumina la nuit et une balle s'écrasa sur la poupe du bateau.

– Antoine! cria Donat, soulève la bâche.

– C'est fait.

– Tiens-toi prêt pour la manœuvre!

– Quelle manœuvre?

Une deuxième balle toucha la coque.

– Lance l'épouvantail !

Celui-ci culbuta par-dessus bord et tomba dans le sillage, où il s'enfonça à demi, ses bras écartés lui donnant dans la pénombre l'air d'un cadavre.

Croyant avoir atteint un des fuyards, les poursuivants ralentirent pour l'attraper. Donat profita de leur inattention pour virer franc sud et disparaître dans l'ombre des hautes berges de l'île d'Orléans. Quelques instants plus tard, les policiers militaires constatèrent qu'ils s'étaient fait berner. Ils distinguaient encore le son de l'autre bateau dans le noir mais ne pouvaient plus le localiser.

* * *

Après s'être juré l'un l'autre de garder le secret du plan d'évasion, Réjeanne, Pierre et Madeleine étaient rentrés à Rivière-Boyer, le jeune couple s'installant pour le week-end chez les parents de Madeleine. Pierre ne retournerait à la ferme que le lundi, voulant profiter au maximum du congé qu'il s'offrait à prix fort.

Le samedi, tous trois tinrent un conciliabule chez Réjeanne.

– Comment allons-nous annoncer à notre mère et à maman Rose que Cyprien est devenu déserteur ? demanda Pierre d'entrée de jeu. Tu sais qu'elle s'oppose à tout acte illégal.

– Depuis hier, je me pose la même question, fit l'aînée. Si nous lui révélons notre plan, elle mourra d'angoisse. Si nous le lui cachons, elle l'apprendra un jour ou l'autre et sera profondément offusquée que nous ne lui ayons pas fait confiance.

– Il faut le lui dire, mais pas maintenant, recommanda Madeleine. Si la fuite échoue, il n'y aura plus de secret. Par contre, si nous réussissons à mettre Cyprien en sécurité, elle n'aura pas de raison de s'inquiéter et vous pourrez alors lui raconter tout.

La sagesse de la nouvelle mariée étonna ses comparses. Du coup, elle monta d'un cran dans l'estime de tous.

– Maintenant, il faut préparer l'arrivée de Cyprien, fit Pierre. Si le plan réussit, Antoine m'a demandé de les prendre,

Cyprien et lui, à l'embouchure de la rivière. La meilleure façon de passer inaperçu est de partir faire une balade en quatre-roues, Madeleine et moi. Rends visite à notre mère après le souper et nous te prendrons chez elle en passant la saluer.

– Et Donat ? demanda l'aînée.

– Ah oui ! il y a Donat. Il retournera chez lui, je suppose.

– Nous abandonnerions comme une vieille chaussette celui qui vient de risquer sa réputation et peut-être sa vie pour mon mari ? fit Réjeanne. Jamais ! D'autant plus qu'un retour dans son village au milieu de la nuit risquerait d'éveiller les soupçons. Il faut se méfier des « spotteurs ».

– Qui sont les « spotteurs » ? demanda Madeleine, qui entendait ce mot pour la première fois.

– Ce sont, expliqua sa belle-sœur, des mouchards que l'armée paie pour signaler la présence des déserteurs. Il y en a partout à la ville. Il y en aurait aussi à la campagne.

– Crois-tu vraiment qu'il y en a à Rivière-Boyer ? demanda Madeleine.

– Franchement, je ne le crois pas. Je connais chacun de nos citoyens, nous sommes tous amis et je n'en vois pas un qui serait capable de vendre son voisin pour de l'argent. Mais à Saint-Michel, je ne sais pas.

– Ça ne règle pas le cas de Donat, intervint Pierre. Tu ne peux pas le recevoir chez toi, on ne peut pas l'inviter à ma ferme parce que je n'y suis pas, et nous ne pouvons pas l'abandonner seul à ma cabane à sucre.

– Nous le logerons à l'auberge, décida Réjeanne. Je demanderai à Anne-Marie de réserver une chambre à son nom.

– Elle devra partager notre secret, s'inquiéta Madeleine.

– Nous avons besoin d'elle, c'est normal qu'elle le partage, rétorqua Pierre.

Réjeanne leva le doigt, l'air préoccupé, comme pour demander la parole.

– J'y pense : nous avons besoin de Simon aussi. Il serait incongru qu'un garçon du village voisin s'amène seul à notre auberge au milieu de la nuit. Mais que deux jeunes hommes en goguette le fassent par un beau samedi soir d'été, rien de plus normal.

Réjeanne s'en fut souper avec Victoire et prit maman Rose en passant. Après le repas chez les Leblond, Pierre et Madeleine passèrent saluer Victoire, et, au bout d'un moment, son fils annonça :

– Nous partons faire une balade pendant qu'il fait encore doux. Vous venez, les femmes ?

– Veillez, veillez, protesta Victoire. Vous n'êtes pas pressés.

– Pierre veut nous emmener voir le coucher de soleil au bord du fleuve, intervint Madeleine.

– Avec les brûlots et les frappe-abord ! Il n'y a que les amoureux pour trouver ça beau !

– Justement, le temps des moustiques est passé, fit valoir Pierre en refermant la porte.

Simon apparut au haut de l'escalier, bien mis, rasé de frais. Il portait à l'épaule un grand sac dont le contenu se mit à tinter quand il descendit les marches, ce qui le gêna un peu et fit froncer les sourcils à sa mère.

– De l'eau bénite, encore, tu vas me dire ?

– Je m'en vais aux vêpres, maman, comme tous les samedis soir.

– Avec tes amis, je suppose ?

– Les vêpres, c'est moins long quand on les célèbre avec des copains, assura-t-il avec un air rieur.

Anne-Marie apparut à son tour.

– Dis, me déposerais-tu à l'église puisque tu vas aux vêpres ?

Simon arbora son sourire le plus moqueur.

– Vous voyez bien, maman, que je ne peux pas perdre mon âme. J'ai un ange gardien !

Et les cinq jeunes gens de sortir en rigolant.

L'une après l'autre, les deux voitures défilèrent dans le village, Simon s'attardant auprès des amis qui attendaient sa venue. Tous les jeunes de la paroisse semblaient s'être donné rendez-vous au village. Les vieux se berçaient sur leur perron, même le curé Bouillé, que ses parents visitaient. Quelques garçons jouaient de l'harmonica, les jeunes gens marivaudaient, les enfants jouaient dans la poussière que dorait le soleil couchant.

À la nuit, les deux frères se retrouvèrent sur une petite plage de galets à l'embouchure de la rivière Boyer, juste en amont de la cimenterie. Simon attacha les chevaux pendant que Pierre allumait un petit feu avec des branches sèches.

Les cinq jeunes gens s'installèrent autour des flammes et, pendant plus d'une heure, Pierre raconta son voyage au Lac-Saint-Jean. Il ne tarissait pas d'éloges sur l'hospitalité, la bonne humeur et la verdeur de langage des nouveaux parents qu'il y avait rencontrés. Puis tous se tinrent cois, regardant les étoiles, écoutant le clapotis des vagues et le feu mourant, épiant le moindre bruit annonçant l'arrivée d'une embarcation.

Petit à petit, l'attention de Simon se porta sur l'usine voisine.

– As-tu remarqué, Pierre, que les Suédois laissent les lampes allumées le soir?

– C'est parce qu'on ne peut pas arrêter la turbine. Il faut utiliser l'énergie qu'elle produit.

– Mais s'ils éteignaient leurs lampes, on pourrait éclairer le village.

Pierre resta un moment songeur.

– Je n'y avais jamais pensé. Tu as parfaitement raison. Ça ne coûterait que l'installation des lampadaires. Nous en parlerons à ton père, décida-t-il en s'adressant à Madeleine.

Fier de sa trouvaille, le forgeron continua d'observer la sombre bâtisse. Au bout d'un long moment, il demanda :

– Est-ce une idée que je me fais ou on travaille dans cette usine?

– On dirait des bruits d'outils de temps en temps. Mais pas de malaxeurs à ciment. Peut-être un mécanicien qui les répare, suggéra Pierre.

– Un samedi soir à presque minuit? s'étonna Anne-Marie.

Simon allait ajouter quelque chose quand Réjeanne l'interrompit :

– Un bateau! J'entends un moteur de bateau!

Pierre tendit l'oreille.

– Non, c'est le vent qui siffle dans les tôles du toit.

Madeleine l'interrompit :

– Réjeanne a raison. Un bateau s'approche lentement.

Pierre jeta quelques poignées de brindilles sèches sur le feu. Une flamme vive jaillit qui permit aux occupants de l'embarcation d'identifier les occupants de la plage. Un cri jaillit dans le noir :

– Réjeanne!

Avant même que la vedette ne touche le sable, un soldat en uniforme bondit de l'embarcation et, dans l'eau jusqu'aux genoux, courut vers celle qui se précipitait à sa rencontre.

– Cyprien!

– Réjeanne, ma femme, mon amour!

Les époux s'embrassèrent et s'étreignirent avec exubérance. Les membres de leur famille n'étaient pas habitués à de telles démonstrations, mais Cyprien ne prêtait aucune attention à ceux qui l'entouraient.

– Réjeanne, j'étais dans un tel état de désespoir... J'étais au bord du meurtre et du suicide. Vous m'avez sorti de la caserne, vous m'avez sauvé la vie. Je ne saurai jamais comment vous remercier!

– C'est à Donat et à Antoine qu'il faut dire merci.

Les deux lascars arrivaient justement et leur état d'excitation égalait celui de leur passager.

– Ainsi, vous avez pu enlever Cyprien sans que cela se voie? s'enquit Réjeanne.

Cyprien ne laissa pas à ses sauveteurs le temps de répondre.

– Quand je vous raconterai les péripéties de notre fuite, vous serez en mesure de juger de leur courage et de leur intelligence.

– Parce que la fuite a été périlleuse?

– Fuite, poursuite et coups de feu!

– Mais alors, on vous cherche déjà ! Il faut vous cacher ! s'exclama Réjeanne.

– Les gardiens du port ont vu quelqu'un prendre le large mais l'armée ne sait pas encore si c'est un voleur ou un soldat. Ce n'est qu'à l'appel du matin que les colonels découvriront l'identité de celui ou ceux qui se sont enfuis. Il est probable que je ne sois pas le seul délinquant. Demain, dimanche, la police militaire ratissera la ville ; lundi, elle lancera les patrouilles à ma recherche.

– Alors, rentrons vite à la maison. Pierre nous emmènera.

Simon et Anne-Marie s'attardèrent.

– Donat, annonça cette dernière, vous allez rester avec nous ce soir. Je vous ai réservé une chambre à l'hôtel et, afin que cela n'éveille pas les soupçons, vous y passerez la nuit en compagnie de Simon.

– Le fait que deux copains un peu éméchés arrivent ensemble à l'auberge au milieu de la nuit n'étonnera personne, ajouta ce dernier.

– Mais je ne suis pas éméché, protesta Donat.

– Tu n'es pas arrivé non plus !

Sur ce, le joyeux luron exhiba triomphalement un flacon de rhum.

Antoine jeta des fagots sur le brasier et Anne-Marie entraîna le constructeur de bateaux près du feu.

– Maintenant, Donat et Antoine, racontez-nous comment ça s'est passé.

Anne-Marie et Simon écoutèrent le récit avec passion et applaudirent à l'évocation de l'épouvantail. Tous deux découvraient chez Donat non seulement une intelligence vive et un courage étonnant, mais une astuce peu commune.

Finalement, la fatigue se fit sentir et les comparses décidèrent de rentrer. Avant de partir, Donat entraîna Antoine jusqu'au bateau.

– Aide-moi à le pousser, lui ordonna-t-il.

– Le tirer, tu veux dire, pour le mettre au sec, corrigea Antoine.

– Non. Le pousser. Je veux le lancer au large pour que le courant l'emporte. Regarde l'amarre coupée, c'est l'œuvre d'un voleur…

Antoine comprit alors pour quelle raison son compagnon lui avait fait couper l'amarre qui retenait la vedette au quai plutôt que d'enlever le verrou.

– Mais, s'écria-t-il, tu vas perdre ton bateau !

– Pas du tout, fit Donat avec son assurance habituelle. Il va s'échouer quelque part en aval, quelqu'un va le trouver et appeler l'armée. Personne n'oserait garder un bateau de la police militaire ! Cela va lancer les enquêteurs sur une fausse piste et donner le temps à ton beau-frère de disparaître.

Simon et Donat arrivèrent à l'auberge de la Côte au moment où l'aubergiste Duchesneau tentait poliment de convaincre un Jacques Latour assez ivre qu'il était l'heure de fermer l'établissement. Étonnamment, le marchand de bestiaux fit mine de ne pas reconnaître les deux amis.

Antoine retint Souris un instant, le temps qu'Anne-Marie souhaite une bonne nuit à ses invités. En partant, elle s'adressa au sauveteur :

– Donat, demain c'est dimanche. Que diriez-vous de venir manger avec nous tous à midi ?

Le constructeur de bateaux fit de bien beaux rêves.

23

LE QUATRE-ROUES s'enfonça dans la nuit, emportant les deux jeunes couples, qui n'avaient plus qu'un désir : se retrouver seuls dans leur nid. Au lieu de traverser le village et de risquer qu'on reconnaisse Cyprien, Pierre contourna la Première Chute et emprunta l'ancien chemin de halage qui longeait la rivière Boyer. De là, il retrouva l'extrémité du rang 1, qu'il remonta jusque chez les Lanoue.

Cyprien verrouilla la porte à double tour et Réjeanne tira les rideaux. Ces précautions, bien qu'inutiles, leur donnèrent l'impression qu'ils avaient érigé autour d'eux une barricade infranchissable. Ils eurent le sentiment d'avoir conjuré la mort, de revenir à la vie.

Pour la première fois depuis qu'il connaissait Réjeanne, Cyprien laissa libre cours à l'affection, à l'amour et à la reconnaissance qu'il lui portait. Ravie, Réjeanne découvrait en lui un autre homme. L'artiste qui, lui semblait-elle, ne s'était jamais emballé que pour son travail ne vibrait en cette nuit que pour elle.

Ils s'aimèrent alors avec tendresse, avec volupté, ferveur et folie, sans retenue. Pour la première fois, ils s'aimèrent avec passion.

Réjeanne découvrait que, contrairement à ce qu'elle avait toujours pensé, son homme n'était pas inhibé. Cyprien n'avait tout simplement jamais exprimé dans l'amour la fougue qui animait son esprit d'artiste.

Maintenant que la police était à ses trousses, que sa vie était en danger, ses instincts les plus profonds, les plus puissants faisaient surface. Il n'aimait plus Réjeanne par amour ou par devoir, il l'aimait pour lui faire un enfant. Et elle en était ravie.

* * *

La fatigue avait finalement vaincu les amoureux. Ils s'étaient endormis sans s'en rendre compte. Quand elle ouvrit les yeux, Réjeanne découvrit que, dans son sommeil, Cyprien l'enlaçait encore, la désirait encore. Il ouvrit doucement les yeux.

– Comme vous êtes belle, mon amour, et comme je vous aime!

– Cyprien, cette nuit, j'ai découvert l'amour.

* * *

Le soleil était déjà haut quand on frappa à la porte.

– Réjeanne, viens-tu avec nous?

Pierre et Madeleine faisaient le pied de grue sur la véranda.

Réjeanne passa un peignoir et entrouvrit en bâillant, éblouie par l'astre du jour.

– Quelle heure est-il donc?

– L'heure de la grand-messe.

– Entrez, je vais préparer du café.

– N'en fais pas, la pria son frère, nous désirons rester à jeûn pour communier.

– Entrez tout de même, insista-t-elle en ouvrant grand.

Le jeune couple entra.

– Ma sœur, c'est bien la première fois de ma vie que je te vois faire la grasse matinée!

– Tu comprendras qu'avec toutes les émotions des derniers jours, j'étais brisée.

– Des derniers jours ou des dernières heures? s'enquit Pierre d'un air goguenard.

– Pense ce que tu veux! lui lança sa sœur en s'enfuyant vers sa chambre.

Pierre se pencha à l'oreille de sa femme.

– Je n'ai jamais vu Réjeanne aussi heureuse!

– Autant que nous?

Pierre comprit que sa femme aussi était heureuse. Cela le réconforta. Elle n'était peut-être pas l'épouse dont il avait rêvé, mais il l'appréciait de plus en plus. Et puis de la savoir contente de son sort lui faisait plaisir.

Cyprien émergea de la chambre, tout habillé. Il avait retrouvé sa dignité habituelle.

– C'est une bonne idée que Réjeanne vous accompagne à la messe. Cela empêchera les soupçons. Dînerez-vous à la maison familiale?

– Victoire et maman Rose préparent le repas, répondit Pierre. Te joindras-tu à nous?

– Vaut mieux pas. Réjeanne m'a fait part de l'avis de Madeleine. Elle le partage et moi aussi. Je vais consacrer la journée à préparer mon exil. Je compte partir demain avant l'aube.

Honorée que son beau-frère soit de son avis, Madeleine hasarda :

– Avez-vous décidé où vous irez? Aux États-Unis, peut-être?

– Certainement pas. Je veux aller là où il n'y a personne. J'ai vu trop de monde dernièrement.

– Tu peux t'installer dans ma nouvelle cabane à sucre, offrit Pierre. Elle est confortable maintenant. De plus, Réjeanne et toi pourriez vous voir en cachette.

– C'est à considérer, répondit Cyprien avec la mesure qui lui était propre.

Réjeanne surgit de sa chambre, tout attifée.

– Je suis prête.

– Eh bien, allons-y en vitesse. La cloche de moins dix a sonné depuis un moment.

Pendant ses jours de réclusion forcée à la caserne, Cyprien avait pris la décision ferme de se cacher dans un endroit sûr. La conscription était à peine commencée que déjà circulaient des histoires de déserteurs rattrapés, mis au cachot et expédiés outre-mer par le prochain transport de troupes.

Son plan était tout tracé : il fuirait vers la montagne, se bâtirait une cabane dans le Massif et reviendrait seulement lorsque la guerre serait finie. Il passa donc la journée à effacer toute trace de son passage, à préparer et à emballer ses ciseaux, de même qu'un minimum d'outils, de fournitures et de provisions qu'il rangea dans un profond panier à bretelles.

Vers la fin de l'après-midi, Réjeanne s'excusa.

– Reste à souper avec nous, rien ne presse, insista sa mère.

– Je veux faire un peu de lecture et j'ai besoin de repos, maman. J'ai mal dormi la nuit dernière.

– Ça ne se voit pas. Tu n'as jamais été aussi radieuse.

– Madeleine m'a prêté un roman qu'elle a reçu en cadeau. Je ne veux pas l'en priver plus longtemps; elle ne l'a pas encore lu.

Pierre aussi partit tôt.

– C'est mon dernier soir de congé et je compte bien profiter de mes vacances jusqu'au bout. Madeleine et moi, nous nous installerons demain.

– Quelle chambre comptez-vous occuper? s'enquit Victoire de sa voix la plus neutre.

– J'ai une bonne chambre, je ne vois pas pourquoi je changerais, répondit spontanément son fils.

Victoire jeta un coup d'œil vers Madeleine. Sa bru ne cilla pas.

– Nous aussi, nous devons partir pendant que la marée monte encore, annonça Antoine. Donat et moi allons prendre mon vieux bateau.

Donat remercia les Bouffard de leur chaleureux accueil. En partant, il demanda à Anne-Marie :

– Est-ce que votre repas du dimanche est toujours aussi joyeux?

– Si tu en doutes, tu pourras revenir.

– Dimanche prochain?

– Tu seras le bienvenu.

* * *

La nuit venue, Cyprien enterra son uniforme dans le potager et s'en fut porter son panier à la cabane à sucre de Pierre, après quoi Réjeanne et lui veillèrent jusque tard en amoureux et s'endormirent la tête sur le même oreiller.

Vers trois heures du matin, des coups violents retentirent à la porte.

– Ouvrez, au nom de la loi ! N'essayez pas de vous enfuir, la maison est cernée !

– Cyprien, la police militaire ! Fuyez !

– Je suis pris.

– La cachette !

– Je n'y pensais plus.

– Hâtez-vous, mon amour ! Je vais les retenir.

Cyprien enfila ses vêtements en vitesse pendant que Réjeanne se rendait à la porte.

– Qui est-ce ? demanda-t-elle pour gagner du temps.

– Sergent James Jones, de la police militaire. Ouvrez immédiatement !

– Que voulez-vous ?

– Nous cherchons votre mari, Cyprien Lanoue. Ouvrez, c'est un ordre !

– Il n'est pas ici !

– Ouvrez ou nous enfonçons la porte !

– Un moment, j'allume une lampe.

Pendant qu'elle cherchait une lampe à pétrole dans la pénombre, Réjeanne entendit Cyprien souffler :

– Adieu !

Et elle le vit disparaître derrière le vaisselier. Les coups pleuvaient maintenant sur l'huis. Réjeanne parvint à mettre la main sur la lampe et, au moment où elle portait une allumette à la mèche, la porte vola en éclats. Trois soldats firent irruption dans la pièce.

Toute autre femme que la digne fille de Cyrille Bouffard serait morte de terreur. Au contraire, l'entrée fracassante des policiers la fit exploser de colère.

– Bande de sauvages, sortez d'ici ! Sortez ou je casse ma lampe et je mets le feu à la maison. Vous allez griller comme des cochons !

Et, joignant le geste à la parole, Réjeanne brandit la lampe à bout de bras. Le sergent se précipita devant ses hommes et les arrêta d'un geste.

– Ne craignez rien, madame, il ne vous sera fait aucun mal. C'est votre mari que nous cherchons.

Réjeanne tremblait d'indignation à la pensée que son amour serait envoyé sans pitié à la mitraille.

– Il n'est pas ici, mentit-elle avec cran.

– Il s'est enfui de la caserne. Où est-il ?

– Je n'en sais rien. Je suis seule.

– Nous allons fouiller la maison.

– Je vous l'interdis. Dehors !

Le chef porta la main à son pistolet et se tourna vers ses hommes.

– Fouillez !

– Je mets le feu ! menaça Réjeanne en levant de nouveau la lampe.

Jones dégaina son arme.

– Si vous faites un geste, je tire.

– Vous osez pointer une arme sur une femme ?

– Je fais mon devoir.

Malgré ses protestations, Réjeanne comprit que ses menaces étaient inutiles. Il fallait changer de tactique. Mesurant ses gestes, elle posa lentement sa lampe sur la table de la cuisine et recula de quelques pas.

– C'est mieux. Assoyez-vous, madame, dit le sergent en un excellent français.

Il rengaina son arme et s'assit aussi, choisissant une berçante aux épais coussins. Voyant que sa prisonnière ne montrait plus aucun signe d'agressivité, il tira de sa poche un petit flacon d'alcool en argent et s'envoya un solide coup dans le gosier.

Le sergent Jones, un Irlandais à en juger par sa chevelure rousse, devait avoir trente-cinq ans. Bien que sa taille fût un peu inférieure à la moyenne, il était souple et musclé comme un chat. Caractéristique de sa race, il affichait l'assurance que donnent les armes et la langue du dominant.

Réjeanne regardait avec mépris ce militaire qui, à défaut d'une cause légitime, recrutait les soldats par la force. Lui regardait avec étonnement cette femme courroucée que ses soldats et son pistolet ne faisaient pas trembler.

Les deux policiers, munis de lampes à piles, fouillèrent longuement chaque pièce. Ils montèrent ensuite au grenier, où ils trouvèrent seulement les fleurs de sureau blanc que la ménagère avait mises à sécher au mois de juin et une caissette de lard-dans-le-foin qu'ils auraient bien aimé subtiliser. Enfin, ils ouvrirent la trappe du sous-sol et constatèrent que le caveau à légumes était complètement vide en ce temps de l'année.

– Il n'y a rien, chef. Pas d'homme ni de signe de son passage.

– Fouillez la grange, ordonna le sergent.

– Ce n'est pas une grange, rugit Réjeanne, c'est un atelier. Vous saurez que mon mari est un artiste, un artiste de grand talent.

Les deux enquêteurs sortirent. Ils n'avaient pas trouvé Cyprien dans la maison et ne le trouveraient pas dans l'atelier non plus, son épouse le savait. Elle qui n'avait jamais perdu confiance, elle reprenait espoir.

Le sergent vida son petit flacon d'un seul coup et lui jeta un regard déçu.

Les hommes revinrent bredouilles.

– Sergent, nous avons fouillé partout. Le déserteur Lanoue n'est pas ici.

– Le déserteur Lanoue est ici. Je le sais par mon informateur. Cette maison contient une cachette secrète, affirma péremptoirement le chef.

Jones bluffait, mais Réjeanne se mit à trembler. Elle était certaine que, dans sa cachette, Cyprien croyait sa dernière heure venue. Il était impossible qu'il n'ait pas entendu ces paroles fatidiques.

– S'il y a une cachette, il faudra dresser le plan de la maison pour la découvrir, proposa un enquêteur.

– Dressez-le, ordonna le chef militaire.

À ces mots, Réjeanne se sentit défaillir. Il suffisait de mesurer avec précision les quatre pièces du rez-de-chaussée pour découvrir qu'une cachette se trouvait à leur point de jonction. Cyprien était perdu à moins qu'elle ne trouve un expédient. Elle s'adressa au sergent :

– Vous dites qu'il s'est enfui de la caserne ?

– C'est juste.

– Vous voyez bien qu'il n'est pas ici. Pourquoi alors ne l'attendez-vous pas ? lança-t-elle avec un air de défi.

Le sergent réfléchit un moment. Ses subalternes n'avaient rien trouvé, aucun signe ne révélait la présence d'un homme dans cette maison, et il était fort peu probable qu'elle recèle une pièce secrète.

– *Why not ?* laissa-t-il tomber.

Réjeanne sentit qu'il flanchait. Elle passa à l'attaque.

Malgré le fait que, sous le coup de l'émotion, elle ne sentait plus ses jambes, la jeune femme se leva et se dirigea droit vers une armoire, d'où elle tira une bouteille de rhum.

– Un cadeau de Saint-Pierre-et-Miquelon, annonça-t-elle en exhibant le flacon.

De l'œil, les soldats cherchèrent des chaises. Leur patron comprit leur intention. Il n'allait pas partager ce luxe avec eux.

– Un déserteur est toujours dangereux. Allez vous embusquer sur la route.

Déçus, les enquêteurs sortirent, la tête basse.

Réjeanne remplit des verres. « À nous deux, maintenant », décida-t-elle en s'approchant du militaire. La salle à manger étant voisine de la cuisine, Cyprien ne pouvait quitter sa cachette sans être vu. Réjeanne devait donc en faire sortir le sergent. Au lieu de tendre le verre à ce dernier, elle s'accroupit pour trinquer avec lui.

L'homme, fort étonné, la regarda d'abord dans les yeux, puis sa vue descendit lentement sur la magnifique poitrine que laissait maintenant entrevoir l'échancrure du peignoir.

– Vous avez compris que je n'ai rien contre vous, madame, fit Jones d'une voix cajolante en entrechoquant les verres.

– Je sais, lui dit Réjeanne d'un ton résigné qui l'engagea.

– À votre santé, fit le sergent en se levant.

– À la vôtre, monsieur.

– Je dois me montrer sévère avec les soldats qui travaillent sous mes ordres, mais, personnellement, je suis un homme qui aime la vie…

Notre héroïne le toisa de la tête aux pieds.

– La vie peut être bonne à vivre quand on sait la prendre par le bon bout, fit-elle en baissant les yeux.

L'homme s'approcha d'elle et posa ses mains sur ses bras.

– J'aimerais en discuter avec vous.

Réjeanne se dégagea, saisit la lampe à pétrole et partit vers la chambre à coucher. Le militaire la suivit en dénouant sa cravate.

– Nous serons plus à l'aise ici, déclara-t-elle en refermant la porte derrière elle.

Dans sa cachette, Cyprien sut que la voie était libre. N'ayant pas perdu un seul mot de la conversation, il comprit quel sacrifice s'imposait son épouse pour protéger sa fuite.

Il sortit de sa cache, le cœur battant. La liberté était là, tout près, à quelques pas. Mais pouvait-il laisser la femme qu'il aimait dans les bras de son ennemi ?

L'ébéniste regarda autour de lui et, dans la pénombre, aperçut son fusil de chasse, suspendu au-dessus de l'âtre. Il n'avait qu'à le prendre, à entrouvrir la porte de la chambre et à faire feu. Il esquissa un pas dans la direction de l'arme, mais son solide jugement lui interdit d'aller plus loin. S'il déchargeait son fusil sur Jones, il risquait aussi de tuer sa femme. De plus, les soldats postés à l'extérieur l'abattraient comme un chien. L'attaque serait suicidaire.

Réjeanne, elle, restait passive aux mains du soldat. De toute la force de son amour, elle espérait que Cyprien accepte qu'elle se sacrifie pour lui. Elle attendait un certain signal qui le confirmerait.

Puisque c'était la volonté de sa femme, Cyprien se résigna à fuir.

Au moment même où le soldat atteignait l'orgasme, Tobie salua l'apparition de son maître avec un battement de queue contre sa niche. C'était le signal qu'attendait Réjeanne pour savoir que Cyprien était sauvé.

Mais une pensée traversa alors l'esprit de la jeune femme : «Il m'abandonne!» À cette seconde même, Réjeanne eut une réaction qu'elle ne pouvait prévoir : elle éprouva un instant de vive extase. Le moment d'après, l'enfer sembla s'ouvrir sous elle.

Elle, Réjeanne Bouffard, la femme honnête, la femme profondément religieuse, l'épouse fidèle, avait connu l'orgasme dans les bras d'un étranger, d'un inconnu, d'un passant, d'un ennemi, de son agresseur. Horrifiée par l'énormité de son péché, elle étouffa un cri. L'homme, croyant que le bruit extérieur et le cri étouffé signalaient une attaque, saisit son pistolet et le pointa sur elle.

– Quel est ce bruit? demanda-t-il, furieux.

– Le chien dans sa niche, parvint-elle à prononcer, la gorge sèche.

– Quelqu'un vient?

– Non. Il n'aboie même pas...

* * *

Pierre Bouffard revint à sa ferme dès sept heures le lundi matin. Il arrivait avec sa femme, ses valises et une caisse entière de cadeaux et souvenirs que les nouveaux mariés avaient reçus ou achetés en voyage de noces. Il était revenu tôt afin que son épouse puisse préparer le petit déjeuner, mais sa mère était déjà au poêle. Victoire se tenait la tête haute et sa bru comprit qu'elle se préparait à défendre chèrement son fief.

– Bonjour, les amoureux! lança-t-elle jovialement. Entrez vos bagages et installez-vous pendant que je vous sers à manger.

Les deux jeunes gens revinrent avec leurs bagages, Madeleine la première, portant une valise et une boîte à chapeaux. Dans la cuisine, elle hésita un peu.

– Où allons-nous ? demanda-t-elle à sa belle-mère.

Victoire fut surprise que sa belle-fille lui pose cette question à elle plutôt qu'à son fils. Elle allait exprimer son étonnement quand Pierre entra en coup de vent et ordonna à son épouse :

– Suis-moi.

Il monta l'escalier quatre à quatre.

Madeleine obtempéra. Pierre ouvrit la porte de sa chambre et s'y engouffra. Madeleine resta sur le seuil.

– Allez, viens. Ne sois pas timide, c'est chez nous.

Pierre sentit bien que Madeleine manifestait plus que de l'hésitation. De la réticence.

– Quelque chose ne va pas ?

Elle entra et ferma la porte.

– Je croyais, dit-elle, que la chambre des maîtres était celle du bas.

Pierre ne s'attendait pas à cette remarque. Il ne s'attendait pas non plus à la réaction de son épouse.

– On n'en a jamais parlé, chérie.

– On n'a pas parlé de grand-chose sur le plan pratique.

– Nous n'avons pas eu beaucoup de temps.

– Mieux vaut tard que jamais...

– Assieds-toi, je te prie.

Madeleine s'assit sur le bord du lit. Cette chambre lui était étrangère et elle était partagée entre l'envie de s'enfuir et le devoir de rester.

Pierre était contrarié.

– As-tu quelque chose contre cette chambre ? demanda-t-il. Elle est assez grande et bien éclairée.

– Normalement, la chambre des maîtres est en bas, fit valoir sa femme.

– Qui t'a dit ça ?

– C'est comme ça dans toutes les maisons. Je m'attendais à ce que nous nous installions en bas.

– Tu n'y penses pas! Déplacer ma mère, qui occupe la même chambre depuis un quart de siècle!

– En fait, c'est elle qui aurait dû t'offrir de déménager quand elle a appris que tu te mariais.

– Alors, c'est peut-être le signe qu'elle tient beaucoup à cette chambre.

– Et moi, je tiens beaucoup à ce que nous nous installions au rez-de-chaussée. Pour voir à la ferme et pour les enfants.

– Le problème ne se pose pas : nous n'avons pas d'enfants.

– Eh bien, si c'est comme ça, nous ne risquons pas d'en avoir non plus!

Et Madeleine éclata en sanglots.

Pierre était décontenancé. Voilà qu'à la première difficulté son épouse déclarait la grève de l'amour. Tout cela était stupide.

– Une chambre, quatre murs. Où est le problème? explosa-t-il.

Madeleine reniflait.

– La chambre des maîtres est en bas et je ne veux pas que ta mère mène *ma* maison.

– Il n'est pas du tout question de cela. Ma mère mènera ses affaires et toi les tiennes.

– Tu ne comprends pas. Quand il y a deux femmes dans une maison, c'est l'une ou l'autre qui mène. Ma mère a mené sa maison et je veux mener la mienne à mon tour.

Pierre ne savait plus quoi dire.

– Je ne m'attendais pas à cette réaction de ta part.

– Tu parles comme un vieux garçon.

C'en était trop.

– Cesse de pleurnicher et viens déjeuner. Je trouverai une solution quand j'aurai le ventre plein.

– Je te préviens que je ne coucherai pas ici ce soir.

– On verra bien. Je descends. Suis-moi quand tu seras prête.

Sur ce, Pierre descendit à la cuisine.

– Tu as bien tardé? lança perfidement Victoire. Tes œufs sont froids.

– Le temps de placer nos choses, maman.

Justement, Victoire avait remarqué qu'aucun remue-ménage n'était parvenu de la chambre.

– Madeleine vient?

– Oui, elle descendra dans un moment. Je vais faire un saut à l'étable en attendant.

La traite des vaches accusait un retard considérable. Les Descôteaux avaient terminé leur contrat la veille au soir et le pauvre Ti-Rouge besognait seul en maugréant. Pierre le réconforta comme un enfant et lui promit une journée de congé payé, après quoi il rentra à la maison.

Le mari trouva sa femme assise à table qui conversait aimablement avec Victoire. Mais il ne fut pas dupe : les deux femmes prenaient déjà la mesure l'une de l'autre. Après le repas, le cultivateur enfila son pantalon de travail et déclara :

– Je m'en vais dans mes champs pour voir si la récolte est prête. Je vous reverrai au dîner.

Sans attendre la réponse, il sortit.

Comme par hasard, Pierre choisit d'évaluer en premier le champ formant le coin du rang 1. Il voulait surtout voir Cyprien avant qu'il ne prenne le maquis. Il arrivait trop tard.

– Cyprien est parti avant l'aube, lui apprit Réjeanne.

Sa sœur parlait d'une voix chevrotante, signe d'une vive émotion. Le jeune homme l'attribua aux adieux récents.

– Quel dommage! Je voulais le saluer et lui offrir mon aide.

– Il est parti à temps. La police militaire rôdait par ici à la barre du jour.

– Les policiers t'ont parlé?

– J'ai d'abord refusé de leur ouvrir, mais ils ont défoncé la porte. Viens voir.

En habitué de la maison, Pierre était passé par la cuisine. Réjeanne l'entraîna jusqu'à la porte avant. Une moitié pendait encore aux charnières.

– Des Zoulous! s'exclama Pierre. Est-ce qu'ils t'ont frappée?

– Non, heureusement. Je leur ai dit que Cyprien n'était pas ici.

– Ils t'ont crue?

– Pas un instant. Ils ont fouillé la maison et je m'attends à ce qu'ils reviennent ce soir.

– Qu'est-ce qui leur fait croire que Cyprien est revenu?

– Ils disent avoir un informateur dans la place.

– Un «spotteur», un traître, un salaud capable de vendre ses amis pour de l'argent? s'indigna son frère.

– Je me demande qui ça peut bien être, fit Réjeanne.

– Si c'est vrai qu'il y a un «spotteur» à Rivière-Boyer, le monde a bien changé. Penses-y : dénoncer son voisin pour dix piastres, l'envoyer se faire tuer pour une poignée de sous.

Pierre était aussi écœuré que sa sœur.

– Je vais au moins réparer ta porte, ma pauvre fille.

– Je suis allée à l'atelier; j'y ai vu quelques portes. Il s'en trouve peut-être une qui fait.

Pierre répara le tout, puis demanda à Réjeanne :

– Tu t'attends à ce que les policiers reviennent ce soir?

– Ils reviendront jusqu'à ce qu'ils sachent ce qu'il est advenu de Cyprien.

– Aimerais-tu que Madeleine et moi venions passer la nuit ici?

– Je n'osais pas te le demander.

– Ça me fera le plus grand plaisir, assura le cultivateur avec un enthousiasme qui étonna sa sœur.

Pierre riait intérieurement car il venait de trouver une solution temporaire au problème de la chambre. Il pouvait très bien s'occuper de la ferme depuis la maison de Réjeanne. Avec le temps, il trouverait une solution permanente. Connaissant sa mère, il savait cependant que ce ne serait pas facile.

– Mais, j'y pense, fit Réjeanne, maman va trouver louche que vous vous installiez ici.

– En effet. Maintenant que Cyprien est sauvé, tu devrais révéler sa fuite. Viens donc manger avec nous ce soir.

– Pauvre maman, elle va se faire du mauvais sang pour son cher gendre.

– Nous lui dirons de ne pas s'inquiéter. Nous savons combien ton mari est habile et débrouillard. J'espère seulement que la solitude ne lui pèsera pas trop.

– S'il y a une chose qui ne m'inquiète pas, c'est bien celle-là. Cyprien est né pour être ermite.

24

TOUT AU COURS de l'été et de l'automne 1917, les Canadiens français protestèrent contre la conscription par des manifestations publiques, la plupart du temps spontanées. Alors que, dans le reste du Canada, un déserteur était vu comme un traître à sa patrie, au Québec on le considérait comme un héros. Quand, à Rivière-Boyer, la nouvelle se répandit que Cyprien Lanoue s'était réfugié dans les bois, Réjeanne reçut de tout un chacun des manifestations d'encouragement qui lui firent chaud au cœur. Elle qui, à la rentrée scolaire, n'avait pas encore signé d'entente salariale et croyait devoir faire appel à l'équipe de négociation de son association se vit offrir un salaire de deux cent cinquante dollars par an. Elle accepta, à la condition expresse que ses consœurs reçoivent les mêmes émoluments, ce qui fit grincer Jean-Baptiste Fortin.

– Tu leur offres une piastre et elles partent avec la caisse!

La police militaire rapporta la vedette trouée de balles au chantier maritime de Saint-Michel. Un pêcheur l'avait trouvée. Donat fit la moue.

– Je ne pensais jamais la revoir, dit-il sans rire. Elle avait été volée. Elle était cadenassée au quai mais l'amarre a été coupée. Constatez vous-mêmes.

Les policiers frappèrent à la porte de Mme Lanoue mère. C'est par eux qu'elle apprit que son fils était devenu déserteur. À cette honte s'ajouta l'injure de la fouille. Les enquêteurs inspectèrent la maison de fond en comble. En plus de sonder les murs et les plafonds, ils ouvrirent tous les meubles, pupitres et malles de son défunt mari, à la recherche d'indices du passage de Cyprien.

Pendant ce temps, Réjeanne s'attendait à recevoir un message de son mari. Chaque soir, elle tremblait de le voir revenir et de tomber sur une patrouille.

Le sergent Jones revint plusieurs fois frapper à sa porte pendant la première semaine suivant la défection de Cyprien. Chaque fois, il trouva la maison gardée par Réjeanne, Pierre ou Madeleine. L'aînée ne restait jamais seule. Le jour, elle enseignait; le samedi, elle se réfugiait chez sa mère, qu'elle aidait pour l'ordinaire de la maison; le dimanche, la famille se retrouvait au grand complet.

* * *

Au dîner dominical suivant la fuite de Cyprien, Pierre proposa :

– Le temps est couvert et doux, mais il ne pleut pas. Que diriez-vous de faire une balade après le repas ?

– Bonne idée, approuva le plus jeune. Du côté de la rivière ?

– Vous n'aimeriez pas plutôt voir les premières couleurs de l'automne dans l'érablière ? Vous n'avez pas encore vu ma nouvelle cabane à sucre.

Pressentant que son frère avait une idée en tête, Réjeanne accepta avec enthousiasme. Pierre, Madeleine et elle prirent la tête du joyeux groupe. Simon, Antoine, Anne-Marie et Donat vinrent ensuite.

Chemin faisant, Réjeanne se prit à espérer que Cyprien se trouve à la cabane à sucre. Après tout, c'est là qu'il était allé porter son panier d'outils et de provisions. Pierre, lui, semblait absorbé par la contemplation de ses arbres. Pourtant, quand la cabane fut en vue, il hâta le pas et y entra le premier.

Au premier coup d'œil, il vit un billet posé sur la table. Il le saisit et le glissa subrepticement dans sa poche, puis, se retournant vers ses compagnons, il leur débita un discours de bienvenue grandiloquent qui eut mieux convenu à l'inauguration de la Borg.

Simon l'interrompit en déplorant le fait qu'il n'avait pas de flacon à déboucher pour fêter l'événement, et les amis reprirent en bavardant le chemin de la maison.

Ils rentrèrent sans remarquer qu'un camion noir était garé tout en haut de la côte de Glaise. À l'aide de jumelles, son conducteur observait leurs allées et venues.

* * *

Dès qu'il fut seul, Pierre lut le billet. Il lui était adressé et se limitait à quelques mots :

Pierre,
Si tu trouves ce mot, rencontre-moi ici à la pleine lune.

Évidemment, il n'était pas signé, mais le jeune homme était convaincu qu'il était de la main de son beau-frère. Il n'avait d'ailleurs qu'à vérifier auprès de sa sœur.

Le soir même, Réjeanne compara le billet avec la lettre qu'elle avait reçue de la caserne.

– Pas de doute, c'est lui.

Pierre jeta un coup d'œil dehors : une lune presque ronde émergeait au-dessus du village.

– La pleine lune, c'est quand ? Demain ?

Réjeanne voulut vérifier sur le calendrier mais il avait disparu. « Cyprien l'aura apporté », se dit-elle.

Le lundi soir, Pierre attendit que la lune soit haut dans le ciel et partit seul. Encore ébranlée par les péripéties de la fuite de son mari, Réjeanne ne demanda pas à l'accompagner. À tout hasard, Pierre apportait la caissette de lard. Il se rendit rapidement jusqu'à sa cabane à sucre, mais n'y trouva personne. Il lui faudrait patienter. Comme il trouvait imprudent de faire du feu, il s'assit dehors sur une grosse bûche.

L'agriculteur n'eut pas à attendre longtemps. Bientôt une silhouette apparut sur le chemin qu'il avait emprunté quelques minutes plus tôt.

– Cyprien !

– Je suis heureux que tu aies trouvé mon billet. Autrement, j'aurais dû m'aventurer jusqu'à la maison, ce qui est risqué par les temps qui courent.

– Tu arrives derrière moi ?

– Je surveillais ton passage, caché le long du chemin. Je voulais m'assurer que tu n'étais pas suivi.

– Comment t'arranges-tu ? As-tu trouvé une cachette ?

– J'ai trouvé un emplacement intéressant dans le flanc du Massif, vers la tête de la rivière du Sud, à quatre heures de marche d'ici. J'ai commencé à me construire une cabane, ce qui ne sera pas très long parce qu'elle ne sera pas grande et que j'ai les outils nécessaires.

– Peux-tu m'indiquer où elle se trouve afin que je puisse venir à ton secours si jamais tu ne reparais pas ?

– Le meilleur moyen pour que la police ne me trouve pas est que personne ne sache où je suis.

– Qu'est-ce qui arrivera si tu tombes malade ou si te blesses ?

– La vie d'ermite comporte des risques que je suis prêt à assumer. De toute façon, elle est moins dangereuse que le front et plus agréable que la caserne.

– As-tu l'impression que le Massif est sûr ?

– Absolument. Il n'y a personne, et pas de sentiers nulle part. Même les Indiens n'ont jamais fréquenté cette région, parce qu'il n'y a pas de rivières navigables. On n'y trouve pas de lacs et les cours d'eau sont rapides.

– Aimerais-tu que je vienne t'aider après les récoltes ?

– J'aurai terminé ma cabane avant que tu aies battu ton avoine et il me restera amplement de temps pour gagner ma vie.

Cette affirmation étonna vivement l'agriculteur.

– Comment arriveras-tu à faire de l'argent au fond des bois ?

– Je vais y arriver si tu m'y aides un peu.

– Tu peux compter sur moi, mais que vas-tu faire ?

– Je vais cueillir de la gomme de sapin. Comme tu peux le voir d'ici par temps clair, les sapins ne manquent pas dans le Massif. C'est une forêt vierge. La résine de sapin, qu'on vend en Europe sous le nom de baume du Canada, s'échange contre de l'or ces années-ci. Elle est utilisée en optique et en médecine, deux sphères d'activité primordiales en temps de guerre.

– Tu veux que je vende la résine pour toi, devina Pierre.

– Voilà! Trouve-moi d'abord le récipient à bec perceur dont il faut être muni pour la cueillir, de même que quelques bidons de sirop d'érable. Par la suite, tu n'auras qu'à passer de temps en temps à la cabane pour y trouver mon produit. Tu remettras l'argent à Réjeanne.

– J'ai apporté le quartier de porc que tu avais mis en réserve dans une caissette de foin. Tu veux l'avoir?

– Merci bien. Je l'aurais apportée en quittant la maison, mais mon panier débordait. Je m'arrange bien en forêt pourvu que j'aie de la farine, du lard salé, du thé, du sel et du sucre. Je me nourris comme un trappeur : fruits sauvages, quenouilles, truites, rats musqués à l'occasion. Je fais même sécher des fruits et de la menthe pour l'hiver.

– Tu as un poêle?

– Pour le moment, je fais cuire mes aliments dans un chaudron de fonte sur un feu en plein air, mais ma cabane sera équipée d'un petit four de glaise. Justement, pourrais-tu me trouver une porte en fonte de petite taille? J'aurais également besoin de quelques carreaux de vitre. C'est tout.

– Pas besoin de clous, d'étoupe? s'étonna Pierre.

– Non. Je monte ma cabane pièce sur pièce, avec des joints en queue d'aronde. Je la calfate avec de la tourbe.

– Comment comptes-tu communiquer avec nous?

– Je ne te donnerai plus de rendez-vous, c'est trop risqué. Je laisserai plutôt un message et une commande de victuailles avec la résine. Je dois m'en retourner maintenant, pendant que la lune éclaire encore les bois.

– Autre chose?

– Dis à Réjeanne que je l'aime et qu'elle ne s'inquiète pas.

Cyprien se leva, serra avec effusion la main de son beau-frère et fit quelques pas, puis revint.

– Tu connais un arbre creux autour d'ici?

L'agriculteur lui indiqua un arbre qu'il avait l'intention d'abattre un jour ou l'autre. Le conscrit plongea la main dans le nid vide d'un grand pic.

– Disons qu'il nous servira de boîte postale. Ce sera plus discret et plus sûr que le facteur!

À cette remarque au sujet de l'indiscrétion proverbiale du facteur rural, Pierre comprit que Cyprien avait retrouvé son sens de l'humour et qu'il était donc heureux.

* * *

Il y avait maintenant trois semaines que le conscrit avait pris le maquis. Les premiers bidons de résine commençaient à arriver. Cette activité de cueillette, que l'ermite trouvait saine mais monotone, présentait au moins l'avantage de lui faire explorer la forêt de l'arrière-pays. Quand il montait assez haut dans le Massif, il pouvait voir le village de Rivière-Boyer. S'il montait encore plus haut, il réussissait, par temps clair, à voir le Saint-Laurent, l'archipel de Montmagny, et même les clochers de Saint-Michel et de Saint-Vallier.

Il y avait très peu de bêtes sauvages dans cette région accidentée. Seulement des martres et des pékans, deux prédateurs de l'écureuil roux, qui abondait dans les sapins. En contrebas, par contre, il y avait des castors, des ondatras et de rarissimes orignaux. Aussi Cyprien fut-il fort surpris, un jour, quand il aperçut ce qu'il crut être un ours à cent mètres devant lui. Sachant que ces animaux ne présentaient aucun danger particulier malgré leur force et leur air féroce, il s'arrêta pour l'observer.

L'animal, qu'il voyait de dos, fouillait dans une touffe d'herbes, probablement à la recherche de champignons ou de crapauds, se dit l'ébéniste. Cependant, sa surprise fut plus grande encore quand l'animal se redressa. Il avait une tête d'homme! Une tête chauve avec une couronne de cheveux courts.

«Un moine! Grand Dieu! Que fait-il par ici?»

C'était un petit gros, dans la cinquantaine. Vêtu d'une robe de bure et penché au sol, il avait tellement l'air d'un ours que même un chasseur d'expérience l'eût mis en joue. Cyprien comprit vite ce que faisait cet homme quand, au hasard de son occupation, il se trouva de profil : il cueillait ici et là quelques plantes.

«Un botaniste! Seul un prospecteur ou un botaniste peut s'aventurer jusqu'ici», se dit le déserteur.

Tout sympathiques qu'il trouvât les moines en général et les botanistes en particulier, Cyprien n'avait pas la moindre envie d'établir un contact avec qui que ce soit. Il s'éloigna sans bruit dans la direction opposée.

Il croyait bien ne plus jamais revoir cet intrus quand, tôt un matin, une face de lune avec une tête sans cheveux apparut dans le carreau de la porte. Le moine frappa discrètement et ouvrit avant qu'on l'y invite.

– Bonjour, je suis le père Clément.

Cyprien ne fut pas surpris, ce qui étonna le religieux.

– Vous êtes botaniste, je sais, répliqua Cyprien que cette visite inattendue ne réjouissait pas.

– Vous êtes déserteur?

Bien que pacifique, Cyprien sentit la moutarde lui monter au nez. Quelqu'un avait découvert sa cachette, qu'il croyait introuvable.

– Qu'est-ce qui vous fait dire que je suis déserteur? Pourquoi pas prospecteur?

– Parce que vous cueillez de la résine. Tous les sapins des alentours portent vos entailles.

– Et après? Vous cueillez bien des herbes rares!

– Seuls les déserteurs cueillent de la résine. Les autres jeunes hommes sont au front ou à la ferme.

Le moine marquait un point.

– Et, d'après vous, il y a combien de cueilleurs de résine dans le Massif?

– Vous êtes le seul.

Cyprien examina le visiteur avec méfiance. Était-il un vrai moine ou un «spotteur»?

– Comment le savez-vous ?

– Parce que je parcours tout le Massif, au nord comme au sud, et que les seules traces d'humains qui s'y trouvent sont les vôtres et les miennes.

Cette observation rassura Cyprien, mais pas pour longtemps car le moine ajouta :

– C'est d'ailleurs en suivant vos traces que j'ai trouvé votre camp et non par la fumée.

– Je n'allume qu'à la nuit tombée.

– Excellente précaution. Pour plus de sécurité, n'approchez jamais de votre cabane en ligne droite, ne passez jamais deux fois à la même place et évitez de dégager des sentiers.

Cyprien trouva ces recommandations fort à propos. Le visiteur ne voulait pas sa tête.

– Assoyez-vous, père… comment, déjà ?

– Père Clément, trappiste.

– Vous prendrez bien un breuvage ?

– Et même un morceau de banique, si ce n'est pas abuser de votre hospitalité.

Le moine affamé avait bien vu et bien senti le pain de trappeur qui dorait tout le fond du chaudron de fer. Cyprien en tailla une généreuse portion.

– Thé ou menthe ?

– Menthe. Voici ce qui me sert de tasse.

De l'anneau de son sac, l'homme de science détacha une magnifique écuelle sculptée dans un nœud d'érable et la posa sur la table.

– Vous connaissez le frère Marie-Victorin ? s'enquit Cyprien.

– Non seulement je le connais, mais je travaille en étroite collaboration avec lui et je partage sa passion pour les plantes.

– Partagez-vous aussi ses idées ?

– Toutes, sauf en ce qui touche les questions de société, où il frôle parfois des précipices.

Cyprien était maintenant tout à fait rassuré : les journaux avaient fait amplement écho à la position anticonscriptionniste de ce religieux d'avant-garde. Par ailleurs, ce moine qui connaissait si bien la région pourrait peut-être, à l'occasion, lui être d'un grand secours. Le sculpteur se fit plus accueillant.

– Je remarque que vous êtes rendu bien loin de Québec, père Clément.

– Plus je m'éloigne de Québec, plus je me rapproche de Dieu, mon fils, déclara sentencieusement le prêtre.

– Mais plus vous vous éloignez de votre monastère, insista l'artiste.

– Votre déduction est erronée. Mon monastère se trouve du côté sud du Massif, à Sainte-Justine, en Haute-Beauce. Cela vous étonnera peut-être, mais notre communauté y est installée depuis 1862.

– C'est fort loin. Comment pouvez-vous vous rendre ici aussi tôt le matin ?

– Le flanc nord-est du Massif, où nous sommes présentement, se trouve à l'extrême limite du territoire que je parcours annuellement. Pour me rendre jusqu'ici, je dois passer une nuit en forêt à l'aller et une au retour.

– Vous avez donc dormi sous les étoiles ?

– Et célébré la messe à l'aube sur le tronc d'un pin renversé. Savez-vous qu'un bosquet de pins adultes présente un décor aussi grandiose que celui de la plus belle église ?

– J'en sais quelque chose.

– Et pourquoi donc ?

– Parce que en temps de paix je meuble et décore des églises.

– Me direz-vous votre nom ? demanda le père Clément, soudain fort intéressé.

– Lanoue.

– Cyprien Lanoue ! Mais je vous connais, du moins de réputation. Le sculpteur Louis Jobin, qui nous a récemment fait don d'un ange sculpté pour le buffet d'orgue de notre chapelle, nous a parlé de vous. Il s'indignait du fait qu'un artiste de votre qualité n'ait pas trouvé grâce devant le tribunal d'appel de la conscription. Sculptez-vous aussi des personnages ?

– J'ai pris des cours de Jobin et travaillé sous sa direction.

– Je ne vois aucune de vos créations.

– Les bûches qui sèchent sous l'appentis ne sont pas du bois de chauffage mais du tilleul que je sculpterai pendant l'hiver. Mais pour le moment, je me hâte de cueillir de la résine pendant que les conditions sont propices. Tout déserteur que je sois, j'ai des obligations familiales.

– Et moi, des obligations scientifiques, fit le moine botaniste en se levant. C'est le temps de l'année où les plantes sauvages donnent leurs fruits, donc le moment le plus propice pour les étudier et les classifier. Je dois partir.

– Alors, bonne route, et revenez quand vous voudrez.

– Je repasserai avant les premières neiges, assura le prêtre.

– Vous pourriez même célébrer la messe dans ma cabane.

– Je vous offrirai aussi l'absolution.

– Amen ! conclut jovialement l'artiste.

* * *

Malgré les ennuis et les inconvénients que la défection de Cyprien causait à Réjeanne et aux siens, l'automne passa sans heurts. Sachant la maison des Lanoue bien gardée, la police militaire ne frappa plus à la porte. Le sergent Jones comprit que Cyprien avait trouvé une bonne cachette et que seuls la fin de la guerre ou un événement extraordinaire l'en feraient sortir.

Réjeanne enseignait toujours avec le même succès et elle semblait consacrer encore plus d'efforts à sa tâche, ce qui lui valait l'admiration des siens. Pierre avait repris le rythme des travaux et des saisons. Madeleine avait retrouvé sa bonne humeur et n'avait pas fait lit à part comme son mari le craignait. Elle s'avérait par ailleurs une aide précieuse pour l'exploitation agricole, presque aussi talentueuse qu'Anne-Marie jadis.

Cette dernière avait depuis longtemps tourné le dos à l'agriculture et devenait une aubergiste d'expérience. Elle invitait Donat tous les dimanches mais refusait de le voir pendant la semaine. Le fier artisan faisait preuve de patience et, pour cette raison, montait dans l'estime de la belle tigresse.

Ni heureux ni malheureux, Simon forgeait toujours, désespérant de trouver l'amour sur son chemin. Quant à Antoine, il bâtissait des coques le jour et étudiait leurs performances le reste du temps.

Il y avait maintenant six semaines que Cyprien était parti. La neige allait tomber bientôt. À sa cabane à sucre, Pierre trouvait régulièrement des gallons de résine et, dans l'arbre creux, des commandes et des billets aussi courts et concis les uns que les autres. Le message du déserteur à sa femme était toujours le même : «Dis à Réjeanne que je l'aime et qu'elle ne s'inquiète pas.»

Réjeanne pensait à lui un matin au petit déjeuner quand elle se sentit soudain mal. Madeleine, qui n'avait pas encore rejoint son mari à l'étable, s'en aperçut.

– Tu ne sembles pas bien. Que t'arrive-t-il?

– J'ai le cœur qui flotte.

– La crème fouettée et le gâteau roulé d'hier soir, sans doute.

– Peut-être bien que oui, peut-être bien que non.

– Tu soupçonnes autre chose?

– Mes règles n'arrivent pas. J'ai presque deux semaines de retard déjà.

– Je retarde un peu moi aussi, mais ça m'est déjà arrivé.

– On dirait que d'en parler me fait du bien. Je me sens mieux, constata Réjeanne en se secouant.

– Ça n'a rien d'alarmant.

– Bon, il faut que je prépare mes cours de la journée. Assez profité du beau temps.

– L'automne a été beau mais il est fini. De la pluie depuis deux jours et elle semble prise pour longtemps.

– Pierre dit que c'est bon, que la terre était sèche, que ça facilite les labours.

– Ton frère voit toujours le bon côté des choses.

– Notre défunt père était comme ça, mais pas notre mère.

– Puisque tu parles d'elle, j'ai un petit problème avec ta mère.

– Ah oui ?

Réjeanne était étonnée. Étonnée que Madeleine puisse avoir un problème avec Victoire puisqu'elle avait séjourné dans la maison paternelle moins d'une journée.

– De quoi s'agit-il ?

– Nous ne pouvons loger ici indéfiniment, Pierre et moi.

– Vous pouvez rester tant que Cyprien ne reviendra pas, protesta l'aînée.

– Tu comprendras que, comme toutes les femmes, je désire m'installer en permanence dans ma maison.

– C'est légitime, en effet. Quel est le problème ?

– Je désire occuper la chambre du bas.

– Ah !

Réjeanne comprit du coup que le problème était de taille. Cela impliquait de déplacer Victoire. « Toute une entreprise quand on connaît ma mère, songea-t-elle. Vingt-cinq ans dans la même chambre avec des souvenirs dans tous les recoins. Et elle qui est jalouse de toutes ses petites choses… »

Madeleine continuait :

– Selon moi, il est normal que le chef de la famille occupe la chambre du rez-de-chaussée, pour voir constamment à la ferme, pour les enfants aussi. Ta mère devrait comprendre ça.

– Entre comprendre et accepter, il y a souvent un fossé profond. Est-ce que Pierre lui en a parlé ?

– Je ne crois pas.

– Qu'il parle le premier à notre mère et, si nécessaire, j'appuierai ton point de vue.

– Peut-être que je vais lui fournir bientôt un argument de première valeur, fit Madeleine qui commençait à frétiller sur sa chaise.

– Lequel ?

– Voilà que moi aussi j'ai le cœur qui flotte…

* * *

Des nausées sporadiques mais persistantes confirmèrent en peu de jours la grossesse des deux jeunes femmes. Si Madeleine en ressentit une joie pure et totale, enfantine presque, il en fut tout autrement pour Réjeanne. Sa satisfaction naturelle de porter un enfant fut très tôt gâchée par l'ombre d'une crainte. Se pourrait-il que le père ne soit pas son mari ?

Elle chassa bien vite cette pensée. Non, cela ne se pouvait pas. Les heures d'amour qu'elle avait connues avec Cyprien avaient été trop intenses, trop complètes pour qu'elle soit enceinte du peu de semence arrivée après coup.

La nouvelle que les deux belles-sœurs étaient devenues enceintes au même moment fit le tour de la paroisse rapidement. Si elle réjouit la plupart des citoyens, elle bouleversa la commission scolaire. Le président Roland Lebreux vint immédiatement rencontrer Réjeanne. L'institutrice, qui ne voulait pas dévoiler sa source secrète de revenus, plaida le besoin.

– Vous savez comme tout le monde que Cyprien a déserté l'armée. J'ai absolument besoin de mon gagne pain. De plus, contrairement à Cléophée, je n'ai jamais fait de fausse-couche; je n'ai aucune raison particulière de croire que ma grossesse sera difficile. Au pis-aller, je lui demanderai de m'aider pour la fin de l'année, mais au moment où j'accoucherai, le programme scolaire aura été couvert et nous arriverons aux examens.

Ces arguments s'avéraient d'autant plus convaincants que les commissaires ne faisaient pas face à une urgence. Ils n'avaient, de toute façon, aucune institutrice de rechange.

Pour sa part, Victoire reçut comme un grand choc la nouvelle qu'elle serait doublement grand-mère. Pierre choisit un moment où Madeleine était allée livrer la crème pour lui demander :

– Maman, je désire vous parler de quelque chose d'important.

– Tu veux me déloger, je le sais. Eh bien, c'est non !

Pierre n'avait jamais essuyé une telle rebuffade de sa mère. «La colère est l'expression de la douleur», se dit-il avec philosophie. Il s'assit à côté de Victoire comme Cyrille le faisait jadis pour l'amadouer.

– Je ne veux pas vous déloger, maman.

– Ta femme veut me déloger depuis le premier matin où elle a mis les pieds dans cette maison. Je ne suis ni aveugle ni sourde. Vous n'en finissiez plus, là-haut, de vous quereller sur ce sujet, et finalement tu es descendu seul. Le soir même, vous vous êtes installés chez Réjeanne sous prétexte qu'elle réclamait ta protection, et vous y êtes restés depuis.

– Ce n'était pas un prétexte. Elle le désirait vraiment, et avec raison, comme vous avez pu le constater. Aujourd'hui, la situation a changé. La police militaire n'embête plus Réjeanne et Madeleine est enceinte. Vous savez ce que c'est que de découvrir un beau matin qu'on va être mère. On veut un nid pour l'oisillon…

Son fils réussissait presque à l'émouvoir. Victoire sortit un mouchoir finement brodé et épongea une larme.

– Parce que je suis vieille, vous voulez vous débarrasser de moi.

La situation se corsait. Pierre comprit qu'on le manipulait. Après Madeleine, c'est Victoire qui le faisait chanter. Mais, cette fois, il avait prévu le coup.

– Bon, d'accord, n'en parlons plus. Je vous vends cette maison et j'en bâtis une neuve à côté. Vous aurez la paix et Madeleine aura toute la place. Donnez-moi votre réponse dans les prochains jours. C'est déjà octobre; si je dois construire avant les fêtes, le temps presse.

Victoire ne s'attendait pas à cette contre-attaque. Elle s'enferma dans un silence boudeur. Pierre s'en fut aux bâtiments, laissant à sa mère tout le loisir de réfléchir.

Victoire fit un drame de sa peine. Au fond, sous ses airs de femme affable et de mère dévouée, elle était une enfant gâtée. Elle avait été couvée dans sa famille, portée sur la main par Cyrille, protégée par maman Rose et adorée par ses enfants. Comme elle n'avait jamais eu à défendre son bonheur, elle en était venue à le considérer comme un dû. Et voilà que tous les malheurs lui tombaient dessus comme les ardoises d'un toit qui s'effrite. «Je perds mon mari, je perds mes enfants un à un, je perds mon gendre, ma bru veut me déloger… Quelle misère! La vie ne vaut plus la peine d'être vécue.» C'est dans cet état d'âme que son aînée la trouva au retour de l'école.

– Je parie que Pierre vous a parlé de revenir à la maison, commença Réjeanne.

– Il t'en a parlé à toi aussi?

– Non. C'est Madeleine qui m'en a glissé un mot.

– La garce!

– Maman, vous êtes injuste. Madeleine n'est pas une mauvaise femme et vous le savez fort bien. L'épouse de votre fils porte un enfant et veut s'installer dans sa maison comme jadis vous dans la vôtre. Souvenez-vous, vous me l'avez raconté souvent.

Victoire se mordit les lèvres. C'était vrai qu'elle avait vécu des heures malheureuses dans les premiers mois de son mariage. C'était à cause d'elle que Cyrille avait rapidement bâti sa propre maison et non à cause du manque d'espace.

– Pierre offre de me vendre la maison. Je vais accepter. De cette façon, il pourra en construire une neuve au goût de sa femme.

– Maman, c'est ridicule. Nous voyez-vous? Les trois femmes Bouffard, chacune seule dans sa maison! Venez plutôt habiter avec moi.

– Pour me faire déloger encore quand Cyprien reviendra? Cessons d'en parler; cette conversation ne mène nulle part.

En retournant chez elle, Réjeanne s'arrêta chez maman Rose. La chère vieille femme jouait de ses longues aiguilles en se berçant, comme d'habitude.

– Que tricotez-vous là, grand-maman? Cette pièce est bien petite.

– Je commence des pattes pour vos bébés, Madeleine et toi. Faudrait pas qu'ils prennent froid.

– Ils naîtront à l'été, nos enfants, grand-maman. Ils n'auront pas froid.

– Faut pas confier ses enfants au temps qu'il fera, ma petite-fille. Des bébés, ça a toujours froid, même en été. Oublie pas que là-dedans ils étaient au chaud, ajouta-t-elle en caressant le ventre de Réjeanne avec affection.

«Chère maman Rose… Elle parle au passé de nos bébés à naître. Elle les voit déjà grands.»

– Ça ne vous affecte pas de nous voir porteuses de bébés, la femme de votre petit-fils et moi?

– Mais bien au contraire! C'est la vie et c'est beau!

– Il faudrait que vous disiez cela à ma mère.

– Victoire ne va pas bien?

– La grand-maternité l'a toute déprimée.

– Je vais lui parler, promit maman Rose.

Pendant quelques jours, parler de déménagement devint tabou. Plus personne n'osait aborder le sujet mais la tension montait. Pierre, deux fois échaudé, était devenu hypersensible à l'humeur de la gent féminine. Aussi devinait-il que l'orage couvait. Cette fois, il prit les devants.

– Madeleine, aimerais-tu aller à Québec en fin de semaine? Nous descendrons chez mon grand-oncle Aldéric, ce qui me donnera l'occasion de te présenter à cette branche de ma famille.

– Et nous serions de retour dimanche?

– Même lundi, puisque je compte voir mon ami Hervé dimanche et rencontrer le sous-ministre Guillaume Francœur à son bureau lundi matin. Tout cela à la condition que je puisse me faire remplacer une dernière fois pour la traite des vaches.

– Nous pourrions aussi magasiner un peu pour notre maison, avança perfidement Madeleine.

Cette fois, Pierre était prêt.

– Pourquoi pas? J'ai donné un ultimatum à ma mère : ou elle s'installe dans une chambre du haut ou elle achète la maison et j'en bâtis une neuve pour nous.

– Tu as osé faire ça !
– Comme je te le dis.
Madeleine craignit d'avoir allumé un trop grand feu.
– Tout de même, nous pourrions attendre encore un peu...
Pierre tourna trois fois sa langue dans sa bouche mais ne dit mot et reprit la lecture de son journal.

L'agriculteur obtint un rendez-vous avec son ami le sous-ministre et lui demanda ses vues sur ce que serait l'agriculture après la guerre. Il eut également l'occasion de présenter Madeleine à Hervé et de passer un précieux moment avec son cher ami.

Pierre et Madeleine s'arrêtèrent longuement chez Eugène Julien & Cie pour y voir les meubles et instruments aratoires. Ils s'attardèrent ensuite au grand magasin à rayons de la Compagnie Paquet ltée afin d'évaluer sur place les appareils ménagers et les fournitures qu'ils pourraient commander plus tard par catalogue. Puis ils rentrèrent par le train de quinze heures. Ti-Rouge les attendait fidèlement à la gare.

Pierre décida de débarquer directement à la maison paternelle avec armes et bagages. Il entra le premier et vit que sa mère n'était pas dans la cuisine.
– Maman ?
Pas de réponse.
– Maman, êtes-vous là ? fit-il plus fort.
Silence.
Soudain pris d'une vive inquiétude, il se précipita vers la chambre du rez-de-chaussée et frappa. En vain.
– Je vais ouvrir ! prévint-il sans effet.
Il poussa la porte et ce qu'il vit lui donna un tel choc qu'il secoua la tête et se frotta les yeux. La chambre de sa mère était vide. Vide comme le jour où son père l'avait bâtie. Pas un meuble, pas un bibelot, pas de dentelle à la fenêtre, pas une image sainte. Vide. Nue.

Pierre ressentit une immense détresse. Une détresse de petit enfant qui perd sa mère dans la foule. Au bruit de la porte de la cuisine, il se retourna. C'était Madeleine qui entrait avec des sacs et des boîtes à chapeau, Ti-Rouge la suivant avec les valises.

– Maman n'est pas là.

– Elle doit être au potager ou partie chercher des œufs aux bâtiments, supposa Madeleine.

– Maman n'est plus là. Comprends-tu ? Ma mère est partie ! Déménagée ! Allons vite chez Réjeanne lui demander ce qu'elle en sait.

Madeleine laissa tomber boîtes et sacs, et sauta dans le quatre-roues avec son mari. Le pauvre Ti-Rouge resta planté au milieu de la pièce avec les valises pendues au bout des bras.

– Maman est partie ! s'écria Pierre en voyant sa sœur.

– Comment, partie ? Pas encore ?

– Comment, pas encore ?

Pierre ne comprenait plus rien.

– Elle n'est plus chez grand-maman ? demandait sa sœur.

– Comment, chez grand-maman ?

– Ta mémoire flanche, mon frère. Aurais-tu oublié que notre mère a déménagé chez grand-maman ?

– C'est quoi, cette histoire ?

– Maman Rose a convaincu notre mère d'aller vivre avec elle. Maman a installé sa chambre dans le salon.

– Si je m'attendais à ça !

– Elle ne t'avait pas informé de sa décision ?

– Pas un traître mot. Et elle a profité de mon absence pour lever le camp.

– C'est l'arrangement idéal, fit valoir l'aînée. Elle aura sa chambre au rez-de-chaussée comme elle le désire. Ces deux bonnes amies vont vivre en paix et se porter assistance. Et comme leur maison est située entre la tienne et la mienne, nous pourrons veiller constamment sur elles.

Pierre ne revenait pas de sa surprise.

– Comment a-t-elle pu déménager ?

– Elle a payé Ti-Rouge, qui s'est fait aider par Paulin, le jeune frère de Madeleine.

– Ce nigaud de Ti-Rouge est venu nous prendre à la gare de Saint-Michel, il a fait toute la route avec nous et il ne nous en a rien dit. Je comprends pour quelle raison il n'a pas été conscrit !

– Ti-Rouge, il n'a pas volé le Saint-Esprit ! blagua Réjeanne.

* * *

En venant se faire payer pour leur travail, les ti-frères Descôteaux voulurent discuter avec Pierre du prochain bail de la sucrerie.

– Dites-moi donc, vous n'avez pas encore été appelés par l'armée, vous autres ?

– Nous avons reçu quelques lettres mais nous les avons jetées au poêle.

– James Jones, le sergent en charge de la région, ne vous a jamais interrogés ?

– Gigi, comme on l'appelle ? Il vient à Rivière-Boyer de moins en moins souvent.

– Croyez-vous pouvoir vous en tirer comme ça ?

– La guerre achève. Il paraît que le Kaiser tire la langue.

– Dites plutôt qu'il nous fait des grimaces.

– On lui en fait nous aussi ! rétorquèrent les deux cousins.

– Des patrouilles militaires passent parfois par ici. Elles ne vous ont pas interrogés ?

– Nos deux familles et celle de nos fiancées surveillent constamment les patrouilles. Quand il y en a une qui s'amène par ici, le premier qui la voit tend un drap blanc sur la corde à linge. C'est le signe. On se cache dans les bois et on n'en sort que lorsque le drap est enlevé.

– Ça ne blesse pas votre fierté de vous cacher comme ça ?

– On aime mieux être des rats vivants que des lions morts !

Sans qu'ils s'en doutent, les jours de liberté des Descôteaux étaient comptés. La police militaire les avait à l'œil et n'attendait que la fin des récoltes pour leur mettre le grappin dessus. Un beau matin que le vent du nord avait rempli le ciel d'oies sauvages, une patrouille débarqua chez eux.

– On vient chercher les ti-frères, annonça Jones.

Par chance, les inséparables cousins bûchaient du bois de poêle chez Fortunat Mercier, le père de leurs promises.

– Ils ne sont pas là, répondit la mère de l'un d'eux.

– Ils sont en voyage, ajouta la mère de l'autre.

– Nous allons les attendre, fit le militaire en s'installant dans la meilleure chaise.

– Comme vous voulez. Nous, on va faire notre lavage.

Les femmes trempèrent rapidement un drap blanc et le suspendirent bien en vue sur la corde à linge. Du rang voisin, Ange-Marie et Marie-Ange aperçurent le signal. La plus hardie, sous prétexte d'emprunter du sel, vint à travers champs voir ce qui se passait. L'autre courut au bois avertir les deux délinquants.

Quand, à la brunante, ils se pointèrent à l'orée du bois, le drap blanc, sec depuis longtemps, battait encore au vent sur la corde à linge.

– Faut passer la nuit dans la forêt, laissa tomber l'un. On couchera à la cabane à sucre.

– Mais pas celle de nos pères. C'est la première place où ils vont chercher.

– Celle de Pierre Bouffard, peut-être ?

– Bonne idée !

Les deux lascars attendirent qu'il fît nuit noire et, contournant les fermes par la voie des champs, se réfugièrent dans la sucrerie de Pierre.

– C'est à croire qu'on était attendus ! s'exclama, ébahi, le premier qui craqua une allumette.

– Un festin ! fit l'autre en allumant une lampe à pétrole.

– Du lard salé, de la graisse, de la farine, du sucre, du sel, du thé…

Sans le savoir, ils avaient découvert les provisions destinées à Cyprien.

– C'est quoi, ce cageot ? demanda l'un en exhibant à la lumière une caissette de planches dont dépassaient des brins de mil.

– Du lard-dans-le-foin ! répondit l'autre.
– De quoi tenir des semaines !
– On devrait aller chercher nos promises…
– Il faut passer devant le curé avant, lui rappela son cousin.
– Des fois, je me demande si c'est vraiment nécessaire…
– On peut échapper à la guerre, mais pas à l'enfer.

Les ti-frères allumèrent le poêle, dormirent comme des loirs et, au matin, firent cuire de la banique. Vers neuf heures, on frappa discrètement à la porte.

– Ça doit être Pierre Bouffard.
– Ouvre.
– Salut, les gars !

Jacques Latour, le marchand de bestiaux, se tenait dans l'embrasure, hautain, sûr de lui, mesurant son effet.

– Je suis venu vous aider.

Les Descôteaux se regardèrent, bouche bée.

– On n'a pas besoin d'aide.
– J'ai entendu dire que la police militaire vous cherchait pour vous envoyer au front. Voulez-vous une bonne cachette ?
– On est bien cachés, ici.
– Bien cachés ? On voit la fumée de votre feu jusqu'au village ! Je vous ai trouvés tout de suite.
– Ouais…

Les ti-frères étaient piteux.

– Pour dix piastres, je peux vous emmener dans un chantier du Maine. La police militaire ne passe pas la frontière américaine.
– Au chantier de l'Anglais ?
– C'est ça.
– On connaît, on y a déjà travaillé, dit l'un. Qu'est-ce que tu en penses ? demanda-t-il à l'autre.
– La même chose que toi, répondit son écho.
– Dix piastres ?
– Dix piastres chacun, plus dix piastres pour le transport.
– Quel transport ?
– Je vous mène au lac Frontière.

– C’est cher, dix piastres jusqu’aux lignes.

Latour sentit qu’il atteignait la limite que pouvaient payer les deux pauvres diables.

– Dix piastres, c’est pour vous deux, aller et retour. Parce que je vous ramène à Pâques. L’été, c’est facile de se cacher par ici. Pas l’hiver.

– On reviendra à Pâques?

– Promis.

– Bon, ça va. On a l’argent. Combien ça paye, le chantier?

– Le «jobbeur» court le risque de vous cacher, il vous nourrit et vous sauve la vie, il ne va pas vous payer en plus!

– Vu de même…, fit l’un, penaud.

– Quand est-ce qu’on part? demanda l’autre.

– Tout de suite.

– Tu n’y penses pas! La police militaire va nous arrêter!

– Je suis un fournisseur de l’armée; la police militaire ne m’arrête jamais.

– Pouvons-nous passer par la maison chercher nos effets?

– On n’a pas de temps à perdre. Puis le «jobbeur» fournit tout.

Le voyage se déroula sans anicroche. Latour avait emmitouflé les deux Descôteaux dans des peaux de carriole et les avait cachés sous des bâches. Il traversa plusieurs barrages routiers en ralentissant à peine. Au milieu de l’après-midi, il arriva au lac Frontière.

Ses deux passagers, qui n’en menaient pas large dans le camion à bestiaux, entendirent leur sauveteur frapper à la roulotte de Langlois.

– Je t’amène deux bons jeunes hommes, les ti-frères Descôteaux.

– Je les connais. C’est combien?

– Même prix que tous les autres : dix piastres chacun!

* * *

Avec novembre, Simon vit de nouveau apparaître le spectre du chômage. La dernière fois que Langlois était passé à la forge, le jeune forgeron lui avait offert ses services pour l'hiver.

– Oublie ça, Piton, j'ai du monde en masse. Mais si tu vois ton beau-frère le déserteur, dis-lui que j'aurais de l'ouvrage pour un bon charpentier.

Cette fois encore, c'est Pierre qui tira Simon du pétrin.

– Les ti-frères se cachent de la police militaire et ne pourront pas exploiter mon érablière au printemps. Je pourrais te la louer.

– Je n'ai pas beaucoup d'argent, mis à part mon argent de l'héritage, qui est placé à l'évêché.

– Je ne suis pas pressé. Tu me paieras quand tu auras vendu ton sirop et ton sucre.

– C'est un bon arrangement.

– En attendant d'entailler, tu pourras fabriquer quelques roues de charrette et bûcher le bois de poêle de grand-maman, celui de Réjeanne et le mien, en plus de celui de la cabane.

Le premier arbre que Simon abattit et coupa en bûches était un arbre creux situé à proximité de la cabane à sucre. Il fut tout surpris d'en voir s'échapper un message. Par inadvertance, il venait de découvrir la boîte aux lettres secrète par laquelle Cyprien et Pierre communiquaient.

La courte missive disait simplement :

Pierre,

Ceci est ma dernière lettre avant l'hiver. Je n'aurai pas besoin de provisions ni de rien. Dis à Réjeanne que je l'aime et qu'elle ne s'inquiète pas. Je lui donnerai des nouvelles au printemps.

Réjeanne fut très étonnée de la teneur trop simple de cette lettre. Étonnée et surtout inquiète.

– Que Cyprien cesse de cueillir de la gomme de sapin pour l'hiver, c'est normal. La cueillette est plus difficile l'hiver, et surtout il ne veut pas laisser de traces. Mais il ne peut tout de même pas arrêter de manger. Comment va-t-il survivre?

– Tu as raison, admit Pierre, il ne peut pas se ouacher comme un ours!

– Si au moins il me fournissait une explication. Mais non, monsieur n'aime pas écrire, grinça l'aînée.

– Fais confiance à Cyprien. Cet homme nous étonnera toujours.

La lettre énigmatique que Réjeanne reçut d'un inconnu aux premières neiges ne la rassura pas plus.

Madame,

Je suis le père Clément, botaniste. Au cours de mes sorties d'étude, j'ai rencontré à plusieurs reprises un ermite que vous connaissez. Je serais heureux de vous donner de vive voix de ses nouvelles si nous pouvions convenir d'un rendez-vous.

Et le bon moine d'expliquer qu'il passerait bientôt quelques jours dans la Vieille Capitale pour y travailler avec des membres de la société Provancher. Il terminait en spécifiant :

Je vous prie instamment de détruire cette lettre dès que vous en aurez pris connaissance et surtout de n'en parler à personne.

Petit, gros, replet, le père Clément n'impressionnait guère, sinon par sa robe de moine et son regard pénétrant. Pourtant, si Réjeanne avait eu le choix entre rencontrer le pape Pie X et le trappiste, c'est ce dernier qu'elle aurait choisi de voir en premier.

– Père Clément? s'assura-t-elle d'une voix toute pleine d'anxiété.

– C'est bien moi, madame, qui vous ai écrit.

– Et cet ermite dont parle votre lettre, est-ce qui je pense?

– C'est bien votre mari, madame : Cyprien Lanoue.

Réjeanne fut transportée de joie. Enfin, elle saurait comment vivait son mari, ce qu'il faisait, comment il passait ses jours.

– Comme je suis heureuse, comme je vous suis reconnaissante, mon père ! Dites-moi : où est Cyprien ? Comment vit-il ?

– Je ne peux pas vous dire où il est ni comment il vit.

Réjeanne crut défaillir.

– Pourquoi demander à me voir, alors ? Mon mari est-il mort ?

– Non, madame. Votre mari est vivant et il se porte bien.

– Mais encore ?

– Je ne peux pas vous en dire plus, pour sa sécurité. Je peux tout juste préciser qu'il est libre, que sa santé est excellente et qu'il semble heureux.

Réjeanne hésitait. De toute évidence, le moine refuserait d'en révéler davantage.

– Quand aurai-je d'autres nouvelles de lui ?

– Pas avant le printemps, à moins que quelque grand malheur ne lui arrive, ce qui est peu probable là où il se trouve, ajouta le moine avec chaleur.

– Vous a-t-il laissé un message pour moi ?

– Il me prie de vous assurer qu'il vous aime et que vous ne devez pas vous inquiéter. Avez-vous un message pour lui ?

– Dites-lui que je l'aime de tout mon cœur et que je porte un enfant.

Dans le train qui la ramenait à Saint-Michel, Réjeanne supposa que son mari était terré dans une cabane froide et mourait d'ennui. Elle était loin d'imaginer qu'il portait une robe de bure, faisait matines et sculptait des personnages bibliques.

25

LA VIE DE MÉNAGE de Pierre et Madeleine, qui avait commencé dans la folie douce, fut ramenée à des dimensions plus communes quand il fut confirmé que l'épouse était enceinte. Aux premiers flottements de cœur succédèrent d'abominables et incessantes nausées, puis des crampes et des malaises tout aussi insupportables les uns que les autres.

Contrairement à Madeleine, qui connaissait une grossesse difficile, Réjeanne semblait déborder d'énergie. Ainsi, au dîner de l'Immaculée Conception, le 8 décembre, elle proposa à Victoire et à maman Rose :

– Que diriez-vous si nous allions à l'île aux fêtes ?

– À l'île d'Orléans ? fit, incrédule, maman Rose qui n'osait en espérer autant.

– Et pourquoi pas ? C'est juste en face.

– Tu n'y penses pas ! Le fleuve, les courants, les glaces, les tempêtes, objecta Victoire.

Aucun obstacle ne semblait rebuter Réjeanne.

– On ne traverserait pas en goélette depuis Saint-Michel, comme en été. On ferait le détour par Lévis et Québec et on prendrait un bateau de passagers.

Simon écoutait cette proposition avec intérêt. Il y avait longtemps qu'il n'était allé par là.

– Si ça ne dérange pas vos plans de vieilles filles, je pourrais même vous accompagner, offrit-il. Je n'ai peut-être qu'une patte et demie, mais j'ai encore deux bras solides. Pour transporter les valises, ça peut vous être utile.

– Bien sûr que ça nous aiderait, convint sa grand-mère.

Réjeanne écoutait avec suspiscion son frère, qui manifestait soudain beaucoup de serviabilité.

– T'aurais pas une autre idée en tête, toi? Voler au secours des gosiers secs, par exemple?

– Plutôt consoler les cœurs brisés. Avec tous les gars partis au front, il doit bien se trouver quelques veuves de cœur en mal d'amour.

Pierre ne voulut pas y aller, il avait prévu qu'il ne voyagerait plus. Madeleine et lui s'apprêtèrent donc à célébrer le nouvel an 1918 en compagnie d'Antoine et Anne-Marie, qui, bien sûr, inviterait Donat.

Bien que la jeune femme gardât ses distances avec le constructeur de bateaux, sa famille constatait bien qu'Anne-Marie pensait de plus en plus à son bel amoureux.

Pierre voulut inviter son ami Hervé Francœur pour la Saint-Sylvestre, mais ce dernier déclina l'invitation. Bien qu'il eût préféré dire adieu à l'année 1917 en compagnie de son ami, Hervé choisit de demeurer auprès de son frère Guillaume, dont la fiancée agonisait. Yvonne Saint-Gelais rendit l'âme le jour des Rois. La valeureuse jeune femme fut emportée par une dernière pneumonie. Guillaume la pleura à l'égal d'une épouse.

Ce décès surprit et désola tout le monde sauf maman Rose.

– Cette pauvre jeune fille, elle est bien mieux au ciel. De toute façon, son âme est certainement sauvée. J'ai tellement prié pour elle! Et M. Guillaume va pouvoir enfin vivre. Un si bon garçon!

* * *

La guerre «européenne» devint «mondiale» le jour de février 1918 où les Américains s'en mêlèrent. Du coup, les journaux manifestèrent un regain d'intérêt pour le conflit. Si leur lecture rebutait Madeleine, Pierre les suivait toujours avec assiduité.

– Regarde, disait-il en montrant les titres à sa femme, les sous-marins allemands bourdonnent maintenant comme des guêpes depuis le golfe du Saint-Laurent jusqu'aux abords de

New York. Le président Wilson a résolu d'envoyer trois cent mille soldats par mois en France. La guerre va prendre une nouvelle tournure.

Mais l'évolution du conflit, qui aurait dû intéresser Réjeanne, la laissait froide. Pierre attribuait son peu d'intérêt au fait qu'elle travaillait de plus en plus et qu'elle n'avait plus de nouvelles de son mari. L'institutrice ne se permettait plus de répit. Les heures qu'elle ne réservait pas à ses élèves, elle les consacrait à son association.

Ce que sa famille ne devinait pas, c'est que Réjeanne travaillait pour chasser l'angoisse qui la rongeait. D'une part, la crainte que Cyprien ne soit pas le père de l'enfant qu'elle portait hantait son esprit dès le moment où le travail ne l'occupait plus. D'autre part, l'instant de pure extase qu'elle avait connu avec Jones consumait sa conscience de chrétienne comme un feu sans flammes.

* * *

Sur les bords du Saint-Laurent, Antoine, toujours fasciné par la performance des bateaux, avait longuement étudié les canots des insulaires. Il en avait conclu que, pour naviguer entre les glaces et souvent y aborder, la forme de leurs embarcations traditionnelles laissait beaucoup à désirer. Il avait d'ailleurs eu avec son patron de nombreuses discussions à ce sujet.

– Tu ne peux pas changer la forme de leurs embarcations, disait Donat en parlant des habitants de l'archipel de Montmagny. Ils ne l'accepteront jamais.

– L'ennui, avec les canots des îles, c'est qu'ils sont faits pour fendre l'eau. Leur étrave sépare l'eau, ce qui demande de l'énergie.

– Les bateaux ont toujours eu des étraves, rétorquait invariablement Donat. Ça ne doit pas être pour rien. Les marins naviguent depuis des siècles sur des bateaux à étrave.

– L'étrave, c'est pour couper les vagues. Si les étraves étaient avantageuses pour naviguer à travers les glaces, les phoques en auraient ! répliquait invariablement Antoine.

– D'après toi, comment serait fait le canot à glace idéal ?
– Comme un phoque : avec un corps fin et un cou allongé pour monter facilement sur la glace.

À la fin, cet argument finit par ébranler le chef constructeur, qui, un beau matin d'hiver, prit Antoine à part.

– Ton idée de canot, on va l'essayer pour voir si elle marche. Nous allons en construire un en cachette, par les soirs et les congés. Un canot assez grand pour cinq hommes, mais on va l'essayer à trois rameurs contre notre canot traditionnel. Je vais faire jurer aux gars de notre équipe de garder le secret.

– Je suis certain que ça va marcher. J'imagine la tête des insulaires quand ils vont nous voir arriver avec notre esquif.

Les insulaires s'esclaffèrent en effet quand ils virent arriver l'équipe de Saint-Michel pour la course du mardi gras.

– Une chenille ! se moquèrent-ils. Tout ce qui lui manque, c'est des pattes !

Ils rirent cependant un peu jaune quand, à la fin de la course, la chenille talonna le canot des Lachance au rempart de Montmagny. Donat et ses hommes revinrent avec en poche une première commande pour cette nouvelle embarcation. Elle était signée Jos Lachance.

* * *

Si l'atmosphère était à la fête à Montmagny, elle ne l'était pas du tout entre Montréal et Québec. Pendant tout le temps du carême, des démonstrations souvent violentes eurent lieu en opposition à la conscription. Ces émeutes commencèrent à Montréal, puis se transportèrent dans la Mauricie. La violence éclata successivement à Trois-Rivières et à Shawinigan, des villes industrielles prospères.

Quand, pendant la semaine sainte, des mouvements semblables commencèrent à se manifester dans la Vieille Capitale, le gouvernement fédéral y envoya un détachement de l'armée canadienne sous le commandement du plus haut gradé francophone du Canada, le major général François-Louis Lessard, un militaire de carrière natif du Québec et dont les journaux avaient maintes fois rapporté les opinions conscriptionnistes. Le détachement répressionniste établit son quartier général à la citadelle, sur les hauteurs du cap Diamant.

Le maire de Québec, Henri-Edgar Lavigueur, se rendit vite compte que Lessard et ses hommes n'avaient d'autre but que de prendre le contrôle total de sa ville. Il voulut imposer son autorité mais fut rapidement bafoué.

– Je n'ai pas besoin de vous, monsieur le maire, lui déclara effrontément Lessard. Je tiens mon autorité d'Ottawa,

* * *

Quand, fidèle à sa promesse, Jacques Latour s'amena au lac Frontière l'après-midi du dimanche de Pâques pour y prendre les Descôteaux, il trouva deux pauvres hères dépenaillés, sales, barbus, squelettiques et pouilleux. Aussi insensible qu'il fût, le marchand de bestiaux ne put retenir une exclamation.

– Vous êtes donc bien maigres, vous deux ! Vous ne valez pas cher pour la boucherie !

– On n'est pas trop gras, admit l'un.

– Je n'appelle plus ça maigre. On peut vous compter les côtes par les trous de votre manteau.

– Le carême a duré six mois cette année, fit l'autre.

Latour examina avec attention les deux loques humaines et crut qu'elles n'allaient pas survivre au voyage.

– Ça n'a pas de bon sens de vous cacher dans la boîte du camion. Vous allez mourir de froid. Montez avec moi dans la cabine.

– Les patrouilles et les barrages, qu'est-ce que tu en fais ? s'inquiéta un des cousins.

– On a assez souffert pour échapper à la conscription, on ne veut pas se retrouver au front maintenant, ajouta l'autre.

– Le dimanche, il n'y a pas de barrages, assura Latour. Surtout pas le jour de Pâques.

Les deux bûcherons, qui avaient survécu par miracle aux privations que leur avait imposées Langlois, ne purent résister à l'attrait d'une cabine chauffée.

Latour reprit la route sans plus attendre, pressé de se débarrasser de ses deux passagers dont l'odeur pestilentielle l'incommodait au plus haut point.

C'est avec beaucoup d'appréhension que les Descôteaux affrontèrent les premiers kilomètres de route. Puis, à la vue des maisons, des villages et des gens qui faisaient leur promenade du dimanche, ils reprirent peu à peu confiance.

Aucune alerte tout le long de la Chaudière. La nuit tombait quand les voyageurs arrivèrent en vue du Saint-Laurent.

– Avec un peu de chance, on va pouvoir pêcher l'alose dans un mois, remarqua l'un des barbus.

– L'alose et l'esturgeon, renchérit l'autre.

Le camion vira vers l'est. Il faisait nuit quand il dépassa le village de Beaumont.

– Plus rien qu'un village avant le nôtre, soupira l'un.

– Plus rien qu'un village avant nos fiancées, ajouta l'autre.

Latour n'avait pas dit un traître mot du voyage. Il avait assez d'endurer ses passagers sans devoir en plus les divertir, estimait-il. Soudain, au milieu du désert agricole séparant Beaumont de Saint-Michel, il échappa un juron.

– Ça, par exemple. Un barrage !

– On est pris ! s'écria un des Descôteaux.

– Sautons en bas ! cria l'autre.

Voyant qu'il allait perdre ses passagers, Latour accéléra.

– Restez à bord et regardez bien comment je passe ça, moi, un barrage !

Les Descôteaux virent avec stupéfaction leur chauffeur foncer entre les deux guérites et faire voler en éclats la planche qui barrait la route.

– Yahou !

L'euphorie des déserteurs ne dura que le temps de couvrir cent mètres. Trois véhicules militaires barraient la route, tous feux éteints. Latour s'arrêta sagement, et des soldats en uniforme entourèrent le camion.

– Gigi ! s'écrièrent les cousins d'une seule voix.

Ils venaient de reconnaître James Jones.

– Vos *discharges* ! demanda le sergent aux passagers.
– On n'en a pas, firent les deux conscrits, penauds.
– Venez avec nous.
Le cœur brisé, leurs illusions évanouies, les fuyards descendirent du camion. L'un d'eux, qui, dans le malheur, n'oubliait pas les bonnes manières, se retourna pour saluer Latour et le remercier quand même de les avoir amenés aussi près du but. Occupé qu'il était, le marchand de bestiaux ne vit pas ce salut. Il serrait d'une main celle de l'officier tandis que de l'autre il recevait une enveloppe.

* * *

À la même heure, Réjeanne se trouvait dans sa famille à Québec. Tout le monde était à table et attendait impatiemment les bruants grillés.

En plus du plaisir de revoir les siens dans la meilleure tradition pascale, deux bonnes raisons avaient, dès le vendredi saint, amené l'institutrice dans la capitale. La première était une réunion du conseil de l'A.E.R.S., l'association professionnelle qu'elle présidait. La seconde était une lettre énigmatique du père Clément.

Pour le moment, elle retournait sa serviette dans ses mains et, dans le joyeux brouhaha, avait perdu le fil des conversations. Elle revivait en pensée les deux principaux événements du week-end.

* * *

– Passons à l'ordre du jour, si vous le voulez bien.
Guillaume Francœur, très digne dans le deuil de sa fiancée, n'avait pas le cœur à bavarder. Il attendit un moment que les chaises cessent de craquer, puis il procéda à la lecture du compte rendu de la dernière assemblée.
– Ce procès-verbal est-il exact ? demanda la présidente.
– Oui, oui, bien sûr, tout y est, entendit-elle de toutes parts.
– Proposé par…
Réjeanne interrogea les directeurs du regard. Une participante leva la main.

– Par Mary Langis. Adopté à l'unanimité.
– Voici l'ordre du jour proposé pour la réunion d'aujourd'hui, le samedi 30 mars 1918, fit Guillaume.
Il lut sans tarder les sujets alignés sur sa feuille de route.
– Quelqu'un désire-t-il ajouter d'autres sujets de discussion ? demanda-t-il à la fin.
Ce fut le silence.
– Un seul sujet manque, remarqua la présidente. Le thème du billet d'ouverture que prononcera notre aumônier.
Émile Sylvestre leva la tête, porta une dernière fois les yeux sur ses notes et commença :
– J'ai choisi de vous entretenir du droit d'expression.
Les gens présents regardèrent instinctivement autour d'eux. En ces heures dramatiques où le peuple sentait sa liberté brimée, les membres du conseil de l'A.E.R.S. avaient l'impression que des observateurs aussi menaçants qu'invisibles étaient embusqués derrière chaque tenture, dans chaque recoin sombre de la pièce.
– Nous vous écoutons, fit la présidente.
– Notre ville, commença l'abbé Sylvestre, notre belle et calme ville de Québec, est assiégée. Les sept cents soldats d'un détachement spécial de l'armée canadienne y règnent en maîtres depuis hier soir, alors que le maire Henri-Edgar Lavigueur a officiellement demandé leur aide. Au moment où je vous parle, personne ne peut entrer dans Québec, personne ne peut en sortir. Deux mille autres soldats s'en viennent de l'Ontario et des provinces de l'Ouest. Ils arriveront demain et lundi.
L'abbé, visiblement troublé, fit une pause, inspira profondément et continua :
– Leur commandant, le major général François-Louis Lessard, qui n'est québécois que de nom, cherche l'affrontement. Ce traître à sa nation cherche un prétexte pour écraser son propre peuple. On ne saurait choisir moment plus propice pour parler de liberté d'expression.
Et le professeur d'histoire de repasser dans l'ordre les principaux événements de cette guerre, qu'il qualifia à son

tour de mondiale, puisqu'à cette heure un pays aussi lointain que le Japon y participait. Il fit ensuite la genèse de la Loi du service militaire et démontra, par le rappel de chacune des principales étapes qui avaient mené à son adoption, que cette loi était, en définitive, unanimement approuvée non seulement par tous les partis politiques de tous les gouvernements intéressés, mais en plus par l'élite des leaders moraux, incluant les plus hautes instances du clergé. Et le prêtre de conclure :

– Pourtant, le peuple, lui, sent bien qu'il est floué. Les rares voix qui se sont élevées pour s'opposer à l'enrôlement obligatoire ont parlé suffisamment fort pour que nos concitoyens mettent en doute le bien-fondé même de cette guerre et réévaluent l'obligation morale d'y participer. Dans cette affaire, personne n'a écouté le peuple canadien-français. Il faut voir dans les émeutes qui, depuis jeudi soir, éclatent spontanément dans notre ville la manifestation extrême de sa liberté d'expression réprimée. Comme sa voix a été étouffée de toutes parts, le dernier moyen à sa disposition pour se faire entendre est la violence. C'est à la lumière des faits passés qu'il faudra juger les événements à venir. En guise de conclusion, je vous remets en mémoire et vous donne en réflexion ces paroles lourdes de conséquences que prononçait récemment un éminent homme politique de notre région, M. Armand Lavergne : « Si, au cours de cette guerre, nous devons verser notre sang, il vaut mieux que ce soit sur le sol de notre pays. »

Par la suite, Guillaume Francœur, qui, à son tour, résumait le chemin parcouru par la première association professionnelle régionale d'enseignantes créée au Québec, fit état de l'enthousiasme avec lequel les enseignantes avaient participé au premier congrès de l'A.E.R.S. et de leur détermination à faire encore mieux au suivant. Puis il touna une page nouvelle.

– Chères amies, votre association professionnelle a, en peu de temps, franchi des pas de géant. Pourtant, la voie qui s'ouvre devant elle se perd dans l'horizon.

Et le conseiller d'en poser les principaux jalons. Pour la première fois, les enseignantes entendirent l'expression «convention collective». Cette notion leur sembla tellement vaste qu'elles eurent le sentiment de se trouver bien seules dans leur petit coin de pays. Ne pouvant plus se tenir d'intervenir, Mary Langis s'exclama :

– Nous ne pourrons jamais faire ça toutes seules. Nous ne pourrons élaborer une convention collective qu'avec l'accord de toutes les enseignantes et de tous les enseignants de la province de Québec, et même le soutien du gouvernement.

Mary avait compris que son association régionale devait s'unir à toutes les autres associations du genre, pour peu qu'elles existent, et c'est la question qu'elle inscrivit en tête de liste pour le prochain congrès général.

Après la réunion, Guillaume, qui avait été mis au courant par son frère Hervé de la défection de Cyprien, avait demandé à Réjeanne :

– Est-il indiscret de vous demander si vous avez des nouvelles de votre mari ?

– Aucune nouvelle.

– Nous sommes à demi-veufs tous les deux, avait-il remarqué.

La jeune femme n'avait pas répliqué, mais ces propos l'avaient fait réfléchir.

Réjeanne ne pouvait mentir. Mais elle pouvait encore moins confier son secret à quelqu'un, même pas à ses chers amis Émile Sylvestre et Guillaume Francœur.

Le père Clément lui avait écrit :

Chère madame,

J'ai un cadeau pour vous. Si nous pouvons nous rencontrer à Québec le samedi saint, je me ferai un plaisir de vous le remettre.

Et, dans un petit bureau de la Société Provancher, le moine avait, sans préambule, remis à la jeune femme une sculpture étonnante. Une madone haute de cinquante centimètres, taillée dans du bois de pommier. Sa tête était penchée et son visage serein avait un air de recueillement, tandis que ses deux mains, posées de part et d'autre de son ventre proéminent, protégeaient un enfant à naître.

Réjeanne resta muette d'admiration et des larmes inondèrent son visage. Elle n'en finissait plus de contempler ce chef-d'œuvre dont elle reconnaissait bien l'auteur.

À la fin, le père Clément toussota.

– Vous m'excuserez, madame, mais je dois rejoindre mes collègues.

Réjeanne savait qu'il était inutile de demander des nouvelles de son mari.

– Avez-vous au moins un message pour moi de la part de Cyprien?

Cyprien envoyait toujours le même message. Il réitérait son amour à Réjeanne et lui demandait de ne pas s'inquiéter pour lui.

– Pas autre chose?

– Si. Votre frère trouvera à l'endroit convenu une première livraison de baume du Canada à la pleine lune de mai.

À ce moment, un délicieux fumet de rôtisserie et la voix chaude de sa grand-tante vinrent tirer Réjeanne de ses rêveries.

– Tu prendras des ortolans, ma petite fille?

* * *

– Amenez-moi ces déserteurs. Je veux les interroger.

La première nouvelle qu'avait apprise le major général Lessard en arrivant à la citadelle, le lundi de Pâques au matin, était l'arrestation, la veille au soir, de deux conscrits. Lui qui était rasé de près et abondamment parfumé, il eut un haut-le-cœur en voyant les Descôteaux.

– Qu'ils se changent d'abord! ordonna-t-il.

– Ils n'ont pas d'autres vêtements, mon commandant.

Son téléphone sonna.

– Enfermez ces crottés dans cette petite cellule, ici, que je les aie à l'œil, dit-il en montrant le réduit d'une main et en décrochant le récepteur de l'autre.

– *Hello!*

C'était Armand Lavergne qui demandait un rendez-vous. Lavergne n'était plus député mais demeurait une figure publique importante parce qu'il était un des rares hommes politiques auxquels les citoyens de la capitale faisaient encore confiance. Lui et Lessard se connaissaient parce que Lavergne avait fait jadis un bout de carrière militaire.

– Avec plaisir, mon cher Armand. Je vous attends à quatorze heures.

Quelqu'un frappa.

– Entrez ! lança Lessard. Ah ! bonjour, major Mitchell. Déroulez vos cartes sur cette table. Nous avons un plan d'attaque à élaborer.

Le major général en oublia les Descôteaux. Les deux pauvres diables, qui mouraient de faim et de soif, regardaient, apeurés, le va-et-vient des hauts-gradés qui leur commanderaient bientôt.

– De combien d'hommes disposez-vous, Mitchell ?

– De près de mille deux cents, mon général.

– De quoi sont composées vos forces ?

– De cent cavaliers du *Royal Canadian Dragoon* avec leurs chevaux, de cinq cent quatre-vingts soldats du *Centre Ontario Regiment* qui viennent d'arriver avec leurs armes, de cent tireurs d'élite équipés de mitrailleuses de la *Machine Gun Company*, plus quatre cents militaires du *Royal Canadian Engineers*.

– Voici comment vous procéderez. Placez les militaires du *Royal* sous la direction du major T.A. Keiffer et cantonnez-les à la gare du Palais. Placez tous les aûtres sous les ordres du major George Robert Rogers et qu'ils patrouillent le quartier Saint-Roch dès la tombée du jour.

– Que prévoyez-vous pour le reste de la ville, général ?

– D'autres contingents arrivent. Ils bloqueront les ponts, contrôleront toutes les allées et venues et protégeront les honnêtes citoyens de la haute ville.

Lessard considéra un moment les cartes d'état-major et ajouta :

– De toute façon, seuls les émeutiers descendront dans la rue. Même les petits chars sont arrêtés.

Quand il arriva à la citadelle au début de l'après-midi, Armand Lavergne se trouva face à face avec l'abbé Joseph-Guillaume-Arthur d'Amours, rédacteur du quotidien *L'Action catholique*, qui prenait congé du major général. Les deux hommes échangèrent un regard mauvais. Cet ecclésiastique, un jésuite ultramontain, était un partisan acharné de la conscription ; il avait maintes fois dénoncé Lavergne dans les pages de son journal.

Pendant que Lessard échangeait quelques derniers propos civils avec l'abbé, Lavergne jeta un coup d'œil au cachot et secoua la tête avec pitié, ce qui répandit un peu de baume sur le cœur meurtri des deux prisonniers. L'abbé parti, Lessard demanda à son visiteur :

– Alors, que puis-je faire pour vous, mon cher Armand ?

– Je ne suis pas venu intercéder pour moi, mais pour mes concitoyens.

– Que voulez-vous dire ?

– Hier, dans une assemblée publique, j'ai assuré la population, sur une promesse du lieutenant-colonel Harold Machin, que l'armée ne se montrerait pas ce soir au marché Jacques-Cartier. À la suite de quoi les protestataires se sont dispersés. Or, en venant ici, j'ai constaté que vos soldats s'y trouvent déjà. On m'a berné et la population y verra une provocation.

– Je suis arrivé hier soir de Halifax par train spécial et je détiens tous mes pouvoirs d'Ottawa. Le lieutenant Machin n'avait pas le mandat de parler en mon nom.

– Eh bien, s'il est vrai que vous détenez les pleins pouvoirs, je vous demande de ne pas sortir vos soldats. Gardez-les à l'intérieur des édifices à protéger : la gare, le bureau de poste, l'auditorium. Ne les envoyez pas dans le quartier Saint-Roch ce soir. Je vous le répète, si vous les sortez, la population y verra une provocation et du sang sera versé.

– La seule provocation viendra de vous, Lavergne. N'allez pas au marché Jacques-Cartier ce soir.

– Si je le pouvais, j'irais, mais je suis malade. J'ai la grippe et je suis fiévreux. Alors, je vous le demande une dernière fois : gardez vos hommes à l'intérieur.

– Lavergne, il est trop tard. J'ai la force et je m'en sers !

En sortant, Armand Lavergne croisa le maire Lavigueur, qui venait lui aussi intercéder en faveur de ses concitoyens. La réponse de Lessard fut plus menaçante encore :

– Nous allons tirer et nous allons faire des prisonniers !

Dans leur trou, les deux Descôteaux, dont la famille et les fiancées étaient sans nouvelles depuis six mois, se promirent bien de leur raconter ces événements dès qu'ils toucheraient du papier à lettre. Pourtant, l'un d'eux désespérait de revoir le soleil.

– Crois-tu, demandait-il à son inséparable cousin, qu'ils vont nous relâcher un jour ?

– Avec ce qui se prépare, on est peut-être mieux ici que dans la rue, répondit l'autre.

* * *

Le souper pascal s'était déroulé de joyeuse façon dans la vieille maison de pierres du quartier Jacques-Cartier. Les cousins de Cyrille n'avaient que de jeunes enfants, donc pas de fils en âge d'être recrutés. En conséquence, ils ne participaient pas aux manifestations de protestation contre l'enrôlement obligatoire et défendaient même à leur progéniture d'observer les rassemblements depuis les fenêtres.

– On ne sait jamais : une balle perdue…

Parce que, de temps en temps, un coup de feu retentissait dans le vieux Québec. Le fait que les cousins de son père ignorent les manifestations en cours indisposait Réjeanne.

Sa conscience sociale s'était épanouie au contact de l'abbé Sylvestre et elle gardait tout chaud à l'esprit son discours de la veille sur la liberté d'expression. La jeune femme n'était pas très fière de voir sa parenté faire l'autruche mais, en même temps, elle se disait que c'était leur droit.

La ville se trouvait sous contrôle militaire strict. Réjeanne, ne pouvant retourner chez elle, passa la journée du lundi de

Pâques à se faire du mauvais sang pour ses élèves, qui perdraient peut-être plusieurs jours de classe. Car on ne savait combien de temps durerait le siège.

Pour ajouter à son désarroi, une pluie tranquille et douce se mit à tomber. Comme aucun vent ne se manifestait, le brouillard envahit lentement la ville. Noyée dans la grisaille, celle-ci prit un air lugubre.

Les cousins rentrés chez eux, Réjeanne demeura seule avec son grand-oncle et sa grand-tante. Quand la foule des protestataires descendit dans la rue, une peur bien légitime s'empara des vieillards.

– Il vaudrait mieux se barricader, annonça Aldéric en refermant les volets de bois et en chevillant la porte.

– Montons à l'étage, suggéra Honorine. Nous pourrons surveiller la rue en toute sécurité.

Des soldats, l'arme en bandoulière, par petits groupes de plus en plus nombreux, patrouillaient maintenant la rue Bagot, où habitaient les Bouffard. Des gamins cachés derrière les bancs de neige et dans l'embrasure des portes cochères leur lançaient des morceaux de glace, ce qui semblait exaspérer les militaires. Pourtant, ils n'intervenaient pas. Mais quand un groupe de francs-tireurs passa en traînant une mitrailleuse Lewis montée sur roues, les parents sortirent en appelant leurs marmots et les mirent à l'abri en moins de deux.

Malgré la brume, les Bouffard virent bien que le dernier groupe de soldats installait l'arme automatique à cent pas de chez eux, à l'intersection des rues Bagot et Laviolette. Ils éteignirent les lampes et se réfugièrent dans une chambre située à l'arrière de la maison. Bien que tremblante d'appréhension, Réjeanne décida de rester à la fenêtre, se postant néanmoins un peu en retrait.

Maintenant, des coups de feu crépitaient sporadiquement dans les rues voisines. Plusieurs détonations se firent entendre en provenance du marché Jacques-Cartier. La brume devint en même temps de plus en plus dense. Soudain, un petit groupe de manifestants déboucha de la rue Saint-Jude et remonta en courant la rue Signal. La mitrailleuse cracha, le manchon de verre d'un lampadaire éclata, un manifestant tomba. Il se releva cependant aussitôt et, tenant son visage à deux mains, s'enfuit sous la lueur blafarde du bec de gaz qui fumait maintenant à l'air libre. Il semblait avoir été atteint par des éclats de verre.

Réjeanne entrouvrit la fenêtre avec précaution afin d'entendre mieux. L'écho des coups de feu, assourdi par l'air humide, lui parvenait maintenant de toute la basse ville. «C'est la révolution, pensa-t-elle. C'est la guerre.»

Comme elle refermait la fenêtre, elle vit une ombre traverser la rue Bagot un peu plus bas en courant. L'arme automatique se fit entendre, mais le citoyen s'en tira indemne.

Un peu plus tard, un tout jeune homme apparut sous le bec de gaz brisé. À le voir aller, il ne ressemblait pas à un contestataire. Il rasait les murs et se cachait sous tous les portiques, au point que Réjeanne se demanda si ce n'était pas un voleur. Il progressait avec prudence et semblait chercher une façon d'arriver sans encombre à la rue Sauvageau.

Une deuxième ombre apparut loin derrière. C'était un ecclésiastique. Le jeune homme, qui arrivait à la hauteur de l'observatrice, avança encore d'une vingtaine de pas et traversa la rue. Une balle siffla et il tomba.

L'ecclésiastique s'amena au pas de course pour le secourir mais, au moment où il s'engageait sur la chaussée, la mitrailleuse cracha et il roula par terre.

Si le jeune homme ne bougeait plus, le prêtre, lui, tenait sa jambe et se tordait de douleur. Réjeanne se précipita dans la chambre arrière.

– Oncle Aldéric, un prêtre vient d'être blessé devant votre porte!

Il faut le secourir.

– Allume une lampe, ma femme, ordonna-t-il à Honorine, et descendons.

Le vieil homme ouvrit la porte intérieure, tira les loquets de la porte extérieure et jeta un coup d'œil dehors. Il n'osa cependant pas sortir.

– Venez par ici, monsieur l'abbé !

Le blessé ne sembla pas entendre. La nièce voulut entraîner son vieux parent.

– Venez, mon oncle, nous allons l'aider.

– C'est trop dangereux, ma fille.

Réjeanne regarda les vieillards apeurés et, sans ajouter un seul mot, plongea dans la pénombre. Le prêtre ne se trouvait qu'à sept ou huit pas. Elle se plaça derrière lui, glissa ses deux mains sous ses aisselles et le traîna sur la chaussée. À un moment donné, la mitrailleuse rententit. Des balles ricochèrent sur les pavés et les murs de pierres des maisons voisines mais l'institutrice atteignait déjà l'entrée.

Le prêtre, toujours penché en avant, tenait sa cuisse.

– Un garrot, je vous prie, demanda-t-il.

Réjeanne crut reconnaître une voix familière. Elle arracha la lampe des mains tremblantes de sa grand-tante et en dirigea la lumière vacillante vers le visage du blessé.

– L'abbé Sylvestre !

– Réjeanne !

C'était Émile Sylvestre, le vicaire de son village et l'aumônier de son association. De sa soutane trouée par la balle, le sang coulait abondamment.

– Faites-moi un garrot, je perds beaucoup de sang. Je vois tout en jaune, je vais…

Le prêtre perdit connaissance.

– Aidez-moi, oncle Aldéric. Tirons-le en dedans.

Réjeanne remit la lampe à sa tante et, aidée par son oncle, tira le corps inerte dans la pièce pendant que la vieille femme fermait et barricadait la porte. Elle releva la soutane de l'ecclésiastique et dégagea la blessure. À l'intérieur de la cuisse, à quinze centimètres au-dessus du genou, une vilaine entaille saignait abondamment.

– Vite, le cordon de ta robe de chambre, ordonna Aldéric à sa femme.

Le blessé était étendu de tout son long sur le plancher. Réjeanne posa la lampe sur une chaise pendant que son grand-oncle passait le solide cordon autour de la cuisse. Elle pressa l'artère fémorale, Aldéric serra plus fort et le sang s'arrêta.

– Mets un doigt sur le nœud, demanda le vieux.

Sans relâcher la pression sur l'artère, la petite-nièce serra fortement de l'autre main le nœud, que le vieil homme doubla.

– Une serviette d'eau froide, ma tante.

Un moment plus tard, Réjeanne baignait d'eau glacée le visage exsangue de la victime. L'homme d'Église ouvrit les yeux, l'air hagard, les referma un moment, puis les rouvrit et demanda :

– Où suis-je?

– Vous êtes en sécurité, le rassura Aldéric.

– Vous avez perdu beaucoup de sang, monsieur l'abbé, l'informa Réjeanne. Il ne faut pas bouger.

– J'ai froid.

– Je vais chercher des couvertures, fit Honorine.

– Nous pourrions l'installer sur un sofa, suggéra son mari.

– Vaut mieux qu'il ne bouge pas, fit sa petite-nièce. Je crains que la blessure ne se rouvre.

Réjeanne examina de nouveau la blessure. Elle ne perdait plus de sang mais les chairs déchiquetées étaient épanouies en tous sens. Les vieux couvrirent le prêtre, qui eut la force de les remercier.

– Il faut trouver un médecin, décida Réjeanne.

Elle se dirigea d'un pas décidé vers la porte.

– Ne sors pas, cria sa grande-tante, tu vas te faire tuer!

Réjeanne ouvrit. Dehors, des coups de feu retentissaient sporadiquement. Elle hésita un moment. Un petit groupe d'hommes qui descendait alors la rue surgit devant la porte.

– Arrêtez! cria-t-elle. N'allez pas plus loin. Il y a une mitrailleuse au coin de la rue Laviolette. Vous allez vous faire tirer.

– Quelqu'un est tombé au milieu de la rue, fit l'un des hommes.

– Ne vous avancez pas, on va vous tirer dessus, répéta Réjeanne. Venez plutôt m'aider. Un prêtre a été gravement blessé.

Deux hommes se détachèrent du groupe pendant que les autres se mettaient à couvert derrière un perron de ciment. Ils jetèrent un coup d'œil dans la maison et virent le blessé étendu par terre.

– Aidez-moi, aidez-le, implora la jeune femme. Il faut un médecin tout de suite.

– Gardez le malade, madame. Nous allons vous en trouver un.

Les deux hommes sortirent et rejoignirent leurs compagnons. Le groupe s'éloigna par où il était venu. Réjeanne revint auprès du blessé, qui avait le souffle court. La grand-tante alluma deux autres lampes et alla revêtir un robe et un long chandail de laine.

Vingt minutes plus tard, on frappait à la porte. Réjeanne ouvrit.

– Je suis le docteur Albert Marois. Vous avez un blessé, à ce que je vois.

– Merci d'être venu malgré le danger, dit la jeune femme.

– La fusillade a diminué, répondit le médecin en ouvrant sa trousse. Maintenant, on signale des blessés partout. J'en ai soigné trois à mon bureau et on en amenait un autre quand j'ai passé la porte. Je dois faire vite.

Il souleva les couvertures, prit une lampe des mains de Réjeanne et l'approcha de la blessure.

– Ça alors ! La blessure d'une balle explosive !

Le médecin nettoya et désinfecta la plaie, coupa les chairs déchiquetées et recousit le tout. Il demanda ensuite qu'on allonge le malade, la jambe posée sur un coussin, et défit le garrot.

– Ce cordon a sauvé une vie, fit-il en le tendant à qui voulait bien le prendre.

– Ce sera mon souvenir de guerre, assura la vieille qui s'en empara sans hésiter.

Le médecin administra quelques médicaments à son malade et annonça :

– Je dois partir maintenant, mais je reviendrai demain matin. Si l'abbé tombait dans le coma, venez me chercher immédiatement, ajouta-t-il en tendant sa carte de visite.

Quand l'oncle Aldéric ouvrit la porte devant le visiteur, il remarqua que la pétarade avait cessé et qu'un petit attroupement d'hommes s'était formé au milieu de la rue, devant la porte voisine.

– Il a l'air mort, disait l'un d'eux.

– Un mort ! Un mort ! crièrent les autres.

– Je devrais peut-être y regarder de près, fit le médecin.

Pendant qu'il s'approchait de la première victime de la fusillade, les Bouffard se remirent à la fenêtre. Ils le virent se pencher sur le corps inerte et se relever en secouant négativement la tête. Les hommes arrachèrent une section de clôture de bois dont ils firent une civière improvisée et emportèrent le cadavre.

Réjeanne passa la nuit au chevet du jeune abbé. Sous l'effet des sédatifs, il s'était endormi. Oubliant qu'elle avait fait la même chose pour lui, Réjeanne nourrissait maintenant une admiration sans borne pour cet homme de bien qui n'avait pas hésité à se lancer devant la mitraille afin de porter secours à son prochain.

Au bout d'une heure de veille, elle voulut meubler le temps. Il n'y avait rien à lire dans la chambre. Elle se souvint tout à coup de ce roman que Madeleine lui avait prêté et qu'elle avait toujours dans ses bagages. Et Réjeanne lut d'un trait la belle histoire de Maria Chapdelaine.

Sa lecture terminée, elle consacra les premières heures du matin à se remémorer les nombreux discours qu'avait prononcés le leader moral, à retracer les paramètres de sa philosophie sociale. Et invariablement lui revenaient les paroles de Lavergne que le jeune abbé avait faites siennes deux jours plus tôt : « Si, au cours de cette guerre, nous devons verser notre sang, il vaut mieux que ce soit sur le sol de notre pays. »

* * *

L'abbé Sylvestre se réveilla à l'aube. Réjeanne lui prépara un bouillon qui lui fit le plus grand bien et, quand son grand-oncle Aldéric parut, elle lui dit :

– Vous veillerez bien sur notre hôte. Je vais aller dormir un peu.

Au vieillard qui s'était assis à ses côtés, le prêtre raconta dans quelles circonstances il avait rencontré sa petite-nièce. Quand, quelques heures plus tard, cette dernière ouvrit l'œil, elle entendit des bruits de conversation au salon. Elle descendit. C'était le docteur Marois.

– Comptez-vous chanceux, monsieur l'abbé, disait-il. Vous vous en tirerez.

– Que s'est-il passé? demanda l'ecclésiastique. Je venais rendre visite au père Isidore Évain, oblat de Marie-Immaculée, au presbytère de Saint-Sauveur, quand j'ai entendu des coups de feu. Un homme est tombé devant moi.

– C'était un guet-apens de l'armée. Les soldats ont tiré à l'aveuglette. Plusieurs citoyens sont morts par balle. Des dizaines ont été blessés.

– Des émeutiers, je présume.

– Pas du tout. D'honnêtes citoyens pour la plupart, qui ne menaçaient en rien l'ordre public. Comme vous et ce jeune homme que vous avez voulu secourir.

– Qui est-il?

– Il s'agit de Joseph-Édouard Tremblay, un étudiant qui rentrait tranquillement chez lui après avoir rendu visite à des amis de la haute ville.

– Et comment est-il?

– On ne vous a pas dit? Il est mort. D'une balle en plein cœur. Une balle explosive ou une balle à texture malléable.

Le prêtre devint livide.

– Mais, docteur, il est interdit d'utiliser de telles balles, même à la guerre!

– Vous avez raison, monsieur l'abbé.

– Mais ce sont des assassins, pires que les Allemands!

Un chagrin incommensurable assaillit le religieux. Il se mit à trembler de tout son être.

– Au secours, mon Dieu! se lamenta-t-il en se signant. Venez aider ce peuple…

* * *

Les fusils s'étaient tus. Terrorisés, les citoyens n'osaient plus sortir de chez eux. Les soldats disparurent. L'oncle Aldéric offrit de garder le jeune prêtre jusqu'à ce qu'il puisse regagner le séminaire. Réjeanne put prendre le train et rentrer chez elle le lendemain.

Encore sous le choc des événements auxquels elle avait participé bien involontairement, elle se fit reconduire chez Pierre, où sa famille, rassurée, vint la retrouver. On avait lu les journaux et on s'était beaucoup inquiété de son sort. Quatre citoyens avaient été tués par balles et quelque soixante-quinze autres avaient été blessés; aucun militaire cependant n'avait été égratigné.

Après une soirée passée parmi les siens, Réjeanne voulut réintégrer sa maison, mais elle n'eut pas le courage de partir seule.

– Simon, implora-t-elle presque, viendrais-tu dormir chez moi un soir ou deux?

Le forgeron accepta volontiers.

Pâques ayant eu lieu très tôt, soit le 31 mars, il s'écoula six semaines avant la fête des Mères, et une semaine de plus avant la fête de Mai. Ce n'était pas trop pour laisser mourir l'écho des balles.

Quand la lune atteignit son plein, quelques jours avant la grande fête des citoyens de Rivière-Boyer, Pierre trouva à sa cabane des contenants de résine de sapin et, sous l'un d'eux, une courte commande de victuailles et un simple billet :

Dis à qui tu sais que je vais bien et de ne pas s'inquiéter. Je sais que le temps approche. J'aimerais avoir de ses nouvelles.

Comme Simon avait coupé l'arbre creux, Pierre joignit aux provisions un calendrier et un message disant : « Un pic niche dans le troisième érable, franc nord. » Dans le trou de cette nouvelle boîte postale, Cyprien trouva des nouvelles de sa femme, et apprit qu'un « événement important » se produirait le mois suivant et qu'un message serait désormais déposé au même endroit tous les jours pairs.

26

PIERRE ET MADELEINE s'aimaient avec passion. Néanmoins, Pierre constatait que le caractère de son épouse avait changé et cela l'irritait. Sa période de nausées passée, elle s'était mise à manifester des goûts aussi soudains qu'excentriques. Elle pouvait aussi bien sauter un repas que demander des friandises au milieu de la nuit.

La future mère manifestait à tout moment des exigences fantasques. Ainsi, elle insista par trois fois pour que son mari redispose de façon différente les meubles de la chambre à coucher. Ces caprices impatientaient le cultivateur au point que ses doléances parvinrent à maman Rose. À la première occasion, elle le prit à part.

– Sois patient avec ta femme, recommanda-t-elle à son petit-fils. Quand une femme enceinte déplace les meubles, elle fait comme un oiseau qui réarrange les brindilles de son nid. C'est tout naturel.

Pierre en prit bonne note. Histoire de faire plaisir à Madeleine, il l'emmena souvent chez ses parents. Anthime, qui, au début, considérait avec méfiance le fils de son ancien adversaire politique, en était venu à aimer beaucoup son gendre, qu'il trouvait fort avisé. Au cours d'une de leurs interminables conversations, les deux hommes abordèrent un jour le sujet de la Borg.

– Que pensez-vous, demanda le gendre, du rendement de la cimenterie ?

– À vrai dire, répondit avec prudence le politicien, je n'ai pas de chiffres précis. La seule chose que je sais avec certitude, c'est que la compagnie paie son hypothèque rubis sur l'ongle et sans retard.

– Pourtant, ses ventes n'augmentent pas.

– Je n'affirmerais pas ça, parce que je n'ai pas de chiffres là-dessus non plus.

– En tout cas, le nombre d'emplois n'augmente pas.

– Il faut admettre que la Borg a engagé moins de gens que prévu. Mais elle paie régulièrement ses hommes. Je le sais par mon Ben.

– D'après ce que me dit Anne-Marie, l'équipe d'ingénieurs originale est presque toute encore là, à l'exception d'un ou deux qui ont été remplacés par d'autres hommes des vieux pays.

– Ceux qui ont installé l'usine sont devenus des représentants de commerce, à ce qu'il paraît, commenta Anthime.

Le maire demeurait sur ses gardes. Pierre jugea qu'il n'en tirerait rien.

– Mon frère Simon a eu une idée dont je veux vous faire part depuis longtemps. Il a remarqué que l'usine reste illuminée toute la nuit. Pour le peu qu'elle produit, la Borg pourrait éteindre ses lumières le soir et nous laisser le courant.

Anthime ne comprit pas tout de suite.

– Tu veux dire?

– Simon a remarqué que l'usine garde ses lumières allumées jour et nuit, ce qui n'est pas nécessaire puisqu'elle ne produit que durant le jour. La municipalité pourrait prendre une entente avec l'administration de la Borg pour qu'elle lui cède l'électricité le soir. De cette façon, on pourrait éclairer le village.

– Je n'avais jamais pensé à ça, convint Anthime qui trouva l'idée lumineuse.

– Ça ne coûterait pas grand-chose : juste l'installation des lampadaires, fit valoir le gendre.

Anthime resta pensif. Les élections municipales auraient lieu le premier lundi de juin et ses adversaires politiques réclamaient des améliorations de toutes sortes. «Si je pouvais passer une entente avec le président Pettersson, ça me ferait un joli lapin à sortir du chapeau à la veille du scrutin», se dit le vieux renard.

– C'est une bonne idée, ça, mon gars. Je vais rencontrer le président à la première occasion. Tu pourrais même venir avec moi, puisque l'idée vient de toi.

– Quand vous voudrez, le beau-père.

– À la condition de garder notre rencontre secrète. Je ne voudrais pas que ça parvienne aux oreilles de Roland Lebreux. Ce crapaud-là est ambitieux. Il voudrait bien échanger sa chaise de président de la commission scolaire contre le fauteuil de maire.

Anthime Leblond était du genre à battre le fer quand il est chaud. Deux jours plus tard, Pierre et lui rencontraient Pettersson à l'auberge, où Anne-Marie avait mis une petite salle à leur disposition. La réponse de l'industriel fut sèche, même cassante :

– C'est non, monsieur le maire. Nous avons toujours respecté notre contrat et il n'est pas question de le changer.

Anthime voulut insister.

– Non, c'est non. Maintenant, j'ai à faire, déclara péremptoirement le président en se levant.

Les deux compères repartirent, gros Jean comme devant. Pierre se sentait humilié pour son beau-père. Anthime, lui, en bon politicien, voyait un avantage dans cette situation.

– C'était une trop bonne idée pour la laisser tomber. À défaut d'une annonce, je peux toujours en faire une promesse électorale.

Le maire resta songeur un moment, puis il ajouta :

– Tu sais, mon gendre, que beaucoup plus d'élections ont été gagnées avec des promesses qu'avec des réalisations...

* * *

Bien que la plupart des jeunes hommes fussent partis outremer, la fête de Mai 1918 eut lieu comme d'habitude. Elle fut certes moins joyeuse que les précédentes parce qu'on y parla beaucoup des absents, mais on ne se priva pas de danser.

– Ne serait-ce que pour oublier qu'on a peur, remarqua fort justement maman Rose.

Les vedettes de la soirée furent les jumelles Mercier.

– Les bessonnes ont des nouvelles des ti-frères, clama Ti-Rouge en arrivant.

Le simple d'esprit s'était lié d'amitié avec les Descôteaux pendant la semaine où les trois jeunes hommes avaient travaillé ensemble. Ti-Rouge était inconsolable depuis que les deux cousins s'étaient enfuis dans les bois et ne cessait de demander de leurs nouvelles à leur famille. Or, Ange-Marie et Marie-Ange venaient de recevoir une longue lettre de Belgique, qu'elles avaient promis de faire circuler à la fête. Les ti-frères, qu'on avait envoyés au front quelques jours après leur arrestation, y racontaient tout en détail, depuis leur séjour au chantier jusqu'au sanglant lundi de Pâques, en passant par la trahison de Jacques Latour.

– Il manque une page à votre lettre, constata Réjeanne.

– On a dû l'oublier à la maison, répondit l'une des filles.

Sa jumelle rougit un peu. C'était la page narrant la remise par le sergent Jones d'une enveloppe à Latour. Craignant des représailles du marchand d'animaux si jamais cet épisode était connu, elles avaient brûlé cette page.

«Après tout, personne ne sait ce qu'il y avait au juste dans l'enveloppe que Gigi lui a remis», s'étaient-elles dit pour justifier leur geste.

Le garçon le plus heureux de l'assistance était certes Donat Guertin. C'était la première fois qu'Anne-Marie consentait à le voir un samedi soir. Toujours excellent sportif, le constructeur maritime était venu en canot.

– La marée était juste à point, racontait-il à sa dulcinée. Elle achevait de descendre quand je suis parti de Saint-Michel et elle montera quand je retournerai. Le courant m'aura porté dans les deux sens.

Après la veillée, Donat reprit son canot au pied de la Première Chute et avironna vigoureusement jusqu'au fleuve, où il fonça dans un banc de brume, confiant que le courant l'emporterait doucement vers l'amont. Soudain, un objet haut et noir apparut devant lui et il dut effectuer une manœuvre dangereuse pour l'éviter. La marin, qui avait failli chavirer, eut juste le temps de retrouver son équilibre pour voir l'objet disparaître dans le brouillard.

«Ça doit être une bouée à la dérive, se dit-il. Je ne vois pas ce que cela pourrait être d'autre.»

N'osant raconter sa mésaventure aux Bouffard par crainte des moqueries, Donat attendit d'être seul avec Anne-Marie pour lui narrer l'événement. L'espiègle jeune femme éclata d'un rire sonore quand son ami lui raconta la frousse qu'il avait eue.

– C'est le petit blanc de Simon qui est trop fort! s'exclama-t-elle.

– Je n'en ai pris qu'une lampée, protesta son ami.

– Ça doit être un sous-marin, alors, rigola la jeune femme.

Donat resta interdit.

– Sais-tu que j'y ai pensé?

Anne-Marie rit aux larmes.

– Il remontait la Boyer, je suppose, pour venir recharger ses batteries à la centrale!

– Je te le dis : ce que j'ai vu, ce n'était pas quelque chose d'habituel, insista le chaloupier.

– Le courant qui emportait une bouée perdue, sans doute. Certaines sont énormes, tu sais.

– Peut-être, mais j'ai eu l'impression qu'elle se déplaçait de travers par rapport au courant.

– Oublie ça, mon beau, et je vais te faire du sucre à la crème, proposa Anne-Marie.

– Pour ton sucre à la crème, je suis prêt à tout oublier, assura Donat en faisant les yeux doux.

Ils oublièrent l'incident. Pourtant, quelques jours plus tard, le récit de Donat revint à la mémoire d'Anne-Marie au moment où elle s'y attendait le moins.

Depuis la tentative de séduction dont elle avait été la cible, la jeune fille évitait soigneusement de mettre les pieds dans les chambres des Suédois. Pourtant, elle faisait une exception pour Bjorn Palme. Le secrétaire-trésorier était tellement correct avec elle que, lorsqu'il commandait un repas à sa chambre, au lieu de le déposer à la porte et de frapper, elle attendait qu'il ouvre et posait le plateau sur sa table de travail. Cette petite attention lui valait de généreux pourboires.

Or, un beau midi de mai, Palme demanda qu'on le serve dans sa chambre. Quand Anne-Marie monta, elle constata que la porte du secrétaire-trésorier était entrouverte. Elle frappa discrètement.

– Posez le plateau, s'entendit-elle répondre.

Elle reconnut la voix familière de son client, mais celle-ci provenait de la chambre voisine. Ne sachant pas si son client lui demandait de poser le plateau à la porte ou à l'intérieur, la jeune femme poussa la porte du pied et voulut, comme d'habitude, poser le plateau sur la table. Mais celle-ci était jonchée de papiers. Alors, elle le posa machinalement sur le lit et fit volte-face. À ce moment, sa vue porta de nouveau sur la table. Un long rouleau de papier couvrait tous les autres documents. C'était un plan dressé sur papier quadrillé et ce qu'elle reconnut la fit sursauter.

Le dimanche suivant, elle entraîna Donat au salon et lui raconta :

– C'était une forme très longue surmontée d'une tourelle. Si ce n'était pas un sous-marin, c'était un cigare avec une soupape !

Donat, qui était pourtant secoué, ne put s'empêcher de sourire.

Le récit de son amie suscitait cependant chez lui de graves interrogations.

– Depuis le temps que des gens prétendent voir des sous-marins dans le Saint-Laurent, se peut-il qu'il en circule aussi près de Québec ?

– Et pourquoi le Suédois s'intéresse-t-il à ces engins ? renchérit Anne-Marie.

L'artisan resta un moment silencieux. Une question lui venait à l'esprit, qu'il n'osait pas poser.

– À quoi penses-tu ? s'impatienta son amie.
– Et si ce n'étaient pas des Suédois ?
La jeune femme s'énerva.
– Ne dis pas ça, Donat. Ne dis pas ça !
Tous deux prenaient conscience de l'importance de ce doute et des conséquences qui en découleraient s'il était confirmé. Donat suffoquait.
– Viens marcher, j'ai besoin d'air.
Les jeunes gens sortirent. Donat offrit galamment la main à Anne-Marie pour descendre du perron et, pour la première fois, sa dulcinée ne la retira pas ensuite.
Les deux amoureux marchèrent silencieusement jusqu'à la rivière. Des visions d'espions allemands et de sous-marins ennemis se bousculaient dans leur tête, auxquelles succédaient des visions de dénonciations, d'arrestations, de faillite de la cimenterie et de fermeture de l'auberge.
Finalement, Donat n'y tint plus.
– Ça n'a pas de sens, oublions tout ça.
– Pourtant, ça expliquerait bien des choses…
– Premièrement, ça ne pouvait pas être un sous-marin, ce que j'ai entrevu dans la brume. Où voulais-tu qu'il aille ?
– À l'usine, laissa tomber Anne-Marie.
Donat était estomaqué.
– Comment peux-tu imaginer ça ?
– Parce que, certaines nuits, des gens travaillent dans cette usine.
Et la jeune fille de raconter comment elle, sa sœur et ses deux frères avaient entendu des bruits étranges en attendant Cyprien lors de sa fuite de la caserne.
Donat croyait rêver.
– C'est grave, ce que tu imagines là. Il faudrait que les ingénieurs suédois soient des espions allemands et qu'ils se servent de l'usine pour y radouber leurs engins de guerre.
– Cette usine est assez grande pour abriter un sous-marin, fit Anne-Marie.
– Et son bassin de chargement intérieur ne servirait pas seulement aux barges. En profitant de la marée haute et du

brouillard, les sous-marins peuvent entrer et sortir sans être vus, raisonna le marin. Ça n'explique pas pourquoi on ne les voit pas autour des îles de Montmagny.

– Mais, par contre, ça expliquerait pourquoi on ne travaille jamais le samedi à cette usine, pourquoi ses ventes n'ont pas augmenté depuis son ouverture, pourquoi d'autres usines ne se sont pas installées aux alentours, pourquoi les dirigeants voyagent sans cesse et pourquoi leur nombre n'a jamais diminué.

Donat se tut un long moment. Puis il remarqua qu'Anne-Marie tremblait comme un feuille.

– Tu as peur?

– Oui.

– Nous voilà bien mal pris.

– Nous pourrions demander de l'aide.

– Pour qu'on se moque de nous si nous nous sommes trompés?

Anne-Marie réfléchit un moment.

– Si nous en parlions à Réjeanne?

Depuis qu'elle avait coordonné la fuite de Cyprien, Réjeanne avait forcé l'estime de Donat. Avec le sauvetage de l'abbé Sylvestre, son admiration pour la vaillante jeune femme avait décuplé.

– D'accord.

Les deux jeunes gens rentrèrent à la maison. Quand, vers seize heures, Réjeanne annonça son départ, ils offrirent de la raccompagner. Dès qu'ils eurent tous trois franchi la barrière de l'entrée, Anne-Marie demanda à son aînée :

– Nous voulons ton avis pour quelque chose qui est peut-être grave.

– Comment, «peut-être»?

Et Donat et Anne-Marie de raconter ce qu'ils avaient observé.

– Ça peut être grave, en effet, fit l'aînée. Mais ce que vous soupçonnez est tellement invraisemblable. Ne lancez surtout pas de rumeurs. Vous seriez les premiers blâmés. Avant de nous affoler, il faut tout vérifier.

L'institutrice s'absorba un moment dans sa réflexion, puis ajouta, pensive :

– Ce ne sera pas facile. Je présume que les gens de la Borg ne vous accueilleront pas à bras ouverts.

– Je trouverai bien un moyen de confirmer, assura Donat. En attendant, nous nous entendons pour garder le secret?

– Entendu, promirent les deux sœurs.

Les amoureux repartirent vers la maison, silencieux. À mi-chemin, Anne-Marie demanda à Donat :

– Tu crois pouvoir garder le secret?

– Nous ne pouvons en parler à personne, au cas où ce serait vrai. Si c'est vrai, nos vies seront en danger à compter du moment où nous allons nous intéresser de trop près à l'activité de ces gens. Mais, à cause du doute qui nous habite maintenant, nous ne pourrons plus vivre sans penser à cette affaire. À un moment ou à un autre, nous dirons un mot de trop et nous nous mettrons les pieds dans les plats.

– Ce sera intenable, convint Anne-Marie. Spécialement pour moi qui travaille tous les jours en compagnie de ces gens.

– Alors, il faut en avoir le cœur net. Je vais tenter de découvrir la vérité dès ce soir.

– Comment comptes-tu t'y prendre?

– Plus le temps est chaud, plus le brouillard de marée est épais. Ce soir, il sera dense à couper au couteau. J'en profiterai pour m'approcher très près de l'usine, écouter et tenter d'entrevoir l'intérieur par la porte flottante.

– J'y vais avec toi.

– Il n'en est pas question, chérie.

– Je ne te laisserai pas affronter seul une situation qui nous concerne tous les deux.

– Tu vas mourir de peur.

– Mais je meurs d'envie de le faire.

À vingt-trois ans, Anne-Marie se sentait capable de vivre une grande aventure. Elle serra très fort la main de son compagnon. Au bout d'un moment, elle ajouta, d'un air soucieux :

– Ce ne sera pas facile d'effectuer cette petite expédition sans éveiller l'attention de ma famille.

– Ça dépend où sera situé le point de départ. Si je t'invitais à souper à l'auberge?

– Tu n'as jamais fait ça.

– Il y a un commencement à tout…

Ce disant, Donat eut le sentiment que, s'il avait appliqué un baiser sur les lèvres de sa belle, elle ne l'aurait pas repoussé. Mais de cette féline, il valait mieux s'approcher avec circonspection.

Les Bouffard, auxquels la promenade main dans la main n'avait pas échappé, constataient bien que les relations entre les deux jeunes gens prenaient une tournure sérieuse. Ils ne furent pas surpris qu'ils veuillent souper en tête-à-tête.

À la brunante, Donat entraîna Anne-Marie jusqu'à la Première Chute. Les amoureux partirent tout naturellement en randonnée à l'aviron. L'eau s'engouffrant dans la Boyer à la marée montante, Donat, qui descendait la rivière, dut affronter un courant adverse. Déjà la brume commençait à se former.

– Il faudra encore trois heures avant que la marée n'atteigne son plus haut point.

– Ça nous mènera à minuit, calcula Anne-Marie. C'est bien tard…

– Ne t'inquiète pas, tu n'auras aucune envie de dormir.

L'obscurité était maintenant bien installée. Les jeunes gens se postèrent d'abord du côté est de l'embouchure, sous les grands saules noirs bordant la pointe. La Borg était éclairée, comme d'habitude. Pour le moment, on pouvait encore apercevoir l'usine, mais elle disparaîtrait bientôt dans le brouillard.

Cette attente n'avait rien de romantique. Non seulement les observateurs avaient la trouille, mais les moustiques les harcelaient constamment. Quand le brouillard fut devenu assez dense, ils purent s'approcher et jeter l'ancre à trente brasses de l'usine.

La consigne était claire : pas un seul mot. Non seulement il ne fallait pas parler, mais Donat devait éviter de frapper le plat-bord de son embarcation avec son aviron. Anne-Marie put apprécier sa dextérité.

Vers vingt-trois heures, comme peu de sons leur parvenaient de la bâtisse, Donat dit à sa compagne :

– C'est à croire qu'il ne se passe rien ici. Approchons de la porte flottante, pour voir.

Les lascars touchaient au coussin de flottaison de la porte quand une embarcation à moteur surgit derrière eux.

– Nous sommes pris ! haleta la jeune femme.

– Chut ! Ne bouge surtout pas.

Anne-Marie tremblait tellement que le canot en vibrait. Mais elle tint le coup. Le conducteur de la barque déposa quatre passagers du côté nord de l'usine, comme s'il ne voulait pas être vu ou entendu depuis la route, et repartit immédiatement, sans avoir remarqué le canot immobile, dont les occupants se cramponnaient nerveusement au coussin de kapok. Les deux observateurs purent voir les arrivants disparaître par une porte de côté. De toute évidence, on les attendait. Une demi-heure plus tard, toutes les lumières s'éteignirent en même temps. Donat en profita pour avironner vers l'amont et reprendre son poste d'observation.

Des gens équipés de lampes à piles sortirent et circulèrent aux alentours, puis rentrèrent.

– Une patrouille, souffla Donat. Ces gens préparent quelque chose.

Il leva l'ancre et se rapprocha à vingt brasses de l'immeuble sombre, le cœur battant. Au bout d'un long moment, un bruit de treuil et un discret cliquetis de chaînes bien graissées se firent entendre. Les jeunes gens virent d'abord l'immense porte flottante s'élever, puis une forme grise à demi-submergée s'avança dans la brume. Bientôt, la tourelle d'un sous-marin apparut.

Anne-Marie, assise dans le fond de la frêle embarcation, tremblait tellement que Donat s'inquiéta. Il en avait assez vu.

Malgré l'épais brouillard, il avait positivement identifié un sous-marin, qui ne pouvait être qu'ennemi. Il coupa la corde de l'ancre et se mit à faire avancer son canot. Dès qu'il se fut assez éloigné, il fit demi-tour et remonta la rivière. Ce n'est qu'en amont du pont de la route nationale qu'il desserra les dents.

– Alors, qu'en dis-tu?

– À mon avis, le nid de guêpes que toutes les polices d'Amérique cherchent se trouve à notre porte, à Rivière-Boyer même. Dis-moi que je ne rêve pas.

– Je le crois aussi. Il s'agit maintenant de les écraser sans se faire piquer.

Donat avironna jusqu'au pied de la centrale électrique en poursuivant sa réflexion.

– Il se fait tard; je te raccompagne.

– Il est tard pour toi aussi et tu as un plus long trajet à faire que moi. Quittons-nous ici. Je rentrerai à travers champs.

– Tu n'y penses pas. Dans le noir…

– Je suis une fille de la terre et je connais tous les champs du rang 1. D'ailleurs, il n'y a pas de brume ici. Le dernier quartier de la lune éclaire un peu.

– Dans ce cas, je peux te souhaiter bonne nuit?

Anne-Marie ne répondit pas mais accepta que son amoureux l'attire à lui.

* * *

La jeune femme, qui mesurait toute l'ampleur de cette découverte et ses conséquences dramatiques pour Rivière-Boyer, ne put trouver le sommeil qu'aux premières lueurs du jour.

Pierre et Madeleine ne passèrent aucun commentaire sur l'heure de son retour ou sur son apparence. Par contre, voyant ses traits tirés, son patron s'inquiéta de son état de santé :

– Je te trouve un peu pâle, Anne-Marie, ce matin. Les vêpres se seraient-elles prolongées hier soir? demanda-t-il narquoisement. Vous avez pourtant bien mangé, ton ami et toi.

– Je dors mal par les temps qui courent.
– Serait-ce que Cupidon dérange ton repos ?
– Je vous avouerai que je suis un peu fatiguée. Réalisez-vous, monsieur Duchesneau, qu'en quatre ans je n'ai jamais pris de vacances ?
– Mais, à ton âge, on est forte.
– Quatre ans, c'est quatre ans !
– Déjà si longtemps... ? fit l'aubergiste, pensif.
Il se dit que cette excellente employée mériterait bien un peu de repos, mais il se garda bien de lui offrir.
Porteuse d'un lourd secret, Anne-Marie passa une bien mauvaise semaine. Malgré elle, elle observait avec méfiance chacun des gestes, chacun des échanges verbaux, chacun des déplacements de ses clients. Elle tentait d'apercevoir sous leur gilet la moindre protubérance indiquant la présence d'un pistolet. Elle écoutait aux portes pour déceler le grésillement d'un poste émetteur. S'ils étaient de vrais espions, ils devaient se livrer à toutes sortes de manigances plus périlleuses les unes que les autres.
Au contraire, les Suédois semblaient tout à fait détendus. Ils vaquaient à leurs occupations habituelles, allaient et venaient aux heures normales et semblaient même prendre du bon temps. Tout au plus accordaient-ils beaucoup d'attention à la première page des journaux, qui parlaient de plus en plus de la fin prochaine de la guerre. Mais il n'y avait là rien que de très normal car tout le monde discutait maintenant de la fin probable du conflit.
Anne-Marie, qui n'avait pas de nouvelles de Donat, angoissait tellement qu'elle finit par éprouver le besoin de se confier à Réjeanne, un soir, au retour de son travail.
– Ce n'est pas le beau temps qui t'amène, fit joyeusement l'aînée en mettant de côté une pile de cahiers de classe. Il pleut à boire debout.
– Justement, c'est une affaire d'eau.
– Parlant d'eau, je m'attends à perdre les miennes bientôt, fit la future mère en soutenant son ventre maintenant fort gros.

– Pourtant, tu enseignes toujours.

– Je me porte très bien et je compte enseigner jusqu'à la dernière minute, afin de perturber le moins possible mes élèves. De toute façon, Cléophée prendra la relève dès que nécessaire.

– Je te trouve tellement courageuse.

– Il faut bien faire face à la réalité. Mais, dis-moi, de quoi veux-tu me parler?

La cadette raconta alors la découverte que Donat et elle avaient faite. Cela lui fit le plus grand bien. Réjeanne, elle, fut atterrée.

– Te rends-tu compte des risques que vous avez courus, Donat et toi?

– Avec le recul, oui.

– Je comprends que tu aies perdu le sommeil. Il faudrait que tu prennes du repos.

– Je me demande surtout ce qu'il faut faire.

– Attends au moins de revoir Donat. C'est un garçon intelligent; il aura peut-être un plan à proposer.

Le conseil était judicieux. Heureuse d'avoir trouvé une oreille attentive qu'elle savait aussi discrète, Anne-Marie perdit un peu de la tension qui la minait. Quand, après le repas du dimanche, elle put s'entretenir seule à seul avec son ami, elle lui demanda d'abord :

– As-tu beaucoup pensé à ce que nous avons vu?

– Je n'ai fait que ça, tu comprends?

– Et, selon toi, que devons-nous faire?

– J'ai d'abord pensé à lancer publiquement la nouvelle, me disant qu'une forte récompense serait probablement attribuée à celui qui dénicherait les espions. Mais je me suis vite ravisé, car ce serait terriblement dangereux pour nous. Verrais-tu une objection à ce que nous demandions encore une fois son avis à ta sœur?

– Tu es prudent, fit Anne-Marie.

Réjeanne écouta avec attention les préoccupations du jeune homme.

– Merci, Donat. J'apprécie que tu te préoccupes de votre sécurité à tous deux. Je ne voudrais pas que vous soyez pris au milieu de la tornade quand elle va se déclencher. Toi, Anne-Marie, il faudrait d'abord que tu quittes l'auberge, ce qui est probablement impensable.

– Au contraire, c'est peut-être possible. Je pourrais probablement obtenir quelques semaines de congé, à la condition que ce soit avant la saison estivale.

– Il faut donc faire vite. Et il vaudrait mieux, pour votre sécurité, qu'on ne vous attribue pas directement cette découverte. De toute façon, vous n'avez rien à y gagner, si ce n'est un moment de gloire éphémère.

– C'est bien ce que je pense, acquiesça Donat.

– Mais comment y arriver? demanda Anne-Marie.

Tous trois se concentrèrent un moment, cherchant une solution.

Tout à coup, Donat fit claquer ses doigts.

– J'ai une idée!

27

En arrivant à l'auberge, le lundi matin, Anne-Marie demanda à son patron :

– Monsieur Duchesneau, j'ai parlé avec ma famille hier. Si vous n'y voyez pas d'objection, je prendrais quelques semaines de congé avant la saison des banquets champêtres. Avec mes gages, vous pourrez payer convenablement une remplaçante.

– Si tu promets de revenir à la Saint-Jean-Baptiste, je ne te remplacerai pas et tu recevras ton salaire au complet.

– Je n'en demande pas tant, fit spontanément la jeune femme.

– Peut-être, mais tu le mérites bien. Ce sera mon cadeau de mariage, tiens ! laissa tomber l'aubergiste d'un air taquin.

– Mais je ne me marie pas !

– Que feras-tu de tout ce temps, alors ?

– Je vais prêter assistance à ma sœur et à ma belle-sœur, qui accoucheront toutes deux d'un jour à l'autre. Je m'installe d'ailleurs chez Réjeanne dès aujourd'hui.

– Voilà un geste qui t'honore. Pars en paix et ne t'inquiète pas pour nous. C'est une période tranquille ; le bar est même fermé aujourd'hui à cause des élections municipales.

Anne-Marie retourna aussitôt au rang 1. En approchant de la salle paroissiale, elle remarqua qu'il y avait beaucoup d'activité. Le scrutin lui semblait causer une grande excitation dans la population locale. Elle comprit pourquoi quand elle s'approcha d'un petit groupe d'électeurs.

– Il paraît qu'ils vont éclairer le village, avançait un défricheur du bout de la paroisse.

– Dans quelques années, on aura des trayeuses automatiques et des glacières électriques, assurait un autre.

Anthime Leblond fut réélu maire.

* * *

Anne-Marie voulut faire du grand ménage mais la maison de sa sœur était d'une telle propreté que c'était inutile.

– Tu devrais te reposer, lui recommanda l'aînée.

– Tu sais que j'ai besoin de bouger.

– Fais un peu de lecture, ça te détendra.

– Comme quoi ?

– Tiens, il y a ce roman de Louis Hémon. C'est une histoire d'amour qui se passe au pays de Madeleine.

Anne-Marie saisit avec méfiance *Maria Chapdelaine* et, à défaut d'avoir mieux à faire, se mit à lire tranquillement.

Plusieurs heures s'écoulèrent. Anne-Marie n'interrompit sa lecture que pour infuser du thé. Elle semblait tellement prise par ce livre que Réjeanne, d'ailleurs occupée à des travaux scolaires, ne lui parla pas, afin de ne pas lui faire perdre le fil du récit. Finalement, Anne-Marie atteignit la dernière page et posa le livre sans mot dire.

Réjeanne s'attendait à quelque commentaire admiratif. Rien.

– Alors ? Une belle histoire d'amour, n'est-ce pas ?

Anne-Marie garda encore un moment de silence que sa sœur prit pour de l'émotion. Quand elle leva enfin les yeux, Réjeanne crut y lire de la colère.

– Cette Maria Chapdelaine est une dinde.

– Que dis-tu là ?

– Cette fille est une dinde. Passe encore qu'elle attende son beau François Paradis à n'en plus finir, mais qu'à la fin elle se résigne à épouser Eutrope Gagnon, un garçon timoré, un demeuré, sans allure et sans avenir, ça, je ne l'admets pas !

Réjeanne resta songeuse. Elle n'avait pas vu ce roman sous cet angle.

* * *

De son côté, Donat Guertin ne perdait pas son temps. Dès le mardi, il rencontrait à Québec Carol Darby, le représentant de la milice qu'il connaissait le mieux, celui avec lequel il négociait les commandes de vedettes, et lui faisait part de ses deux observations. L'officier l'écouta avec le plus grand intérêt mais, à la fin, minimisa l'affaire.

– C'est tellement invraisemblable. Vous avez dû être victime d'une illusion, mon ami.

Donat sourit intérieurement. Tout se déroulait comme il l'avait prévu. «Le fin filou, il veut garder tout l'honneur de la découverte pour lui.» Donat prit son air le plus humble et tourna sa casquette entre ses mains.

– Je vous fais part de ce que j'ai cru voir, monsieur.

– En tout cas, n'en parlez à personne, recommanda le militaire.

– J'ai compris; si ce n'était pas vrai, on se moquerait de moi.

– Vous avez bien raison. Par contre, si vous dites vrai, vous accepterez bien que votre nom soit cité en public?

Donat sourit encore intérieurement. Ses prévisions se réalisaient.

– Surtout pas, je vous en prie. Si un honneur échoit à quelqu'un, je préférerais que ce soit à un militaire. Comme civil, je craindrais trop les représailles.

L'ouverture était large comme la grande porte de la Borg.

– Vous faites preuve de sagesse, monsieur Guertin. Je m'en souviendrai en temps et lieu.

Sans que cela se vît, l'usine fut mise sous surveillance et de nouveaux clients s'inscrirent à l'auberge. C'étaient, paraît-il, des arpenteurs-géomètres venus vérifier les limites du comté, mais leurs caisses contenaient des instruments de détection d'ondes courtes au lieu de lunettes de mesureurs.

Dans la nuit du troisième samedi de juin, une nuée d'agents de la police fédérale s'abattit sur la Borg et sur l'auberge de la Côte. Tous les faux Suédois furent écroués. Seul s'échappa le capitaine d'un sous-marin allemand en radoub qui réussit à prendre la fuite en fonçant à travers la porte flottante de l'usine.

La nouvelle fit le tour du monde. Carol Darby fut promu colonel et reçut une décoration.

* * *

L'inévitable enquête qui suivit la découverte du repaire ennemi en colonie britannique révéla que la faille au-dessus de laquelle était érigée la cimenterie Borg traversait le fleuve jusqu'au pied du mont Sainte-Anne. Cela expliquait que l'on n'aperçût pas les sous-marins aux environs. De là, ils passaient au pied du cap Tourmente, longeaient la rive nord et filaient droit vers l'abysse du Saguenay et le golfe du Saint-Laurent.

La base ennemie de Rivière-Boyer était parfaitement située. D'abord, elle se trouvait tellement loin de l'Atlantique qu'aucune police ne la cherchait à cet endroit. Les capitaines faisaient le plein à même les réservoirs de l'usine et rechargeaient leurs batteries avec l'électricité de la centrale. Grâce à la proximité des grandes villes, les ingénieurs de la Borg, qui étaient en fait des ingénieurs navals, trouvaient aisément et rapidement toutes les pièces de rechange dont ils avaient besoin. Enfin, les officiers, qui ne manquaient pas de se détendre dans les bouges de la basse ville, pouvaient également faire soigner leurs malades dans les excellentes et discrètes cliniques privées de la capitale.

* * *

– Dire qu'on avait ces bandits-là chez nous et qu'on les prenait pour du bon monde, se désolait maman Rose.

– Je me suis toujours méfiée de ces étrangers qui mangent du porc au lieu du poisson, rappela la femme du maire.

Chaque citoyen se sentit profondément humilié par la fermeture de la cimenterie, parce qu'il y avait investi sa fierté et fondait sur cette entreprise ses espoirs de lendemains modernes et prospères. Ceux qui avaient appuyé le projet furent durement pris à partie, Anthime Leblond le premier. La municipalité se retrouvait avec une hypothèque à laquelle il restait seize ans à courir, et une usine déserte. Une usine immense, mal située pour la grosse industrie, et d'un modèle tout à fait inusité.

La colère des contribuables s'exprima dans une pétition pour destituer le maire. Le conseil, qui avait été réélu en bloc, démissionna en entier, à l'exception d'un conseiller. On reprendrait les élections après les foins, le premier lundi d'août.

Un seul paroissien jubilait : le conseiller Jos Labrie, qui avait refusé de quitter son siège.

– Cyrille Bouffard et moi, on vous l'avait bien dit de ne pas vous mêler de la cimenterie. Regardez de quoi on a l'air aujourd'hui ! Je parie que si on déterrait Cyrille, on le verrait sourire.

Son fils aîné ne partageait pas cet avis.

– Ce n'était pas le genre de mon père de se moquer des malheurs de ses concitoyens. S'il était vivant, il retrousserait ses manches et chercherait une solution.

Madeleine accoucha le lendemain de l'opération policière. Assistée de sa mère, d'Anne-Marie et du docteur Pelletier, elle mit au monde une belle fille de près de trois kilos qui donnait de la voix comme ses deux grand-pères.

Quelques jours plus tard, Réjeanne annonça à sa sœur qu'à son tour ses eaux venaient de fuir. Cette dernière envoya de nouveau Simon quérir le médecin et réclama l'assistance de Victoire et de maman Rose. Un beau garçon vit le jour, un bébé avec un petit air frondeur, des yeux bleus et une tête toute couverte de cheveux.

Maman Rose souriait avec bonté. Victoire était dans tous ses états.

– Dire que le pauvre Cyprien n'est pas là. Il ne sait même pas qu'il a un fils !

Anne-Marie était tout excitée, tandis que ses trois frères observaient la scène avec attendrissement. Quant à Réjeanne, au lieu de manifester une joie exubérante, elle garda son sérieux des grands moments.

La nouvelle maman palpa d'abord tous les membres de son enfant, s'assura, dans la mesure du possible, que ses réflexes étaient normaux, puis elle se perdit dans la contemplation du nouveau-né, une contemplation qui, à l'œil d'un visiteur, pouvait ressembler à une profonde réflexion.

Cet enfant avait une caractéristique qui n'enlevait rien à son charme mais qui étonna tout le monde et à laquelle on ne fit ultérieurement jamais allusion devant l'homme engagé.

– C'est toujours surprenant quand ça arrive, commenta maman Rose.

– Il faudra remonter dans nos familles pour comprendre, déclara Victoire.

– Il n'y a là rien d'anormal, fit remarquer Pierre.

Ce dernier s'empressa d'aller porter un billet de deux mots dans l'arbre creux. «C'est arrivé», disait seulement le message.

Quelques jours passèrent. Réjeanne se remit promptement. Au milieu d'une nuit au ciel nuageux, la nouvelle mère fut réveillée par un bruit familier : Tobie frappait la niche de sa queue osseuse.

«Mon Dieu!»

Le cœur de Réjeanne se mit à battre la chamade. Elle se leva, couvrit son enfant qui dormait avec un châle de laine et passa un peignoir. Elle referma les contrevents de la chambre afin qu'aucune silhouette ne fût visible de l'extérieur, alluma une chandelle qu'elle posa sur la commode, traversa la cuisine à tâtons et ouvrit la porte arrière.

La jeune femme ne vit rien dans le noir mais une voix familière lui parvint des abords de l'atelier.

– Êtes-vous seule?

– Anne-Marie est là, mais elle dort.

Des pas furtifs crissèrent sur le gravier et une ombre franchit le pas de la porte. Quatre mains se cherchèrent dans le noir.

– Cyprien !
– Réjeanne !
– Suivez-moi dans la chambre à coucher que je vous voie.
Réjeanne referma la porte sans faire de bruit pendant que son mari la précédait dans la pièce. Elle saisit ensuite le chandelier et l'éleva à la hauteur du visage de son homme.
– Comme vous êtes beau ! Mais sans votre voix, je ne vous aurais pas reconnu.
Cyprien, dont les yeux bleu lapis-lazuli semblaient vert sombre sous l'éclairage jaune du suif, arborait le teint basané des coureurs des bois. Depuis neuf mois qu'il était parti, il avait laissé pousser sa barbe au point de prendre l'allure des personnages bibliques que sculptait son ami Jobin.
– Vous êtes belle aussi, ma femme. Et vous m'avez manqué.
Réjeanne déployait toutes les énergies de sa volonté pour maîtriser son angoisse. C'était la première fois qu'elle revoyait son mari depuis l'inoubliable moment de sa fuite. Chaque jour depuis le départ précipité de Cyprien, elle avait revu Jones en pensée, revécu toutes les péripéties de ce drame, et tenté en vain de chasser le souvenir de son péché, un péché que, malgré ses insupportables remords, elle n'arrivait pas à confesser. Et voilà qu'elle se retrouvait en face de son cher homme, celui pour lequel elle avait tout sacrifié, jusqu'à sa dignité.
Maintenant qu'il était là, elle était prise d'un sentiment inexplicable, inavouable, paniquant. Elle avait honte. Craignant de défaillir, elle proposa :
– Assoyons-nous un peu.
Cyprien s'assit sur le bord du lit et elle prit la berçante.
– Vous semblez bien, Cyprien. Comment avez-vous vécu pendant tout ce temps ?
– Le mieux du monde.
Et Cyprien de raconter comment il avait passé l'hiver dans un monastère trappiste, déguisé en moine et menant la vie des religieux.

– J'ai payé ma pension avec des sculptures et, au printemps, j'ai repris la cueillette de la résine.

– J'ai aussi constaté que votre art a grandement évolué. La madone que vous m'avez offerte à Pâques est l'œuvre d'un grand artiste. Vous ne pouvez savoir à quel point je suis fière de vous !

– Mon amour, parlez-moi de vous. Comment s'est déroulé votre accouchement ?

Réjeanne raconta les circonstances de son accouchement, soulignant l'assistance des membres de sa famille.

– L'enfant est un solide garçon qui se porte bien, conclut-elle.

– Un garçon ! Puis-je le voir ? demanda Cyprien qui manifestait enfin une certaine hâte.

Réjeanne contourna le lit et, le cœur battant, prit le bébé. Au moment où elle se relevait, Tobie se mit à aboyer d'une voix caverneuse.

Cyprien se leva d'un bond.

– Qu'est-ce qui lui prend ? Il n'a jamais fait ça !

Le fugitif n'eut pas le temps d'esquisser un geste. La porte de la cuisine s'ouvrit brusquement, des pas de bottes ferrées retentirent sur le parquet de bois dur et des rayons de lumière balayèrent la pièce. On entendit Anne-Marie courir à l'étage.

Une voix retentit :

– Sergent James Jones, de la police militaire. Que personne ne bouge ! La maison est cernée.

Anne-Marie se terra dans sa chambre. Cyprien se précipita vers Réjeanne, qu'il entoura de ses grands bras.

– Cette fois, je suis pris.

Le rayon d'une torche électrique glissa sous la porte.

– Lanoue, êtes-vous là ?

– Oui, monsieur.

Jones ouvrit la porte et vit Cyprien qui s'était placé devant Réjeanne et son bébé. Il posa sa lampe et s'empara du chandelier.

– Cette fois, je vous tiens !

– C'est bon, je me rends. Comment m'avez-vous trouvé?

– Un «spotteur» m'a appris que votre femme avait accouché d'un fils. J'étais certain que vous viendriez les voir à la première nuit noire. J'ai mis votre maison sous surveillance.

Jones rayonnait dans la lumière dorée de la chandelle.

– Venez, ordonna-t-il au père.

– Puis-je au moins voir une fois mon fils avant de mourir sous les balles allemandes?

– Bien sûr, et puisque je tiens ce chandelier, je le verrai aussi.

Craignant un mouvement désespéré, l'Irlandais dégaina son pistolet et s'avança prudemment vers le couple. Réjeanne, dont le cœur battait à tout rompre, écarta brusquement le châle et dégagea le visage de son fils.

Les deux hommes furent tétanisés. Ce qu'ils virent en même temps les glaça de stupeur autant l'un que l'autre.

Cyprien prit un teint de cendre, Jones recula d'un pas et rengaina son arme. Il eut tout juste la force de dire :

– Cyprien, retournez d'où vous venez. Je ne vous ai pas trouvé.

Sur quoi il fit volte-face, reprit sa lampe, traversa vivement la cuisine et, du pas de la porte, cria à ses soldats :

– Il n'est pas là. Vous avez fait erreur.

Puis il fit passer Cyprien devant lui et attendit qu'il disparaisse dans le noir avant de rejoindre ses hommes.

Quand la porte fut refermée, Réjeanne entendit Anne-Marie bouger dans sa chambre. Son cœur reprit un rythme presque normal. Soulagée, elle chercha une chaise. Anne-Marie descendit et rejoignit sa sœur qui berçait maintenant son enfant.

– Que s'est-il passé? J'ai entendu des voix mais je n'ai pas tout compris.

– Cyprien est venu.

– Quelqu'un a crié des ordres.

– Le sergent Jones. Il venait l'arrêter.

Anne-Marie fut atterrée.

– Il l'a emmené ?

– Non. Jones a eu pitié de Cyprien. À cause du bébé. Il lui a permis de retourner se cacher.

– Eh bien ! Ce militaire a plus de cœur que je ne l'aurais cru !

Devant cet heureux dénouement, Anne-Marie se remit prestement de ses émotions et demanda à prendre le poupon, qui dormait encore à poings fermés.

– Laisse-moi le bercer, ça me fera du bien.

Réjeanne tendit le bébé à sa sœur, qui le prit avec les précautions d'une mère et l'approcha de la douce lumière.

– Comme il est mignon avec ses petits cheveux !

Cet enfant était roux. Roux comme un renard. Roux comme James Jones.

28

Au milieu de l'agitation causée par l'arrestation des espions allemands, le retour de l'abbé Émile Sylvestre passa presque inaperçu. Bien qu'il pût à peine se déplacer, il avait exprimé le souhait de passer sa convalescence à Rivière-Boyer. Le jeune abbé, qui était encore faible et ne tenait que sur une jambe, ne pourrait plus enseigner avant la session d'automne.

– Aussi bien, avait-il fait valoir à ses supérieurs, retourner aider le curé Bouillé. Si je ne peux célébrer la messe, je pourrai au moins entendre les confessions et recevoir les paroissiens en consultation, tâches que je peux mener à bien en restant assis.

Depuis qu'il avait été lui-même victime des abus de société qu'il dénonçait depuis longtemps, l'abbé Sylvestre faisait figure de héros parmi la population estudiantine du petit séminaire de Québec. Sa seule présence constituait une condamnation éloquente de tous ceux qui favorisaient la conscription, et ils formaient la majorité dans le clergé. Aussi son départ pour la campagne fut-il approuvé avec soulagement.

Mme Eugénie, qui laissait rarement paraître ses sentiments, s'était secrètement prise d'affection pour ce jeune prêtre aux idées avant-gardistes.

Il en allait autrement du curé Bouillé. Celui-ci n'approuvait ni la philosophie sociale du jeune prêtre, ni ses vues morales, et encore moins sa façon de mener ses relations avec les paroissiens.

L'abbé Sylvestre n'avait qu'une question sur les lèvres en arrivant à Rivière-Boyer :

– Madame Eugénie, est-ce que vous avez des nouvelles de Mme Lanoue ?

– Je crois qu'elle doit accoucher incessamment, mais je ne lui ai pas parlé depuis quelques mois.

– Quelqu'un vous a-t-il dit que cette femme m'a sauvé la vie ?

– Je l'ignorais.

Et le vicaire de raconter dans quelles circonstances dramatiques il avait été blessé. Mme Eugénie fut très impressionnée.

– Je savais que Réjeanne était une fille brave, mais il faut beaucoup de sang-froid pour affronter les balles. Je présume que le fait de vous connaître lui a fait ignorer le danger.

– Eh bien non, justement. Ce n'est qu'après m'avoir traîné dans la maison qu'elle m'a reconnu.

– Aimeriez-vous lui exprimer votre gratitude en personne ?

– Oui, et le plus tôt sera le mieux. Mais, pour le moment, je peux difficilement sortir.

– Dans ce cas, je l'inviterai ici.

Une semaine après la naissance de son fils, Réjeanne passa donc au presbytère. La ménagère l'attendait comme une mère.

– Vous êtes radieuse, ma chère enfant ! s'exclama-t-elle malgré toute sa réserve. Et regardez comme ce bébé est vigoureux !

– Mes félicitations, fit le vicaire.

– Je vous remercie de tout cœur. Et vous, monsieur l'abbé, vous me semblez assez bien.

– Je me remets lentement, mais la blessure était importante. J'endure mon mal avec patience. N'eût été votre courageuse intervention, je n'aurais plus mal nulle part. Je serais mort au bout de mon sang.

– Je n'ai écouté que mes sentiments.

– Vos sentiments comme votre courage vous honorent, madame. Je ne saurai jamais exprimer toute la reconnaissance que je vous porte.

– Je ne suis pas plus intrépide que vous. De la fenêtre, je vous ai vu porter secours au jeune homme qui s'est effondré dans la rue.

– Vous m'aviez caché ce fait, s'exclama Mme Eugénie, laissant libre cours à son admiration.

– Malheureusement, ce pauvre garçon était déjà mort.

– Mort inutile et gratuite, d'ailleurs, remarqua l'institutrice.

– Criminelle serait plus juste, corrigea l'ecclésiastique.

La conversation se poursuivit sur ce ton jusqu'à ce que l'enfant réclame bruyamment son repas. Sur quoi la mère prit congé, non sans inviter le vicaire à passer chez elle.

– Dès que je pourrai atteler un cheval, vous serez l'objet de ma première visite paroissiale, Réjeanne. Je vous le promets.

– J'y compte. D'autant plus que du travail nous attend. Nous devons préparer le prochain congrès de notre association.

* * *

Tel qu'elle l'avait promis, Anne-Marie retourna à l'auberge de la Côte pour la Saint-Jean-Baptiste. Celle-ci était déserte et le patron, déprimé. L'apparition de la pimpante jeune femme sembla lui redonner des couleurs.

– Viens que je te raconte, lui dit-il en lui servant lui-même un café.

Et l'aubergiste de narrer à son employée l'extraordinaire histoire des espions allemands, sans se douter qu'elle la connaissait déjà beaucoup mieux que lui.

– Mon commerce s'est écroulé en une minute !

La jeune femme tenta de consoler son patron.

– Monsieur Duchesneau, vous avez fait beaucoup d'argent avec cette auberge dès le premier jour où vous l'avez ouverte. Les chambres n'étaient même pas terminées quand les Allemands sont arrivés.

– Mais aujourd'hui ils sont partis et ils ne reviendront pas.

– Nous avons d'autres clients réguliers, comme Jacques Latour. Et à compter de la semaine prochaine, nous offrirons les dîners champêtres et les cochons de lait rôtis. L'agriculture est devenue prospère et les réunions publiques ont lieu plus souvent à l'auberge qu'à la salle paroissiale. Avec les automobiles, les représentants de commerce viennent plus régulièrement à Rivière-Boyer et s'arrêtent souvent chez nous pour manger ou passer la nuit.

C'étaient là les paroles que l'aubergiste voulait entendre.

– Si on mettait une goutte de brandy dans notre café? suggéra-t-il.

Sans attendre la réponse, il alla quérir une bouteille.

– Tout juste une goutte, patron, pour le goût, pas pour l'effet.

– Comme je voudrais être jeune et dynamique comme toi! soupira l'aubergiste. Avec les commis voyageurs, on peut toujours faire la semaine. Tu n'aurais pas une idée géniale pour remplir les chambres en fin de semaine?

– Des forfaits pour les amoureux, patron.

– Tu veux dire...? fit l'hôtelier qui, manifestement, n'avait pas bien compris.

– Il y a une auberge à la pointe ouest de l'île d'Orléans qui offre des forfaits de deux jours et trois nuits aux couples d'amoureux, avec chambre confortable, feu de bois et excellents repas. Votre auberge est un petit château. Pourquoi n'en feriez-vous pas autant.

– Et pourquoi les amoureux viendraient-ils ici?

– Vous leur offrez le confort, une cuisine exceptionnelle, un paysage merveilleux, l'air du Massif, la vue sur le fleuve. Et la discrétion en surcroît. Vous connaissez le dicton : «Pour vivre heureux, vivons cachés.»

Ludger Duchesneau resta un moment silencieux. Il supputait ses chances de réussite.

– Peu de gens mariés ont les moyens de se payer des séjours d'amoureux, fit-il à la fin.

– Les amoureux ne sont pas tous mariés, répliqua doucement Anne-Marie.

* * *

Une fois leur saute d'humeur passée, les agriculteurs de Rivière-Boyer se remirent au travail. Les mils arrivaient à leur troisième floraison, il était grand temps de faire les foins.

Il fallait faire vite et bien. Vite pour engranger du mil et du trèfle de première qualité, et bien parce que chaque tonne de bon fourrage se transformait en kilos de viande et de beurre qui atteignaient sur le marché de guerre des prix jamais vus.

Cette année, Pierre ne pouvait pas compter sur l'aide de Madeleine, qui venait tout juste d'accoucher et allaitait leur fille, non plus que sur les Descôteaux, qui étaient au front. Il devait donc s'en remettre, pour l'aide aux travaux de la ferme, aux bras heureusement solides de Ti-Rouge.

«Si au moins nous avions l'électricité, je pourrais m'équiper de trayeuses électriques», soupirait-il.

Pendant ce temps, les lumières de la Borg restaient allumées jour et nuit, les policiers fédéraux espérant que leur éclat attirerait d'autres sous-marins allemands.

Leurs rayons, trompeurs mais inutiles, fascinaient pourtant tous les politicards de Rivière-Boyer. Anthime Leblond et Roland Lebreux se présentaient de nouveau à la mairie et montaient comme cheval de bataille la bourrique qui avait trébuché une fois : tous deux proposaient de récupérer la centrale électrique, qui, au fond, appartenait à la municipalité, et d'en offrir l'énergie tant aux villageois qu'aux agriculteurs. Quant à l'usine, l'un comme l'autre estimaient qu'on devrait la mettre en vente dès que possible.

Pierre Bouffard ne s'intéressa d'abord pas à la campagne électorale municipale. La récolte des foins prenait tout son temps. Mais il fit tant et si bien que, le 20 juillet, le trèfle rouge, par lequel il finissait toujours, se retrouva au sommet des tasseries.

C'est au cours d'une discussion avec Donat au salon, un beau dimanche midi, à l'heure où les femmes lavaient la vaisselle, que la Borg réapparut dans la conversation.

– Finalement, pas un seul sous-marin n'est revenu à cette base, commenta Donat.

– Les policiers ont fait chou blanc, répliqua Pierre. C'était stupide d'espérer les Allemands, ils lisent les journaux comme nous. Dès que la découverte de leur cachette a été connue, ils ont averti les leurs par ondes courtes. Je te rappelle que ce sont des spécialistes de la communication radio.

– Et cette belle usine qui reste vide, soupira l'artisan. Il y aurait quelque chose à faire avec elle.

Pierre se retourna vivement.

– Comme quoi ?

Les deux amis poursuivirent encore plusieurs minutes leur conversation mais allaient la clore quand Anne-Marie fit irruption dans la pièce. Pierre fit un signe de tête complice à Donat :

– Ce qui se dit dans l'île reste dans l'île !

– Vous faites des messes basses, maintenant ?

– On priait pour le salut de ton âme, ma sœur !

Anne-Marie comprit qu'elle ne tirerait rien des deux compères.

Au cours de la semaine, Pierre annonça à Madeleine :

– Je vais faire la tournée d'après les foins, comme mon père faisait chaque année.

– C'est nouveau, ça. Tu veux te sauver de la maison ?

Pierre sentit un frisson d'agressivité lui courir sur l'échine mais il se contint.

– Pas du tout. L'information est la clé du succès. Il faut bien que je sache ce qui se passe dans la paroisse si je veux progresser. J'en profiterai aussi pour offrir des veaux pur-sang aux bons éleveurs. J'en aurai en trop encore cette année.

– Pourquoi ne pas les envoyer à la boucherie, comme tout le monde ?

– Les descendants de Timoune valent plus pour l'élevage que pour la viande.

– Bon, si c'est comme ça..., maugréa sa femme.

Dans les jours qui suivirent, l'agriculteur s'absenta tous les après-midi, ce qui irrita chaque fois Madeleine. Il rencontra un à un les principaux contribuables de la paroisse et, sous prétexte de parler d'agriculture, les laissa épancher leur cœur.

Les gens acceptaient très mal la fermeture de la cimenterie et plus mal encore la dette dont la municipalité avait hérité. Ils en voulaient à Anthime Leblond d'avoir milité en faveur du projet mais se rappelaient que Roland Lebreux, le second candidat à la mairie, ne l'avait pas combattu. On se rappelait que Jos Labrie avait dénoncé le projet mais, tout en appréciant son honnêteté, on estimait qu'il était trop émotif pour faire un bon maire.

Avec ces données en main, Pierre termina sa tournée le samedi après-midi chez son voisin Labrie. Jos balayait les crottes de souris de son carré à grain en vue des prochaines récoltes quand Pierre arriva chez lui.

– Tu es bien le seul politicien de Rivière-Boyer qui ne fait pas campagne aujourd'hui, lui lança Pierre d'entrée de jeu.

– Si les autres conseillers avaient eu la sagesse de ton père, mon gars, ils n'auraient pas eu à démissionner. Ils ont quitté le conseil la tête basse et ils se démènent comme des démons dans l'eau bénite pour y revenir.

– À ton sens, que ferait mon père avec la Borg s'il était encore vivant et maire ?

– Je ne sais pas ce qu'il ferait avec, mais il ne la laisserait pas rouiller sur le bord de l'eau. Il trouverait une solution.

– Dis-moi, Jos, si je trouvais une bonne idée pour l'usine, m'appuierais-tu au conseil ?

– Je n'hésiterais pas une minute.

– Assieds-toi, j'ai à te parler.

Jos posa un madrier sur deux boîtes à beurre pour en faire un banc, sortit sa blague à tabac et bourra consciencieusement sa pipe.

– Je t'écoute.

* * *

Le dimanche midi, Pierre Bouffard reçut sa famille à dîner comme d'habitude. Madeleine aimait bien cette pratique, qui n'était pas courante dans sa propre famille. Aucun sujet ne touchant la politique municipale ne fut abordé au cours de ce repas, ni lors de la visite que Pierre et Madeleine rendirent plus tard aux parents Leblond. Pierre sortit tout juste quelques minutes avec Donat sous prétexte de lui montrer les poireaux de son potager. Aussi la jeune épouse fut-elle fort étonnée lorsque, le lundi matin vers neuf heures, un bruyant défilé de voitures à chevaux envahit la cour. Pierre, qui était rentré à la maison après avoir livré la crème, feignit d'être étonné.

– Qu'est-ce que ces gens peuvent bien vouloir ? Y a-t-il du feu quelque part ?

Il sortit, Madeleine sur les talons.

Quand il parut sur le perron, une salve d'applaudissements l'accueillit et Jos Labrie se leva dans son buggy.

– Mon cher Pierre Bouffard, en tant qu'ami et allié politique de ton défunt père, j'ai l'honneur de proposer ta candidature au poste de maire de Rivière-Boyer.

Les applaudissements reprirent de plus belle. Jos les interrompit.

– Les contribuables ici présents sont de mon avis. Plusieurs candidats nouveaux et anciens sont prêts à poser leur candidature si tu consens à briguer la mairie. J'ai nommé les frères Descôteaux, qui avaient décidé de ne pas se présenter de nouveau, Godias Mercier et Jean Baptiste Fortin, déjà commissaires d'école, qui se présenteraient pour la première fois à l'échevinage. À nous cinq, on assurerait ta majorité au conseil.

– Il faudrait que j'en parle avec ma femme, répondit l'agriculteur.

C'était de la joyeuse hypocrisie. Pierre avait soigneusement préparé son entrée en politique.

– Tu n'as pas beaucoup de temps devant toi. Les candidatures doivent être enregistrées avant onze heures ce matin.

Madeleine tira son mari par la manche.

– Tu ne vas pas te présenter contre mon père ?

– Je vais essayer de refuser, lui souffla-t-il.

Pierre leva les mains pour demander la parole.

– Mon cher Jos, mes amis, votre demande m'honore au plus haut point. Elle me fait d'autant plus chaud au cœur qu'elle me rappelle les délégations de citoyens qui paradaient jadis dans cette même cour quand on venait solliciter mon père pour qu'il se présente aux élections municipales.

– Vive Cyrille Bouffard! cria quelqu'un.

Pierre continua :

– Vous comprendrez cependant que, contrairement à mon père, je n'ai pas d'ambitions politiques. Ma femme, ici présente, vous le confirmera. D'ailleurs, je ne voudrais pas causer un froid avec mon beau-père en me présentant contre lui.

– C'est préférable, fit Madeleine.

Jos, qui s'était assis, se releva.

– Pierre, ce n'est pas un honneur qu'on est venus t'offrir. C'est un service qu'on est venus te demander. Vu que tu es jeune et instruit, vu que tu as fait tes preuves comme cultivateur, nous pensons que tu es le seul candidat capable de trouver une solution aux graves problèmes qui menacent notre municipalité de faillite. Je dirai même plus : c'est ton devoir de citoyen de poser ta candidature à la mairie!

Tous les membres de la délégation se levèrent dans leur voiture et encouragèrent le candidat potentiel par leurs bravos.

Madeleine commençait à s'affoler.

– Tu ne vas pas accepter, j'espère.

– Il n'est pas sûr que je sois élu, lui glissa-t-il à l'oreille.

Relevant la tête, le jeune agriculteur répondit :

– Si vous estimez qu'il est de mon devoir de poser ma candidature à la mairie, je vais le faire. Mais à corps défendant. Il ne reste qu'une semaine avant l'élection et nos chances sont minces de l'emporter. Soyez assurés qu'une défaite vous sera plus pénible qu'à ma femme et à moi. Cependant, puisqu'il y va du bien de notre communauté, je vais faire ce que mon père et celui de ma femme auraient fait en pareilles circonstances. J'accepte de poser ma candidature à la mairie de Rivière-Boyer!

Pendant que les applaudissements fusaient, Jos descendit de voiture et tira de sous le siège une énorme gerbe de glaïeuls.

– Pour la mairesse ! cria-t-il.
– Pour la mairesse ! firent douze échos.
Madeleine s'attendait tellement peu à cet honneur qu'elle ne put le refuser. Mais, en tendant la main pour accepter le bouquet, elle eut l'impression de mettre le doigt dans l'engrenage.
Se penchant vers sa femme, Pierre lui souffla :
– Embrasse-moi, ça va leur faire plaisir…
À contrecœur, Madeleine déploya son plus beau sourire et plaqua un retentissant baiser sur la joue de son mari. C'est le moment que choisit leur fille pour réclamer bruyamment son repas.
– Eh bien, il est l'heure de me présenter devant le secrétaire municipal avec mes candidats, déclara l'aspirant maire.
– Puisqu'il le faut, se résigna son épouse en tournant les talons.
Bien qu'elle arrivât à la dernière minute, la candidature de Pierre Bouffard fut bien accueillie. Les exceptions prévisibles furent les deux autres candidats à la mairie, Anthime Leblond et Roland Lebreux. Ce dernier, qui estimait ses chances meilleures que celles de Leblond, était furieux.
– De quoi il se mêle, le Bouffard ? Ce n'est pas parce qu'il a étudié au petit séminaire qu'il peut faire mieux que nous autres.
Anthime non plus n'attendait pas la candidature de son gendre. Dès que la nouvelle se répandit, il envoya sa femme la vérifier auprès de leur fille. Pierre n'était pas encore revenu du bureau du greffier que sa belle-mère demandait :
– Est-ce vrai que ton mari se présente contre ton père ?
Madeleine, en bonne épouse, voulut le défendre.
– Je dois vous dire, maman, que Pierre a d'abord refusé, justement à cause du lien de parenté.
– Tu es bien sûre de ça, ma fille ?
La mère Leblond était toujours aussi méfiante.
– Vrai comme la faillite de la Borg, maman.
– Pourquoi a-t-il accepté, alors ?

– Jos Labrie, le chef de la délégation, a dit à Pierre qu'il était le seul homme capable de sauver Rivière-Boyer de la faillite.

La bonne femme réfléchit un instant.

– Sais-tu, ma fille, que Jos a peut-être raison ?

– Maman ! s'écria Madeleine, horrifiée de cette volte-face. Si papa vous entendait !

– Ça lui apprendra à faire confiance à des étrangers, des Allemands, qui se faisaient représenter par un juif en plus !

Quand Pierre revint, sa femme l'attendait comme un héros, ce qui l'étonna beaucoup.

– Tu vas gagner, mon chéri !

– Et pourquoi donc ?

– Maman est de ton bord !

Comme il ne restait que six jours avant l'élection, le jeune agriculteur n'avait pas le temps de cabaler. Il laissa les candidats qui lui étaient favorables le faire pour lui, mais il réserva la salle paroissiale et convoqua pour le dimanche après-midi une grande assemblée publique.

Hervé Francœur se fit un plaisir de venir jouer le rôle de présentateur et modérateur. Tous les candidats pro-Bouffard prirent la parole à tour de rôle, en commençant par l'ineffable Jos Labrie. Pierre s'adressa le dernier à la foule.

– Mes amis, chers électeurs, à écouter ceux qui m'ont précédé, j'ai pu constater comme vous que, dans l'adversité, les gens de Rivière-Boyer font preuve non seulement de dynamisme et de courage, mais d'enthousiasme.

Les électeurs sourirent et les candidats s'agitèrent. L'aspirant maire continua.

– Après quatre ans d'euphorie, voilà qu'un double malheur s'abat sur nos têtes. Nous nous retrouvons avec une usine vide sur les bras et une dette considérable sur le dos. Cela suffirait à faire ployer les genoux à des gens moins tenaces que nous. À Rivière-Boyer, quand nous ployons les genoux, nous le faisons de plein gré et c'est pour remercier le Seigneur ou l'implorer, selon qu'Il nous envoie la chance ou la malchance.

Une rumeur d'approbation courut dans la foule. Ce Pierre Bouffard était le premier candidat qui s'élevait au-dessus des considérations matérielles. Il marquait un point.

– Nous sommes trois candidats à la mairie. Les deux autres ont la même perception de la situation, et la mienne diffère. Les deux autres candidats à la mairie vous disent : «Profitons au moins du fait que la centrale électrique nous appartient pour électrifier le village et, si possible, la paroisse.» C'est une proposition attrayante. En fait, je gagnerais plus à me taire qu'à parler. Je n'aurais qu'à laisser élire l'un ou l'autre des autres candidats et ma ferme, qui est la première au bas du village, bénéficierait avant toute autre du courant électrique.

La foule écoutait très attentivement. Quelle déclaration pouvait suivre qui viendrait contrecarrer cette idée, jusqu'à ce jour fort bien acceptée?

– Si j'ai accepté, bien à contrecœur, je vous le rappelle, de briguer les suffrages, c'est que ma vision du problème auquel nous faisons face est diamétralement opposée à celle de mes adversaires. Nous sommes collectivement responsables d'une usine vide et d'une dette importante. Il faut régler ces deux problèmes avant toute chose. Selon moi, ce serait tuer notre usine que de lui enlever le courant électrique.

Une rumeur de déception passa dans la foule. Les villageois voyaient déjà leur village briller la nuit, au loin, sur son rocher. Le boucher projetait déjà d'acheter des réfrigérateurs. Le curé voyait la crèche éclairée pour la messe de minuit. Les cultivateurs rêvaient de trayeuses automatiques. Le candidat sentit qu'il devait présenter des arguments frappants pour dissiper ce mirage.

– Ce serait une grave erreur de garder la centrale pour nous. Sans électricité, notre usine ne vaut rien et nous devrons payer la dette!

– Que veux-tu faire avec? cria quelqu'un qui fut applaudi.

– Vu qu'elle est de construction récente et qu'elle a été bien entretenue, on peut en faire immédiatement quelque chose. J'ai un projet à vous proposer.

L'agitation fit place à un silence tendu. Sentant qu'il tenait maintenant ses électeurs, Pierre baissa la voix et prit le ton de la confidence.

– Nous pouvons faire de cette usine un chantier maritime. On pourrait y construire des bateaux de taille moyenne : goélettes de livraison ou de pêche. Il suffit de contrôler le niveau du bassin intérieur.

Une rumeur d'incrédulité agita la foule. Cette idée était trop belle et le public n'osait y croire.

– Qui t'a dit ça? lança un mouchard du camp Lebreux.

– Je tiens cette idée d'un constructeur de bateaux qui consentirait à risquer de sa poche l'investissement nécessaire à cet aménagement, pourvu que notre conseil municipal consente à lui louer l'usine avec une option d'achat.

Le fer était chaud, il fallait le battre jusqu'à la dernière étincelle.

– Ce constructeur de bateaux est jeune mais il a fait ses preuves. Mieux encore, il est présent dans cette salle.

La foule trépigna.

– Ce n'est pas un Suédois…

Il laissa rire l'assistance, puis poursuivit :

– C'est un gars de chez nous, que la plupart d'entre vous connaissez. Il s'agit de Donat Guertin!

* * *

– Pour un lapin, c'en est tout un! fit Anthime Leblond.

Un de ses mouchards arrivait de l'assemblée politique de Pierre et lui avait révélé le projet de son gendre.

Uu bout d'un long moment de réflexion, il laissa tomber :

– Je devrais peut-être me désister en faveur de Pierre…

– Fais pas ça, mon homme, lui conseilla sa femme. Roland Lebreux va dire que vous vous êtes mis à deux pour le battre.

Tout le village vota contre Pierre Bouffard et ses candidats, mais toute la campagne vota en leur faveur, de telle sorte qu'ils remportèrent l'élection haut la main.

Le nouveau maire n'eut qu'un commentaire :

– C'est quand même étrange, la politique. Ceux qui ont voté contre moi seront les premiers bénéficiaires de mon projet. Je compte bien divertir le courant après les heures de travail pour éclairer le village.

* * *

Les livraisons de résine avaient repris, mais de façon sporadique. Pourtant, chacune était accompagnée d'une petite commande de victuailles et du même billet :

Dis à qui tu sais que je vais bien et qu'elle ne s'inquiète pas de moi.

Si ces paroles rassuraient son frère, elles n'apaisaient pas l'angoisse de Réjeanne. Elle savait que son mari devait être tourmenté. L'enfant roux était de toute évidence le fils de Jones. Cette pensée la torturait.

À la honte qu'éprouvait la jeune épouse s'ajoutaient les remords provoqués par les règles de sa religion. En effet, il y avait bientôt un an que, selon la foi catholique, Réjeanne faisait des confessions sacrilèges. Si elle mourait dans cet état, elle irait directement en enfer.

Malgré sa ferme intention de libérer sa conscience devant le représentant de Dieu, la honte et la peur paralysaient Réjeanne chaque fois que le visage du curé Bouillé apparaissait derrière le guichet grillagé. Quant à la perspective d'avouer sa faute au vicaire Sylvestre, elle ne pouvait s'y résigner, craignant trop que sa confession altère le lien d'amitié qui les unissait. Alors, plutôt que de cesser toute pratique religieuse, ce qui aurait scandalisé son entourage et lui aurait coûté son emploi, Réjeanne se livrait à des aveux incomplets, ce qui ne l'empêchait pas de supplier le Seigneur de lui pardonner.

La jeune femme n'avait plus de recours. Il n'était pas question d'en parler à un homme, même pas à Pierre qui, au fond, était plutôt réactionnaire. Il n'était pas question non plus de mettre sa mère, sa sœur ou Mme Eugénie dans le secret, et encore moins ses collègues et amies.

Seule maman Rose l'eût écoutée sans la condamner. Sa grand-mère eût partagé sa peine mais n'aurait pas fait taire ses remords de conscience, ce qui n'aurait rien arrangé. Alors Réjeanne n'eut plus qu'une solution : elle s'arrêta aussi souvent que possible à l'église et pria le ciel de l'éclairer.

De son côté, Cyprien était aussi malheureux. Comme Réjeanne, il revivait en pensée chaque moment de la nuit fatidique où sa femme s'était sacrifiée pour lui. Jusqu'au moment de voir l'enfant roux, il avait assez bien géré les émotions les plus contradictoires que faisait jaillir en lui le souvenir de cet événement dramatique. Mais, maintenant, il était tellement bouleversé qu'il souhaitait presque que Jones l'ait envoyé au front. «J'y aurais peut-être trouvé la paix dans le repos éternel», se disait-il.

Certains jours, le sculpteur se sentait tellement désespéré qu'il ne pouvait plus cueillir de résine. Il songeait même très sérieusement à se livrer à la police militaire. C'est au cours d'une de ces journées perdues qu'il eut l'idée de reprendre ses ciseaux. Il espérait que la recherche de la beauté et de la pureté dans les formes répandrait un peu de baume sur son âme meurtrie. Il partit donc, la scie sur l'épaule, à la recherche d'un tilleul solitaire qu'il avait remarqué sur le flanc est du Massif.

Cyprien remplit son panier à bretelles de bûches soigneusement choisies et regagna le confort de sa cabane avec l'espoir que ses talents d'artiste pourraient s'épanouir. C'est là que le père Clément le trouva quelque temps plus tard. Les œuvres qui avaient pris forme sous les doigts du sculpteur ressemblaient tellement peu à ce qu'il s'attendait à voir que le moine en resta bouche bée.

– Quels personnages étonnants, mon ami !

– La Bible compte des personnages de tout acabit, mon père.

Cyprien avait sculpté une série de caractères bibliques choisis parmi les moins recommandables : Hérode faisant décapiter les nouveau-nés, la femme de Loth changée en statue de sel, Marie-Madeleine en péripatéticienne, la femme adultère, Hérodiade complotant avec sa fille Salomé, et Belzébuth, le prince des ténèbres, entouré de sa cour.

Tous ces personnages avaient des yeux pervers, le regard mauvais, le visage déformé par un rictus immonde. Le prêtre contempla longuement ces œuvres, se demandant bien quelle mouche avait piqué le sculpteur. À la fin, n'y tenant plus, il lui demanda :

– Mon fils, quels sentiments habitaient votre cœur au moment où vous avez sculpté ces œuvres?

– Le cœur d'un artiste n'est pas maître des sentiments qui le dominent, mon père.

– Si on reconnaît l'arbre à ses fruits, j'en déduis que votre âme est en proie à de profonds déchirements.

– Mon ciseau n'est pas guidé que par le beau, mais par toutes les formes de la réalité.

Voyant que le sculpteur rentrait dans sa coquille, le père Clément n'insista pas. «Un fruit ne mûrit pas avant son heure», se dit-il. Il prit congé.

– Repasserez-vous un jour par ici? lui demanda Cyprien en guise d'invitation.

Oui, fit le moine. Dans quelques lunes.

* * *

En juillet 1918, les journaux annoncèrent que l'armée américaine, dont deux millions d'hommes avaient traversé en Europe, achevait ses préparatifs et allait entrer d'un jour à l'autre dans le conflit. Selon eux, les combats allaient prendre une autre allure.

À Rivière-Boyer, il y avait belle lurette que plus personne ne faisait confiance aux quotidiens comme source d'information au sujet de la guerre.

– Ça fait quatre ans qu'ils nous annoncent la fin du conflit, quatre ans qu'ils font état de nos victoires, quatre ans qu'ils prévoient l'effondrement de l'Allemagne, trois ans qu'ils parlent de négociations secrètes et de capitulation imminente. Maintenant, ils prédisent que les Américains ne feront qu'une bouchée des Boches. Foutaise! Tout compte fait, les seules informations valables au sujet de cette guerre nous viennent des ti-frères Descôteaux, disait Pierre Bouffard.

Ange-Marie et Marie-Ange, leurs fiancées, colportaient leurs lettres par toute la paroisse. Un dimanche midi, Pierre les invita pour entendre leur version de la guerre. Les deux cousins décrivaient du mieux qu'ils pouvaient les privations auxquelles ils étaient soumis et les conditions abominables dans lesquelles ils livraient combat.

– Ils sont à Passchendaele, en Belgique, non loin de la rivière Lys. C'est de là que viennent les fleurs de lys, paraît-il, racontèrent les filles.

– Donc directement en face de l'Angleterre, à proximité du Pas-de-Calais, fit remarquer Réjeanne.

– Ce n'est pas loin de la mer, confirmèrent les jeunes femmes.

– Le pays est comment par là? demanda maman Rose.

– C'est marécageux. Comme c'est un pays plat, les Allemands les voient de loin et leur tirent des obus. Nos hommes trouvent que c'est trop dangereux de rester dans les tranchées parce qu'un obus peut y faire plusieurs morts. Ils préfèrent se cacher dans des trous d'obus, parce que deux obus ne tombent jamais à la même place, à ce qu'ils disent. Le problème, c'est que le trou se remplit d'eau. Alors, ils attendent un autre obus pour changer de trou.

Chacun imaginait la scène : des obus qui déchiraient le sol et des hommes qui se précipitaient dans les trous nouvellement créés.

– Est-ce qu'ils avancent, au moins? demanda Pierre.

– Pas encore, répondit l'une des jumelles.

– Ils n'ont pas changé de place depuis qu'ils sont arrivés au front, confirma l'autre.

– Et ils pensent qu'ils vont gagner la guerre comme ça? ne put s'empêcher de remarquer Simon.

– Leur général, M. Haig, dit qu'il faut faire comme ça.

Antoine, pour sa part, écoutait ce récit d'une oreille distraite. Ce qui l'intéressait, c'était ce qui se passait en mer.

Au cours des premiers mois de 1918, les Allemands coulaient plus de cent navires alliés par mois. Mais ils connaissaient peu de succès contre les bateaux rapides. Si leurs sous-marins pouvaient lancer des torpilles en plongée contre les bateaux lents, ils devaient par contre faire surface pour se lancer à la poursuite des bateaux rapides et ils constituaient alors des cibles de choix pour les destroyers britanniques. Bien qu'on n'eût jamais salué la contribution d'Antoine à la recherche de revêtements de coque plus performants, le jeune homme avait le net sentiment d'avoir contribué, dans la mesure de ses humbles moyens, au succès du ravitaillement des alliés.

Contrairement à Benjamin Leblond, le frère de Madeleine, et aux autres nouveaux conscrits, Antoine ne partit donc pas pour la guerre la mort dans l'âme le matin où il fut appelé. Il demanda à être enrôlé dans la marine et à être affecté à la recherche. Sa demande, qui, en d'autres circonstances, eût été jugée futile, fut acceptée parce qu'elle était appuyée par le colonel Carol Darby, ce haut dirigeant du ministère de la Milice qui devait sa médaille à Donat. Une semaine plus tard, en compagnie de quelques chercheurs, il s'embarquait pour la France sur un bateau rapide.

29

À LA FIN DE JUILLET 1918, la correspondance des cousins Descôteaux s'interrompit brusquement. Pendant trois semaines, leur famille et celle de leurs fiancées les tinrent pour morts. Puis, un beau matin d'août, deux lettres provenant de la Croix-Rouge arrivèrent ensemble à Rivière-Boyer. Les ti-frères avaient été faits prisonniers par les Allemands. Ils n'étaient pas blessés, mais leur moral était au plus bas. On demandait à leur famille de leur envoyer des nouvelles et du chocolat.

– Au moins, on sait qu'il ne leur tombera pas un obus sur la tête, dit une des mères.

– Et qu'ils sont au sec, ajouta l'autre.

À ce moment, Réjeanne mettait la dernière main aux préparatifs du congrès de l'Association des enseignantes de la rive sud, qui aurait lieu le premier samedi de septembre, à la veille de la rentrée scolaire.

Comme personne ne connaissait le trouble qui la tourmentait, on avait la certitude, dans son entourage, que l'enseignante avait passé un bel été. Il y avait eu la naissance heureuse de son fils, puis le baptême de ce dernier. En présence de tout le clan Bouffard, l'abbé Sylvestre, qui avait insisté pour célébrer la cérémonie malgré ses souffrances et son handicap, l'avait oint et lui avait donné les prénoms de Joseph Cyrille Jean-Sébastien.

– Comme Bach, avait remarqué l'ecclésiastique.

– Le compositeur préféré de Cyprien, avait précisé Réjeanne.

Attendu que Cyprien brillerait par son absence, Réjeanne avait omis d'inviter Mme Lanoue à la cérémonie. Par contre, le choix des parrain et marraine avait donné lieu à un moment d'émotion. La mère avait demandé à sa jeune sœur :

– Toi qui sembles aimer beaucoup mon bébé, aimerais-tu en être la marraine ?

Quelque chose s'était produit chez Anne-Marie que Réjeanne ne comprenait pas bien. Depuis la nuit fatidique où Cyprien avait échappé une deuxième fois à la police militaire, Anne-Marie s'était éprise de cet enfant et veillait sur lui avec la vigilance d'une oie.

– J'en serais ravie. Je n'osais pas espérer que tu me le demandes. Je m'attendais à ce que tu offres cet honneur à Pierre et à Madeleine.

– Eh bien, tu seras la marraine. Reste maintenant à trouver un parrain. Simon, peut-être ?

C'est à ce moment qu'Anne-Marie avait compris une grande chose. Elle était depuis toujours la grande amie, la confidente et la complice de son cher frère Simon. Pourtant, quand sa sœur avait prononcé le mot «parrain», une seule image s'était imposée à son esprit : celle de Donat.

Anne-Marie avait compris à ce moment même qu'elle était amoureuse. Maintenant aux prises avec son image de fille totalement détachée, une image qu'elle avait soigneusement bâtie et entretenue, elle cherchait maladroitement une façon d'annoncer au monde ce qu'elle avait toujours considéré comme une capitulation.

L'aînée ayant eu l'intuition, à l'hésitation de sa sœur, qu'elle n'osait pas proposer quelqu'un d'autre, elle était venue à sa rescousse.

– Aurais-tu un autre candidat à l'idée ? Un constructeur de bateaux, peut-être ?

Anne-Marie avait rougi jusqu'à la racine des cheveux.

– Est-ce que ce serait convenable ? Donat n'est pas de la famille.

– Du moins, pas encore..., avait fait Réjeanne avec un sourire interrogateur.

Et elle s'était empressée d'ajouter très sérieusement :

– Aucune règle n'interdit qu'une personne autre qu'un membre de la famille soit parrain. Donat me paraît un candidat tout à fait convenable, mais je te laisse en décider.

Au dîner dominical, Anne-Marie avait louvoyé longtemps avant de trouver la façon d'exprimer sa demande. Finalement, elle avait pris son bel ami à part et lui avait annoncé :

– Dimanche prochain, Réjeanne fera baptiser Jean-Sébastien et toute la famille est invitée. Je serai marraine. Ce sera un grand honneur. Viendras-tu avec nous ?

– Certainement, avait répondu l'artisan, qui ne manquait pas une seule occasion de se retrouver avec cette famille où il se sentait à l'aise comme dans la sienne. Et qui sera le parrain ?

– Elle va demander à Simon ou à Pierre, je présume.

– Les chanceux !

– Tu aurais aimé que Réjeanne te le demande ?

– J'aurais été très touché.

– J'aimerais bien, moi aussi. Tu permets que je propose ton nom ?

– Je ne voudrais pas prendre la place de personne, avait fait le jeune homme avec abnégation.

– Laisse-moi arranger ça, mon beau.

Et c'est ainsi que les deux jeunes gens, presque aussi émus que s'il se fût agi de leur propre enfant, s'étaient retrouvés devant les fonts baptismaux.

* * *

Maintenant, à une semaine de la grande réunion annuelle de l'A.E.R.S., Réjeanne considérait le chemin parcouru et celui qui restait à couvrir.

Elle vivait seule. Malgré les billets rassurants que son frère trouvait régulièrement dans l'arbre creux, elle demeurait inquiète du sort de son mari. Aucun signe ne laissait croire à une fin prochaine de la guerre. L'année scolaire qui approchait rapidement représenterait une tâche épuisante, compte tenu du fait qu'elle avait un enfant à élever.

Malgré tout, elle avait le goût de continuer à bâtir cette pyramide dont Guillaume Francœur avait dressé le plan pour elle. Elle trouvait une stimulation extraordinaire à relever ce défi. Elle qui ne pouvait rien faire pour apaiser sa propre détresse, elle trouvait une immense satisfaction à améliorer la situation de ses consœurs.

Sans se l'avouer, elle trouvait aussi un autre intérêt dans cet exercice. C'était de travailler avec deux jeunes hommes de valeur, qui, d'une façon différente mais à un degré comparable, avaient comme elle connu la souffrance morale, et même physique pour l'un.

Réjeanne aimait Cyprien. Elle l'admirait, estimait son talent véritable, le soutenait moralement, le protégeait jusqu'au don de soi. Il avait fait beaucoup pour elle et elle avait fait beaucoup pour lui. Mais ils vivaient chacun dans leur bulle et la venue de l'enfant roux n'avait rien fait pour confondre ces deux bulles en une seule, bien au contraire. De toute façon, le sort les avait séparés l'un de l'autre pour un temps indéfini.

Avec Émile et Guillaume, Réjeanne communiquait d'égal à égal. Appartenant à la même génération, aimant la compagnie l'un de l'autre, ils étaient tous trois animés d'un même idéal, d'une même vision sociale, d'un même désir d'aller au bout d'eux-mêmes. Ils voulaient que, grâce à eux, la société soit meilleure, et meilleure la vie des gens.

L'A.E.R.S., maintenant bien constituée, arrivait à un tournant important. La tâche d'annoncer ce virage à l'assemblée revint à Guillaume. Comme d'habitude, il ouvrit le congrès par une rétrospective des réalisations de l'association. Puis il parla de l'avenir.

– Par votre travail et votre dévouement, vous avez mis en place la structure de base sur laquelle reposera demain la profession que vous exercez.

Il expliqua les étapes devant mener à la réalisation d'une véritable convention collective de travail.

À la période de questions qui suivit cet exposé, une enseignante s'inquiéta.

– Ne craignez-vous pas que le mouvement auquel nous sommes en train de donner naissance ne rencontre une vive opposition dans les milieux politiques ?
– Pour quelle raison en serait-il ainsi ?
– Notre mouvement, composé uniquement de femmes, représentera une force politique considérable. Or, le monde politique est constitué exclusivement d'hommes.
Émile Sylvestre bondit.
– Si une cause est juste, le fait qu'elle soit défendue par des femmes ne la rend pas moins juste, affirma-t-il avec force. Celui qui s'y opposerait du seul fait qu'elle est défendue par des femmes se rendrait coupable d'une double injustice. Si, devant la cause qui est la vôtre, vous avez le sentiment que la réaction des hommes politiques sera doublement négative du fait que ce sont des femmes qui la défendent, vous avez, en tant qu'institutrices et femmes, un double devoir de la défendre !
Grâce à l'intervention des deux conseillers, le ton du congrès était donné. Les déléguées se fixèrent comme objectif d'en arriver à obtenir, pour le territoire que couvrait leur association, une convention uniforme de travail.
Quand, à la fin du congrès, on en vint à l'élection du conseil d'administration, Réjeanne demanda que du sang nouveau vienne revigorer l'exécutif. Les délégués ne répondirent qu'à demi à son souhait : ils acceptèrent d'ajouter deux membres au conseil, mais, à l'unanimité, la reportèrent à la présidence.
Lorsque la nouvelle de la réélection de l'aînée parvint à sa famille, Pierre décida qu'il était temps de rendre hommage à sa sœur. Il invita à sa table, en plus de sa famille, le corps professoral de Rivière-Boyer, les frères Francœur et l'abbé Sylvestre pour le dernier dimanche de septembre.

* * *

Dans sa forêt, Cyprien travaillait maintenant sans relâche. À la suite de la visite du père Clément, il avait porté un regard critique sur ses œuvres et leur avait trouvé une laideur déprimante. Il avait alors posé ses ciseaux et repris son instrument à bec perceur. Désormais, la cueillette de la résine de sapin constituerait, hormis sa quête de nourriture, sa seule occupation.

La lune atteignit deux fois sa plénitude et l'ébéniste se mit à attendre la visite du moine botaniste. Mais, soit qu'il fût fort occupé ou fin psychologue, le père Clément tarda à se montrer. Cyprien, qui souhaitait maintenant voir le prêtre, dut attendre un autre mois avant qu'il ne paraisse.

Revenant de quérir de l'eau un matin, le cueilleur de résine entendit une branche craquer. Croyant d'abord que c'était une bête, un porc-épic ou un orignal, il tendit l'oreille. Au lieu de fuir, la chose approchait. C'était le religieux qui venait en musardant.

L'ermite se surprit à envier cet homme serein qui n'avait d'autre préoccupation dans la vie que de rendre grâce au Créateur en étudiant les merveilles de son œuvre.

– Toujours matinal, mon père!

Le moine sursauta.

– Ah! vous voilà.

– Venez manger, la banique est toute chaude.

Cyprien prit des nouvelles de son visiteur, du monastère où il avait passé la dernière saison, de la guerre aussi.

– Étonnant phénomène, cette guerre, fit le moine en cassant un morceau de pain de trappeur. Elle fait rage depuis quatre ans et l'ennemi ne recule sur aucun plan.

– Certains jours, je me demande si mon devoir ne serait pas de rejoindre le front, laissa tomber Cyprien.

– Voilà une déclaration fort étonnante. Auriez-vous, avec le temps, trouvé des vertus à la conscription?

Cyprien rougit. Il se trouva ridicule.

Voyant l'embarras de son protégé, le bon père comprit que l'heure était venue de se porter à sa rescousse. Il reprit la conversation au point où il l'avait laissée lors de sa précédente visite.

– Me montrerez-vous vos dernières sculptures, cher artiste?

– Je n'ai rien sculpté depuis quelque temps.

– Rien de nouveau depuis notre dernier entretien?

– Rien, admit le sculpteur. J'ai perdu l'inspiration.

– Mon fils, un créateur ne crée pas de ce qu'il *a* mais de ce qu'il *est*. Le matériau et le talent ne sont que des accessoires à la création. Vos dernières sculptures témoignaient des tourments de votre âme. Désirez-vous aujourd'hui vous confier à moi?

– Je crois que oui, fit le conscrit, vaincu.

Cyprien raconta tout par le détail, depuis l'appel sous les drapeaux jusqu'à ce moment dramatique où Jones et lui virent l'enfant de Réjeanne. Après avoir écouté le récit des événements, le confesseur voulut en savoir plus sur les sentiments qui animaient le pénitent lors de chacun des événements auxquels il venait de faire allusion. Cyprien, qui était foncièrement sincère et honnête, mit à nu chaque repli de sa conscience, bien qu'il trouvât cet exercice exténuant. À la fin, il s'exclama presque :

– Mon père, maintenant vous savez tout. Je vous en prie, dites-moi quel est mon devoir.

– Prenez d'abord un peu de thé, mon fils, avant de défaillir. Et ajoutez-y un peu de sucre, car vous aurez besoin d'énergie pour affronter le reste.

– Qu'est-ce que cette situation a de si effrayant?

Le moine réserva sa réponse en se versant lui-même un peu d'infusion. Il donnait ainsi au confessé le temps de reprendre ses sens. À la fin, Cyprien n'y tint plus.

– Allez, je vous en prie, je vous écoute.

Le père Clément posa sa tasse et regarda le jeune homme droit dans les yeux.

– Dans toute cette affaire, il y a un grand coupable.

– Qui donc?

– Vous-même.

Cyprien, qui se percevait comme un homme pieux, honnête et charitable, fut littéralement foudroyé par ce jugement impitoyable. Au bout d'un pénible moment, il demanda :

– Moi, coupable ? Comment pouvez-vous dire cela ?

– Vous avez péché par orgueil, mon fils. Par orgueil et par égoïsme.

– Moi, par orgueil ?

– Oui, vous, par orgueil. Et à ce moment même c'est encore le grand péché de Satan qui oblitère votre vue.

Cyprien était terrassé.

– Mais, mon père, expliquez-moi, supplia-t-il.

– Au moment où vous avez décidé en votre âme et conscience de ne pas vous soumettre à l'autorité de l'armée, vous n'aviez pas le droit d'entraîner votre épouse dans cette démarche dangereuse qui n'engageait que vous. Il ne fallait pas demander son assistance. Il ne fallait pas retourner chez vous. Par orgueil, vous avez cru pouvoir échapper à vos poursuivants. Par égoïsme, vous avez entraîné votre admirable femme dans votre aventure. Si vous ne l'aviez pas fait, cet enfant qui n'est probablement pas le vôtre n'aurait pas vu le jour. À vos fautes, il faudra ajouter le tort considérable que vous avez causé à votre épouse et à l'enfant qu'elle a dû porter et mettre au monde.

– Arrêtez, mon père, arrêtez !

– Vous devez m'écouter jusqu'au bout, Cyprien, sinon je vous abandonne ici, seul avec votre désespoir. Vous avez péché et vous ne retrouverez la paix de l'âme qu'à la condition de reconnaître vos fautes et de les expier. Vous avez placé votre épouse dans une position intenable. Une femme moins courageuse, moins vertueuse, aurait faibli devant les armes et elle n'aurait pas eu tort. Mais Réjeanne est une personne d'une vertu peu commune et, à son corps défendant, elle vous a sauvé la vie.

Cyprien sanglotait maintenant comme un enfant. Le religieux continuait :

– Avez-vous songé un seul instant au déchirement affectif et à la détresse morale qu'a dû ressentir cette femme à la vue de cet enfant qui est probablement celui de votre ennemi ? Vous rendez-vous compte que cette détresse, votre femme la vit encore chaque jour? Et que dire de cet enfant? Depuis sa naissance, son père lui manque. Il n'y paraît peut-être pas encore, mais il portera les cicatrices de cette lacune toute sa vie.

Cyprien se jeta à genoux et se signa.

– Pardonnez-moi, parce que j'ai péché. Moi qui me croyais juste, j'ai péché plus gravement que tout autre. Que dois-je faire pour obtenir le pardon de mes fautes?

– Prenez-vous conscience, mon fils, de la gravité de vos péchés?

– Oui, mon père.

– En avez-vous le sincère regret?

– Oui.

– Ferez-vous tout ce qui est en votre pouvoir pour réparer vos fautes et atténuer la portée de vos actes?

– Oui, je le jure.

– Dans ce cas, je vous dis : «*Ego te absolvo.*» Allez et ne péchez plus.

Le moine se pencha avec bonté sur le pécheur et le couvrit d'un grand signe de la croix.

– Relevez-vous, Cyprien. Prenez des forces, car la route sera longue et semée d'embûches.

– Que dois-je faire maintenant?

– C'est ici que les choses se compliquent, parce que vous êtes prisonnier de cette forêt.

– Devrais-je me livrer à James Jones?

– Vos péchés n'ont rien à voir avec le service militaire et votre reddition serait une lâcheté, une fuite devant votre devoir.

– Mais justement, quel est mon devoir?

– Vous devez d'abord prier. Priez, Cyprien, pour que le Seigneur vous indique la voie. C'est, à mon sens, tout ce que vous pouvez faire pour le moment.

Sur ce, le trappiste prit congé mais promit de revenir avant l'hiver.

* * *

Donat Guertin n'avait pas mis de temps à se lancer à l'ouvrage. Il avait beau dire que transformer la cimenterie en chantier maritime était facile, cela représentait tout de même une somme de travail considérable. Il procéda cependant rapidement, avec l'aide d'une petite équipe de menuisiers et d'une aciérie de Sorel, qui lui fabriqua des vannes.

En tant que maire, Pierre Bouffard suivait avec attention et intérêt la progression des travaux. Les contribuables de Rivière-Boyer, qui avaient été échaudés avec la Borg, étaient inquiets. S'il fallait que le chantier maritime soit aussi un échec, ils devraient assumer de nouveau le paiement de l'hypothèque. Pierre s'en ouvrit un jour à Donat.

– Tu sembles avoir confiance que cette entreprise va réussir.

– Non seulement j'ai confiance, mais mon père, qui me soutient financièrement, a confiance aussi. C'est un homme de longue expérience et il y a longtemps qu'il rêve de combler la demande pour des bateaux de taille moyenne.

– Tu sais donc à qui offrir tes services?

– La demande pour des bateaux de toutes tailles est considérable. La guerre est dévastatrice pour toutes les marines. En Grande-Bretagne, depuis le début de l'année, un bateau sur quatre ne rentre pas de mission. Les Anglais à eux seuls ont perdu cent sept grands navires en février dernier et cent vingt-sept en avril.

– Et si la guerre cesse?

– Le jour où la guerre cessera, tous les chantiers maritimes du monde vont se mettre au travail pour reconstituer les flottes de tous les pays, ce qui prendra au moins dix ans. Or, les plus grands chantiers voudront construire les plus gros bateaux. Personne ne voudra construire des bateaux de taille moyenne : remorqueurs, goélettes, barges et autres. C'est le marché que je vise.

– Et les bateaux de pêche?

– Notre flotte de pêche vieillit et est composée encore en bonne partie de bateaux à voile. Les voiliers de travail sont périmés. Il faut les remplacer par des bateaux à moteur. Là aussi, j'ai du travail pour dix ans.

Pierre jeta un long regard sur le nouveau chantier maritime, puis demanda à Donat :

– Ce que tu me dis ici, pourrais-tu le dire aussi aux contribuables de Rivière-Boyer ?

– Certainement.

– Eh bien, déclara le maire, je crois que la municipalité va payer l'inauguration de ton usine !

L'inauguration du chantier naval de Rivière-Boyer eut lieu à la mi-octobre 1918. Encore une fois, toute la population fut invitée sur les lieux. On ne servit pas de porto et l'orchestre de musiciens en queue-de-pie ne fut pas appelé. Cependant, l'auberge de la Côte servit un repas très convenable et on demanda aux violoneux du village de porter leur froc du dimanche pour jouer des valses.

Pour une fois, Anne-Marie avait posé son tablier. C'était le souhait de Donat, qui l'avait invitée à prendre place à ses côtés à la table d'honneur.

L'abbé Sylvestre, qui avait repris l'enseignement au petit séminaire mais faisait du ministère chaque fin de semaine aux côtés du curé Bouillé, procéda à la bénédiction du chantier et Guillaume Francœur, qui représentait son gouvernement, présenta ses meilleurs vœux à l'entreprise.

Finalement, on invita le maire à parler. Pierre se leva et annonça tout de go :

– Je ne vous cacherai pas ma fierté de voir revivre cette usine qui nous a causé tant de cauchemars. J'en suis d'autant plus fier que le conseil a pu négocier avec le nouvel industriel une entente selon laquelle notre municipalité pourra bénéficier de l'énergie électrique. Je vous annonce que le village de Rivière-Boyer sera électrifié à temps pour les fêtes !

Pendant quelques instants, Pierre Bouffard fut sans conteste le maire le plus populaire du monde. Quand, après avoir exprimé leur satisfaction et leur enthousiasme, les invités quittèrent enfin les lieux, Donat retint Anne-Marie et l'entraîna pour une promenade autour du bassin intérieur. Il avait une idée en tête.

– Alors, que penses-tu de mon entreprise ?

– Je trouve que tu risques gros.

– Tu n'as pas confiance ?

– Comme je ne connais pas la construction navale, je n'ai pas d'opinion là-dessus. Par contre, j'ai confiance en toi.

– Combien confiance en moi ?

– Beaucoup, répondit Anne-Marie en posant sa main sur la joue de son ami.

– Assez pour risquer avec moi ?

– Oui.

La tigresse se fit chatte et se lova dans les bras de son grand amour.

* * *

Une chose avait manqué à l'inauguration du chantier maritime : le petit blanc que les hommes se passaient en cachette en célébrant des messes basses dans les coins.

Depuis quelques semaines, Simon avait épuisé ses réserves et ne pouvait plus fournir ses clients. Nicolas Hubert, le marin des îles, n'avait pas reparu depuis deux mois. Cette situation inquiétait le forgeron au plus haut point car Nicolas était son ami. Avait-il été appréhendé ? Sa goélette avait-elle coulé ? Était-il mort ? Autant de questions auxquelles Simon n'avait pas de réponses.

Et qu'adviendrait-il de son petit commerce ? Sans qu'il y parut, la vente de l'alcool de Saint-Pierre-et-Miquelon lui permettait de combler le manque à gagner de la forge. S'il restait à court de stock, la famine le frapperait aux premiers jours de novembre. Mais s'il s'inquiétait considérablement, le joyeux drille n'en laissait rien paraître. Pour tous ses clients, il avait la même réponse :

– Il a fait mauvais dans le golfe et mon fournisseur a été retardé. Mais il est fiable et j'aurai des nouvelles à temps pour les fêtes.

Quand Meno Roy mit Simon à pied, le premier samedi de novembre, ce dernier n'avait toujours pas entendu parler de son ami marin. Alors, dès le soir, il aborda Pierre.

– Il semble que les ti-frères Descôteaux ne reviendront pas de sitôt. Qu'en dis-tu ?

– Cette guerre n'en finit plus, en effet.

– Vas-tu me louer ton érablière encore cette année ?

– Tu ne trouves pas qu'il est un peu tôt pour en parler ?

– Je vais te dire pourquoi je m'y prends si tôt. Si je peux m'entendre avec toi comme par le passé pour couper le bois de poêle de tout le monde et compter que je ferai les sucres le printemps prochain, je passerai l'hiver par ici. Sinon, je vais aller me trouver du travail à Québec.

– Que ferais-tu à Québec ?

– J'irais travailler dans la chaussure avec nos cousins. Avec tous les jeunes hommes partis au front, il doit y avoir du travail en masse pour un bon boiteux.

C'était une espèce d'ultimatum. Si Pierre n'acceptait pas immédiatement, il devrait couper lui-même le bois de chauffage de toute la famille et peut-être perdre le loyer de son érablière en plus de la pension de son frère.

– Bon, d'accord. Mêmes conditions que l'an passé ?

– Parfait.

Simon semblait pressé de s'installer à la cabane à sucre. Dès le lundi, il rassembla ses outils et s'en fut à l'érablière. Il était en train d'allumer le poêle quand Pierre surgit, tenant un billet dans sa main.

– Tu aurais dû me dire que tu venais à la cabane, dit Simon. Je t'aurais attendu.

– Il fallait d'abord que je finisse mon train. Je suis venu chercher des nouvelles de Cyprien et prendre livraison de la gomme de sapin.

Pierre jeta un coup d'œil autour de lui. Son frère avait pourvu la cuisinette d'une ample provision de tout.

– Même du blé en quantité.

– Pour les chevaux, comme tu dois t'en douter, répondit négligemment Simon.

– Et jusqu'à de la levure !
– C'est bon, du pain chaud, quand il fait froid.
– Je vois que tu comptes bien passer l'hiver.
– Il faut que je prenne soin de moi. Je n'ai personne pour me gâter.
Pierre connaissait la détresse de son frère sur le plan amoureux mais ne voulait pas attirer les confidences. Il tira deux précieuses cruches de baume du Canada qui s'alignaient sous une banquette.
– Belle récolte ! s'exclama Simon. Et qu'est-ce qu'il raconte, le beau-frère ?
– Que c'est son dernier billet avant le printemps.
Cette information sembla intéresser vivement le forgeron.
– Je me demande bien où il passe l'hiver. Se pourrait-il qu'il se ouache comme un ours ?
– Il faudra que tu le demandes à Réjeanne. Elle n'a pas voulu me le dire, avoua Pierre.
Ouvrant la porte, il ajouta :
– Il faut que je te quitte. J'ai plein de travail qui m'attend. L'étable déborde d'animaux, c'est l'heure de pomper l'eau... Bon hiver !
– Bon hiver à toi !
Simon regarda son frère s'éloigner et eut un large sourire moqueur.
«Dans dix jours, je vais pouvoir annoncer à mes clients que mon ami des îles est revenu !»

TROISIÈME PARTIE

L'après-guerre

30

Encore une fois, personne ne crut les quotidiens quand, en septembre 1918, ils titrèrent une fois de plus que les armées alliées gagnaient du terrain. Pourtant, cette fois, c'était vrai.

Ils rapportaient que, sous la houlette du général américain John Joseph Pershing, des troupes fraîches, bien équipées et enthousiastes, fondaient sur des ennemis fatigués et à court de ressources. Les Allemands, épuisés, combattaient le jour, battaient en retraite la nuit. Les généraux du Kaiser informèrent bientôt ce dernier qu'il perdait la guerre. Le 11 novembre 1918, Guillaume II capitula.

À l'annonce de la fin de la guerre, les gens de Rivière-Boyer se mirent à spéculer sur ce que leur réservait l'avenir. Pour leur part, Réjeanne, à titre de secrétaire de l'A.P.A., et Pierre Bouffard, à titre de maire, demandèrent immédiatement à rencontrer le sous-ministre de l'Agriculture, leur ami Guillaume Francœur.

Leur réunion eut lieu un samedi matin au bureau du haut fonctionnaire. Les visiteurs furent ravis de retrouver dans le bureau de Guillaume la sculpture en ronde-bosse que les citoyens de Rivière-Boyer lui avaient offerte.

– Je constate, Guillaume, que tu as tenu ta promesse de conserver ce souvenir, remarqua l'agriculteur.

– C'est l'œuvre d'un grand artiste. Je souhaite que Cyprien revienne rapidement parmi nous.

– Vous le souhaitez seulement? fit Réjeanne. Vous n'en êtes pas certain? Quelque chose vous laisserait-il croire que son retour prendra du temps?

– Même si une guerre est finie, tout n'est pas terminé. La retraite des armées est un processus assez long. D'abord, tout le monde reste en place au cas où les négociations de paix échoueraient. Les négociations de reddition elles-mêmes s'étendent sur plusieurs jours, voire plusieurs semaines.

– Après quoi chacun rentre chez lui, non?

– Oui, mais pas aussi rapidement qu'on l'imagine. Des millions d'hommes sont encore au front et l'hiver arrive. Il faut continuer de les nourrir en attendant de pouvoir les rapatrier. Prenez les Américains, par exemple. Il a fallu plus de sept mois pour les transporter outre-mer. Il en faudra autant pour les ramener, sans compter que les malades et les prisonniers de guerre auront préséance. Alors que les Américains sont en France, les Français se trouvent en Belgique, les Canadiens et les Anglais également. Ils passeront Noël dans leur camp, et, au mieux, commenceront à rentrer ensuite.

– Qu'arrivera-t-il à ceux qui ont réussi à échapper à l'enrôlement?

Guillaume comprit que Réjeanne s'inquiétait du sort de son mari.

– Ottawa a déjà annoncé que les déserteurs seront mis aux arrêts.

– Mais la guerre est finie! Pourquoi les arrêter?

– La guerre est finie, mais pas la politique, chère amie. Imaginez l'humeur des combattants qui, après avoir subi la mitraille dans les tranchées et avoir attendu des mois pour rentrer chez eux, trouveraient les déserteurs se chauffant tranquillement les pieds sur la bavette du poêle depuis le jour de l'armistice. Aucun gouvernement ne veut affronter leurs critiques. Je regrette sincèrement pour Cyprien, mais les déserteurs rentreront chez eux les derniers.

Réjeanne échappa un long soupir de déception. Pierre prit la relève.

– L'objectif de notre visite était en réalité de te demander tes vues sur l'agriculture de demain. La guerre terminée, la demande pour les produits agricoles diminuera probablement. Qu'en penses-tu, toi, comme grand commis de l'État?

– Il est à prévoir que l'industrie de guerre, telle que la fabrication des munitions et des uniformes, va s'effondrer. Par contre, l'agriculture va moins décliner. L'agriculture des pays d'Europe a été fortement malmenée et ne pourra suffire à nourrir leurs populations avant plusieurs années. Et pour quelques mois, le temps d'organiser le rapatriement, la consommation des denrées de guerre va demeurer stable, répondit Guillaume.

– Après quoi elle va diminuer graduellement?

– C'est probable.

Ce pronostic inquiéta Pierre.

– Comment nous, les agriculteurs, devrons-nous planifier l'avenir?

– Il faut maintenant réduire vos troupeaux en vendant le surplus d'élevage pendant que les prix sont encore au plus haut. Quand ils baisseront, vous devrez choisir entre produire des aliments haut de gamme ou vous diversifier, revenir aux troupeaux mixtes, comme autrefois.

– Diriez-vous que c'est votre message aux membres de notre association? demanda la secrétaire de l'A.P.A.

– C'est le message que je leur livrerai en personne. Mais déjà vous pouvez le faire savoir.

Le frère et la sœur reprirent le train, inquiets mais satisfaits des réponses qu'ils avaient obtenues.

– Il semble que les années de vaches grasses soient terminées, fit l'aînée.

– La vie ne sera pas facile pour les agriculteurs, mais, quand on est bien informé, on peut voir venir. Ce n'est pas pour moi que je m'inquiète, c'est pour toi.

Réjeanne semblait sereine.

– Cyprien devra se cacher encore quelque temps. Je peux me débrouiller seule. Maman et grand-mère gardent Jean-Sébastien, je gagne un salaire convenable et la résine que cueille Cyprien rapporte un bon prix. Nous allons survivre.

– Dis-moi franchement : ton homme te manque-t-il beaucoup?

Réjeanne mesura sa réponse :

– L'absence d'un homme est très pénible pour une femme. Par contre, elle lui donne l'occasion de faire la preuve de sa volonté et de ses talents.

Pierre comprit qu'il ne comprenait pas tout mais, par discrétion, il ne poursuivit pas son interrogatoire. Il se réfugia plutôt dans ses pensées, tentant de mettre au point un plan de survie pour sa famille en vue des années difficiles qui s'annonçaient.

Pour sa part, Réjeanne laissa errer son regard sur le fleuve et le cap Tourmente et se remit à penser à Cyprien et à leur vie, comme elle le faisait chaque fois que les circonstances la forçaient à l'inaction. Comment serait leur vie de demain? Reviendrait-il seulement près d'elle? Accepterait-il l'enfant qui porte son nom ou sombrerait-il dans la dépression? Pouvait-elle seulement, dans les circonstances, espérer retrouver l'amour?

* * *

Les bernaches volaient franc sud quand le moine botaniste repassa par le côté nord du Massif. Il y trouva un ermite très calme. Très humble aussi.

– Qu'avez-vous fait de vos journées, mon fils? lui demanda-t-il avec mansuétude.

– J'ai fait tout ce que j'ai pu pour ma femme et mon fils, mon père.

– C'est-à-dire?

– J'ai travaillé et j'ai prié, le plus souvent les deux à la fois.

– Avez-vous repris vos ciseaux?

– Non. Il me semblait plus important de faire ce que j'ai fait.

– Je suis heureux de constater que vous avez le ferme regret de vos fautes et je suis sûr que Dieu vous a pardonné.

– Puis-je avoir votre bénédiction, mon père?

– Certainement.

Cyprien s'agenouilla et se découvrit. L'homme d'Église le bénit.

– Relevez-vous, Cyprien.

L'artiste obtempéra. Cette absolution globale fit le plus grand bien à son âme.

– La guerre fait encore rage. Je suis venu vous chercher. Ou, plus précisément, je suis venu vous offrir de passer de nouveau l'hiver à notre monastère. Accepterez-vous notre hospitalité ?

– Je connais votre fraternelle charité et l'accepte avec reconnaissance. Mais, avec votre permission, je continuerai de travailler aussi longtemps que le temps le permettra.

– Je vous comprends. Vous connaissez maintenant le chemin. Présentez-vous au monastère quand vous le désirerez. Mais assurez-vous d'arriver la nuit et demandez à me voir.

Quand, un matin à la fin de l'automne, une neige légère couvrit le sol, l'ébéniste sut qu'on pourrait désormais le suivre à la trace. À la première nuit de redoux, il partit vers le monastère, emportant dans son grand panier ses ciseaux et une quantité de fruits sauvages, des myrtilles et des petites poires, qu'il avait cueillies et fait sécher en saison, et dont les moines cuisiniers feraient d'excellentes confitures.

Le père Clément l'attendait avec une robe de bure propre et une bonne provision de bois de tilleul et de pommier. Cyprien se mit sans tarder à l'ouvrage. Son objectif avoué était de sculpter tous les personnages d'une crèche avant Noël, le monastère ne disposant que de vulgaires statuettes en plâtre.

L'artiste rencontra cependant un obstacle inattendu : il n'avait pas retrouvé l'inspiration. Lui qui d'habitude sentait le bois vibrer dans ses mains, il le trouvait sans vie. Il eut beau palper les bûches, caresser le grain du bois, étudier l'enchevêtrement des fibres, rien n'y fit. Au point qu'il s'en ouvrit à son confesseur.

Le bon moine ne se montra pas autrement surpris.

– Rappelez-vous, je vous l'ai déjà dit : le créateur ne crée pas avec ce qu'il a mais avec ce qu'il est. Je vous ai dit aussi que la route vers la sérénité serait longue et parsemée d'embûches. En voici une première preuve. D'autres suivront.

– Que devrai-je faire ?

– Vous ne retrouverez l'inspiration que lorsque vous vous serez réconcilié avec votre conscience. Et vous n'y parviendrez qu'après avoir obtenu le pardon de votre épouse.

– Vous savez que je ne peux pas la voir maintenant.

– Je le sais.

– Que puis-je faire, alors ?

– Il faut accepter cette attente comme un purgatoire. Exécuter de grandes sculptures exige de l'inspiration mais porte à l'orgueil. Pour le moment, vous devrez vous contenter d'œuvres plus modestes.

– Je suis prêt à exécuter n'importe quel travail manuel, même le plus simple. Je pourrais faire de l'ébénisterie, de la menuiserie, travailler aux cuisines même. Je suis à votre service.

– Je ne cherche pas à vous humilier, Cyprien. Je cherche tout simplement à vous fournir une occupation qui vous aidera à réfléchir. Que diriez-vous de sculpter des coqs ?

– Des coqs ?

L'artiste fut très étonné.

– Oui, des coqs. Des coqs de clocher.

– Mais pourquoi des coqs ?

– Dans la symbolique de l'Église catholique, le coq tient le deuxième rang, immédiatement après le poisson. Si le poisson est le symbole du partage, donc de la communion, le coq est le symbole de la vigilance. C'est parce que vous n'étiez pas assez vigilant que le Malin a instillé dans votre cœur le péché d'orgueil. Chaque fois que vous sculpterez un coq, vous ferez à la fois acte d'humilité et profession de vigilance.

– Et qu'adviendra-t-il de tous ces coqs ?

– À mesure que vous les produirez, ils iront orner les clochers des environs, qui en manquent. Comme tous les moines du monde, nous vivons de la charité publique. Or, nous aimerions manifester de façon tangible notre gratitude aux paroisses qui sollicitent la générosité de leurs paroissiens pour nous nourrir. Grâce à vous, ce sera possible.

* * *

Même si Antoine était devenu un homme, c'est avec beaucoup d'appréhension que les Bouffard l'avaient vu s'embarquer pour Toulon. Tous ces récits de bateaux coulés par les sous-marins allemands les faisaient trembler d'anxiété. Ce n'est que lorsqu'ils reçurent une première lettre écrite de sa main qu'ils cessèrent de s'inquiéter.

Cette missive, qui n'avait d'autre but que de les rassurer, était courte. Le benjamin n'avait encore rien vu du pays de ses ancêtres; il avait dû se mettre au travail dès son arrivée. Quant à la traversée, elle s'était effectuée sans histoire puisque aucun sous-marin ennemi n'avait pris leur convoi en chasse.

Il fut plus loquace dans la lettre suivante.

Toulon, le 14 novembre 1918.

Chère maman,

La guerre est terminée depuis trois jours et déjà tout a changé autour de moi.

Le changement le plus remarquable est la fin de la peur. Même si nous n'étions pas au front, les gens de mon entourage et moi étions constamment aux aguets, l'oreille tendue comme des chiens de garde. Vous ne vous rendez compte de la présence de la peur qu'au moment où elle vous quitte.

J'avais beaucoup entendu parler des Français avant de venir en France et j'ai été surpris qu'ils ne correspondent pas au portrait que je m'en étais fait. Je croyais rencontrer des gourmets et des joyeux lurons. J'ai trouvé des gens inquiets, nerveux, obsédés par le travail.

Mais avec la fin des combats, les vrais Français ont refait surface. Il ne fait pas froid ici en novembre. Toute la population est descendue dans la rue, des accordéonistes se sont installés dans toutes les guinguettes et même sur les trottoirs. Les gens ont bu du vin et dansé pendant deux jours.

Il y a des choses que je ne comprends pas. Dans ce pays en rationnement, les cuisiniers trouvent le tour de cuisiner des mets extraordinaires : des soufflés, des feuilletés, des pâtés et toutes sortes de choses délicieuses. Mais c'est leur consommation de vin qui m'étonne le plus. Moi qui ne bois pas, je les vois vider bouteille après bouteille sans se saouler. C'est vrai qu'ils parlent beaucoup : ça doit aider à faire passer l'alcool!

La tension est tombée au travail. Nous serons payés jusqu'à l'embarquement du retour mais déjà nous avons beaucoup de temps libre. On me dit qu'il s'écoulera plusieurs mois avant que nous soyons rapatriés. Je ne suis pas sûr que je vais attendre aussi longtemps. Je crois plutôt que je vais visiter un peu le pays et voir Paris, après quoi je reviendrai au Canada à mes frais sur un bateau de passagers.

Je vous embrasse et promets de vous écrire plus tard,

Antoine.

Victoire, fière de son plus jeune, lut, selon l'habitude, cette lettre à table.

– Le chanceux! s'exclamèrent simultanément Simon et Anne-Marie. Il va faire le tour de la France.

– Peut-être pas tout le tour, rectifia Réjeanne, mais il en verra certainement assez pour nous en parler longuement.

– Pauvre petit Antoine! Je suis toujours inquiète de lui, soupira maman Rose.

– Pour quelle raison, grand-maman? s'étonna Réjeanne.

– J'ai toujours peur qu'il prenne froid. Il paraît qu'en France on ne chauffe pas les maisons.

– Ne vous inquiétez pas pour Antoine, répliqua Victoire. Il trouvera bien le moyen de se protéger. Et puis il a apporté un édredon en moyac.

– Ça, c'est vrai, rigola Simon. Nous, les Bouffard, on n'est pas du genre à se laisser souffrir !

Réjeanne le regarda avec un drôle d'air, comme si son frère venait de lui pincer le cordon du cœur.

* * *

Quelques semaines s'écoulèrent avant que les gens prennent vraiment conscience que la guerre était finie. Sans s'en rendre compte, chacun entretenait au fond de soi une crainte latente, une peur inavouée. La population reprenait peu à peu confiance.

Donat, qui n'espérait plus obtenir de contrats de guerre, restait inquiet pour l'avenir. Ses craintes se dissipèrent quand il obtint ses premiers contrats de bateaux de service.

Peu de temps après, il profitait du dîner dominical pour dire à Victoire :

– J'ai une question pour vous, madame Bouffard.

– Laquelle donc ?

– M'accepteriez-vous comme gendre ?

Victoire sentit que la question était sérieuse.

– Je dois admettre, cher Donat, que vous êtes un garçon très convenable.

L'industriel se leva.

– Dans ce cas, madame, j'ai l'honneur de vous demander la main d'Anne-Marie.

Bien qu'elle ait vu la demande venir, Victoire fut bouleversée.

– Après le compliment que je viens de vous faire, il me serait difficile de refuser. Bienvenue dans notre famille, cher Donat.

Tout le clan se leva d'un bloc, et chacun embrassa une Anne-Marie rouge de joie et congratula un Donat sérieux comme le pape.

– À quand la noce ? s'enquit Réjeanne.

– Le plus tard au printemps, le plus tôt aux fêtes, répondit Donat.

– Et pourquoi un tel écart ? demanda Pierre.

– Parce qu'il nous faut trouver où loger, répondit Anne-Marie.

– Je vais donc perdre un deuxième pensionnaire, calcula l'agriculteur.

Une petite voix s'éleva près de lui.

– Pas pour longtemps…

– Que veux-tu dire, Madeleine ?

– Je crois que je suis de nouveau enceinte.

– Un baptême d'usine, un mariage, une grossesse, c'est beaucoup pour une seule famille. Ça vaut un petit coup ! clama Simon en offrant du Saint-Pierre à la ronde.

– Ton marin des îles serait-il revenu ? demanda Réjeanne.

– Non, mais j'ai trouvé une autre source d'eau bénite !

– À tous nos bonheurs ! proposa Pierre en levant son verre.

– À la source ! ajouta Simon en guise de salut.

* * *

Victoire, qui était débordée de travail, fit encore une fois appel à Julie Gaumond afin qu'elle l'aide à préparer le trousseau d'Anne-Marie. La grande adolescente timide était devenue, à vingt et un ans, une jeune fille belle et douce. Simon, qui ajustait parfois le métier à tisser de la jeune fille, l'observait à la dérobée. La voyant s'épanouir en une magnifique créature, il ne pouvait réprimer son spleen. « Encore un papillon qui va s'envoler pour faire le bonheur d'un beau gars. Et le temps qui passe ne m'apporte rien à moi. Il faudra bien qu'un jour je fasse quelque chose de ma vie… »

L'annonce de la fin de la guerre, qui aurait dû rendre les gens heureux, eut l'effet contraire. Les journalistes, n'ayant plus d'exploits militaires à se mettre sous la plume, jetèrent leur dévolu sur les événements à caractère économique. La matière à nouvelles ne manquait pas : excédents de production, chute des prix, fermetures d'usines, déflation, grèves, chômage, misère, rébellion. Ils firent tant et si bien qu'une véritable psychose de dépression économique s'empara de la population.

Grâce aux judicieux conseils prodigués par Guillaume Francœur à leur réunion de l'A.P.A., les agriculteurs de Rivière-Boyer avaient pu vendre à bon prix leurs animaux d'élevage. Restait leurs troupeaux laitiers, dont ils avaient, en quatre ans, grandement amélioré le rendement. Bientôt le prix du beurre se mit à chuter lui aussi, à cause d'un surplus de production. L'Association des producteurs agricoles, par la voie de sa secrétaire Réjeanne Bouffard, appela Francœur à la rescousse.

– Cette fois, leur déclara celui-ci, la situation est grave et ne se rectifiera pas à court terme. La période de prospérité que vous avez connue depuis quatre ans est terminée. Ceux qui en ont profité pour payer leurs dettes et faire des économies pourront attendre que de nouveaux marchés se développent ; les autres connaîtront la misère.

– On a parfois l'impression que les prix offerts pour nos produits sont plus bas que la normale. Se pourrait-il que quelqu'un pose le doigt sur le mauvais plateau de la balance ? demanda l'ineffable Jos Labrie.

La question arracha un étroit sourire à Francœur, qui dut retrouver son sérieux pour répondre :

– La période de guerre a vu surgir dans le domaine de l'approvisionnement toute une phalange de spéculateurs tous moins scrupuleux les uns que les autres. Ces gens ont fait des fortunes et, maintenant que leur marché s'est effondré, ils tentent de prendre le contrôle des fruits de votre production. Vous vous souviendrez qu'Armand Lavergne a beaucoup travaillé pour consolider l'A.P.A. et l'étendre à tout le Québec. Un de ses objectifs était de protéger les agriculteurs contre de tels usurpateurs en mettant sur pied un office de mise en marché des produits de la ferme. Il n'a pu y arriver pendant sa carrière politique mais il est à souhaiter que votre association atteigne ce but.

– C'est urgent ! s'écria Pierre. Nous avons déjà le problème sur les bras et il ira en empirant.

– Tu as raison, mais n'espère pas que cela se fera en moins de quelques années.

– Mais qu'est-ce qu'on va devenir? brailla Jean-Baptiste Fortin. On a le temps de crever de faim avant que la solution arrive.

Cette fois, c'est Rolland Lebreux qui fournit la réponse.

– Baptiste, on ne meurt pas de faim sur une ferme. Au pire, on ne vit pas riche, mais on mange trois fois par jour.

Guillaume Francœur avait une réponse d'un autre ordre.

– En période de crise, chacun doit faire ce qu'il fait de mieux et tenter de fuir par le haut. Vous êtes d'excellents cultivateurs. Continuez donc de cultiver le mieux et le plus économiquement possible.

Anthime Leblond n'était pas satisfait de cette réponse incomplète.

– Et en ce qui concerne la fuite par le haut?

– L'idéal serait de produire quelque chose d'unique, d'original, ou encore quelque chose d'ordinaire mais d'une qualité exceptionnelle.

– Comme quoi, par exemple? s'enquit Gaudias Mercier.

– Aucune idée ne me vient mais j'y penserai et je vous en reparlerai à la première occasion, promit le sous-ministre.

Cette assemblée laissa Pierre Bouffard insatisfait. Un obstacle de taille se dressait devant les agriculteurs de Rivière-Boyer et même leur précieux conseiller était à court d'idées. Pour sa part, le jeune maire était perplexe : «Il faudra que j'y pense, et vite…»

Pierre prenait à cœur son rôle de leader moral de sa communauté. Il se triturait justement les méninges pour trouver une solution aux problèmes de ses concitoyens quand, un beau vendredi du début de décembre 1918, Anne-Marie arriva à la maison en coup de vent.

– Qu'est-ce qui t'arrive, s'enquit Madeleine. As-tu vu un loup-garou?

– Pire que ça!

– Pierre, qui feuilletait de vieux numéros de *L'Almanach du peuple* à la recherche d'idées, interrompit sa lecture.

– Pire qu'un loup-garou? Deux loups-garous?

– Fais pas le drôle, mon frère. J'ai perdu mon emploi.
– L'aubergiste t'a congédiée ?
– Pire. Il a fermé l'auberge !
Pour une surprise, c'en était toute une.
– C'est grave, convint l'aîné.
– Conte-nous ce qui t'arrive, demanda Madeleine.
Anne-Marie retira son manteau et s'assit à table.
– Voici. Le patron, M. Duchesneau, ne s'est jamais remis de la fermeture de la Borg et du départ des Allemands.
– L'auberge semblait bien vivre pourtant, fit remarquer Pierre.
– L'été dernier, elle faisait tout juste ses frais avec les commis voyageurs et les dîners champêtres. Une fois les dépenses et le personnel payés, il ne restait plus rien au patron. Mais les dîners ne se font que l'été, et, avec la dépression, les voyageurs de commerce passent moins souvent. Même des clients réguliers comme Jacques Latour ne viennent plus, ou rarement.
– Le patron pourrait vendre son auberge, suggéra Simon.
– Il m'a avoué avant de partir qu'il avait bien essayé. Il l'a offerte à tous les aubergistes qu'il connaît, mais personne n'en veut.
– Une autre tuile qui s'abat sur nous, soupira Madeleine qui partageait les craintes de son mari quant à l'avenir. Toi, la femme de chambre et les cuisiniers perdez votre emploi. Votre mère perd son plus important point de vente, le boucher et le marchand général perdent leur principal client.
– C'est bien dommage que l'auberge ferme, convint Pierre. Le conseil municipal, l'A.P.A. et les autres corps publics avaient pris l'habitude de s'y réunir ; c'était tellement plus agréable que la salle paroissiale. Qu'adviendra-t-il de la bâtisse ? Le propriétaire ne va tout de même pas l'abandonner ?
– Il a engagé le sacristain pour la surveiller et la chauffer un peu cet hiver en attendant de trouver une solution.
– Il ne demeurera pas là ?

– Il ne le sait pas encore. Il part se reposer quelques semaines à Québec. Se reposer et réfléchir.

Ses enfants eurent l'impression que la fermeture de l'auberge affectait plus gravement Victoire que sa cadette.

– Dire que la boutique d'artisanat marchait si bien. Non seulement je perds mes ventes, mais je devrai congédier Julie, une fille si dévouée. Quelle tristesse… !

Quand, le dimanche, chacun raconta sa semaine, Donat écouta avec beaucoup d'attention le récit de la fermeture de l'auberge de la Côte. Il consola Anne-Marie et s'informa discrètement :

– Le pauvre aubergiste, crois-tu qu'il est allé dans sa famille ?

– Il a parlé de Québec, mais pas de sa famille. Je sais qu'il vient de Lévis et qu'il a de la parenté dans cette ville, mais il n'en a pas fait mention.

Quelques jours plus tard, Donat s'en fut à Québec par affaires. Il avait obtenu un rendez-vous au bureau fédéral des Pêcheries. Ses ouvriers travaillaient déjà à la construction d'un caboteur, et un remorqueur était inscrit au carnet de commandes, mais il fallait prévoir pour plus tard. Son idée était de faire bénéficier les nouveaux morutiers de la technologie acquise pendant la guerre pour les bateaux de transport et de combat.

Ce que Donat ne révéla à personne à son retour, c'est que, chemin faisant, il avait fait un crochet. Dès le jeudi soir, il demanda à sa fiancée :

– Que dirais-tu, ma princesse, d'habiter un manoir ?

– Je ne demanderais pas mieux, mon valet de cœur. Aurais-tu l'intention par hasard de bâtir une tour de château à ton usine ?

– Je connais un joli manoir que nous pourrions occuper immédiatement.

L'image séduisit la belle mais elle se tint sur ses gardes.

– Tu me fais marcher, Donat Guertin. Il n'y a pas de manoir par ici.

– Mais oui, il y en a un, avec une vue imprenable sur la rivière, les montagnes, le fleuve et mon chantier.
– Je ne peux pas voir…
– Tout en haut de la côte de Roches…
– Il n'y a que l'auberge.
– Eh oui ! l'auberge.
– L'auberge ?
– Tu n'y penses pas, Donat ! L'auberge, c'est trop grand, trop beau et trop cher pour nous.
– Trop grand, oui ; trop beau, non ; trop cher, c'est à voir.
– As-tu pensé combien il en coûte de bâtir une auberge ?
– Ce qu'elle a coûté et ce qu'elle vaut, ce sont deux choses. Un château au milieu du désert ne vaut rien. D'abord, dis-toi que cette auberge est payée depuis longtemps. Pendant quatre ans, ce fut une machine à imprimer de l'argent. Maintenant, elle ne vaut plus rien et le propriétaire en est conscient.
– Comment le sais-tu ?
– Parce que je lui parlé en allant à Québec.
– Tu me surprendras toujours !
– Je me suis arrêté à Lévis, où j'ai retrouvé un de ses frères. D'abord, il n'a pas voulu me dire où se trouvait l'aubergiste, mais, quand je lui ai parlé de l'auberge, il m'a donné une adresse à Québec. J'ai retrouvé ton patron en compagnie d'une jolie femme de l'âge de ta mère et il ne semblait pas déprimé du tout.
– Ah ! le coquin. Et qu'est-ce qu'il raconte ?
– Voici. Il accepterait de nous louer l'auberge pour une somme nominale à la condition que nous ne l'exploitions pas. Son objectif est clair : il veut des gardiens fiables en attendant de la vendre.
– Il pourrait nous déloger en tout temps, fit Anne-Marie, que cette perspective n'enchantait pas.
– C'est vrai, convint Donat, sauf que si Duchesneau n'a pas trouvé d'acquéreur quand l'auberge était ouverte, les chances qu'il en trouve un maintenant qu'elle est fermée sont minces.

– Ça vaut la peine d'y penser.

– Rends-toi compte : ça nous permettrait de nous marier aux fêtes, susurra l'amoureux.

Sa belle amie le regarda dans les yeux, prit son visage à deux mains et lui plaqua sur les lèvres un baiser retentissant.

– Je t'aime donc, Donat Guertin !

Maintenant qu'elle se trouvait sans emploi, Anne-Marie se morfondait. Elle aida d'abord sa belle-sœur pendant quelques jours à faire son grand ménage des fêtes. Elle fit ensuite de même chez Réjeanne et aboutit finalement chez maman Rose.

– Tu es bien aimable, ma petite-fille, de venir nous donner un coup de main pour le ménage d'automne. Victoire tisse ton trousseau pendant que je m'occupe du petit Jean-Sébastien et nous n'avons pas eu le temps de rien faire d'autre.

Anne-Marie s'attela donc à la tâche avec son énergie habituelle et en quelques jours fit reluire la maison. Elle s'attarda ensuite à observer le travail de sa mère. La jeune fille prit soudain conscience que c'était la première fois qu'elle prenait plaisir à observer Victoire à l'œuvre. Leur immense différence de caractère avait toujours empêché ces deux femmes de s'apprécier l'une l'autre. Maintenant, le rapprochement était possible. La fille, qui avait acquis son autonomie en gagnant sa vie à l'extérieur et qui allait bientôt quitter sa famille, était devenue beaucoup moins critique à l'endroit de sa mère. Quant à Victoire, elle avait acquis beaucoup d'assurance depuis qu'elle avait pris sa vie en main.

Il y avait bien quelques heures que les navettes chargées de fils passaient vivement entre ses doigts quand elle s'arrêta tout à coup pour faire craquer ses articulations.

– Un peu de rhumatisme, maman ? demanda Anne-Marie.

– C'est la vieillesse qui commence à s'installer.

– Bien non, maman, vous n'êtes pas vieille.

– Je commence. La vieillesse, ça commence au bout des doigts et ça remonte jusqu'au cœur.

– Prenons un café, ça nous fera du bien.

Pendant que sa fille préparait la boisson, Victoire tissa encore un peu, puis mit de l'ordre dans son panier de fournitures.

– Voilà, maman. Du sucre ?

Sa fille tendait à Victoire un élégant petit sucrier, appartenant à un service à thé en argent que ses enfants lui avaient donné au dernier Noël.

– Pourquoi pas une goutte de Saint-Pierre aussi, puisqu'on est rien que nous deux ? Il paraît que c'est bon pour le cœur.

Plus étonnée que si elle avait vu une baleine dans la Boyer, Anne-Marie se précipita vers l'armoire à pharmacie et en rapporta un petit flasque.

– Cadeau de Simon, précisa sa mère. Juste une goutte et remets-le à l'abri de la lumière.

Maman Rose étant montée endormir Jean-Sébastien, la mère et la fille se trouvaient seules.

– Avez-vous le cœur fatigué, maman ?

– Un peu fatigué et un peu triste.

– Vous n'aimez pas demeurer ici ?

Les enfants Bouffard s'inquiétaient du sort de leur mère depuis qu'elle avait déménagé chez maman Rose.

– Au contraire, je n'ai jamais été aussi bien. Je trouve ici une paix que je n'ai jamais connue de ma vie. C'est pour tous vous autres que je m'en fais.

– Il ne faut pas vous en faire pour nous, maman. Réjeanne enseigne et s'occupe de deux associations, Pierre est un agriculteur prospère, Simon fait ce qui lui tente, je me marie bientôt, et Antoine voyage en Europe. Que demander de plus ?

– Ce n'est pas de même que je vous vois. Réjeanne est séparée de son mari…

– … qui est bien vivant et a échappé à la guerre, l'interrompit Anne-Marie.

– Il est peut-être en vie, mais il est absent et c'est aussi grave. Quant à Pierre, je ne crois pas qu'il ait marié la femme qui lui convenait.

– Vous êtes injuste pour Madeleine !

– Simon est constamment menacé de la famine. Toi, tu es en chômage et tu te prépares à épouser un garçon qui risque sa fortune et celle de son père dans une entreprise incertaine. Antoine a traversé l'océan au péril de sa vie et ne peut plus revenir. Et tu vas me dire que tout va bien?

– Vous ne regardez que le mauvais côté des choses, maman. Il faut voir le beau côté aussi. Cyprien va revenir et son fils se porte bien. Pierre a un enfant et un deuxième qui s'en vient, et il en est très heureux. Malgré son infirmité, Simon garde le moral et sait se faire des amis. Antoine fait sa vie dans les bateaux, ce qui était son rêve. Quant à moi, j'ai trouvé le grand amour, un homme qui m'aime sans limite. Ce n'est pas beau, ça?

– Je m'en fais aussi pour d'autres.

– Comme qui?

– La petite Julie, par exemple. Ça m'a fait tellement de peine de la congédier. C'est une fille qui a du talent et du cœur à revendre. Elle n'est pas malheureuse dans sa famille, mais c'est une artiste qui ne trouvera pas facilement à s'épanouir.

– C'est bien dommage que l'auberge ait fermé ses portes. À vous deux, vous aviez peine à fournir la boutique de cadeaux.

– Bien dommage en effet. Je faisais déjà des plans pour donner du tissage aux autres femmes de la paroisse. Sais-tu que plusieurs d'entre elles font un excellent travail?

– Vous croyez?

– J'en suis sûre. Je leur ai enseigné et plusieurs d'entre elles pourraient fournir une boutique aussi bien que moi. Ce sera autant de talents perdus.

Anne-Marie, bonne fille, ne savait quoi dire pour consoler sa mère.

– Encore un peu de café?

– Non. Il faut que je me remette au travail. Je ne veux pas te donner un trousseau à moitié complété, comme à ta sœur.

– Vous êtes trop dévouée. Rien ne presse.

Quand, le lendemain soir, Donat demanda à Anne-Marie si elle avait réfléchi à la proposition de l'aubergiste, elle répondit :

– Oui. J'y ai même réfléchi beaucoup.

– Et qu'en dis-tu ?

– Je n'aime pas l'idée de nous installer quelque part où nous ne serons pas chez nous. Accepter de garder l'auberge, c'est accepter de se faire déloger n'importe quand.

Donat était déçu mais, stoïque, il n'en fit rien voir.

– D'accord, oublions ça. Je nous bâtirai une maison au printemps.

– J'ai pensé à autre chose.

La flamme de l'espoir, qui, chez le fiancé, avait vacillé un moment, se ralluma.

– À quoi ?

– J'ai pensé à louer l'auberge.

– Pourquoi la louer quand on peut l'occuper gratuitement ?

– Pour en disposer comme bon nous semble.

* * *

Les bans annonçant le mariage d'Anne-Marie Bouffard et de Donat Guertin furent publiés sans délai, parce que, dès le lendemain de cette conversation, le jeune industriel retourna voir l'aubergiste, avec lequel il signa une entente avantageuse.

Il fut convenu que le mariage serait célébré le dernier samedi de décembre et que la noce aurait lieu à l'endroit du village qui convenait le mieux, soit la demeure même des nouveaux époux.

À la suite de l'entente qu'il avait conclue avec le propriétaire, Donat avait retiré l'enseigne qui masquait la devanture de l'auberge, de même que le petit panneau publicitaire vantant ses charmes et ses services aux voyageurs qui empruntaient la route nationale de la rive sud. La bâtisse prenait maintenant des airs de demeure aristocratique pour gens cossus.

La décoration de la salle à manger ne diminuait en rien cette illusion. Anne-Marie avait emprunté les meilleures

pièces de l'aubergiste, y compris dans son argenterie, pour garnir la table d'honneur. Pierre lui ayant demandé à la blague si elle réserverait le petit orchestre classique embauché pour l'inauguration de la Borg, elle l'avait rassuré : les violoneux de Rivière-Boyer feraient bien l'affaire. Par contre, devant l'ampleur de la tâche, elle avait réservé les services du boucher Corriveau et de sa femme Emma pour préparer le repas, et ceux de sa collègue et amie Florida, l'ancienne femme de chambre, pour aider au service des tables.

Les Guertin, des gens d'affaires, ne pouvaient pas faire une noce sans inviter les notables de la place, d'autant plus que le frère de la mariée était le maire. Le curé Bouillé fut invité, mais c'est l'abbé Émile Sylvestre qui célébrerait le mariage, en tant qu'ami de la famille. Hervé et Guillaume Francœur reçurent aussi des faire-part.

Comme on parlait de toilettes et de préparatifs, un soir, chez Pierre Bouffard, ce dernier demanda à sa femme :

– Dis-moi, tes oncles du Lac-Saint-Jean rendent-ils parfois visite à ton père, aux fêtes ?

– Jamais. Comme nous sommes seuls ici et que là-bas ils sont plusieurs, ce sont toujours mes parents qui se déplacent.

– Les choses ont changé maintenant. Peut-être viendraient-ils s'ils étaient invités.

– Qu'est-ce qui a changé ?

– Ils auraient maintenant deux familles à visiter ici : tes parents et nous.

– C'est vrai.

– Ils nous ont accueillis avec une telle hospitalité, lors de notre voyage de noces, qu'il me ferait plaisir de leur rendre la politesse. Et s'ils ne peuvent pas tous venir, ils pourraient en déléguer un ou deux, ton oncle le fromager, par exemple, qui est tellement sympathique.

– J'en parle à mon père.

Anthime et sa femme correspondirent immédiatement avec leur parenté et firent miroiter l'attrait d'une noce en plus de la fête du nouvel an. La réponse ne tarda pas. Viendraient des

représentants des deux familles des époux Leblond : l'oncle Gérard Leblond, un frère d'Anthime, et Adélard Perron, le frère de sa femme, le faiseur de fromage.

Le mariage de Donat et Anne-Marie, le premier célébré depuis la fin de la guerre, fut suivi d'une noce des plus réussies. L'épouse, que les Guertin aimaient déjà, monta encore dans leur estime quand son mari lui demanda de dévoiler les projets qu'elle avait pour l'auberge.

Anne-Marie voulait aménager à l'auberge un centre de création artisanale dont elle confierait la direction à Victoire. Il y avait assez de tisseuses de talent à Rivière-Boyer pour assurer une production constante et de première qualité.

Dès la fin de l'hiver, elle prendrait le train avec une valise d'échantillons et irait de ville en village sur la rive sud, où, forte de son expérience, elle aiderait les propriétaires d'auberges et de magasins de lingerie pour dames à monter qui une boutique de souvenirs, qui un petit département d'artisanat. De plus en plus de gens riches s'installant dans la région de Cacouna, le tourisme se développerait rapidement après la guerre, grâce notamment à la multiplication des automobiles.

* * *

Pierre, qui voulait, mine de rien, interroger à fond l'oncle Adélard sur un certain sujet, avait tenu à le prendre chez lui.

Le jour de l'An 1919 tombant un mardi, il profita du lundi pour amener son visiteur faire le tour de la paroisse. Les deux hommes s'arrêtèrent chez les principaux agriculteurs, visitèrent les troupeaux, parlèrent des problèmes de l'heure. Au retour, il aborda enfin le sujet qu'il avait en tête depuis bien avant le moment où il avait suggéré d'inviter le fromager.

– Oncle Adélard, vous avez vu nos troupeaux, vous connaissez nos chiffres de production, vous avez parlé avec plusieurs cultivateurs de Rivière-Boyer. Nous sommes inquiets pour l'avenir. La guerre n'était pas aussitôt arrêtée que les usines ont mis leurs ouvriers à pied. Le chômage augmente chaque jour, la crise s'en vient. Guillaume Francœur, que vous connaissez maintenant, prédisait que le prix du beurre allait tomber six mois après l'armistice. Il tombe déjà. Comme c'est notre seule production, la famine nous guette.

– À ta place, mon gars, je m'inquiéterais aussi.

Pierre, qui voyait se confirmer ses craintes, encaissa stoïquement cette remarque et continua :

– Vous, au Lac-Saint-Jean, vous semblez moins inquiets que nous. Est-ce que je me trompe ?

– Les prix de notre produit, le cheddar de haute qualité, n'ont pratiquement pas augmenté pendant la guerre, mais ils ne chuteront probablement pas, parce que notre clientèle n'a pas changé. Nous n'avons pas vendu à l'armée, mais à notre client habituel.

– Suffisez-vous à sa demande ?

– Il prend tout ce que je lui expédie et ne rouspète pas. De là à dire quelle est sa limite, je ne saurais pas. Mais je connais quelqu'un qui pourrait trouver la réponse pour toi.

– Qui donc ?

– Ton ami le sous-ministre. Deux ou trois télégrammes à Londres et Guillaume va te donner l'heure juste. Si je lis entre les lignes, tu penses à convertir ta production ?

– Je cherche un produit agricole haut de gamme. Je me suis souvenu de votre fromage et j'ai voulu savoir. Mais de là à transformer notre beurrerie en fromagerie, il y a un grand pas.

– Le fossé est large en effet. Passer d'un produit fabriqué en quelques heures à un produit qui prend dix-huit mois à se vendre, ça veut dire un an et demi sans revenus. À moins de faire la transition graduellement.

La mise en garde était sévère. Pierre en mesura la taille.

– Le saut est périlleux. Tu vas te casser les jambes si tu sautes mal, renchérit l'oncle.

Le jeune maire resta songeur. Entraîner ses concitoyens dans une aventure semblable comportait une responsabilité morale qu'il n'était pas prêt à endosser maintenant, ni seul. Pourtant, il y avait là une idée qu'il refusait d'abandonner avant d'en avoir examiné toutes les possibilités.

– Un cheddar à exporter doit avoir dix-huit mois ?

– De dix-huit à trente-six mois, précisa la fromager.

– On ne peut pas le produire plus rapidement ?

– C'est selon. Tu peux fabriquer du fromage en grains en quelques heures. Tu peux le mettre en brique en le tenant sous presse de dix-huit heures à quatre jours, selon que tu emploies la méthode canadienne ou la méthode anglaise. Dans les deux cas, ça donne du fromage frais, celui que tout le monde consomme par ici.

– Donc, celui qui rapporte le moins, si je vous comprends bien.

– Le temps, ça se paye…

– Eh bien, ça me fera de quoi à penser, laissa tomber Pierre pour mettre fin à l'entretien. Si on en juge par l'odeur, le chapon sera bientôt servi.

– J'ai le démon de la gourmandise qui me grouille dans l'estomac, se plaignit le vieux parent.

– Est-ce qu'un peu d'eau bénite pourrait l'exorciser ? Mon frère Simon en a trouvé une source, à ce qu'il paraît.

L'oncle Perron acquiesça d'un signe de tête mais ajouta :

– Dis-lui, à ton frère, qu'il efface ses traces quand il va à sa source. Par chez nous, toutes les sources ont été taries par la police. Depuis que la guerre est finie, on dirait qu'elle n'a pas autre chose à faire.

– Eh bien, à votre santé, mon oncle ! fit Pierre en choquant son verre contre celui du coloré parent.

31

PARCE qu'ils avaient été prisonniers de guerre et qu'ils étaient malades, les cousins Descôteaux revinrent avant tous les autres soldats. Dès que les accords de paix furent signés, l'Allemagne vida aussi rapidement qu'elle le put ses camps de prisonniers, ménageant le pain pour son peuple affamé.

Les prisonniers qui étaient en bonne santé purent regagner leur régiment par leurs propres moyens. Les malades furent évacués et rapatriés en priorité. La Croix-Rouge informa les deux familles Descôteaux qu'elles devraient passer prendre leur fils à la gare de Saint-Michel le lendemain de la fête des Rois, vers vingt-deux heures.

La traditionnelle tempête des Rois faisait encore rage quand les pères attelèrent deux solides chevaux de travail à un grand berlot. Ils avaient emprunté des peaux de carriole à plusieurs voisins, comptant en emmitoufler leurs fils.

Les deux hommes s'attendaient à accueillir des malades mais on leur désigna deux cadavres. Deux cadavres dont les paupières refusaient de se refermer.

– Ils ne vivront pas jusqu'à la maison, fit l'un des pères atterrés.

– Ils vont mourir de froid, même avec les pierres chaudes, convint le second.

Les deux fils avaient été absents quinze mois. Leurs pères, qui avaient rêvé de retrouvailles enthousiastes et bruyantes, ne pensaient plus qu'à sauver la vie de leurs rejetons.

– Il faudrait passer la nuit dans une auberge ou chez des parents.

– L'auberge de Saint-Michel est fermée et nous n'avons pas de parents dans le village. Retournons à la maison.

– Comment garder ces garçons au chaud?

– Il n'y a qu'une façon : l'un de nous va se coucher avec eux pour leur faire de la chaleur.

L'autre acquiesça. Ils étendirent deux fourrures de bison au fond du traîneau, un des pères s'allongea dessus et l'autre posa les deux corps de chaque côté de lui, après quoi il plaça les pierres chaudes sous leurs pieds et les recouvrit de deux autres fourrures. Puis l'étrange chargement prit la route.

Sous les couvertures, le père poule, le cœur battant, l'oreille tendue, n'avait qu'une préoccupation : vérifier que chacun des fils respirait encore. Ils respiraient, leurs bouches exhalant une haleine fiévreuse et fétide.

– Ces pauvres petits garçons! s'exclamèrent les mères en les voyant.

Les jeunes hommes ne parlaient pas, car cela leur eût demandé un trop grand effort.

– On va les coucher ensemble, ça fera plus chaud.

– Faites réchauffer encore les pierres à savon et placez-les sous leurs pieds, suggéra un père.

– Je vais tuer une volaille, décida l'autre.

– Bonne idée, approuva une mère.

– S'ils sont trop faibles pour parler, ils sont trop faibles pour manger, convint l'autre. On leur fera du bouillon.

Les quatre parents veillèrent toute la nuit. Leurs deux fils dormirent d'abord profondément, mais, au bout de quelques heures, commencèrent à s'agiter.

– Des cauchemars. Il faut les réveiller, décida une mère.

Dès qu'ils étaient tirés de leur sommeil, leurs enfants retrouvaient la paix. Ils se rendormaient aussitôt pour s'agiter de nouveau plus tard.

Après l'avoir plumée et dressée, les pères mirent la poule entière à bouillir avec des oignons et des herbes salées. Chaque fois qu'ils se réveillaient, les mères forçaient les fils à boire quelques gorgées de cet élixir.

Au milieu de l'après-midi, la tempête cessa enfin et l'astre du jour se montra. Le pâle soleil sembla sortir les malades de leur torpeur.

Le premier réveillé souffla au second :

– Hé ! on est arrivés !

– Dors, fit l'autre.

Le premier referma un moment les yeux, comme s'il avait fait un mauvais rêve, puis les rouvrit.

– Je te le dis : on est arrivés !

Son cousin écarquilla les paupières, promena un regard incrédule autour de la chambre, reconnut le papier peint vert et les tentures lilas, fixa sa mère dans les yeux et déclara, d'un ton las :

– On est bien maganés.

Sur quoi il se rendormit jusqu'à la tombée du jour.

L'autre prit un peu de bouillon et demanda le pot de chambre.

Les ti-frères ne se réveillèrent complètement qu'à l'heure du souper. Aiguillonnée par le parfum de la cuisine, une faim de loup les tenaillait maintenant. On leur servit un plantureux repas mais, au bout de quatre bouchées, ils repoussèrent leur assiette. Ratatiné par plus d'un an de privations, leur estomac ne pouvait en accepter plus.

– Nous ne pouvons pas croire que nous sommes enfin revenus chez nous, fit l'un.

– On a beau vous regarder, vous avez l'air de portraits, renchérit le second en scrutant chaque membre de leurs deux familles.

On installa les deux cousins au salon, comme s'il se fût agi de visiteurs de marque. On les plaça côte à côte sur un sofa, la tête appuyée sur des oreillers, leur corps émacié tenu au chaud par des couvertures de laine, les pieds posés sur des pierres de talc.

Les deux familles Descôteaux au complet s'étaient réunies dans l'espoir d'entendre le récit des deux revenants. Ils avaient demandé expressément qu'on n'invite pas encore leurs fiancées, ne voulant pas que leurs promises les voient dans cet état.

– Vous avez bien vieilli, dit une mère. Qu'est-ce qui vous est arrivé ?

Pour leur famille qui ne les avait pas vus depuis leur fuite au chantier, soit près d'un an et demi, le choc était grand. Avec leurs cheveux grisonnants et leur visage maigre, les cousins Descôteaux semblaient avoir vieilli de vingt ans.

Les ti-frères racontèrent tout. Presque tout. Ils racontèrent qu'ils avaient passé six mois de misère l'hiver précédent au chantier de Langlois, mais omirent le fait que Latour les lui avait vendus. Ils racontèrent qu'ils avaient été livrés à l'armée au retour, mais cachèrent le fait que Latour s'était fait payer une troisième fois. Ils racontèrent ce qu'ils savaient de l'émeute du lundi de Pâques 1918, mais n'accusèrent pas le major général Lessard d'avoir vendu son peuple. Ils racontèrent leur inutile et douloureux séjour au front, mais sans mentionner que, par l'enrôlement obligatoire, le gouvernement du Canada les avait vendus à l'Angleterre. Ils racontèrent leur douloureux séjour dans la prison allemande, mais ne révélèrent pas comment des frères d'armes, des alliés, des concitoyens même vendaient leurs congénères pour une bouchée de pain, une cigarette, un carré de chocolat. Maintenant qu'ils revenaient à la vie, les ti-frères voulaient oublier que l'être humain pouvait être aussi mauvais.

– Comment avez-vous pu garder le moral à travers toutes ces épreuves ? demanda leur famille.

– Dans notre malheur, nous avons eu la chance de ne pas être séparés.

Le retour des ti-frères ne pouvait rester secret longtemps. Dès le lendemain de leur arrivée, les plus jeunes de leur famille colportèrent la nouvelle à l'école de Réjeanne. Au soir, la paroisse entière savait. Tout un chacun, en commençant par les jumelles Mercier, voulut les voir, entendre leur récit. Le défilé des visiteurs dura une semaine entière.

On venait pour voir de quoi avait l'air un militaire rapatrié et pour entendre leur histoire. À partir du récit des soldats

Descôteaux, les parents dont des proches étaient morts au front ou s'attardaient sur le chemin du retour reconstituaient l'itinéraire de leur propre enfant.

* * *

Un redoux survint brusquement à la fin de janvier et les cousins Descôteaux trouvèrent l'énergie de sortir pour la première fois.

– Si on allait voir notre cabane à sucre ? proposa l'un d'eux.

– Bonne idée. Les sucres, c'est dans deux mois ; il est temps d'y penser.

Ils attelèrent un cheval à un suisse, un traîneau bas à fond plat, et prirent la direction de la sucrerie.

– C'est drôle, fit l'un, le chemin est battu.

– Pierre ou Simon font peut-être du bois de poêle, suggéra l'autre.

Ils progressèrent de quelques centaines de mètres.

– Tiens, la cabane chauffe et il monte de la vapeur.

– Comme si quelqu'un faisait bouillir quelque chose.

– Étonnant ! Les érables ne coulent pas.

Rien ne bougeait aux alentours. Pas de chevaux, pas de bûcherons. Les cousins tentèrent d'entrer.

– La cabane est fermée à clé.

– On n'a jamais vu ça.

Les visiteurs voulurent regarder par les fenêtres mais on les avait munies de rideaux.

– Ça aussi, c'est nouveau. Comme si quelqu'un vivait là.

– Allons voir Pierre Bouffard.

Pierre travaillait à son étable avec Ti-Rouge. C'est lui qui, le premier, aperçut les cousins. Il se précipita à leur rencontre, et les trois garçons échangèrent des bourrades et de chaleureuses poignées de main. Mais c'est le patron que les visiteurs voulaient voir. Ce dernier fut étonné de recevoir la visite des ti-frères et plus étonné encore, bien qu'il n'en fît rien paraître, quand il écouta leur récit.

– Ce que nous voulons savoir, Pierre, c'est si tu vas nous louer ta sucrerie encore cette année.

L'agriculteur n'osait avouer qu'en leur absence il l'avait louée à Simon. Mais quelque chose clochait dans le récit des ti-frères : le fait que les fenêtres étaient voilées et que la cabane était verrouillée. Cyprien serait-il revenu en douce?

– Vous avez sauté une année sans me prévenir.

– C'est à cause de la guerre. On s'était cachés, comme ton beau-frère, et on ne pouvait pas t'avertir.

– Vous avez perdu votre priorité. J'ai loué à Simon, l'an passé, et maintenant c'est lui qui a la préséance.

– Est-ce qu'il a l'intention de louer encore cette année?

Voulant éviter une trop grande déception aux deux malades, Pierre n'avoua pas qu'il avait déjà loué à son frère.

– Je vais le lui demander. S'il ne loue pas, je vous la réserve.

– C'est le mieux qu'on puisse espérer?

– Je vous donne ma parole.

Pierre s'accouda à la fenêtre de l'étable, dessina nerveusement avec son index dans l'éternelle buée qui se déposait sur les carreaux, et regarda s'éloigner ses deux clients.

Dès qu'ils furent hors de vue, il dit à Ti-Rouge :

– Nous manquons de clous; je vais en chercher au magasin général.

– On a des clous en masse, s'étonna l'engagé.

– Ça ne fait rien, je vais en chercher quand même. Continue en m'attendant.

Sur quoi Pierre enfila sa canadienne et s'en fut à pied à son bois.

Les Descôteaux avaient dit vrai. La porte était dotée d'une serrure neuve et des rideaux opaques pendaient aux fenêtres. Le plus étonnant, c'est que l'évaporateur était en marche.

À ce moment, il vint une idée au maître des lieux. Il fit le tour du bâtiment et s'en éloigna de cent mètres au nord. Le vent de redoux soufflant du sud, Pierre n'avait pas encore perçu l'odeur qui se dégageait de l'évaporateur. Maintenant, des lambeaux de vapeur roulaient jusqu'à lui et, au lieu de la bonne odeur sucrée du sirop d'érable, c'est le parfum doucereux et légèrement âcre du moût qui lui titillait les narines.

La moutarde aussi lui monta au nez.

– Ah ! le damné Simon. Elle était donc ici, sa source d'eau bénite.

Simon, qui était allé visiter des amis et livrer de l'alcool frelaté, ne se doutait pas que son alambic était découvert. Après le train, quand Pierre rentra avec Ti-Rouge, il demanda à son chambreur :

– Simon, peux-tu me rendre un service ?

– Avec plaisir. Lequel ?

– Pourrais-tu venir voir Souris ? Elle boite.

– Un fer déplacé, un furoncle ?

– Je ne sais pas. C'est pourquoi je te le demande.

– Allons-y, fit le forgeron sans hésiter.

Pierre attrapa un fanal et sortit avec son frère. Les deux hommes regagnèrent l'écurie sans mot dire. Pierre accrocha la lampe à une poutre.

Simon s'approcha du cheval de voiture.

– Ce n'est pas de Souris que je veux te parler, laissa tomber l'aîné.

Simon fut étonné. Son frère ne faisait habituellement pas de tels détours.

– De quoi alors ? De la famille ?

– De ton alambic.

Simon pâlit. Cet alambic, c'était son gagne-pain. Il n'y avait pas de travail pour lui à la ferme. Pas de travail à la forge. Pas de travail à Montmagny, où les fabriques d'instruments aratoires, converties en industries de guerre, n'avaient pas encore été reconverties en industries de paix. Pas de travail à Québec, où le chômage sévissait depuis la fin de la guerre.

Simon se sentit traqué.

– Tu m'espionnes ?

– Même pas. C'est les Descôteaux qui l'ont trouvé.

– La cabane était verrouillée.

– Justement. Ça fait trois générations que les Bouffard sont installés ici et nous n'avons jamais verrouillé notre cabane à sucre. Je ne le croyais pas et je suis allé vérifier.

– Ils t'ont dit que je fabriquais du Saint-Pierre?

– Non. C'est moi qui l'ai découvert en prenant l'odeur par le nord.

– J'ai toujours vendu du petit blanc et tu n'en as jamais fait de cas.

– Il y a une différence entre vendre de l'alcool importé en contrebande et en fabriquer illégalement ici, chez moi.

Simon sentait venir l'attaque. Il valait mieux frapper le premier.

– Tu vas me laisser faire, hein? C'est mon gagne-pain. Je te paie une pension.

C'est le politicien qui répondit :

– As-tu pensé aux conséquences pour moi, le maire? Ça va se savoir un jour ou l'autre. Aujourd'hui, par vent sud, ça devait sentir la bagosse jusqu'à la côte de Glaise. Heureusement que les petits vieux de la côte n'ont pas le nez trop fin, car la police nous aurait déjà arrêtés.

– Peut-être moi, mais pas toi, répliqua le fautif.

– Moi le premier, corrigea Pierre. Ça se passe chez moi, sur ma terre, dans ma sucrerie. Imagines-tu le scandale, les embêtements, les amendes, la prison peut-être? Tu ne sembles pas te rendre compte dans quel pétrin tu me fourres.

– Ça ne peut pas être aussi grave que tu le dis.

Pierre était courroucé. Au lieu de s'excuser, son frère niait l'évidence.

– Tu vas vider la place tout de suite.

Piteux, Simon comprit qu'il n'avait pas le choix.

– D'accord; demain matin.

– Non. Tout de suite. Cette nuit. Avant que les Descôteaux ou quelqu'un d'autre passe par là. Tu vas profiter de l'obscurité pour tout vider. Le redoux achève, il va neiger demain. La neige va tout effacer.

– Ça va.

– Nettoie tout, remets tout en ordre, ouvre les rideaux, enlève la serrure. Les Bouffard n'ont jamais rien eu à cacher.
– Je peux te demander une chose? fit Simon.
– Laquelle?
– De n'en parler à personne.
– Justement, c'était mon intention.
Pierre rentra seul à la maison.
– Où est ton frère? demanda Madeleine.
– À l'écurie. Il soigne Souris et va rentrer plus tard.
Simon travailla toute la nuit à la cabane à sucre.
«Quel dommage! se désola-t-il. Une si belle installation.»
C'était en effet l'alambic idéal. Il suffisait de mélanger des ingrédients communs – blé, sucre, levure et eau – pour qu'au bout de sept à dix jours de fermentation le mélange contienne assez d'alcool pour qu'on puisse l'extraire. Il suffisait alors de filtrer le mélange et de le faire chauffer doucement. En dirigeant les vapeurs vers un serpentin de cuivre enfoui sous la neige, on faisait couler de l'alcool pur au bout.
«Une si belle installation et une si bonne couverture», brailla le jeune homme en effaçant toute trace de son activité.

* * *

Tout le monde savait que Simon vendait de l'alcool frelaté mais personne ne se doutait qu'il en fabriquait. Pendant que le moût fermentait, il coupait tranquillement le bois de chauffage de sa famille.

Maintenant à court de ressources mais gardant en poche le double profit qu'il avait réalisé pendant la période des fêtes, Simon cherchait vainement quelque emploi en attendant que l'affluence revienne à la forge. C'est à ce moment qu'il reçut une lettre d'Antoine.

Mon cher Simon, si je t'écris plutôt qu'à maman, c'est que j'ai connu ici un marin qui dit être ton ami.

Je me suis rendu par bateau de ravitaillement aux îles françaises de Saint-Pierre et Miquelon, deux îles minuscules situées juste au sud de Terre-Neuve.

J'avais l'intention de faire le saut à Terre-Neuve et de rentrer à Québec par le premier bateau de fret, mais au port j'ai rencontré un certain Nicolas Hubert. Nicolas, qui fait du cabotage, est très intéressé par mes recherches en performance de bateau. Par les temps qui courent, il transporte des marchandises d'ici vers la Nouvelle-Angleterre et voudrait que j'améliore la vitesse de sa goélette. Je vais voyager un peu avec lui pour voir si je peux faire cela. Nous arriverons à Boston le 12 février. C'est là que je déciderai si je reste avec lui ou si je rentre chez nous.

Nicolas te fait dire salut et j'en fais autant,

Antoine.

Simon fut atterré. Victoire s'en aperçut.

– Des mauvaises nouvelles d'Antoine ?

– Non ! Il s'en vient.

– Tu as l'air contrarié.

– Je suis un peu inquiet. Antoine est rendu à Saint-Pierre-et-Miquelon et rentrera par Boston. C'est beaucoup de détours.

– Il est jeune ; voyager est bon pour lui.

– C'est vrai, convint Simon, mais Boston est une ville dangereuse, surtout autour du port.

– T'en fais pas, Antoine ne fréquente pas les tripots.

– Vous avez sans doute raison, maman.

Simon farfouilla distraitement dans ses affaires et décida :

– Bon, je vais voir si Réjeanne a besoin d'aide.

Simon était d'avis qu'il ne pouvait confier ses craintes réelles à personne d'autre qu'à sa sœur aînée.

– Je suis inquiet pour Antoine, lui dit-il. Il voyage avec Nicolas Hubert.

– Eh bien quoi ? Il n'est pas un bon marin ?

– Tu ne comprends pas. Nicolas transporte de l'alcool de contrebande, et il le fait maintenant dans un autre pays.

– Tu ne m'avais jamais dit ça !

– Mon secret le plus précieux : c'était lui, mon fournisseur de Saint-Pierre.

– Antoine court donc un danger?

– C'est ce quc je crains.

Réjeanne prit sa tête à deux mains, découragée.

– Il ne manquait plus que ça : notre petit frère devenu malfaiteur.

Simon la rassura.

– Pas nécessairement. Il ne sait peut-être pas ce que transporte Hubert.

– Qu'est-ce qui te fait penser ça?

– D'abord, la personnalité de Nicolas. C'est un gars qui ne parle pas. Il n'a probablement pas dévoilé à Antoine la vraie nature de son commerce. Un indice : notre frère ne le mentionne pas dans sa lettre.

– Antoine ne se douterait de rien?

– C'est bien mon avis.

– Pourtant, des caisses d'alcool, ça se voit, non?

– Penses-y : un contrebandier n'identifie jamais les caisses qu'il transporte. Si on l'arrête, ça lui permet de jouer l'innocent.

– Et quel est l'intérêt du transporteur en l'emmenant?

– En cas d'arrestation, personne n'a l'air plus innocent qu'un innocent, justement. Le vieux se couvre avec le jeune.

– Je vois. Il faut faire quelque chose. Avertir Antoine des dangers qu'il court. On sait que la police américaine n'entend pas à rire.

– Je n'ai aucune adresse à Saint-Pierre. Puis Hubert est probablement déjà parti en mer à l'heure qu'il est.

– Que dirais-tu, mon frère, d'aller chercher Antoine à Boston?

Simon n'avait jamais voyagé et supportait mal l'oisiveté. Cette perspective lui sourit.

– Sous quel prétexte?

– Sous prétexte d'aller chercher du travail aux États-Unis puisque tu es en chômage.

Le jeune homme resta un moment pensif, puis laissa tomber :

– Oui, ça se tient.

Cependant, une crainte étreignait Réjeanne.

– Mais tu ne vas pas rester aux États-Unis pour de vrai?

– Qui sait? Je crève de faim ici.

L'aînée avait des préoccupations autres qu'économiques.

– Si jamais tu décidais de t'installer là-bas, choisis une paroisse avec un curé canadien-français. Il paraît que les catholiques irlandais nous font la vie dure là-bas.

– Je m'en souviendrai, promit le cadet.

Le lendemain, depuis une fenêtre d'un train du Grand Tronc qu'il ne quitta pas un seul instant, Simon vit arriver le printemps. En moins de dix heures.

Un mètre de neige couvrait les champs de Saint-Michel et un froid glacial traversait les vêtements quand, le matin, Ti-Rouge l'avait reconduit à la gare pour le train de sept heures vingt. Mais dès que le convoi eut franchi les montagnes Vertes, l'air se réchauffa, la neige fondit et les ruisselets se mirent à gazouiller. Quand le jeune homme toucha le sol de la célèbre ville, il n'y trouva aucune neige. Au contraire, l'air y était doux. On se serait cru à Pâques.

Simon se dirigea sans tarder vers le port et y trouva sans difficulté un hôtel borgne à proximité du grand quai. Connaissant Hubert Nicolas, il savait qu'il accosterait n'importe où sauf au grand quai, à cause, bien sûr, des policiers qui le patrouillaient. Cependant, il y serait sûrement attiré par le nombre et la variété des bateaux et viendrait à coup sûr y traîner ses savates.

«Plus que deux jours avant le 12», calcula Simon en s'accoudant à la fenêtre. Le 12 février passa, puis le 13 et le 14, sans qu'il vît apparaître ceux qu'il attendait.

* * *

Simon attendait patiemment depuis cinq jours, accoudé à la fenêtre, prenant une gorgée de son alcool aux heures, histoire de passer le temps. Il avait maintenant perdu confiance en sa méthode de recherche.

En ce soir du cinquième jour, ayant épuisé sa réserve de patience et dc petit blanc, il décida : «Je repars demain.» Désabusé, il sortit prendre l'air, pour la première fois depuis son arrivée en terre américaine.

Des nombreux bars et bordels qui bordaient la promenade montait une écœurante odeur de moût et de suie de même que des échos de chansons à boire et de batailles à poings nus. Simon trouva plus sûr d'aller marcher sur le grand quai, malgré le crachin. Il déchanta bientôt.

– *Hands up!*

Quelqu'un plaquait un objet métallique contre ses côtes. Seul et impuissant, le forgeron leva les mains et attendit, le cœur battant. Lui qui gardait tout son argent sur lui, il se ferait fouiller par le voleur d'une seconde à l'autre, dépouiller jusqu'à son dernier sou et peut-être même trancher la gorge. Au lieu de cela, l'assaillant éclata d'un grand rire sonore.

– Je t'ai bien eu, mon Simon!

Simon se retourna vivement. Son attaquant retira son parapluie.

– Nicolas Hubert! Maudit malfaisant!

– En voilà une façon d'accueillir un vieil ami!

– Comment m'as-tu reconnu?

– À ta patte de gin.

– Je ne fais pas de goutte.

Simon se remettait mal de la terreur que lui avait inspirée son ami. Il claquait des dents. Nicolas crut qu'il avait froid.

– Viens prendre un coup, mon vieux, ça te réchauffera.

– Tu es seul? Mon frère Antoine n'est pas avec toi?

– Non. Je te raconterai.

Les deux copains entrèrent dans un bar, commandèrent des drinks à une fille délurée – «*Thank you, you're a good girl*» –, qui leur offrit aussi un coin de son oreiller – «*No, thanks, darling*» –, et bavardèrent longtemps.

– Antoine n'est pas avec toi? Il m'avait pourtant dit dans sa lettre…

– Antoine a navigué avec moi jusqu'à Bar Harbor, au Maine. Ma première livraison, je la faisais à l'île au Haut, dans ce bout-là. À un moment donné, mes clients ont échappé une caisse d'eau de Javel. Des bouteilles ont cassé et ça a senti la boisson. C'est là que ton frère a compris mon commerce. La peur l'a pris.

– Qu'est-ce qu'il a fait ?

– Moi, je pensais que tu lui avais dit de quoi je commerçais.

– Jamais de la vie ! Je ne suis pas un mouchard !

– Antoine est un gars correct. Sur le coup, il n'a pas dit un mot. Mais quand j'ai levé l'ancre, il m'a demandé de le laisser au premier quai de terre ferme qu'on croiserait.

– Ce que tu as fait ?

– Je l'ai laissé à Portland il y a trois jours. Il devait prendre le train de Grand Tronc pour retourner chez lui. Il est certainement arrivé à l'heure qu'il est.

– C'est bon, déclara Simon en prenant un coup.

Dans son esprit, l'affaire était classée. Hubert crut que son ami parlait du drink et but aussi.

– Tu as raison. Tu vois, tu ne frissonnes plus. Mais, dis-moi, qu'est-ce que tu varnouches par ici ?

Simon ne pouvait avouer la vérité.

– Je suis venu chercher du travail dans les filatures du New Hampshire.

– Tu vas en trouver facilement. Un demi-million de Canadiens français sont descendus par ici depuis vingt-cinq ans.

– Tant qu'à y être, je suis descendu jusqu'à Boston. Pour visiter avant de travailler.

– Tu veux faire le Chinois, se moqua Nicolas.

Simon ne comprenait pas l'allusion.

– Veux-tu dire que je ris jaune ?

– Tu ne sais pas ? Par ici, les immigrés venus du Québec, on les appelle les Chinois des États de l'Est !

– Je ne veux pas émigrer. Je veux juste amasser un peu d'argent.

– Quand tu mets le doigt dans le tordeur, tu y passes. Tu vas rester, comme les autres. Parce que ici le temps est bon et le travail n'est pas rare. C'est pour ça que je commerce par ici maintenant. Dis, ça ne te tenterait pas de naviguer avec moi ?

– Je ne m'appelle pas Antoine, moi. Je n'aime pas les bateaux.

– Dommage que ton frère n'ait pas pris le goût de voyager avec moi. Il aurait pu me rendre de grands services. Dans mon genre de commerce, un bateau ne va jamais assez vite.

Simon voulut noyer le poisson.

– Qui sait ? Il changera peut-être d'idée un jour. Il est bien jeune.

– C'est vrai. Mais toi, Simon, ça ne te tenterait pas de faire de l'argent ?

– Je suis venu ici pour ça. Aurais-tu une idée ?

– Peut-être bien…

* * *

Comme Simon avait déclaré qu'il partait dans l'intention de chercher du travail outre-frontière, Pierre convoqua sans délai les Descôteaux.

– Vous pouvez avoir la sucrerie, tel que promis.

– Pour trois ans ?

Le cultivateur ne s'attendait pas à cette demande.

– Pourquoi trois ans ?

– Parce qu'on voudrait investir.

– Dans l'équipement.

– Contez-moi ça, que je voie.

Les ti-frères voulaient monter une confiserie, se créer leur propre emploi.

– Ce n'est pas bête comme idée. D'accord pour trois ans, même cinq si vous voulez.

– On ne pensait pas que tu accepterais.

– Oui, à la condition que la fabrique soit bâtie à part, mais adjacente à la cabane, et qu'elle reste ma propriété à la fin du bail.

L'exigence de Pierre fut difficile à avaler.

– Tu n'as pas juste appris à lire, au séminaire, remarqua l'un.

– À compter aussi, ajouta son écho.

* * *

La grippe espagnole arriva au pays en même temps que les soldats rapatriés. Le virus avait été identifié pour la première fois aux États-Unis, dans un camp militaire du Kansas. En 1918, il avait frappé l'Europe, puis avait successivement touché tous les pays du monde, faisant des millions de morts.

Pourquoi les cousins Descôteaux, amaigris, exténués et malades, n'avaient-ils pas été fauchés par ce mal? Imprévisible caprice du destin, ce sont leurs fiancées, des jeunes femmes rayonnantes de santé, qui furent atteintes de la maladie et emportées en deux jours.

Chacun avait sa théorie sur la cause du mal. Ainsi, maman Rose, qui tremblait de crainte pour la vie de ses petits-enfants et de son arrière-petit-fils, y voyait une punition du ciel.

– C'est parce qu'il y a trop de péchés dans le monde. Il faut faire pénitence.

– *L'Action catholique* vous donne raison, lui disait Pierre. Écoutez ce qu'on y écrit :

« Voilà que tout à coup une petite maladie presque ridicule se dresse devant la science. Suprême dérision, elle ne choisit pas ses victimes chez les tout jeunes ou chez les vieillards que leur faiblesse désignerait plutôt à ses coups, mais chez les adultes en pleine possession des moyens physiques qui mettent en état de meilleure résistance contre les maladies. Elle ne fera qu'effleurer les pauvres entassés dans leurs taudis, mais elle prendra à la gorge les habitants des logis les plus hygiéniques. Sachons accepter en chrétiens l'épreuve, quelque lourde qu'elle soit. Souffrir, n'est-ce pas le métier de l'homme sur terre? Nos douleurs, parce que chrétiennement supportées, sont la monnaie dont nous payons notre place au ciel. »

– On croirait entendre Cyprien, remarqua Réjeanne.

Les cousins Descôteaux durent, en plus de pleurer un grand amour, subir l'affront d'être chassés de la famille Mercier.

* * *

Les conscrits de Rivière-Boyer étaient revenus en mars. De la huitaine qu'ils étaient, trois avaient été faits prisonniers, un seul était mort au combat, le mari de Mélanie Dubé, Eudore. Contrairement aux agriculteurs mariés, qui avaient tous été exemptés, Eudore, un maçon, avait été le premier retenu.

La vie reprit son cours normal. Le petit Jean-Sébastien fit ses premiers pas à Pâques sous le regard attendri de sa mère et de tous les membres de la famille Bouffard.

– Si son père voyait ça ! s'exclama maman Rose.

Et tout un chacun d'exprimer sa confiance que Cyprien reviendrait bientôt.

Réjeanne, qui espérait recevoir des nouvelles de son mari pour Pâques, fut déçue. Le père Clément ne se manifesta d'aucune façon. Cependant, dans les derniers jours d'avril, les ti-frères trouvèrent un beau matin deux cruches de résine de sapin à la cabane à sucre. Ils en ignoraient la provenance, mais, honnêtes, ils les portèrent sans tarder à Pierre.

La nuit venue, ce dernier trouva dans l'arbre creux la première commande de victuailles et le sempiternel message : «Dis à Réjeanne…» Il envoya comme d'habitude les contenants à Québec, mais le chèque qu'il reçut dix jours plus tard s'avéra squelettique. Une note expliquait que la production d'instruments d'optique, qui accaparait la plus grande partie de la récolte de baume du Canada, avait pratiquement cessé avec la fin de la guerre. Quant aux médicaments, on en avait mis au point de nouveaux à partir d'essences synthétiques.

À la vue de ce montant ridicule, Réjeanne ne put refréner sa déception.

– Me voilà doublement victime. Je n'ai ni mari ni pension de veuve de guerre.

* * *

De son côté, Cyprien aussi éprouvait des difficultés. Il avait, avec le temps, crevé les vessies de résine de tous les sapins des environs. Maintenant, il devait s'éloigner de plus en plus pour trouver le précieux nectar, ce qui expliquait les livraisons espacées. Après avoir exploité le flanc nord du Massif, il avait écumé toute la partie du flanc est, qu'il pouvait atteindre en une journée de marche. Depuis quelques semaines, il s'aventurait de plus en plus loin sur le flanc ouest. Un après-midi, le vent dominant lui apporta des échos inattendus. L'artiste, maintenant familier avec tous les bruits de la forêt, crut, à un moment, entendre rire au loin.

«Mon imagination me joue des tours, se dit-il. Il paraît que ça arrive à tous ceux qui restent trop longtemps en forêt.»

Il monta sans tarder sur un petit promontoire et écouta attentivement. C'étaient maintenant des échos de chansons qui lui parvenaient, mais de façon presque inaudible.

«Peut-être le père Clément, se dit-il. Je n'attendais pas sa visite aussi tôt.»

Cyprien rentra à son camp et, tôt le lendemain, prépara une belle banique. Mais le père Clément ne survint pas. Ni dans les jours suivants.

De plus en plus intrigué, Cyprien décida d'en avoir le cœur net. Si un autre cueilleur œuvrait sur le flanc ouest, ce serait le drame, car bientôt il manquerait de résine. Il partit donc de bon matin et s'en fut directement au promontoire, qu'il gravit en trois enjambées. Comme le temps était beau, vers neuf heures, le vent d'ouest s'éleva graduellement et bientôt l'écho des rires et des chansons se fit entendre de nouveau, par intermittence.

L'ébéniste marcha presque deux kilomètres en ligne droite avant d'en trouver la provenance. Ce n'était pas un cueilleur de résine. Debout dans un ruisseau de montagne, de l'eau jusqu'aux mollets, un homme recueillait du gravier dans une bassine de métal, le faisait tourner juste sous la surface de l'eau jusqu'à ce qu'il se soit tout écoulé, examinait attentivement les derniers gravats et recommençait le manège.

«Un géologue», pensa Cyprien, qui s'était tapi à cent mètres, de façon à n'être pas vu. «C'est curieux, il ne chante plus.» Il observa l'étranger pendant un long moment et allait quitter les lieux pour reprendre son travail quand l'homme poussa soudain un cri de joie que multiplia l'écho de la montagne.

– De l'or! Du bel or! Du bel or jaune! De l'or en or!

C'était un prospecteur. Il se mit à danser et à chanter à tue-tête. Fasciné et voyant bien que l'homme ne prêtait aucune attention à ce qui l'entourait, le cueilleur de résine s'approcha à mi-distance. L'aventurier était remonté sur la berge et avait jeté sa batée. Il tenait maintenant entre ses doigts un objet minuscule qu'il fixait avec des yeux fiévreux.

– Mon amour, ma toute belle! Viens que je te caresse!

Ce disant, le prospecteur, un homme maigrelet aux cheveux jaunes et à la barbe hirsute, dans la cinquantaine, s'élança en chantant et en riant dans une valse erratique qui ne connut de fin, plusieurs minutes plus tard, que lorsqu'il trébucha sur une racine. Il contempla alors une dernière fois le caillou microscopique qu'il tenait entre ses doigts et le glissa cérémonieusement dans un minuscule sac de coton qu'il cacha dans la doublure de son manteau.

Ahuri, attristé même, par ce cas pathétique de déchéance de l'esprit, Cyprien secoua la tête et repartit. Il croyait que le prospecteur irait tenter sa chance ailleurs, mais, au contraire, l'homme resta à la même place. C'est du moins ce que l'artiste en conclut. Aussi longtemps qu'il cueillit de la résine dans cette région inaccessible, l'écho sporadique des chants du pauvre homme lui parvint de la même direction.

«En voilà un à qui son imagination joue des tours pour de vrai!» se dit le cueilleur en tentant d'oublier le pauvre hère.

32

LA FÊTE DE MAI de 1919 fut particulièrement joyeuse. La guerre était terminée, les soldats étaient revenus. Si l'agriculture commençait à stagner, le chantier maritime de Donat, par contre, embauchait.

Comme à chaque fête de Mai, on fêta tout, et surtout l'espoir. L'espoir que la Première Guerre mondiale serait la dernière. L'espoir que l'avenir serait meilleur pour les enfants que le passé l'avait été pour les parents, que les fermes pourraient un jour être électrifiées, que la prospérité du temps de guerre reviendrait en temps de paix.

Et ces visions de prospérité prenaient parfois une forme inattendue.

– Penses-tu, Pit, que c'est sérieux, cette affaire d'or?

– Moi, je commence à y croire, mon Philémon.

– Au point de tenter ta chance?

– Je pense à vendre ma moissonneuse-lieuse.

– À ce point là?

– Je ne partirais pas avec une casserole, comme un peigne-cul. J'achèterais une machine à sasser et un engin stationnaire Delco-Light, puis je m'installerais dans le haut de la Boyer, dans les premiers bancs de gravier. Et je remonterais jusqu'aux sources. Je te l'offre : si tu as le goût de pelleter du gravier au lieu de malaxer de la glaise, on achète les machines ensemble.

– Ça me tente.

– N'en parle à personne, surtout pas à ta bourgeoise. Tu sais comment sont les femmes…

Alors que, dans sa montagne, Cyprien ne se doutait de rien, dans les villages de la plaine déferlait la fièvre de l'or. Contrairement à la fièvre qui faisait mourir, celle-ci rendait fou. On avait trouvé quelques pépites dans la plupart des ruisseaux du Massif. Il n'en fallait pas plus pour tourner les têtes.

Les frères Poirier n'étaient pas les seuls, en ce soir de fête, à échafauder des plans. Tout le monde en parlait. Ainsi, Pierre Bouffard disait à sa femme, très visiblement enceinte :

– Imagines-tu Jean-Baptiste Fortin, à son âge, en train de patauger dans un ruisseau ? Ça lui donnerait le lavement de pieds dont il a besoin depuis longtemps !

Madeleine en parla à sa mère.

– Il paraît que l'or, on cherche ça nu-pieds. Avec les orteils, je suppose. Je ne le savais pas.

La mère Leblond en parla à la mère Fortin.

– Il paraît que votre mari veut partir chercher de l'or ?

C'est de cette façon que les rumeurs les plus extravagantes voyaient le jour et se multipliaient. Réjeanne, que la guerre privait elle aussi de son mari, tenait compagnie à Mélanie Dubé, la seule veuve de guerre de la paroisse. Les rumeurs leur parvenaient, à elles comme aux autres femmes. Si elles faisaient sourire Mélanie, qui n'avait plus rien à craindre de ce côté, elles inquiétaient Réjeanne, au point qu'elle s'en ouvrit à son frère.

– Crois-tu, Pierre, que Cyprien est en danger ?

– Avant d'exploiter l'or, il faut acheter des concessions. Mais avant d'acheter des concessions, les chercheurs vont prospecter pour localiser l'endroit le plus probable où se trouve l'or. Ils vont se lancer à l'assaut du Massif.

– Alors, il faut avertir Cyprien, le sortir de là, le cacher ailleurs.

– Tu as raison. Je vais dès demain cacher une note dans l'arbre creux.

Son frère porta le billet le dimanche soir. Le mardi, Réjeanne le vit arriver à l'école du rang 2 au beau milieu de l'après-midi.

Alarmée, elle confia la surveillance de la classe à la plus âgée des élèves et sortit sur le perron.

– Qu'est-ce qui arrive pour que tu me déranges en pleine classe ? De la mortalité ?

– Regarde le journal !

Réjeanne saisit le quotidien. Un titre de la première page se lisait comme suit : «La chasse aux conscrits est maintenant terminée.»

Et l'article d'expliquer que le gouvernement, préoccupé par des questions plus importantes, telles que le chômage et la création d'emploi, n'allait plus dépenser d'argent à pourchasser les déserteurs. Le journaliste estimait d'ailleurs que la police militaire les avait tous cueillis et que, s'il s'en trouvait encore dans les bois, ils étaient morts au cours de l'hiver.

– Ça veut dire que Cyprien peut revenir ! s'exclama Réjeanne.

– Son exil est terminé.

– Encore faudrait-il qu'on l'avertisse. Comment faire ?

– Dès ce soir, je vais déposer la coupure du journal dans l'arbre creux, avec une note disant que tu l'attends, que nous l'attendons tous avec impatience.

Réjeanne retourna en classe, pensive. Elle attendait certes son mari, mais pas avec impatience. Avec appréhension plutôt. En presque deux ans, elle ne l'avait vu que quelques minutes. Et dans les circonstances les plus dramatiques. Comme il refusait d'écrire, elle n'avait aucune idée de ce qu'avait été sa réaction à la vue de l'enfant aux cheveux roux. Elle ne savait pas non plus comment cet homme avait évolué. Elle devait s'en remettre à la Providence, qui ne faisait, du reste, pas mal les choses puisqu'elle avait mis le père Clément sur le chemin de l'artiste.

Réjeanne ensemençait son potager, une semaine plus tard, quand soudain Tobie, tout excité, se mit à battre la niche de sa grosse queue. Elle regarda autour mais ne vit rien.

– Doux, mon gros.

Elle reprit son sac de graines et allait les enfouir quand le chien se manifesta de nouveau. Cette fois, la jeune femme contourna la maison et vit venir au loin, sur le chemin Bouffard, un homme grand, mince et souple, portant un grand panier sur son dos.

– C'est lui !

Tobie, malgré son grand âge, avait reconnu de loin l'odeur de son maître portée par le doux vent du sud. Le soleil était déjà bas à l'horizon et Cyprien avançait d'un pas ferme, malgré l'émotion qui l'étreignait. À ce moment, la mise en garde du père Clément lui revenait en tête comme un écho : «La route sera longue et parsemée d'embûches.» Mais il n'allait pas se dérober.

Réjeanne n'était pas moins émue. À la vue de Cyprien, elle revivait pour la énième fois les deux circonstances dramatiques où elle s'était trouvée prise entre lui et James Jones. Prise de panique, elle rentra vivement à la maison et lava ses mains maculées de terre. Puis elle se ressaisit. Elle passa vivement un coup de peigne dans son abondante chevelure, jeta une poignée d'éclisses de cèdre sur les derniers tisons, sortit par la porte arrière et détacha Tobie. La bête fidèle se précipita au-devant de son maître.

Cyprien, qui arrivait à la croisée des chemins, sut que sa femme l'attendait quand il vit accourir son vieux chien qu'il accueillit avec force caresses. Un moment plus tard, Réjeanne débouchait sur la route et marchait lentement vers lui. Les époux se retrouvèrent sous la Petite Croix.

Cyprien avait le goût de prendre hardiment sa femme dans ses bras. Réjeanne aurait aimé embrasser son mari. Mais les deux se retinrent, trop incertains de la réaction de l'autre. Leurs mains, leurs yeux se cherchèrent avec anxiété, et Cyprien parla le premier.

– Comme vous êtes belle, ma femme ! Comme vous êtes devenue belle !

– Vous êtes beau aussi, mon mari. L'exil ne vous a pas marqué.

– S'il n'a pas marqué mon visage, il a brisé mon cœur, chère amie.

Nous avons beaucoup de choses à nous dire, Cyprien. Venez, rentrons.

Réjeanne accrocha son bras à celui de son homme. Lorsqu'ils furent rendus à la maison, Cyprien déposa son panier dans son atelier, attacha Tobie et suivit Réjeanne.

Paralysée par l'angoisse, cette dernière ne savait pas par quoi commencer la conversation. Pour cacher son trouble, elle jeta de petits morceaux d'érable sur le feu qui crépitait déjà. Cyprien, tout aussi bouleversé qu'elle, promena un long regard sur cette maison qu'il avait bâtie avec amour mais qu'il avait, somme toute, peu habitée. Rien n'avait été changé, si ce n'était la porte avant, cassée par les soldats venus l'arrêter.

Réjeanne infusa du thé et vint s'asseoir à la table, en face de son mari. Elle alluma une chandelle car, le soleil étant maintenant couché, la lumière du jour s'estompait rapidement.

– Vous semblez songeur, mon mari.

– Je regardais la porte avant, qui a été remplacée. Ces lieux me rappellent des moments tellement dramatiques.

– À moi aussi. Et, comme j'y ai vécu, j'ai revu chaque jour en pensée ces pénibles moments.

Cyprien prit sa tête entre ses mains.

– Que de souffrances !

– Vous avez eu beaucoup de mal ?

– Je ne parle pas de mes angoisses, mais des vôtres. De celles que je vous ai causées.

Ce disant, Cyprien leva sur Réjeanne des yeux si implorants qu'elle en fut interdite. Toujours étouffée par une honte inexplicable, elle attendait une avalanche de reproches. À sa grande surprise, c'est le contraire qui se produisait.

– Mais de quoi parlez-vous donc ?

Cyprien vida son cœur repentant.

– Vous avez dû subir, avec la naissance de notre enfant, des déchirements moraux sans bornes. C'est à moi que vous les devez. À mon égoïsme. À mon orgueil.

Étonnée, toujours étreinte de culpabilité, Réjeanne, bonne épouse, voulut atténuer les propos de son mari.

– Nous avons chacun nos torts.

– Au contraire, c'est moi qu'il faut blâmer. C'est moi qui vous ai demandé de m'aider à m'évader de la caserne.

– Je l'aurais fait pour n'importe quel de mes frères.

– Passe encore pour la complicité d'évasion, mais il fallait que je me cache dès le moment où j'ai mis pied à terre.

– J'étais tellement heureuse de vous revoir!

– Je l'étais aussi, mais, à partir du moment où je prenais le risque de défier la loi, je n'avais pas le droit de vous entraîner dans mon aventure.

Réjeanne constatait que son mari n'avait aucunement perdu son sens des responsabilités. Du coup, son admiration pour lui atteignit de nouveaux sommets.

– Mais, rappelez-vous, nous avons passé de merveilleux moments ensemble.

– Des moments inoubliables, j'en conviens, mais j'ai perdu la tête alors que j'aurais dû veiller. C'était moi le déserteur, pas vous.

– J'étais éperdue de bonheur, Cyprien. Pour la première fois, nous nous aimions pleinement.

– Je l'ai bien compris. J'ai bien compris aussi que c'est par amour pour moi que vous avez entraîné Jones au lit, afin que je puisse sortir de ma cachette et m'enfuir.

La gorge de Réjeanne s'assécha au rappel de ce moment dramatique. Elle saisit avec ferveur les mains de son homme.

– Me croirez-vous, Cyprien, si je vous dis que je vous ai été fidèle à ce moment?

– Grâce aux longues conversations que j'ai eues avec le moine Clément, j'ai compris non seulement que vous m'avez été fidèle, mais que j'ai, à l'égard de l'enfant qui fut conçu cette nuit-là, les devoirs d'un père.

Impressionnée par le repentir de son mari, rassurée aussi par ses sentiments, Réjeanne respira mieux. Une partie du fardeau qu'elle portait depuis près de deux ans venait de s'envoler. Mais il restait ce feu à sa conscience, qui ne regardait qu'elle.

Cyprien sortit épuisé de cette confession, mais combien soulagé!

– Mangez donc un morceau, fit affectueusement Réjeanne.

Cyprien n'avait pas faim. Il avait tout juste le goût de boire du thé avec sa femme, de parler des heures avec elle. Il se fit raconter ce qu'il advenait de sa famille, de sa classe, du monde. Il raconta son exil. Il voulait voir Sébastien.

– Je passe tous les jours quelques heures avec lui et lui prodigue toute mon affection, mais, en pratique, maman et grand-maman jouent plus le rôle de mère que moi, qui suis accaparée par l'enseignement.

L'horloge sonna douze coups.

– Déjà minuit et je travaille demain. Que diriez-vous de prendre quelques heures de repos?

À cause de l'état de ses vêtements et de sa personne, Cyprien demanda à faire chambre à part. Réjeanne ne protesta pas. Sans doute rasséréné par sa conversation de la veille, il dormait encore profondément quand, au matin, son épouse partit pour l'école.

* * *

Après force libations avec son ami Nicolas Hubert, Simon regagna son hôtel, assez éméché. Plus ivre encore, le marin accepta finalement de partager l'oreiller de la «*good girl*».

Au matin, Simon repartit vers le nord. Mais son but n'était plus de rentrer chez lui. Il chercherait pour de vrai du travail dans les filatures de la Nouvelle-Angleterre.

Il n'eut pas à voyager loin. Lowell, Massachusetts, comptait alors trente mille ressortissants du Québec. Mais quand il apprit que le clergé de cette ville était majoritairement irlandais, il suivit le conseil de Réjeanne et passa son chemin. Un saut de puce le mena à Manchester, New Hampshire, où les immigrés québécois étaient aussi nombreux que dans la ville précédente. C'est de là qu'il écrivit à sa famille pour décrire sa nouvelle vie.

Chère maman,

Je suis arrivé à Manchester en même temps que le printemps. Vous ne me croirez peut-être pas, mais ici les tulipes poussent dans les arbres, des magnolias, paraît-il.

*Tout le monde parle français dans les maisons, et je me sens comme chez nous. J'ai trouvé pension chez un ancien joueur de baseball professionnel, Napoléon Lajoie, rue Elm, près de l'épicerie Turcotte. Le curé de la paroisse vient de Saint-Hyacinthe, l'évêque est M*gr *Georges-Albert Guertin, et le gouverneur se nomme Aram-Joseph Pothier.*

J'ai décroché tout de suite du travail dans une usine de coton comme homme à tout faire. Je travaille douze heures par jour mais je trouve le temps de me faire des amis.

Ne vous inquiétez pas pour moi. Les gages sont bons et le temps aussi.

Des salutations à tout le monde,

Simon.

– Pauvre petit gars ! soupira Victoire. Je vais bien le perdre lui aussi…

* * *

Pour les agriculteurs de Rivière-Boyer, mai ramena le problème du prix du beurre. Grâce à la générosité des pacages, dont le rendement avait, comme celui des champs, été amélioré au cours des quatre dernières années, les troupeaux laitiers produisaient au maximum. Or, toute augmentation de la production se traduisait par une chute des prix.

Le plus durement frappé était Pierre Bouffard. C'était donc lui qui cherchait le plus activement une solution. Il la cherchait en tant que premier producteur, bien sûr, mais aussi en tant que leader de cette communauté rurale dont il était le maire, un maire très jeune encore et qui voulait faire ses preuves.

Il avait réglé avec un succès éclatant le problème de la cimenterie. Il avait au passage modernisé le village en lui fournissant les bienfaits de l'éclairage public. Il voulait maintenant assurer une nouvelle prospérité à l'agriculture. Avec son beau-père, un dimanche soir, il résumait la situation :

– Voilà : nous ne pouvons pas élever du bœuf parce que la demande est tombée. C'est la même chose pour le porc. Nous ne pouvons pas élever des moutons parce que les ours les mangent avant nous. Nous ne pouvons pas produire des œufs parce que nous sommes trop loin des marchés. Nous ne pouvons pas élever des chevaux parce qu'un cheval mange trois tonnes de foin par hiver, du fourrage que les îles de Sorel peuvent produire à beaucoup meilleur compte que nous. Et nous ne pouvons pas couper du bois parce que nous n'en avons plus à couper.

– Si je comprends bien, nous sommes obligés de rester comme nous sommes et de nous contenter d'un petit pain, conclut Anthime.

Anthime, malgré la défaite politique qu'il avait subie aux mains de son gendre, n'avait pas gardé rancune à Pierre. S'il en était ainsi, c'était surtout parce que sa femme protégeait son beau-fils toutes griffes dehors. Il lui en faisait d'ailleurs le reproche moqueur :

– C'est bien le seul homme sur terre dont tu ne te méfies pas ! Étonnant ! Toi qui n'aimes pas les beaux parleurs !

La belle-mère de Pierre avait une raison de le couver qui n'appartenait qu'à elle seule : elle veillait activement à protéger le mariage de sa chère fille, qu'elle savait fragile.

– C'est bien le seul homme qui mérite ma confiance, répliquait-elle invariablement en retournant le blâme.

Malgré la situation précaire, Pierre ne baissait pas les bras.

– Souvenez-vous de l'avis de Guillaume Francœur : « Trouvez un produit unique, original. »

– La liste est courte, rappelait Anthime.

– À vrai dire, elle ne contient qu'un seul article, mais il est important : le cheddar vieux, destiné à l'exportation.

– On en a parlé souvent…

– Mais on n'a jamais pris de décision. Les vaches sont en train de décider pour nous : elles produisent plus que jamais.

– Avec le temps, le problème va peut-être se régler…

– La demande pour le beurre ne va augmenter qu'avec l'accroissement de la population. Or, avec la guerre, la population mondiale a perdu vingt millions de bouches, rappela Pierre.

Anthime resta pensif. Il était conscient qu'en proposant d'atermoyer il jouait à l'autruche. Il se secoua.

– Qu'est-ce que tu proposes?

– Vous êtes président de l'A.P.A. Convoquez une assemblée générale immédiatement. Le problème est urgent. Qu'on en parle une fois pour toutes, sinon je vais trouver mes propres solutions.

– À quoi penses-tu?

– En vingt-quatre mois, j'ai perdu le revenu de deux pensionnaires et ma femme attend un deuxième enfant. Si mon revenu diminue, il faudra que je réduise les dépenses.

– Tu ne peux pas enlever grand-chose.

– Je peux éliminer un salaire : Ti-Rouge.

Anthime comprit que Pierre n'entendait pas à rire.

– Demande à Réjeanne de convoquer une assemblée.

Le samedi après-midi suivant, tous les membres de l'A.P.A. qui n'étaient pas partis prospecter, donc les plus sérieux, se réunirent à la salle paroissiale.

– C'est moins d'adon ici qu'à l'auberge, fit remarquer Jean-Baptiste Fortin.

– Maintenant, ce sont nos femmes qui se réunissent à l'auberge, rétorqua Roland Lebreux avec une grimace, faisant allusion aux activités de tissage qu'y dirigeait Victoire.

Anthime Leblond appela les membres à l'ordre et ouvrit l'assemblée.

– L'heure est grave, commença-t-il. Nos vaches produisent plus que jamais et, plus elles produisent, moins nous faisons d'argent.

Une rumeur d'approbation courut dans la salle.

Anthime fit, avec les données empruntées à son gendre, le résumé de la situation, et conclut :

– On a pratiquement une seule solution : produire du fromage pour l'exportation.

Il se fit un silence gêné dans la salle. Quelqu'un poussa son voisin du coude.

– Parle, Pamphile, c'est le temps.

Pamphile Dorais se leva, enleva sa casquette, la tourna gauchement entre ses mains, incapable de sortir un son, étranglé par l'émotion.

– Oui, Pamphile, fit Anthime pour l'inviter à parler.

– Vas-y ! fit son voisin.

– Vous allez me ruiner.

Celui qui protestait aussi timidement était le fabricant de beurre. C'est là que le bât blessait. Pierre le savait. C'est d'ailleurs lui qui avait insisté auprès du propriétaire de la beurrerie, un homme extrêmement timoré, pour qu'il vienne défendre son entreprise sur la place publique. Pierre désirait que Pamphile exprime tout haut sa détresse afin de susciter un mouvement de sympathie en sa faveur. Autrement, il serait oublié dans les plans d'avenir.

Le jeune maire demanda la parole.

– Monsieur Dorais, personne ne veut vous jeter à la rue. Même si elle est éclairée, ajouta-t-il pour dérider l'auditoire.

Le président intervint de nouveau.

– Notre maire a un plan à proposer. Je vais vous demander de l'écouter attentivement.

Pierre Bouffard raconta son voyage au Lac-Saint-Jean, où il avait découvert qu'il y avait une demande en Angleterre pour le cheddar âgé de haute qualité, marché potentiel confirmé par le sous-ministre Francœur. Puis il proposa de convertir graduellement la production locale de beurre en production de fromage, en commençant par les surplus actuels de lait.

– Il faut créer une coopérative, un genre de compagnie dont les fournisseurs, vous et moi, seront les actionnaires. Quant à notre beurrier, nous ne voulons pas lui faire de tort. Je propose que la coopérative achète son entreprise à un prix raisonnable et qu'elle lui offre un emploi.

Pamphile poussa un soupir de soulagement, tout comme le reste de l'auditoire. Entre gens paisibles, on trouverait bien le moyen de s'entendre.

33

QUAND Cyprien se réveilla, Réjeanne était partie à l'école. Il se trouva mal à l'aise dans cette maison vide. Pendant sa période de réclusion volontaire, il avait organisé lui-même son quotidien ou vécu comme un pensionnaire. Dans sa cabane, il devait voir à tout, et au monastère, à rien. Et il ne savait plus très bien quoi faire maintenant qu'il se retrouvait chez lui.

Allait-il attendre que Réjeanne s'occupe de lui? Ce n'eût pas été juste. Cette femme avait une tâche qui prenait tout son temps. De plus, elle consacrait ses temps libres à leur enfant. Il n'allait pas attendre qu'elle se mette à son service en plus.

Allait-il alors se mettre, lui, au service de sa femme? Il pourrait très bien s'occuper de la maison, cuisiner, faire le lavage. Mais ce n'était pas une vie d'homme. Il devait travailler. Il devait gagner son pain et celui de sa famille. Il devait trouver un emploi, et le plus rapidement possible.

L'ébéniste prépara son petit déjeuner, prit un long bain, tailla sa barbe et se dirigea vers son atelier, prodiguant quelques caresses à Tobie en passant. Il ne trouva pas sa jument. Réjeanne l'avait mise en pension chez Pierre.

Cyprien tira d'abord deux carcasses de son panier et vérifia leur fraîcheur. Ensuite, il vida le reste du contenu, qu'il suspendit aux poutres du plafond. Il affûta ses ciseaux et changea quelques manches cassés. Puis il s'attaqua au ménage des lieux. La poussière s'était longuement accumulée pendant son exil.

À mesure qu'il retrouvait ses équerres, ses compas, ses pieds-de-roi et ses fils à plomb, l'artiste repassait dans sa mémoire les chantiers où il les avait employés, revoyait les chefs-d'œuvre qu'il avait exécutés avec chacun de ses outils. À les manipuler, il retrouvait le goût de s'en servir.

Dès qu'elle revint de l'école, il annonça à sa femme :

– Je pars demain matin chercher du travail.

– Pas avant d'avoir vu Jean-Sébastien, tout de même !

– Bien sûr que non. Toute la journée, j'ai pensé à lui, mais je n'ai pas osé lui rendre visite. Il ne me connaît pas et aurait sans doute eu peur de moi.

– Il est probable que votre barbe l'impressionnera. Personne n'en porte autour de lui. Nous le verrons tout de suite après le souper.

– Je me suis permis de préparer un ragoût de rat musqué ; ça vous donnera une idée de la façon dont je me nourrissais dans la montagne.

« Quelle horreur ! » pensa Réjeanne, qui réprima un haut-le-cœur. Néanmoins, elle décida d'endurer stoïquement cette épreuve. « Après tout, s'il en mange, pourquoi pas moi ? » se dit-elle pour se donner du courage.

À sa grande surprise, le ragoût d'ondatra était bien meilleur que ses ragoûts de lièvre. En même temps, elle découvrait les qualités de la banique, le pain des hommes des bois.

Le petit Jean-Sébastien, qui ne manquait pas de caractère, ne manifesta aucune crainte devant cet homme au visage poilu qu'il voyait pour la première fois. Voyant que sa mère se tenait à ses côtés, il se laissa apprivoiser graduellement et accepta même de passer quelques instants sur ses genoux.

Cela faisait tout drôle à Cyprien, un enfant unique, de se retrouver père. Père de l'enfant d'un autre, certes, mais un enfant qu'il avait décidé d'accepter et de traiter comme le sien. Ses gardiennes ne remarquèrent pas son trouble, car maman Rose affirma :

– Il vous ressemble, Cyprien.

– Comment pouvez-vous dire ça, madame Bouffard ? Ma barbe cache mon visage.

– Il a des yeux vifs comme les vôtres.

Cyprien prévoyait d'être parti deux jours. Il fut absent quatre jours et trois nuits. Il revint découragé.

– Le croirez-vous, ma femme ? Je n'ai trouvé de travail nulle part.

– Ne me dites pas qu'on ne construit plus d'églises ?

– La guerre a mis un terme à l'ère des églises grandes, belles et richement décorées. On construit peu de temples nouveaux, et ceux que l'on bâtit, on les dote de mobilier commun, fabriqué à la machine.

– On doit tout de même les décorer de statues. Avez-vous vu Louis Jobin ?

– Je me suis rendu chez lui pour découvrir que son atelier était fermé. Ses voisins m'ont informé que mon maître était mort pendant mon exil. J'en suis inconsolable.

Réjeanne fut sincèrement attristée par cette nouvelle.

– Je partage votre deuil, cher ami. Le malheur des uns fait le bonheur des autres : vous pouvez récupérer pour vous seul toute la clientèle intéressée à des statues de qualité.

– C'est bien là le drame. Les statues de plâtre, beaucoup moins chères, remplacent désormais les statues de bois. La statuaire est chose du passé, comme la décoration des églises. Je n'ai plus de métier. Je devrai apprendre à faire autre chose. C'est ce que font mes anciens confrères de travail, dont certains sont même devenus mécaniciens. Imaginez !

– Quel dommage ! Vous avez tellement de talent, Cyprien. Nous en discuterons dimanche à table. Les gens de ma famille vous aideront à trouver une solution.

* * *

Au sortir de la messe du dimanche, Cyprien fut salué à l'égal d'un héros. Tous voulaient lui parler. Il était le seul déserteur à avoir échappé à la police. On l'entoura, on le congratula, on voulut savoir comment il avait vécu. Il aurait pu se lancer en politique tellement il était devenu populaire.

– Toi qui vivais dans le Massif, as-tu trouvé de l'or ? lui demanda quelqu'un.

– Je cueillais de la résine de sapin, je ne cherchais pas d'or.

– Tu es bien le seul qui n'en cherchait pas! s'exclama quelqu'un d'autre.

Plus tard, chez Pierre, Cyprien s'enquit de cette histoire d'or. Sa femme, jugeant cette question futile, ne lui en avait pas encore parlé.

– Il paraît, confirma Pierre, qu'on trouve un peu d'or dans les ruisseaux provenant du Massif. Tout le monde rêve de faire fortune. La folie s'est emparée des gens. Presque chaque famille compte un prospecteur amateur.

– Certains sont plus ambitieux que d'autres. Les frères Poirier se sont acheté un sas à moteur et sont partis explorer le haut de la Boyer, ajouta Victoire. Leurs femmes sont au désespoir.

– Toi qui vivais dans la montagne, tu n'en as pas trouvé? demanda moqueusement Antoine.

– Je n'en ai pas cherché.

– Maintenant que tu sais qu'il y en a, tu n'aurais pas le goût de tenter ta chance? hasarda Anne-Marie avec un sourire retenu.

Cyprien n'osa pas raconter sa rencontre avec le prospecteur fou. Encore perturbé par la décadence mentale de l'homme, il répondit :

– Ça ne serait pas mon genre de patauger dans l'eau pour trouver une poussière d'or et danser le menuet quand je trouve une pépite.

Donat, qui n'était pourtant pas homme d'aventure, déclara néanmoins :

– On blague bien mais, si on trouve de l'or dans les ruisseaux, c'est qu'il y en a en amont. Un jour, un chanceux trouvera le filon et fera fortune.

La conversation prit une autre tournure quand Victoire exhiba une lettre de Simon.

– Simon veut quitter Manchester et s'installer à Central Falls, annonça-t-elle.

– Je ne comprends pas pourquoi il n'est pas revenu au printemps reprendre sa place à la forge, fit Pierre. Meno a dû embaucher l'apprenti de Saint-Vallier qui forgeait pour l'Anglais l'hiver dernier.

– Pour ma part, je ne voudrais pas travailler en usine pour tout l'or du monde, dit Cyprien. Je vais tenter de trouver du travail par ici.

– Si notre projet de fromagerie se concrétise, ce qui est probable, Pamphile Dorais aura besoin d'un assistant, suggéra Pierre.

– Je ne sais pas du tout comment on fabrique le fromage, fit l'ébéniste.

– Ça s'apprend. Celui que nous embaucherons devra subir une formation. Nous l'enverrons au Lac-Saint-Jean, chez l'oncle de Madeleine.

– Tu n'aurais pas besoin d'un ébéniste? hasarda Cyprien en s'adressant à son nouveau beau-frère.

– Je termine un remorqueur et j'ai une commande de bateaux de pêche, des bateaux peu décorés. Mais je retiens ton offre pour le jour où je bâtirai des yachts. À moins que tu ne veuilles travailler l'acier…

L'artiste ignora la perche.

* * *

La grippe espagnole ne tuait pas toujours. La moitié de la population de Rivière-Boyer l'avait attrapée à un moment ou l'autre et s'en était tirée avec une violente diarrhée. La pandémie n'avait fait que trois victimes, si on incluait Jasmine Léonard, la femme de Thadée. Mais dans le cas de cette dernière, on n'était pas sûr si elle avait été emportée par la grippe espagnole ou par une grippe ordinaire.

On croyait l'épidémie passée lorsque, le mardi, Ti-Rouge tomba malade. Madeleine, craignant pour leur enfant, voulut que Pierre le conduise ailleurs. Il refusa net.

– Où veux-tu qu'il aille, le pauvre? Il n'a aucune famille. Ses seuls amis sont les ti-frères.

– Qu'est-ce que tu comptes faire, alors?

– Il restera enfermé dans sa chambre et je le soignerai moi-même.

– Tu sais qu'il n'y a rien à faire contre cette maladie.

– Je vais au moins lui apporter du secours moral.

Cyprien vint aider Pierre pour le train et, pendant deux jours et deux nuits, ce dernier veilla sur son serviteur comme sur un frère. La maladie étouffa le pauvre garçon au petit matin du troisième jour. Pierre ne réveilla pas sa femme. Il partit plutôt chercher les vaches pendant que la dépouille refroidissait. La beauté du matin d'été n'aida pas à calmer sa douleur.

Maintenant, Pierre se retrouvait sans aide devant une tâche trop lourde pour un homme seul.

– Qu'est-ce que tu vas faire ? lui demanda Madeleine.

– Je ne peux pas réduire le troupeau car nous aurons bientôt deux enfants à faire vivre.

– Peut-être trois, laissa tomber Madeleine en soutenant son ventre. J'ai l'impression qu'il y en a deux qui bougent là-dedans.

– Ça alors ! Vivement une solution, mon Dieu !

Ce sont les frères Poirier qui, sans s'en douter, allaient régler le problème de Pierre. Les deux prospecteurs étaient rentrés penauds. Ils ne perdaient pas complètement la face parce qu'ils avaient trouvé un peu d'or. Juste assez pour payer le sas, qu'ils avaient d'ailleurs abandonné sur place. Maintenant, ils avaient en main un engin stationnaire dont personne ne voulait. Pierre l'apprit par le beurrier.

– Pourriez-vous fabriquer de l'électricité avec votre machine ? leur demanda-t-il.

Homme de machinerie, Pit était un fameux bricoleur.

– Pourquoi pas ? Il suffit de le coupler à une génératrice.

C'était là la solution. Pierre acheta une génératrice et produisit assez d'électricité pour traire ses vaches à l'aide de trayeuses pneumatiques, et, à l'hiver, pomper l'eau nécessaire au troupeau. Ayant simplifié ces deux tâches ardues, il pouvait désormais accomplir seul le reste des travaux de la ferme, à l'exception des foins.

* * *

C'est à la première fleur des mils que Madeleine accoucha. De jumeaux. Des garçons. Les Bouffard célébrèrent.

À travers sa joie, Pierre éprouvait beaucoup d'appréhension. Il chercha du réconfort auprès de sa sœur aînée.

– Me vois-tu, Réjeanne ? Trois enfants en moins de deux ans de mariage. Qu'est-ce que ce sera dans dix ans ?

– C'est grand-papa qui doit sourire dans sa tombe. Lui qui rêvait d'avoir cent petits-fils, il doit se reprendre à espérer !

La nouvelle fit le tour de la paroisse en moins de deux. Quand ils croisèrent l'heureux père à la beurrerie, les paysans lui adressèrent toutes les taquineries habituelles sur les bessons.

Réjeanne, qui était en relâche d'été, et Cyprien, qui n'avait pas encore trouvé d'emploi, offrirent leur aide au jeune couple.

Cette double naissance donna lieu à une grande cérémonie de baptême à laquelle assistèrent nombre de paroissiens puisqu'elle eut lieu un dimanche après-midi.

L'heureux père avait prétexté que le nombre de candidats à la fonction de parrains était fort restreint dans sa famille pour offrir cet honneur à ses amis Guillaume et Hervé Francœur. Devant les protestations de Madeleine, qui aurait préféré Cyprien et Antoine, il lui avait rappelé :

– Les bons amis sont rares, il faut savoir se les attacher ! Disons que je te laisse choisir les marraines.

Madeleine se concentra un moment pendant que Pierre riait dans sa barbe.

– J'ai beau chercher, il n'y a que Réjeanne et Anne-Marie.

On demanda à l'abbé Sylvestre d'officier et c'est ainsi que le clan Bouffard se resserra encore davantage.

* * *

Au moment où la grippe espagnole avait fauché Ti-Rouge, on croyait l'épidémie passée. Et voilà qu'un dimanche matin de juillet, vers la fin des foins, les colons du Bras est, une nouvelle section de la paroisse ouverte au défrichage, trouvèrent le corps d'un homme en se rendant à la messe.

Cet homme était un inconnu dans la cinquantaine, petit, cheveux jaunes, maigre et dépenaillé. Craignant d'être infestés par la grippe mortelle, les colons ne fouillèrent pas l'individu. Ils enfilèrent plutôt des gants pour le poser avec son sac sur une charrette à fond plat et l'emportèrent au village pour le faire identifier.

La cloche de moins dix venait de sonner et les fidèles s'apprêtaient à entrer dans l'église quand le cortège funèbre improvisé arriva. Un attroupement se fit autour du cadavre.

Cyprien voulut éviter la foule mais Réjeanne, qui était curieuse, l'attira jusqu'à la voiture.

– Mais c'est mon prospecteur ! s'écria Cyprien, fort surpris.

– Comment, votre prospecteur ? fit Réjeanne. Vous le connaissez ?

– Je vous raconterai, fit-il tout bas en entraînant sa femme vers l'église.

Mais autour de lui on l'avait entendu s'exclamer. Le bedeau, qui, dans les cas semblables, portait ses services au compte de la municipalité, se précipita vers l'ébéniste dans l'espoir d'en apprendre davantage.

– Qui est cet homme, dites-vous ? Je dois l'identifier et retrouver sa famille pour qu'elle paie les frais de l'enterrement.

– Je ne sais pas son nom, mais je peux vous dire qu'il était un prospecteur. Je l'ai vu dans la montagne.

À ces mots, un frisson d'excitation traversa la foule.

– A-t-il trouvé de l'or ? demanda le sacristain, soudain fort intéressé.

– Je ne sais pas. Je ne l'ai vu qu'une fois.

– Je vais le fouiller, déclara le fossoyeur, qui avait tout à coup oublié les dangers de contagion.

Le sac de l'homme ne contenait que sa batée, ce qui confirmait son occupation.

Au fond de ses poches, le bedeau trouva un peu de poudre d'or. Il redoubla de zèle, fouilla chaque recoin de ses habits.

Cyprien observait maintenant le manège avec dégoût. «Un vautour, un véritable charognard», pensa-t-il avec mépris en voyant l'acharnement que le préposé vouait à sa tâche.

– J'ai trouvé!

Le sacristain retirait un à un des replis du manteau du défunt des sacs minuscules mais très lourds qu'il exhibait devant la foule. Alerté par le fait que ses ouailles n'entraient pas pour le service, le curé Bouillé surgit sur le parvis.

– Que faites-vous là? demanda-t-il de loin à son bedeau.

– Je trouve de l'or!

– Donnez-moi ça, ordonna le prêtre en tendant vivement la main.

Des protestations s'élevèrent. Depuis le coup de la conscription, les paroissiens se méfiaient de leur curé. Il crut bon de les rassurer.

– Cet or sera remis à la famille du défunt, mais c'est mon devoir d'en assurer la garde.

Pierre, qui était arrivé après tout le monde, surveillait les agissements du pasteur. Quand le curé voulut saisir les sacs, il s'interposa.

– Un instant, monsieur le curé. Je vous rappelle que ce cas relève du civil, donc de l'administration municipale. À titre de maire, j'estime que cet or doit être confisqué par la municipalité. En conséquence, je nomme ici même un comité ad hoc de trois hommes honnêtes qui veilleront sur l'argent de cet inconnu.

Une rumeur d'approbation accueillit cette annonce. «Je ne serai pas seul», pensa le curé.

– Si tu l'entends de même.

– Ce comité sera composé de l'abbé Sylvestre, de Cyprien Lanoue et de Jos Labrie, proclama le maire d'un air imperturbable. Jos et Cyprien, prenez charge de tout l'or qu'on trouvera sur cet étranger et demandez au vicaire de retrouver sa famille.

En entendant nommer son assistant, le curé Bouillé, évincé, et de ce fait profondément humilié, devint cramoisi, tourna les talons et disparut dans son confessionnal. La foule applaudit.

* * *

Contre toute attente, le prospecteur inconnu transportait une quantité d'or considérable, d'une valeur de plus de mille dollars, estima-t-on.

– Il avait des pépites grosses comme des gourganes, confirma Jos Labrie.

On demanda au docteur Pelletier d'autopsier le corps. À la surprise générale et à la sienne plus encore, il établit que le prospecteur n'était pas mort de la grippe espagnole mais d'inanition. Seul Cyprien n'en fut pas étonné mais il n'en fit pas la remarque.

– Qu'est-ce qu'il pouvait bien faire là, sur la route? demanda Victoire.

– Il venait sans doute enregistrer sa concession, répondit son fils aîné.

La nouvelle de la mort dramatique du prospecteur bardé d'or fut largement diffusée par tous les journaux de l'est du Québec et reprise dans tout le pays. Pourtant, personne ne réclama sa dépouille ni sa fortune.

Puisant à même son or, le comité habilla le cadavre de l'aventurier d'habits tout neufs pour le mettre en terre. Ce n'était pas dans le but de protéger sa dignité. Jos Labrie avait eu l'idée de brûler ses vêtements dans un grand chaudron de fer pour s'assurer qu'ils ne contenaient plus d'or. L'examen des cendres s'avéra négatif.

La fortune du vagabond fut déposée au compte bancaire de la municipalité suivant une résolution en bonne et due forme selon laquelle, dans un an, le montant total moins les dépenses serait versé, s'il n'était pas réclamé, à parts égales entre les colons qui avaient trouvé le corps.

* * *

Quand son rôle dans le comité ad hoc fut terminé, Cyprien repartit pour Québec, en quête de travail. Il revint plusieurs jours plus tard. Comme la première fois, il avait fait chou blanc. Il omit cependant de révéler à sa femme qu'il s'était longuement attardé dans un certain bureau administratif.

À contrecœur, l'ébéniste allait consentir à apprendre la soudure, quand, au début d'août, Réjeanne reçut une lettre portant l'estampille américaine.

«Simon, sans doute! Comme c'est aimable de m'écrire! D'habitude, il écrit à maman.»

La lettre se lisait comme suit :

Ma sœur chérie,

Maintenant que je peux travailler comme tisserand, j'ai quitté Manchester pour m'installer à Central Falls, au Rhode Island, une ville beaucoup plus petite, où il y a moins de compétition et où les gages sont meilleurs.

Maman me disait, le mois dernier, que Cyprien avait de la difficulté à trouver du travail. Si je t'écris à toi plutôt qu'à maman, c'est que le curé de la paroisse cherche un bon ébéniste pour fabriquer un baldaquin et qu'il n'en trouve pas.

Il tient absolument à embaucher un artiste québécois depuis qu'il a vu Ozias Leduc décorer l'église Sainte-Marie, à Manchester. J'ai pensé à Cyprien. S'il n'a pas trouvé de travail chez nous, il pourrait descendre ici pour le temps du contrat. Ce ne serait pas très long; il m'a déjà dit que ça lui prenait trois mois à sculpter un beau baldaquin.

On prendrait un logis à deux, il mettrait de l'argent de côté et il serait de retour avant l'hiver. Je ne m'ennuie pas, mais ça me ferait du bien de voir quelqu'un de la famille.

Des baisers à tout le monde,

Simon.

«Damné Simon, grogna intérieurement Réjeanne. Il sait comment me pincer le cordon du cœur, celui-là.»

34

– VOUS VOULEZ du thé, Réjeanne?

– Non, je vous remercie.

Cyprien remplit sa tasse et vint s'asseoir à la table. C'était pour tuer le temps qu'il s'attardait à prendre une boisson chaude. Ce n'était pas vraiment dans ses habitudes de faire une pause. La vie lui en imposait déjà assez comme ça. Et puis il attendait de lire à son tour la lettre de Simon.

Cyprien aimait bien Simon. Il avait depuis longtemps compris que le forgeron, sous sa rude charpente, abritait des trésors de sensibilité, de délicatesse et de raffinement. Il trouvait de plus chez Simon un entregent et un goût de l'aventure qui lui manquaient.

Réjeanne avait l'air de s'attarder sur le texte. En fait, elle était perdue dans ses pensées. Des pensées fort contradictoires. La jeune femme se rebellait à l'idée de voir son mari s'exiler de nouveau, elle qui avait été si longtemps privée de sa présence. Leur réconciliation n'était pas encore complète, mais elle sentait que les fantômes de leur passé commençaient à disparaître.

Par contre, elle savait que ce serait bon pour le moral de son homme d'exercer à nouveau le métier qu'il croyait devoir abandonner et pour lequel il manifestait tant de dispositions. Mais qu'arriverait-il là-bas si d'autres contrats s'offraient à lui? Serait-il tenté de s'y établir, à l'instar de centaines de milliers d'autres Québécois partis pour quelques mois et qui n'étaient jamais revenus?

Par contre, trois mois, ce ne serait pas si long. Elle aurait tout juste le temps de préparer son important congrès annuel d'enseignantes, puis de mettre sa classe en marche. Par ailleurs, Simon s'ennuyait manifestement de sa famille et la présence de Cyprien lui ferait sans doute beaucoup de bien.

Finalement, sans un mot, elle tendit la lettre à Cyprien. L'artiste lut en silence. Quand il arriva au mot «baldaquin», un frisson d'excitation le secoua jusqu'au bout des doigts. Lui qui commençait à faire le deuil de son métier et de son art, il se sentait ressusciter.

– Qu'en pensez-vous, madame mon épouse?

Bien que rien n'y parût dans son attitude, le seul fait qu'il ait ajouté le mot «madame» à sa question fit comprendre à Réjeanne que l'ébéniste était emballé par cette offre.

– Je vous laisse décider, mon ami.

– Je vous avouerai que l'invitation me sourit. Ce sera sans doute ma dernière chance de travailler à la décoration d'une église. Et un baldaquin, avec sa forme complexe et sa structure élevée, présente le défi qui inspire le plus un ébéniste d'expérience.

– Souvenez-vous que vous êtes affecté par le vertige, Cyprien.

– Mon séjour en montagne m'a fait le plus grand bien de ce côté. J'ai souvent frôlé des précipices et escaladé des falaises sans ressentir d'étourdissements.

– Vous accepterez, alors?

– Il y a des mois que je n'ai rien gagné. Je vois là l'occasion de faire des économies pour l'hiver qui s'annonce maigre.

– Nous pouvons compter sur mon salaire.

– J'ai ma fierté. Je ne suis pas homme à vivre au crochet d'une femme.

– Votre sens des responsabilités vous honore, mon mari.

– Rappelez-vous que j'ai aussi un fils à faire vivre. Un enfant adorable que j'admire beaucoup.

Cette profession d'amour de son mari pour leur fils émut Réjeanne.

Cyprien s'approcha d'elle et l'attira à lui.

– J'aimerais vous dire que je vous aime, ma femme.

– Je vous aime aussi, mon mari.

– M'accorderez-vous le pardon pour mes erreurs passées?

– Votre seule faute fut de m'aimer et je vous la pardonne volontiers.

– Voyez cette absence comme mon purgatoire. Pendant tout ce temps, votre pensée occupera entièrement mon esprit. Et à mon retour, nous ferons un enfant, un enfant bien à nous.

– Je vous attendrai.

Cyprien partit sans prodiguer à Réjeanne cette étreinte dont elle avait tant besoin.

* * *

Dans ses quelques lettres à sa famille, Simon n'avait pas tout dit. Bien sûr, il avait décrit sa ville et sa pension, et comment les Canadiens français vivaient là-bas, regroupés dans un Petit-Canada. Mais il n'avait pas raconté comment il était devenu tisserand.

Un jour qu'il balayait les planchers de son usine – c'était à son premier emploi –, il était tombé en arrêt devant un métier à tisser mécanique qui n'avait, à première vue, rien de particulier. Son supérieur immédiat, un sous-contremaître, lui ordonna rudement de se remettre au travail.

– Cette machine va sauter, patron.

– Tu essaies de détourner mon attention pour paresser. Tu ne connais rien à ces machines, tu n'es même pas tisserand. Allez, balaie.

– Je vous dis qu'elle va s'enrayer, avait maintenu Simon en se remettant à l'ouvrage.

Quelques minutes plus tard, la machine flanchait. Cet incident avait laissé le patron sceptique. «Un hasard, sans doute», s'était-il dit. Mais quand Simon répéta sa prédiction un peu plus tard pour un autre métier, le patron lui demanda :

– Qu'est-ce qui te fait dire ça?

– Je le sais. Je l'entends qui se dérègle.

Le patron tendit l'oreille.
– Je n'entends rien.
– Moi, si.
– Reste ici, on va bien voir.
Quelques minutes plus tard, une bielle usée s'enraya et bloqua l'arbre à cames actionnant les bobines. Sous la lancée du moteur, il se tordit et fit éclater le couvercle de tôle qui le protégeait. Le tisserand aurait pu être tué s'il avait été à l'ouvrage.
– Encore une... ! cria le contremaître. Comment savais-tu que le métier à tisser allait sauter? redemanda-t-il à son balayeur.
– Quand j'étais enfant, je réglais le métier à tisser de ma mère. Avant de briser, un métier vibre mal. Je le sens.
– Continue à balayer mais prête l'oreille. Je te donnerai une prime chaque fois que tu me signaleras un métier défectueux avant son opérateur.
Simon avait été promu tisserand dans la semaine, avec formation accélérée et prime de production. Travailleur acharné, il avait gravi rapidement tous les échelons menant au sommet de ce métier. Il avait été successivement tisserand, mécanicien, sous-contremaître de production, puis contremaître, changeant de manufacture et de type de production après chaque promotion.
Quand Simon avait rencontré Nicolas Hubert à Boston, ce dernier, qui avait toujours transporté de l'alcool frelaté pour les autres, cherchait à devenir indépendant. Il avait un plan simple mais astucieux. Il visait le marché francophone exclusivement.
Simon trouva rapidement que l'endroit le meilleur – et le plus improbable ! – où dissimuler de l'alcool de contrebande était l'église catholique canadienne-française de chaque paroisse. Les sacristains, toujours mal payés, ne demandaient pas mieux que de doubler leur maigre salaire. Il suffisait que les bouteilles de petit blanc soient emballées dans des caisses de gros lampions pour que le curé n'y voie que du feu.

Après chaque passage de Simon dans une paroisse, les ouvriers étaient pris d'une soudaine piété. Tôt le matin, sur le chemin de l'usine, ils s'arrêtaient à l'église pour y faire leurs dévotions. Le sacristain, au lieu de rentrer chez lui après la cloche de six heures, voyageait à la cave et s'occupait de renouveler les lampions. Les travailleurs repartaient invariablement avec une dive bouteille dans leur boîte à lunch.

Cyprien ne se douta de rien quand il retrouva Simon mais il le trouva fort prospère.

– Grand Dieu ! Tu vis comme un roi !

– Mieux qu'un roi. En connais-tu beaucoup qui ont une balayeuse par le vide ?

– À ce que je vois, tout ce qu'il te manque, c'est une femme.

Simon tiqua. C'était un sujet qu'il ne fallait pas aborder avec lui. Cependant, trop content de retrouver un parent, il s'abstint de tout commentaire. Il lui fit plutôt voir l'intérieur de la maison meublée qu'il venait de louer tout près de l'église en prévision de leur vie commune.

– Avec le courant électrique, pas besoin de femme. Voici une machine à laver, un fer à repasser, une ratisseuse, un percolateur. Tu trouveras de la nourriture en quantité dans la glacière électrique. De la bière froide aussi. Tu en prendrais une ?

– Tu sais que je ne bois pas. Par ailleurs, j'ai hâte de voir l'église.

– Avant, je voudrais qu'on s'entende tout de suite sur le travail de maison. Tu sais que ce n'est pas mon fort.

– Moi, j'aime bien. Dans ma vie d'ermite, c'était mon seul désennui.

– J'ai une proposition à te faire : je paye le loyer et tu fais l'ordinaire.

– C'est beaucoup trop généreux !

– Si ça te convient, moi, ça m'arrange.

– Dans ce cas, marché conclu, convint Cyprien.

– Je ne peux pas demander mieux. Viens avec moi, le curé Lavigne nous attend.

* * *

Réjeanne descendit chez son grand-oncle Aldéric le premier jeudi de septembre 1919, deux jours avant le congrès de l'Association des enseignantes de la rive sud, afin de s'assurer que tout serait prêt pour recevoir les déléguées. Elle constata que, malgré leur excellente santé, lui et sa femme avaient beaucoup vieilli.

– Vos cheveux ont blanchi, tante Honorine, ne put-elle s'empêcher de remarquer.

– Que veux-tu, ma petite fille, le temps passe. Puis on a eu tellement d'émotions avec la révolution, la guerre et la grippe espagnole.

– Ce n'était pas une révolution, ma tante, c'était une répression.

– Quand l'armée tire sur les civils, j'appelle ça une révolution.

– C'est terminé, ma tante.

– On ne sait pas. Ça peut revenir.

– N'ayez crainte. Il faut maintenant regarder vers l'avenir.

– Notre avenir est derrière nous, ma petite, fit Aldéric.

Réjeanne savait bien que le temps passait. Elle commençait à se demander si son avenir n'était pas aussi derrière elle, si sa vie n'était pas finie.

L'association devenait trop importante, demandait trop de travail pour qu'elle continue à la diriger. L'idée, pour les institutrices, de se regrouper pour défendre leur gagne-pain avait fait boule de neige dans toute la région. Il fallait d'urgence créer un secrétariat permanent et l'établir dans la capitale, près du centre de décision politique. C'est pour cette raison que Guillaume Francœur avait recommandé que, pour une première fois, le congrès de l'A.E.R.S. ait lieu dans la capitale.

La décision de Réjeanne était prise : on terminerait la pyramide sans elle. Maintenant, elle n'avait plus besoin d'aller chercher des pierres pour l'ériger, car elles arrivaient toutes seules des quatre coins de la rive sud. Elle ne poserait pas sa candidature à la présidence. Elle n'accepterait même pas qu'on la réélise par acclamation.

Son trentième anniversaire arriverait bientôt. Elle se contenterait désormais de vivre une vie de femme mûre : enseigner, participer à l'éducation de son enfant et attendre son mari.

– Les temps ont bien changé, constata Guillaume Francœur après le congrès. Les congressistes n'ont même pas sourcillé quand Émile a prononcé le mot «syndicat».

Les deux conseillers et amis s'étaient attardés auprès de Réjeanne, qui finissait maintenant de transférer les principaux dossiers à celle qui lui succédait, tâche facile puisque c'était une institutrice d'expérience, membre du conseil depuis deux ans.

– Les récentes épreuves de notre peuple ont inculqué du sérieux à nos membres. Ces femmes ont compris qu'elles doivent prendre leur destinée en main, ne plus quémander mais négocier.

– Chose que vous aviez comprise avant elles toutes, rappela l'abbé Sylvestre. Elles vous en sont reconnaissantes et vous ont rendu un vibrant hommage.

– Pourquoi n'irions-nous pas fêter le triomphe de notre amie ensemble? proposa Guillaume à Émile.

– Tu oublies que je dois me rendre sans tarder à Rivière-Boyer pour mon ministère.

– Dans ce cas, Réjeanne, accepterez-vous que je vous offre le verre de l'amitié?

– Je regrette que l'abbé ne puisse se joindre à nous.

– Je me console à la pensée que je vous reverrai à la table de votre frère demain midi, fit l'ecclésiastique.

– Je rentre par le train du matin. C'est un rendez-vous.

L'abbé Sylvestre parti, Guillaume proposa :

– L'après-midi est déjà écoulé. Si nous prenons un verre, vous arriverez en retard pour le repas. Pourquoi ne pas souper ensemble? Le verre promis sera l'apéritif.

Réjeanne consulta sa nouvelle montre, cadeau-souvenir de son association, et accepta.

– Puisque nous sommes près, allons au Château Frontenac. On y dîne au son d'un petit ensemble classique. Vous rentrerez par taxi-cheval.

* * *

Le deuxième vendredi de septembre, Anne-Marie se leva tôt et prépara le petit déjeuner ainsi que le goûter de Donat. Quand ce dernier fut parti au chantier, elle mit sa cuisine en ordre et fit le tour de son atelier de tissage.

Le temps était gris, tout comme ses pensées. Sa vie de couple allait merveilleusement bien. C'est à l'atelier que les choses ne tournaient pas aussi rondement qu'elle le désirait.

Avec la multiplication des ventes, le nom de son établissement devenait connu et les visiteuses commençaient à défiler, plusieurs désirant apprendre à tisser. Mais leur mari, sur lequel elles devaient compter pour le transport, refusait de les attendre.

La jeune femme s'assit devant une des grandes fenêtres donnant sur le fleuve, pour réfléchir. Le vent, devenu nord-ouest, soufflait violemment. Les canards étant, de ce fait, incapables de se nourrir dans la baie, des volées montaient régulièrement du fleuve à basse altitude, se montraient un instant aux fenêtres de l'auberge, frôlaient les toits et descendaient de l'autre côté glaner dans les champs les épis d'avoine que les agriculteurs, dans leur hâte, oubliaient derrière eux.

«Bientôt la chasse…», murmura-t-elle distraitement.

Tout à coup, Anne-Marie bondit de sa chaise.

«La chasse! C'est ça, la solution!»

Elle attela prestement le cheval et s'en fut à bride abattue à la gare de Saint-Michel, où elle savait trouver un téléphone.

* * *

Ce dimanche, les agapes dominicales eurent lieu chez les Guertin. En revenant de Saint-Michel, Anne-Marie avait filé tout droit chez sa grand-mère et l'avait chargée d'inviter toute sa famille.

– Ça fait une vraie sortie! s'exclama Madeleine, qui tout l'été avait été retenue à la maison par ses deux bébés.

– Je trouve ça aussi, convint maman Rose, qui ne sortait jamais sauf pour se rendre chez Réjeanne ou chez Pierre.

Donat avait converti le bar, pas très grand, en salle à manger privée. Comme chef de famille, il s'installa à une extrémité de la table, une longue table de dix places. Par réflexe, Pierre occupa l'autre extrémité.

Le temps était magnifique et le paysage, ravissant. La côte de Beaupré, le mont Sainte-Anne et le cap Tourmente s'allumaient des premiers feux du feuillage automnal. Les champs en damier de l'île d'Orléans arboraient des tons de grès ou d'or, selon qu'on avait fait la récolte ou non. Le Saint-Laurent étendait d'un bout à l'autre de l'horizon son écharpe bleu royal rehaussée d'une constellation d'îles vert émeraude. Et, pour peu que la vue remonte le cours de la Boyer, elle s'égayait sur les fermes de la paroisse ou se perdait sur le Massif.

Pour l'heure, les convives oubliaient les difficultés économiques du temps et se complaisaient dans la présence de leurs semblables. Peut-être le plus heureux et certainement le plus insouciant était Jean-Sébastien. Le petit rouquin faisait le jars, harcelant constamment sa cousine et appelant également «maman» sa mère, sa grand-mère et sa bisaïeule.

Réjeanne ne s'en offusquait pas. Le lien affectif qui l'unissait à ce fils n'était pas l'attachement viscéral qu'une mère porte à son enfant mais plutôt l'affection que l'on porte à un être qui en a besoin. Réjeanne veillait au bien-être de cet enfant avec attention, avec vigilance même. Mais, sans que cela se vît, quelque part une vibration lui manquait. Au violon de son cœur, une corde avait été brisée par le mauvais sort.

Réjeanne s'estimait pourtant heureuse. Tous ceux qu'elle chérissait se portaient admirablement bien. Pierre, qui, à travers sa vie de famille, trouvait le moyen de s'occuper avec succès de la chose publique, venait d'annoncer que la beurrerie commencerait la production de cheddar dès octobre. La transition complète serait effectuée en deux ans mais assurerait à long terme la prospérité de sa paroisse.

Antoine avait repris son poste à la chalouperie du père Guertin mais rêvait de passer chez Donat. Il orientait maintenant ses recherches vers des matériaux de structure et se demandait, en considérant un nouveau produit révolutionnaire appelé contreplaqué, si on ne pourrait pas le mouler sur la forme désirée.

L'abbé Sylvestre, dont la place était réservée à la table des Bouffard, achevait sa convalescence. Sa blessure était complètement cicatrisée et il redonnait de la force à sa jambe en sautant à la corde.

– Un jeu de petite fille, disait Pierre pour le taquiner.

– Un entraînement de boxeur, rétorquait invariablement le prêtre.

À chaque réunion, Victoire lisait les lettres de Simon. À l'en croire, Cyprien et lui se portaient bien et faisaient des économies. Il ne parlait pas de revenir, mais son compagnon assurait que l'église de Central Falls était la dernière qu'il décorait. Ensuite, il rentrerait et changerait de métier.

Réjeanne regardait sa sœur aller et venir d'un pas ferme et alerte. La jeune femme dirigeait sa maison avec la même diligence et la même dextérité que son atelier. Au plus fort de la saison estivale, ses neuf tisseuses suffisaient à peine à la demande. Il faudrait en former de nouvelles. À ce chapitre, Anne-Marie annonça :

– Je vous ai déjà fait part de la difficulté que j'éprouve à garder les visiteuses et candidates potentielles plus d'une heure à mon atelier. J'ai trouvé un stratagème pour les garder une journée entière : la chasse.

– La chasse? s'étonna Victoire.

– La chasse débute samedi prochain. J'ai annoncé dans *L'Écho de la rive* des journées entières de formation pour les femmes des chasseurs. Ils déposeront leur épouse ici à l'aube et la reprendront en fin de journée. Le petit déjeuner et le goûter seront inclus dans le prix.

Des commentaires enthousiastes accueillirent cette annonce.

– C'est une excellente nouvelle, fit Donat, mais ce n'est pas la plus importante.

Tous se tournèrent vers la cadette qui, rougissante, annonça :

– Eh bien, je porte un tout petit bébé.

35

Central Falls ressemblait à la plupart des petites villes industrielles de la Nouvelle-Angleterre. L'église catholique Saint-Mathieu contrastait tellement avec la ville qu'il fallait s'y arrêter un long moment pour en apprécier toute la beauté. C'était une église de style néobaroque, très grande et très haute, pouvant accueillir mille deux cents fidèles.

Après en avoir fait visiter l'intérieur à Cyprien et Simon, le curé Xénophon Lavigne, tel un fier châtelain recevant des hôtes pour la première fois, se tenait un peu en retrait de ses visiteurs et attendait leurs commentaires. Cyprien, qui s'y connaissait en belles églises, ne put que s'extasier.

– Monsieur le curé, votre église est magnifique et serait digne d'être désignée comme cathédrale!

– Je vous avouerai, cher monsieur Lanoue, que je ne dédaignerais pas d'en devenir l'évêque.

À l'expression d'une telle modestie, Cyprien comprit qu'il avait affaire à un client de premier ordre, qui ne reculerait devant aucune dépense pour la gloire du Seigneur.

– Quel genre de baldaquin désirez-vous?

– Je désire un baldaquin qui soit à l'image de ce temple. De fait, je comptais un peu sur vous pour me suggérer quelques modèles.

Cyprien avait apporté des albums de photographies et de plans de mobiliers d'églises, incluant non seulement ses œuvres mais également celles des meilleurs artistes ébénistes qui avaient signé les chefs-d'œuvre des cinquante dernières années.

On convint rapidement d'un modèle.

– Il me faudra un grand hangar pour y fabriquer les colonnes et les pièces de la couronne, déclara Cyprien.

– J'ai tout prévu, répondit le curé. La fabrique a réservé près de la rivière une petite usine désaffectée qui est abondamment éclairée. Vous seul en détiendrez la clé.

– Dans ce cas, je commencerai dès demain matin, promit l'ébéniste.

– Désirez-vous une avance en argent?

– J'allais vous en demander une, de même qu'un compte ouvert chez un marchand de bois.

Les deux hommes convinrent d'un prix et l'ecclésiastique tendit un billet de cent dollars. Cyprien ouvrit de grands yeux : on ne l'avait jamais payé avec des billets de cent.

– J'ai une dernière question, monsieur Lanoue.

– Appelez-moi Cyprien, je vous prie.

– Aurai-je la permission de passer, à l'occasion, pour vous regarder travailler?

– Non seulement vous êtes le bienvenu, mais tous vos paroissiens le sont aussi. Le curé Roy, de Saint-Georges-de-Windsor, pour lequel j'ai exécuté un mobilier, a découvert que les paroissiens sont beaucoup plus généreux quand ils peuvent vérifier de visu la progression des travaux. Ça devient alors un peu leur projet.

– Quelle excellente idée!

L'abbé Lavigne allait donner congé à ses visiteurs quand il se ravisa.

– Au fait, Cyprien, quand estimez-vous avoir terminé votre travail?

– Il me faudra environ trois mois.

– À la mi-novembre, donc.

– À peu de chose près.

– Serait-il possible, quand le baldaquin sera installé, qu'on le cache à la vue du public avec un grand voile?

– C'est techniquement facile pourvu que le voile soit assez grand. Il suffit de l'accrocher au plafond du chœur. Puis-je vous demander dans quel but?

– Au moment de l'érection du baldaquin, nous serons à la veille du temps de l'avent, qui est une période de pénitence et de sacrifices en préparation de la célébration de la naissance de l'Enfant-Dieu. Je vais instituer une quête spéciale destinée à payer ce trésor d'architecture. Ce sera le cadeau des fêtes de mes paroissiens. Je le leur dévoilerai à la messe de minuit !

Cyprien se mit à l'œuvre sans tarder. Moins de dix jours plus tard, il recevait la visite du curé.

– Vous procédez à une vitesse fulgurante, mon ami.

L'ecclésiastique s'extasiait devant quatre splendides colonnes dont le sommet atteignait presque le toit de la petite usine. Puis il avisa ce qui lui sembla des créations incongrues.

– Mais qu'est-ce que c'est que ces barils ?

– Ce ne sont pas des barils ! Ce sont les deux dernières colonnes.

– Mais elles sont creuses !

– Voilà comment on fabrique des colonnes décoratives : avec des planches étroites juxtaposées, comme pour des barils, et non avec des troncs d'arbres entiers. Au rythme où on a bâti des églises depuis un demi-siècle, il ne resterait plus de forêts !

– Ma foi, vous aurez complété le baldaquin en moins d'un mois.

– Ne vous fiez pas aux apparences. La sculpture des chapiteaux et de la couronne prend un temps considérable.

– Et qu'est-ce que cette forme étrange et visiblement incomplète ?

– C'est le corps d'un coq.

– Vous faites aussi de la sculpture ?

– Eh oui !

– Mais je ne vous ai pas commandé de coq.

– Sculpter est mon passe-temps favori. J'y consacre une petite heure chaque soir.

– Et que faites-vous de vos coqs, une fois terminés ? demanda le curé, soudain fort intéressé.

– Je m'en fais des amis.

– Vous voulez dire?

– Eh bien, si ce coq est réussi, je l'offrirai en cadeau à votre paroisse quand je partirai.

– Vous ferez ça?

– Je vous l'assure.

Le pasteur fut très impressionné. Il revint vérifier l'évolution du coq avec plus d'intérêt encore que la réalisation du baldaquin. Quand le cou et la tête furent mis en place, il devint évident que la pièce, qui faisait un mètre vingt de hauteur, serait magnifique.

– Vous n'avez pas changé d'avis, Cyprien?

– Au sujet du cadeau? Non. Je vous l'offrirai, promesse tenue.

– Dans ce cas, la fabrique fera monter au début de novembre les échafaudages nécessaires à son installation au sommet du clocher.

* * *

L'automne s'écoula fort paisiblement. Cyprien nageait dans le bonheur. Il travaillait sans relâche à ses deux chefs-d'œuvre, le baldaquin et le coq, mesurant le temps qu'il consacrait à chacun, de façon à les terminer au même moment.

Tout pris qu'il était par son métier, l'artiste ne négligeait pas les tâches ménagères. Selon l'entente convenue avec Simon, il faisait l'entretien du logis et cuisinait. Simon payait le loyer et correspondait avec la famille. Les deux hommes se payaient le luxe d'une lavandière pour leurs vêtements personnels.

Cyprien trouvait en Simon le compagnon idéal. Son beau-frère partait à l'usine de bon matin, rentrait après le travail, soupait et repartait rencontrer ses amis. Le seul moment de la semaine où il occupait la maison était le samedi après-midi. Comme les bruyants amis de son beau-frère y défilaient alors tour à tour, Cyprien s'attardait à son local pour y sculpter.

Simon, qui était devenu contremaître, arriva un soir du début d'octobre avec une grande nouvelle. L'industriel pour lequel il travaillait lui donnait le mandat de monter une usine d'un genre nouveau. Cette usine, spécialisée dans la fabrication de bas de coton pour femmes et enfants, serait toute petite. Les produits étant délicats, elle serait équipée de machines allemandes perfectionnées.

– Des machines allemandes pour les Américains ? s'étonna Cyprien.

– Il paraît que le président Wilson ne veut pas pénaliser ce peuple qui a eu assez à souffrir sous le Kaiser. Il reconnaît la qualité des équipements produits par ce pays et ne s'oppose pas à ce que les industriels d'ici en acquièrent. Je dois donc monter les métiers, qui dorment dans des caisses à la gare, et lancer la production.

Dans leur vie commune, une seule chose intriguait Cyprien : Simon s'absentait tous les dimanches. Quittant la maison à l'aube, il rentrait de plus en plus tard. Au début, il crut que son beau-frère allait à la pêche ou rejoignait des amis. Mais, avec le temps, cette hypothèse ne tint plus. À la fin, la curiosité l'emporta sur sa discrétion habituelle et, n'y tenant plus, il demanda, un dimanche soir :

– Tu reviens de la pêche, mon Simon, ou tu t'es fait une blonde ?

Le tisserand savait bien qu'une question du genre lui serait posée tôt ou tard.

– Qu'est-ce qui te fait penser ça, le beau-frère ?

– Tu pars le dimanche matin et on ne te revoit plus de la journée.

– Je vais te confier un grand secret. J'ai rencontré une petite veuve de Portland que je vois tous les dimanches. Au début, je voyageais par le train local, elle me recevait à dîner et je rentrais tôt. Maintenant, je soupe aussi avec elle et je rentre par le train du Grand Tronc.

– Je vois.

– Pas un mot à la famille, je te prie.

– La tombe.

Tout s'expliquait. Le Grand Tronc reliait quotidiennement Québec à Portland. Il partait du terminus de Vallée-Jonction à huit heures du matin et s'arrêtait au terminus de Portland douze heures plus tard. Le temps de changer de passagers, il faisait de nuit la route inverse, desservant toutes les villes échelonnées sur son parcours.

C'était vrai que Simon prenait le train du dimanche matin mais la petite veuve était grosse, portait la barbe et s'appelait Nicolas Hubert. Simon rejoignait Nicolas au quai de Portland, l'aidait à charger les caisses de lampions dans un camion automobile que le contrebandier avait acheté dès que le besoin s'en était fait sentir, puis les deux compères prenaient ensemble la route et livraient le Saint-Pierre aux bedeaux du réseau.

Afin de ne pas éveiller les soupçons du curé, la livraison était faite au domicile de chaque sacristain. Les caisses étant identifiées comme fournitures d'église, aucun membre des familles n'osait les ouvrir. Les distributeurs locaux payaient comptant. Simon prélevait sa part et payait Nicolas rubis sur l'ongle.

Le lucratif commerce de Simon Bouffard et Nicolas Hubert aurait pu durer longtemps, n'eurent été les Irlandais. On discutait maintenant la Loi de la prohibition nationale au Congrès américain; il était clair qu'elle serait appliquée dans moins de douze mois. Aussi une activité sans prédécent régnait-elle dans les réseaux de contrebande.

Des contrebandiers américains de bas étage eurent l'idée de monter un réseau de distribution pour les catholiques irlandais. Sans qu'ils s'en doutent, leur réseau était organisé de la même façon que celui de nos deux compères. Mais les grands mafiosi italiens découvrirent vite le stratagème. C'est alors que la Mafia voulut vérifier si un système semblable n'existait pas chez les catholiques francophones, avant d'en mettre eux-mêmes un sur pied.

Un parrain eut l'idée d'enquêter auprès des patrons d'usines. Les contremaîtres des filatures étaient souvent des immigrés italiens, embauchés pour les connaissances acquises dans leur pays d'origine et leur proverbial acharnement au travail. Plusieurs avaient vu des bouteilles d'eau de vie dans les boîtes à lunch de leurs tisserands. Ils eurent tôt fait d'en découvrir la provenance.

Un sombre dimanche après-midi du début de novembre, des hommes de main prirent discrètement en filature le camion automobile de Nicolas Hubert. Ils l'avaient suivi en secret les deux dimanches précédents et connaissaient son itinéraire. La nuit était tombée depuis quelques heures et les deux compères approchaient de Central Falls quand Simon cria :

– Attention devant !

Deux policiers en uniforme abaissaient vivement la barrière d'un barrage improvisé.

– Cramponne-toi ! cria Nicolas en passant en marche arrière dans un grincement d'embrayage.

Une grosse berline qui suivait nonchalamment se mit soudain en travers de la route.

– C'est une embuscade ! cria Simon. Sautons !

Les deux lascars avaient le choix entre la colline et la rivière.

– À la rivière ! cria Simon en s'y précipitant.

– Je ne sais pas nager !

– Tu vas l'apprendre ou tu vas mourir !

Nicolas n'hésita plus quand une énorme pierre dévala la côte et vint écraser son véhicule. Une salve de mitraillette retentit dans le noir. Simon, qui pataugeait déjà à la recherche du courant, vit trente langues de feu briller à la gueule des armes. Il se jeta à plat ventre entre les roches immergées et attendit son compagnon, qui surgit quelques secondes plus tard.

Nicolas barbota beaucoup, mais traversa sans dommage la rivière Blackstone, qui n'était pas très large. En rentrant des vêpres, Cyprien eut la surprise de trouver Simon et son ami qui grelottaient autour d'un poêle récalcitrant.

– Il n'y a même pas d'érable à brûler dans ce maudit pays, ronchonnait son beau-frère. Juste du tremble.

– Qu'est-ce qui vous est arrivé, vous deux ?

– Notre chaloupe a chaviré sur la rivière.

L'artiste ne crut pas un instant cette histoire de pêche mais fit semblant que si. Il se doutait bien que Simon se livrait à des activités clandestines mais voulait d'autant moins y être mêlé qu'il rentrerait au Québec dans moins d'un mois.

Au matin, quand Cyprien fut parti travailler, Simon et Nicolas firent le point. Ils en vinrent au constat qu'il n'y avait plus d'avenir pour eux dans la revente d'alcool frelaté, car la Mafia ne les lâcherait plus d'une semelle. Nicolas prit le train de Portland et Simon rentra au travail, bien résolu à relever avec succès le nouveau défi qui s'offrait à lui.

Une seule chose le tarabustait : malgré le profit considérable qu'il en avait tiré, cette expérience se soldait encore une fois par un échec.

Trois semaines plus tard, Cyprien demanda à Simon :

– Je prévois de finir mon contrat dans une semaine. Peux-tu prévenir Réjeanne que je rentrerai dimanche prochain par le train de nuit ?

Bien que prévisible, cette nouvelle déprima Simon. De nombreux contrats avaient été offerts à l'artiste. Le tisserand espérait secrètement que son compagnon succomberait à la tentation de s'attarder, leur cohabitation étant tellement agréable.

– De beaux défis te sont offerts. Tu ne restes pas un peu ?

– Non. Mon devoir est de rentrer sans tarder. La tâche a duré quelques semaines de plus que prévu, mais le résultat est satisfaisant.

– Que feras-tu cet hiver ?

– Je m'occuperai de mon fils et commencerai à étudier la métallurgie, par correspondance.

Simon sortit l'encrier, une plume et du papier pour avertir Réjeanne du retour de son mari. Cyprien savait qu'il lui faudrait une semaine, avec l'aide d'un manœuvre, pour rassembler les composantes du baldaquin, les ériger et poser le rideau.

Malgré tout le temps qu'il avait passé loin de ses ciseaux et de ses fils à plomb, l'artiste était en pleine possession de ses moyens. Un spécialiste aurait pu le déceler dans la réalisation du baldaquin de l'église de Central Falls. N'importe qui pouvait le constater dans l'exécution de son coq.

Réconcilié avec lui-même, sa conscience libérée par le pardon de son épouse, l'artiste avait laissé libre cours à son talent et réalisé un chef-d'œuvre. Ce coq était élégant, élancé, conquérant. Il ne se contentait pas de fixer l'horizon d'un air suffisant, comme la plupart des coqs de clocher. Il donnait l'impression, avec sa tête rejetée en arrière, de jeter au ciel son cri victorieux et de défier le soleil levant.

Cyprien, soucieux de terminer son baldaquin avant le samedi, à temps pour le cacher à la vue du public, ne perdait pas une minute. Avec l'aide d'un manœuvre, il dressa les colonnes aux endroits qu'il avait préalablement marqués sur le plancher du chœur. Ensuite, à l'aide de poulies, les deux hommes hissèrent une à une les six arches devant former la couronne du baldaquin.

Une difficulté survint cependant le vendredi quand arriva le moment d'ajuster les arches ensemble. Malgré la démonstration que Cyprien lui en avait faite en atelier, le manœuvre s'avéra incapable de joindre correctement en leur sommet les six branches de la couronne.

– Nous devons fixer comme il faut ces pièces, sans quoi tout s'effondrera dès que nous retirerons les échafaudages, lui rappela l'ébéniste.

– J'en suis bien conscient, patron, mais je n'y arrive pas.

– Descends de là. Je monte.

Cyprien, que jadis le vertige affectait, escalada les échafauds d'un pas assuré, grimpa jusqu'au sommet de la couronne, qui oscillait à vingt mètres du sol, en secoua les arches pour qu'elles tombent en place, fixa le tout et redescendit, satisfait de lui.

– Voilà! s'exclamait-il au moment où le curé Lavigne arriva par la sacristie en compagnie de Simon, qui avait pris une petite heure pour voir le chef-d'œuvre avant qu'on ne le voile.

L'ecclésiastique resta bouche bée.

– Quelle splendeur ! parvint-il à prononcer au bout d'un long moment. C'est plus beau que je ne l'aurais cru, et de beaucoup. Imaginez l'effet avec l'éclairage prévu pour la messe de minuit.

Cyprien s'était reculé au milieu du transept et considérait son travail avec une satisfaction bien méritée. La couronne du baldaquin rutilait sous les feux du soleil de fin d'après-midi, qui pénétrait par la fenêtre palladienne ornant la façade de l'église.

– L'effet est assez réussi, admit le concepteur. Maintenant, au travail. Nous n'aurons pas trop des deux heures restantes pour fixer le grand rideau, après quoi je vous tirerai ma révérence, monsieur le curé.

– Vous ne partez pas ce soir ?

– Demain soir, par le train de nuit. Pendant que le manœuvre démontera les échafauds, je vais emballer mes plans et mes outils, et me préparer à partir.

– Vous assisterez quand même à l'installation de votre coq ? Les échafauds sont en place et le spécialiste engagé passera au cours de l'après-midi.

– J'y compte bien. Seulement quatre boulons à poser sur la base tournante et il fera girouette.

– Je sais. L'ouvrier l'aurait installé cette semaine, mais il ventait. Le temps s'est mis au beau cet après-midi et il promet d'être calme demain.

* * *

– J'ai une bonne nouvelle, annonça Cyprien en rentrant à la maison. Je n'ai plus le vertige. Mon séjour en montagne m'a guéri.

– Je suis fort heureux pour toi, fit Simon.

– Tu vas trouver la deuxième nouvelle moins bonne, même si elle l'est pour moi : je pars demain soir.

– Je voudrais tellement partir avec toi, le beau-frère, mais l'appât du gain me retient ici.

– N'as-tu pas terminé l'installation de ta petite usine?

– L'installation est terminée et la production est lancée. Le patron me demande maintenant de renouveler entièrement l'équipement d'une deuxième usine. C'est une offre qui ne se refuse pas.

– Il faut savoir dire non, philosopha le créateur.

– Je n'ai pas ta vertu…

– Dans ce cas, préparons un repas extraordinaire. Ce sera notre souper d'adieu.

– Es-tu certain que tu ne prendrais pas un petit blanc?

Simon posait la question de cette façon parce qu'il était persuadé d'essuyer un refus. Cyprien n'avait jamais pris une goutte d'alcool de sa vie.

– Cette fois, je vais t'accompagner.

– Quoi?

– Oui.

– Eh bien, c'est la fin du monde! Cyprien Lanoue qui prend un coup!

– Un seul, avec beaucoup d'eau, parce que c'est fort, paraît-il.

Simon versa deux doigts de Saint-Pierre dans un verre, ajouta trois doigts d'eau et trinqua.

– Santé et bon retour, mon Cyprien!

– Santé et bon séjour, mon Simon!

Les deux amis restèrent un moment silencieux à déguster leur boisson, puis l'artiste confia à son compagnon :

– Je me sens comme un thermomètre.

– Tu veux dire?

– Étrange l'effet : on sent très nettement descendre l'alcool, comme si c'était un liquide chaud, et pourtant il est froid.

– Tu ne mourras pas aujourd'hui. Tu as découvert quelque chose!

– J'ai l'intention de découvrir plein de choses dans les temps qui viennent. Je vais changer ma vie, et c'est pour cette raison que je retourne à Rivière-Boyer. Je pourrais rester ici et continuer de décorer des églises. Je rentre chez moi, je change de métier, je vis comme tout le monde. Ma vie de moine est terminée. J'ai décoré ma dernière église.

– Je ferai photographier ton baldaquin. C'est sans doute le plus beau que tu aies fabriqué.

– Mon plus beau mobilier et mon plus beau coq aussi. Demain matin, je prépare mes bagages et mes outils; demain après-midi, j'observe l'ouvrier poser les quatre boulons; demain soir, je regarde mon coq dans le coucher du soleil, puis je prends le train vers l'avenir.

– Eh bien, je te dis salut!

– Salut!

Le samedi matin, le tisserand s'en fut à l'usine, où il travailla jusqu'à midi, puis rentra. Les valises et les caisses de l'ébéniste étaient alignées près de la porte, la maison resplendissait de propreté, les draps séchaient sur la corde, la nappe était mise, la soupe fumait sur le poêle, une assiette de viandes froides et de fromages était posée sur la table, avec une corbeille de pain. Une pile d'assiettes et un panier d'ustensiles attendaient sur le comptoir de la cuisine.

«Sacré Cyprien! Il a pensé à moi et à mes amis, avant de partir saluer les siens. Il va me manquer, celui-là», pensa Simon avec nostalgie. Il secoua une pensée triste, se changea et prit une bière en attendant ses copains.

De son côté, Cyprien était sorti payer ses comptes et faire ses adieux. Il passa d'abord chez le curé Latour, où il avait rendez-vous à midi avec le premier marguillier et président de la fabrique. On le paya et lui confirma que l'ouvrier spécialisé installerait son coq à quinze heures.

Il s'en fut donc saluer les gens avec lesquels il s'était lié d'amitié : le marchand de matériaux de construction, le quincaillier, le marchand d'outils, l'épicier, le boucher, la lavandière. Quand il revint de sa tournée, il entendit des rires et des éclats de voix venant de sa maison et eut un instant envie d'entrer et de prendre un verre d'alcool, le deuxième de sa vie, avec Simon et ses amis. Mais il se ravisa : ces gens étaient trop bruyants. Il rejoignit plutôt quelques badauds et deux sœurs de Sainte-Anne, des enseignantes, qui occupaient déjà les bancs publics disposés en bordure du terrain de l'église.

À quinze heures, le spécialiste n'était pas arrivé. On continua à l'attendre. Le soleil descendait lentement vers l'horizon. À quinze heures trente, Cyprien décida de partir.

– J'ai bien l'impression que notre homme ne viendra pas, fit le sculpteur. Mes amis, je vous quitte.

Des protestations s'élevèrent.

– Ah ! non. Attendez encore quelques minutes, monsieur Lanoue.

– Le temps fraîchit.

– Quelques minutes encore, et j'invite tout le monde à prendre du café et des biscuits chez moi, proposa une dame.

Quelques minutes encore et le soleil toucha l'horizon. Cyprien se leva.

– Allons-y. L'ouvrier ne se montrera pas.

– Quel dommage ! fit un homme âgé.

– C'était pourtant si simple, se désola Cyprien. Quatre boulons et le tour est joué.

Le sculpteur était vivement déçu. Il aurait tellement aimé voir son coq défier le ciel.

– Les échelles sont en place et la sculpture est prête. Si j'avais une clé, je poserais les boulons moi-même, grommela-t-il.

Un jeune homme l'entendit.

– Je cours chercher une clé anglaise.

– Vous n'avez pas le vertige ? s'informa la dame au café.

– Pas du tout.

Le garçon revenait déjà.

Cyprien retira son gilet, roula les manches de son chandail, empoigna son chef-d'œuvre et s'élança dans les échafaudages.

– Ce n'est pas trop lourd ? s'inquiéta quelqu'un.

– Pas trente livres, assura le sacristain, qui avait apporté la sculpture.

Quand Cyprien dépassa la ligne du toit, les rayons du soleil firent étinceler son coq. Des exclamations montèrent. En moins de deux, le sculpteur atteignit le haut du clocher et empoigna l'échelle qui le conduisit au sommet de la solide croix de fer. On y avait déjà fixé la base tournante du coq.

Maintenant, les spectateurs, de plus en plus nombreux, retenaient leur souffle. Ils virent Cyprien passer une jambe par-dessus un bras de la croix pour s'y cramponner. Il éleva la sculpture au-dessus de sa tête, la mit en place, la retint d'une main et, de l'autre, posa les boulons, qu'il serra ensuite consciencieusement.

Une salve d'applaudissements salua cette réussite. À la maison, un ami de Simon apparut à la fenêtre.

– Il y a un homme sur le clocher, annonça-t-il dans l'indifférence générale.

Sans changer de position, Cyprien se recula à bout de bras pour admirer son œuvre, puis il se tourna vers la foule pour recevoir son ovation. Un coup de vent soudain, le premier souffle du vent du soir, fit tourner la girouette, qui le frappa violemment.

* * *

Au même moment, à Rivière-Boyer, la première neige d'un hiver tardif tombait en gros flocons. La nuit venant, Réjeanne était sortie quérir des rondins secs pour activer le poêle et avait remarqué que Tobie tremblait.

«Pauvre vieux chien, se dit-elle, il ne verra peut-être pas le printemps.»

À peine était-elle rentrée que le brave animal émit un long hurlement et tomba mort. Réjeanne sortit précipitamment et constata son décès : «Je l'avais bien dit : mort de vieillesse. À treize ans, il fallait s'y attendre. Et Cyprien qui revient demain… Il sera inconsolable.»

* * *

De la maison, couvrant la rumeur joyeuse des conversations, Simon entendit un grand cri.

– Réjeanne !

Puis des exclamations hystériques montèrent de la foule.

Pressentant un drame, le tisserand, bien que légèrement ivre, ne fit qu'un bond jusqu'à l'église, ses copains sur les talons. Ce qu'il vit le dégrisa net. Cyprien était recroquevillé sur le sol, sans vie.

36

Les témoins racontèrent qu'un coup de vent subit avait fait pivoter la girouette au moment où l'artiste s'apprêtait à redescendre. Elle l'avait frappé à la tête et lui avait fait perdre l'équilibre. Il avait plongé dans le vide en criant le nom d'une femme, avait roulé sur la pente du toit et s'était écrasé au sol. Étonnamment, son visage, bien que tuméfié, affichait un air serein.

Alerté par les religieuses, le curé Lavigne accourut et, avec une tristesse sincère, confirma le décès de Cyprien Lanoue. Il lui prodigua l'absolution sous condition.

– Votre beau-frère est mort en odeur de sainteté, dit le prêtre à Simon pour le consoler. Transportez le corps chez vous, et je vais alerter les autorités civiles.

Simon, trop choqué pour prendre la moindre initiative, dut compter sur ses compagnons pour l'aider. Ils emportèrent la dépouille, qu'ils étendirent sur son lit, et épongèrent le peu de sang qui s'échappait de son nez et de sa bouche.

– Il faut prévenir sa femme, dit un de ses amis.

– Télégraphie plutôt à mon frère Pierre. Voici son adresse.

* * *

Le lendemain matin, comme il faisait de plus en plus mauvais, Pierre offrit à Réjeanne de l'accompagner à la gare Saint-Michel pour aller quérir Cyprien.

– À la condition que tu me laisses terminer mon train, spécifia-t-il.

– Cyprien revient par le train de nuit. Il nous attendra à la gare ?

– Ou il ira chez sa mère.

La perspective de revoir sa belle-mère n'enchantait pas Réjeanne, mais la tempête augmentant d'intensité, elle se plia aux exigences de son frère.

Quand ils se présentèrent chez Mme Lanoue, Cyprien ne s'y trouvait pas. Il n'était pas à la gare non plus.

– Monsieur Bouffard ? s'enquit le télégraphiste, qui croyait avoir reconnu le jeune maire.

Pierre acquiesça du chef.

– Un message pour vous.

– Je parie que c'est ton mari. Il a été retardé.

Pierre lut la courte missive en silence mais Réjeanne le vit pâlir. Elle saisit la feuille jaune et lut ces mots :

« Cyprien. Stop. Accident. Stop. Venez. » Un inconnu avait signé le télégramme.

Réjeanne eut alors l'intuition que le dernier souffle de Tobie avait été un hurlement à la mort. Elle éclata en sanglots dans les bras de son frère.

– Rentrons à la maison, dit-elle à la fin. Je vais demander à Cléophée de me remplacer quelques jours, je vais préparer une valise et je prendrai le train demain matin.

Le lundi après-midi, la jeune femme trouva Simon seul dans sa maison, prostré, abasourdi, incrédule. Les bagages de Cyprien étaient restés alignés près de la porte, comme s'il allait revenir d'un moment à l'autre. On avait emporté son cadavre pour autopsie, et un entrepreneur de pompes funèbres devait l'embaumer. Le jeune frère de la veuve remit immédiatement à celle-ci la somme considérable d'argent qu'il avait trouvée sur la dépouille.

Tous deux pleurèrent beaucoup. Pendant la veillée, le curé Lavigne vint les consoler, les assurant que l'âme du défunt avait déjà trouvé une place au ciel, au milieu des saints et des anges, qu'il avait honorés de ses chefs-d'œuvre.

Réjeanne et Simon veillèrent jusqu'au petit matin, se réconfortant l'un l'autre.

– Rappelle-toi toujours, ma sœur, que la dernière parole de Cyprien fut pour toi.

Et ils dormirent quelques heures sur le sofa. Vers dix heures, le corps étant prêt pour le voyage, ils purent enfin voir une dernière fois le visage de l'être aimé. Après plusieurs minutes de recueillement, Simon laissa sa sœur seule avec la dépouille et s'en fut envoyer un message à Pierre, comme Réjeanne le lui avait promis : «Cyprien mort. Stop. Retour ce soir.»

Quand Pierre passa prendre le télégramme après la traite du soir, il comprit que sa sœur était devenue veuve et qu'elle arriverait au matin, probablement avec la dépouille de Cyprien puisqu'elle revenait si tôt. Au retour, il s'arrêta au presbytère de Rivière-Boyer pour demander une sépulture rapide, avant que la terre ne gèle trop profondément, puis envoya une note à Mme Lanoue pour l'informer du décès de son fils et du jour de l'inhumation.

* * *

Simon était retourné auprès de sa sœur. Elle avait le visage défait par la douleur mais était calme.

– Rentrons, dit-elle simplement.

Réjeanne se retira dans la chambre qu'occupait Cyprien avant sa mort. Elle espérait y trouver quelque souvenir de lui, quelque marque de son passage. Rien. Sa chambre était d'une rectitude impeccable, d'une propreté aseptique. Comme sa vie. Comme leur vie.

Plus de six ans d'une vie à deux entrecoupée d'absences prolongées. Un quotidien dénué de projets communs. Une relation conjugale se résumant à une seule nuit d'amour, la deuxième ayant été interrompue au beau milieu par la police militaire. Et un fils qui était le sien mais pas le leur. Réjeanne tomba d'épuisement et s'endormit sur une pensée pénible : elle se demanda si elle avait jamais aimé cet homme.

Simon la réveilla en fin d'après-midi.

– Il faut nous rendre à la gare. Nous avons beaucoup de bagages.

– Comment, nous ?
– Je pars avec toi.
– À Rivière-Boyer ?
– Oui.
– Pourquoi ? Tu fais beaucoup d'argent par ici.
– Je ne peux pas rester. Trop de mauvais souvenirs.

Pendant la journée, Simon avait réfléchi à sa situation et pris cette décision étonnante. Il ne pouvait pas rester à Central Falls car la solitude lui pèserait trop. De toute façon, avec ses connaissances et sa réputation, il pourrait revenir y gagner sa vie quand bon lui semblerait.

– Que comptes-tu faire au retour ? lui demanda Réjeanne quand le train se fut mis en marche.

– Je verrai. J'ai une importante somme d'argent ; rien ne presse. Si tu le désires, je m'installerai chez toi, pour te soutenir.

Réjeanne accepta l'offre mais se demanda si ce n'était pas plutôt Simon qui avait besoin de sa présence.

Au matin, Pierre les accueillit tous deux avec effusion. Le malheur de sa sœur lui avait crevé le cœur, et l'absence de son frère lui avait été plus pénible qu'il ne l'aurait cru.

* * *

Les funérailles du sculpteur eurent lieu à Rivière-Boyer le lendemain après-midi. Il était tellement apprécié de ses concitoyens qu'au moins un membre de chaque famille était présent. La cérémonie religieuse fut présidée par l'abbé Sylvestre.

La mère de Cyprien se fit conduire et arriva à la dernière minute aux obsèques de son fils. Après la cérémonie, elle présenta ses condoléances à sa bru, lui remit une petite enveloppe et se retira.

Guillaume et Hervé Francœur, que leur ami avait informés du drame, vinrent présenter leurs condoléances à la jeune veuve et aux siens. Pierre les retint jusqu'au dimanche. Aux traditionnelles agapes dominicales, on rappela des bons moments et des incidents impliquant le cher disparu, puis chacun rentra chez lui pour vivre son deuil en paix.

Les Bouffard, Réjeanne y compris, reprirent le collier. Tous, à l'exception de Simon.

Comme ce dernier n'avait pas de travail, il ne retrouva pas le goût de vivre. Il voyait son existence comme une série ininterrompue d'échecs : chaque fois qu'il commençait quelque chose, une tuile lui tombait sur la tête.

Il n'y avait pas de travail pour lui à la forge, Pierre n'avait pas les moyens de lui payer un salaire, le chantier de Donat n'embauchait que des hommes de métier, le chômage sévissait à la ville. Il parla quelques fois de retourner dans les filatures de la Nouvelle-Angleterre, mais le souvenir des deux drames qu'il y avait vécus lui sciait chaque fois les jambes.

Sans que Simon se l'avoue trop, la chaude atmosphère de sa famille lui avait beaucoup manqué. Il en prenait conscience maintenant qu'il l'avait retrouvée, ce qui lui donna le goût de faire une grande tournée de toute sa parenté de Québec et de l'île d'Orléans. Comme les fêtes approchaient et qu'il ne manquait pas d'argent, bien au contraire, alors il décida qu'il visiterait chaque parent à tour de rôle, en commençant par le grand-oncle Aldéric et tous les cousins de son père, à Québec, et en terminant par le grand-oncle Siméon et sa nombreuse famille, à l'île.

* * *

Contrairement à ce qu'auraient fait toutes les mères du monde, Mme Lanoue ne demanda aucun souvenir de son fils. Comme Réjeanne n'eut plus l'occasion de lui parler, elle perdit souvenir de la petite enveloppe que sa belle-mère lui avait remise à l'enterrement.

Cyprien n'ayant jamais abordé le sujet avec elle, elle crut qu'il était mort sans testament. La tradition aussi bien que la loi en découlant voulaient que la veuve hérite automatiquement des biens de son mari à moins qu'il n'en soit écrit autrement. Réjeanne se crut propriétaire de la maison familiale et des biens qui s'y trouvaient.

Mis à part l'argent de son dernier contrat et une importante collection d'outils, les possessions personnelles du défunt se limitaient à bien peu de choses : des livres spécialisés, des vêtements sans valeur, un fusil rouillé.

Aussi Réjeanne fut-elle très étonnée de découvrir un jour que son mari avait signé un testament. Elle profitait du congé des fêtes pour faire du ménage quand elle tomba sur la petite enveloppe qu'elle n'avait jamais décachetée.

Elle lui avait prêté si peu d'attention qu'elle ne la reconnut pas quand elle la trouva. Mais elle portait son nom et elle l'ouvrit. Elle contenait un rectangle de papier grand comme la main, sur lequel était écrit sur deux lignes : «Je lègue mes biens à mon épouse Réjeanne. Cyprien Lanoue.»

Réjeanne ne put retenir un soupir devant la concision du texte. Vraiment, Cyprien n'avait jamais aimé écrire. Si court que fût le document, elle le lut de nouveau et, cette fois, aperçut quelques mots supplémentaires griffonnés en petit, en coin au bas de la feuille. C'était un codicille. Il spécifiait : «Concession 163-H-31-B à la majorité de Jean-Sébastien.»

Ce testament ne changeait pas un iota à sa vie, mais la teneur du codicille intriguait Réjeanne. «Une concession? Quelle concession?» Elle eut beau triturer ses méninges, elle ne se souvint de rien. Anne-Marie, à laquelle elle en parla, ne fut guère plus inspirée.

C'est Donat qui trouva la clé du mystère.

– L'or, mesdames. L'or du Massif! C'est un numéro de concession minière. Cyprien a-t-il déjà enregistré une concession aurifère?

– Pas à ma connaissance.

– Ça n'aurait pas un lien avec le prospecteur trouvé mort?

– Qui sait?

– Il n'y a qu'une façon de le savoir, intervint Pierre. Il faut vérifier au ministère des Mines.

* * *

L'anniversaire de Pierre étant le 7 janvier, on le fêtait invariablement la veille. Comme Noël et le jour de l'An 1920 avaient été célébrés avec discrétion en raison du décès récent de Cyprien, on se reprendrait un peu à la fête des Rois.

Pierre envoya un mot à son ami Hervé Francœur pour les inviter, lui et Guillaume, à ce dernier repas des fêtes. S'il étendait cette fois l'invitation à Guillaume, ce n'était pas seulement par amitié. Il avait un petit service à lui demander. Puisque ce dernier était haut fonctionnaire, il lui serait facile de trouver les informations concernant la concession 163-H-31-B.

Les deux Francœur arrivèrent ensemble, pour la plus grande joie de tous.

– Comment vont nos filleuls, chère Madeleine? demandèrent-ils à l'unisson.

– Ils grandissent comme de la bardane, si vous voulez le savoir.

– Les dignes fils de leur père! s'exclama joyeusement Hervé.

– Alors, Guillaume, qu'en est-il de cette mystérieuse concession? voulut tout de suite savoir Pierre.

– Je vais tout révéler, mais je préférerais obtenir au préalable l'assentiment de Mme Lanoue.

Pierre avait péché par indiscrétion. Sa curiosité naturelle venait de lui jouer un mauvais tour et il s'en mordait les pouces. Fin diplomate, Guillaume se détourna de son hôte un instant, afin de ne pas l'indisposer, et présenta ses hommages à maman Rose, puis à Victoire, et félicita Anne-Marie pour l'enfant à venir. Il fit l'accolade à son ami Émile Sylvestre, puis il s'attarda auprès de Réjeanne, dont il prit affectueusement les mains.

– Chère amie, comment allez-vous? Je pense souvent à vous dans votre malheur. Je sais, pour l'avoir vécue, quelle peut être votre peine.

– Je me porte bien. Je trouve le réconfort dans le travail et la joie dans ma famille.

– Je vous envie un peu. Si, comme vous, je trouve le réconfort dans l'accomplissement des tâches qui me sont dévolues, mes joies familiales se limitent à l'amitié que mon frère et moi nous portons mutuellement.

– Je sais, puisque vous me l'avez confié un certain soir à table, que l'état de santé de vos parents ne leur permet plus de recevoir. Cependant, une grande amitié fraternelle, c'est déjà beaucoup.

– Beaucoup, mais pas suffisant pour une personne qui a besoin, comme moi, de chaleur humaine. C'est pour cette raison que j'ai accepté avec empressement l'invitation de Pierre. Ah ! j'y pense : je me suis renseigné au sujet de la concession minière. Vous aimeriez que je vous en parle ?

Autour, on prêta l'oreille.

– Ma famille meurt d'envie de savoir. Dites-nous ce que vous avez trouvé.

– J'espère ne pas vous décevoir en vous apprenant que j'ai découvert peu de choses au sujet de la concession numéro 163-H-31-B, sinon qu'elle vise exclusivement l'or qui s'y trouverait.

– Mais encore ? fit Pierre, qui, au fond, était le plus impatient de tous.

– D'abord, elle a été enregistrée par Cyprien au nom de Jean-Sébastien Lanoue.

– Ce qui confirme qu'elle appartient à mon petit-fils, remarqua Victoire.

– Mais il ne pourra pas toucher sa fortune…

– Si fortune il y a…, intercala maman Rose, la plus sceptique de tous.

– … avant sa majorité, précisa Réjeanne, si j'interprète correctement les rares mots du testament de Cyprien.

– D'autres détails ? s'enquit Antoine.

– Rien d'autre. Je le regrette.

Des moues de déception accueillirent ces informations, qui n'en étaient pas vraiment.

– Tout ce qu'a voulu votre mari, fit l'abbé Sylvestre, c'est d'empêcher votre fils de faire des bêtises en cas de découverte de minerai. C'est la préoccupation d'un bon père.

Tout le monde restait sur son appétit. Surtout Donat, peut-être celui qui croyait le plus à cette affaire d'or.

– Es-tu sûr que rien d'autre n'est inscrit aux livres des concessions ? demanda-t-il à Guillaume.

– Absolument sûr.

Donat n'était pas satisfait. Il se creusait les méninges.

– Il manque une pièce au casse-tête. Où est située la concession 163-H-31-B ?

– Du côté ouest du Massif. On me l'a montrée, tracée en rouge sur un plan de la montagne.

– Et il y a beaucoup d'autres concessions autour ?

Guillaume n'attendait pas cette question. Il prit son menton dans sa main et fit un immense effort de mémoire. Il revit le plan, grand comme une mappemonde, épinglé sur le mur du bureau des concessions. Il retraça en pensée tous les rectangles rouges et dit enfin :

– À bien y penser, c'était la seule. Il y avait des dizaines de concessions, une centaine peut-être, marquées à la tête des rivières Boyer et du Sud, mais une seule dans le secteur ouest, où coule un ruisseau si petit que la concession en couvre toute la partie supérieure.

– C'est ça ! s'écria Réjeanne. C'est le coin secret du prospecteur fou !

– Qu'est-ce que tu racontes ? demanda Pierre, qui, comme les autres, ignorait tout.

Et Réjeanne de relater la rencontre du prospecteur dément que son défunt mari lui avait racontée.

– Et ni toi ni ton mari n'en avez jamais parlé !

– Cyprien, qui était un homme charitable, m'a demandé de ne pas ébruiter les turpitudes du pauvre homme.

– L'or du Massif se trouve sur la concession de Jean-Sébastien ! en déduisit Donat.

37

UNE TEMPÊTE de folles spéculations accueillit la déduction de Donat. En même temps, Pierre constatait avec soulagement que cette explosion de propos drôles et insensés avait un effet de catharsis sur lui et ses proches. C'est Réjeanne qui, toute joviale, ramena un semblant d'ordre dans la maison en déclarant :

– Eh bien, puisque Jean-Sébastien est riche, je vous invite à un grand réveillon d'anniversaire la veille de ses vingt et un ans !

– Pourquoi la veille ? s'étonna Antoine.

– Parce que ce sera le dernier jour où, à titre de gardienne de sa fortune, je pourrai en disposer à ma guise !

Un dernier éclat de rire accueillit cette boutade.

– Encore faudra-t-il l'établir, cette fortune, fit remarquer Anne-Marie. Comment s'y prend-on ?

– Je présume qu'il n'y a que deux moyens, avança le haut fonctionnaire. Se livrer à l'exploitation ou vendre le privilège acquis.

– Tu sais, toi, Hervé, comment on vend une concession minière ? demanda Pierre.

– En général, je ne donne pas de consultations gratuites, car c'est contre les règles de ma profession, fit l'avocat avec un sourire entendu. Mais, comme nous sommes un dimanche et entre amis, voici mon avis : il n'y a qu'à laisser courir la rumeur qu'on a découvert le coin secret où le mystérieux prospecteur a trouvé sa fortune. Cet hiver, les esprits vont s'échauffer et, au printemps, tous les aventuriers se lanceront dans une deuxième ruée vers l'or de ce ruisseau. L'or ne monte pas, il descend. Comme il est à prévoir qu'ils trouveront de l'or au bas, ils voudront prospecter de plus en plus en amont mais se heurteront à la concession de Jean-Sébastien. Tous voudront l'avoir, et il suffira de la vendre au plus offrant.

– C'est ce qu'il faut! apprécia Donat. En tant que parrain de cet enfant, je verrai à ce qu'on n'empiète pas impunément sur son domaine. Comptez sur moi.

Il sembla à l'agriculteur qu'on avait épuisé ce sujet de conversation et il allait inviter ses hôtes à se mettre à table quand Guillaume leva discrètement l'index.

– J'ai une petite nouvelle qui va t'intéresser particulièrement, mon Pierre, mais qui concerne aussi Donat. C'est un secret pour encore quelques heures, mais dès demain, à la reprise des travaux parlementaires, la nouvelle sera annoncée en Chambre.

– C'est donc une primeur?

– Je me permets de te la révéler parce qu'elle fera demain, sous forme de rumeur, la une du *Soleil*.

– Comment le sais-tu? l'interrompit Donat.

– Je le sais parce que hier même, sous le couvert de l'anonymat, j'ai refilé cette information à son rédacteur en chef.

– Appartenance politique oblige, remarqua Victoire avec une pointe de sarcasme.

L'impatience rongeait maintenant l'agriculteur.

– Et de quoi s'agit-il?

– Les localités riveraines auront bientôt l'électricité.

– Quoi?

L'agriculteur et maire bondit de sa chaise.

– Et tout ce temps, tu ne disais rien! Sais-tu toute l'importance que revêt cette nouvelle pour ma paroisse?

Guillaume savait très bien. Il choisit de s'esquiver.

– Je te laisse juger. C'est toi le maire.

Comme tous les membres de sa famille, Pierre était soufflé.
– Mais d'où viendra-t-elle, cette électricité?
– De la Chaudière, tout simplement. De la centrale installée au pied des chutes, juste à côté de Québec.
– L'électricité de cette centrale n'est-elle pas réservée aux usines et au train local? demanda Donat.
– Elle l'était, corrigea le haut fonctionnaire. Mais l'industrie déménage de plus en plus à Québec, à cause de l'expansion du réseau ferroviaire canadien dans la capitale, et la centrale de la Chaudière a de l'électricité à revendre. Elle sera offerte demain aux localités riveraines situées entre Lévis et Montmagny.
– Rivière-Boyer n'est pas à proprement parler une localité riveraine, fit remarquer Réjeanne.
– C'est vrai. Par contre, la ligne électrique passera à la porte du chantier maritime de Donat et pourra le desservir, dit Pierre, ce qui permettra à notre conseil municipal de vendre à nos cultivateurs l'électricité produite par notre centrale.
– Pauvre Pierre! fit maman Rose. Toi qui viens juste d'acheter une génératrice.
– C'est sans importance, grand-maman. Elle fait tellement d'envieux que je la revendrai sans perte.

* * *

Le 2 février 1920, le soleil se leva radieux. Quand Pierre rentra de l'étable, il dit à Madeleine :
– La marmotte va voir son ombre.
– Et qu'est-ce que ça fait?
– Eh bien, l'hiver va durer encore quarante jours!
– Tu crois à ça?
– Je ne crois pas au truc de l'ombre de la marmotte. Par contre, je crois que l'hiver va durer encore quarante jours.
– Et pour quelle raison?
– Parce qu'il dure chaque année plus longtemps qu'on ne le pense!

Devant la mine ahurie de son épouse, l'agriculteur jubilait.

– Au lieu de dire des bêtises, mon mari, tu ferais mieux de te changer pour aller à l'église. C'est aujourd'hui la fête de la Purification de la Sainte Vierge.

– J'ai tout le temps devant moi. Je vais plutôt prendre une tisane et aller mesurer mon foin.

– Pour quelle raison mesurer ton foin?

– Le 2 février marque le milieu de l'hivernement. Chaque année, après la récolte, je mesure le volume de foin que contient ma grange. Et je le mesure de nouveau le jour de la marmotte. Si les bêtes à cornes ont consommé plus de la moitié de ma réserve, je devrai acheter du fourrage. Si c'est le contraire, je peux en vendre.

– Tu as appris ça au petit séminaire?

– Non. C'est mon père qui me l'a enseigné dès que j'ai eu l'âge de m'en souvenir.

* * *

Le soir même, Réjeanne, qui ne manquait pas de passer chaque jour un long moment avec son fils, dit à maman Rose et à sa mère :

– Une épidémie de rougeole a éclaté à l'école. Dans quelques jours, elle fera le tour de la paroisse. Il faut vous attendre à ce que Jean-Sébastien l'attrape.

– Ce pauvre petit, il faudrait bien le protéger! s'exclama instinctivement maman Rose.

– Mais non, intervint Victoire. Ces maladies d'enfants, plus jeunes ils les prennent, moins ils ont de séquelles. Le sachant, nous allons garder les rideaux fermés. Il paraît que la rougeole, c'est mauvais pour les yeux.

Jean-Sébastien, que sa mère infecta sans même qu'elle le sache, subit une éruption sur tout le corps quarante-huit heures plus tard. Le mal disparut en deux jours.

Il en fut autrement pour Julie Gaumond. À l'atelier, au contact des mères infectées, elle attrapa une violente rougeole. La courageuse jeune fille insista d'abord pour affronter la maladie et continuer son tissage, mais, son état empirant à cause de l'exposition au soleil bas de février, elle dut, terrassée par la maladie, prendre le lit.

Un mal jugé bénin n'allait pas ralentir une personne aussi dynamique. Alitée, elle se mit à lire l'histoire de la France. Elle eut bientôt l'impression que cet exercice affectait ses yeux, mais elle persista.

L'effet fut catastrophique : le matin du troisième jour de sa maladie, elle se réveilla et crut qu'il faisait encore nuit noire. Pourtant, on s'activait à la cuisine.

– Maman, quelle heure est-il? demanda-t-elle.

Au lieu de répondre, sa mère vint tout naturellement lui souhaiter le bonjour.

– Tu désires savoir l'heure, chérie? Il est sept heures trente.

– Et il fait encore noir?

– Qu'est-ce qui t'arrive? Il fait grand jour.

La jeune fille fut prise de panique.

– Maman, mes yeux me font mal. Je ne vois plus!

Atteinte d'une rétinite aiguë, Julie Gaumond avait perdu la vue.

Ses parents eurent beau appeler à son chevet le docteur Pelletier, la faire hospitaliser à Québec, la faire examiner par les plus grands spécialistes, rien n'y fit. La jeune femme ne recouvrerait jamais la vue.

Victoire fut aussi peinée du malheur de sa protégée que si elle eût été sa fille. Elle rendit visite à Julie à plusieurs reprises, pria pour elle, lui apporta tout le secours moral dont elle était capable.

Quant à la jeune femme, c'est son univers qui s'écroulait.

– Maman, pensez-y : je ne tisserai plus!

– Ne t'inquiète pas pour ton avenir. Tu es notre seule héritière.

– Vous ne comprenez pas, maman. Tisser, c'est créer. Créer, c'est toute ma vie. Créer, c'est *la* vie.

Et Julie sombra dans une profonde dépression.

* * *

Anne-Marie profita d'un petit redoux, le samedi matin, pour atteler, pendant qu'elle pouvait encore le faire, et se rendit chez sa sœur pour planifier les divers préparatifs relatifs à son accouchement.

Avant de repartir, la cadette alla saluer Simon. De retour de sa grande tournée, qui s'était poursuivie pratiquement jusqu'à la mi-janvier tellement ses nombreux cousins l'avaient bien accueilli, il n'avait trouvé rien de mieux, pour tuer le temps, que de se remettre à fabriquer des roues de charrette, même si Meno Roy en avait encore plusieurs en réserve.

Le jeune homme s'était installé dans l'atelier désaffecté de Cyprien. Bien qu'un peu difficile à chauffer, il était suffisamment grand pour ses besoins et offrait l'avantage d'être bien éclairé. Bienfait non négligeable, Simon avait l'impression de retrouver dans ce lieu un peu de la présence de son cher ami disparu, l'étrange artiste solitaire avec lequel il s'était lié d'une profonde amitié au cours des mois de leur vie commune. C'est là que, dans le silence et le travail, il faisait son deuil et léchait les plaies de son cœur. C'est en plein travail que sa sœur le surprit.

– Tu sembles bien occupé. Je te dérange?

– Non. Je fais des roues, comme chaque année.

– Je peux voir?

Des roues de diverses tailles, mais toutes grandes, s'empilaient autour.

– Pourrais-tu en faire des petites et les monter sur une charrette miniature?

Anne-Marie voulait avoir une petite charrette dans laquelle elle transporterait son bébé et qui servirait de jouet à ce dernier plus tard. Simon ne demandait pas mieux que de la créer.

– Enfin quelque chose qui requiert du doigté! Il faut profiter du temps qu'on a des yeux pour faire ces choses-là.

– Tu penses à Julie Gaumond en disant cela?

La question était trop directe pour attirer une confidence.

– Je pense à notre mère. Elle a autant de peine que si Julie était notre sœur.

– Maman voudrait tellement faire quelque chose pour Julie, pour lui redonner le goût à la vie. Mais Julie ne pense qu'à la perte de son métier à tisser et voudrait se voir morte.

– Je me demande s'il n'y aurait pas quelque chose à faire pour adapter son métier à sa condition. J'ai réfléchi au problème toute la semaine.

– Tu le crois vraiment?

– Il faudrait que je fasse des essais.

– Tu n'as qu'à en discuter avec Julie.

– Jamais! Je ne voudrais surtout pas lui donner de faux espoirs.

Anne-Marie reconnut bien là la délicatesse de son frère.

– Alors, parles-en avec maman.

– J'hésite à lui en parler. C'est une affaire de femmes.

La jeune femme comprit que son frère appelait à l'aide.

Quelques jours plus tard, Victoire demandait à son cadet :

– Crois-tu que Julie pourrait tisser?

– Il doit y avoir moyen de réhabiliter une tisseuse expérimentée qui a perdu la vue. Il faudrait inventer un système de classement des fils et des couleurs qui, une fois appris par cœur, permette à la tisseuse de s'y retrouver comme si elle voyait.

Victoire se prit à espérer.

– Tu pourrais y arriver?

– Je peux essayer, mais il faudra que vous m'assistiez pour les essais. Vous avez un métier de libre?

Simon connaissait depuis son enfance le fonctionnement de ces machines. Il s'installa donc à la place de Julie et se mit à compléter la pièce qu'elle avait laissée en plan.

Tisser à la main impliquant un certain nombre de gestes exécutés à répétition, les tisseurs prennent un rythme qui leur est propre, et bientôt Simon trouva le sien. Quand il eut bien maîtrisé le rituel, il ferma les yeux.

La navette et le tenseur ne s'enrayaient pas, et le travail progressait très bien les yeux fermés, à la condition que l'opérateur les rouvre aux changements de fils, pour localiser ceux du diamètre et de la couleur dont il avait besoin.

Les bobines de fils étaient, pour des raisons de commodité et d'espace, disposées derrière le métier à tisser, de telle sorte qu'il fallait contourner l'instrument et travailler à l'envers pour enfiler les brins. Les fils de gauche, quand on était derrière le métier, servaient à confectionner la partie droite de la pièce, et vice-versa. «Facile pour un voyant, impossible pour un aveugle», comprit le tisserand.

Fort de son expérience en usine, Simon se mit à imaginer de quelle façon il faudrait disposer les bobines pour s'y retrouver sans voir. La réponse lui vint rapidement : il suffirait de les placer au-dessus de l'opérateur. Ainsi, les fils de gauche iraient à gauche, les fils de droite, à droite, et la tisseuse n'aurait pas à se déplacer pour les localiser.

Simon retourna à son atelier et consacra plusieurs jours à la construction d'un porte-bobines à trois niveaux. Selon ses calculs, il permettrait de classer les fils tant par diamètres que par couleurs. Les fils de plus petit diamètre seraient mis en réserve à gauche, en augmentant de calibre vers la droite. Les couleurs seraient classées de froides à chaudes, en suivant le spectre de la lumière décomposée.

Les artisanes de l'atelier furent fort étonnées de voir Simon installer son drôle de système.

– Voilà un homme qui connaît mieux le métier que nous, observa l'une d'elles.

– Je vous rappelle, madame Lebreux, que dans l'ancien temps, à l'île d'Orléans, ce sont les hommes qui tissaient, et non les femmes, rétorqua Simon, qui avait appris ce petit fait historique lors de sa récente tournée.

Finalement, le fils invita sa mère à effectuer un essai. Victoire abaissa le porte-bobines et se mit à fabriquer une pièce de petite taille, un napperon multicolore.

– Si je vous bandais les yeux, pourriez-vous continuer?

Victoire cafouilla un peu mais réussit à poursuivre le travail entrepris.

– Pourriez-vous passer du bleu au vert, et du rouge au violet ?

Avec un peu d'aide, la tisseuse réussit.

– Eh bien, il ne reste plus qu'à présenter l'invention à la principale intéressée.

* * *

On approchait du mardi gras quand Réjeanne reçut une lettre de la nouvelle présidente de l'Association des enseignantes de la rive sud. La pauvre fille était affolée. Au moment où l'association préparait pour le samedi saint un important congrès d'orientation pour toutes ses dirigeantes, l'aumônier de l'A.E.R.S. avait remis sa démission. L'évêché de Québec proposait un inconnu pour remplacer l'abbé Sylvestre. Que devait faire l'association ?

Réjeanne voulut d'abord obtenir de l'abbé sa version des faits. Mais elle ne voulait pas le rencontrer au presbytère, à cause de la tension existant entre les deux prêtres.

L'inviter chez elle n'était guère mieux. Une femme seule ne pouvait pas inviter un jeune prêtre chez elle. Elle opta pour un subterfuge : elle envoya un mot à Mme Eugénie pour l'inviter à voir Jean-Sébastien, qui avait beaucoup grandi. « Et si le cœur lui en dit, faites-vous donc accompagner par monsieur le vicaire », avait-elle ajouté.

La ménagère, qui savait lire entre les lignes, arriva en compagnie d'Émile, tôt le samedi. Après les salutations d'usage, Réjeanne plongea dans le vif du sujet.

– Je vous avouerai, chère amie, que j'avais grand-hâte de m'entretenir avec monsieur l'abbé.

– Désirez-vous, Réjeanne, que je me retire ? demanda Mme Eugénie.

– Bien au contraire. Cet entretien n'a rien de personnel en ce qui me concerne.

– Restez, madame Eugénie, commanda le vicaire. Vous apprendrez des choses. Par ailleurs, je suis fort aise d'avoir un témoin pour ce que je vais révéler.

– J'ai appris, par une lettre de notre nouvelle présidente, que vous avez quitté notre association, commença Réjeanne.

– Cela vous étonne?

– Au plus haut point. Vous avez, avec Guillaume Francœur, jeté les bases de cette pyramide. Et voilà qu'au moment où elle prend forme vous faites défection. Est-il indiscret de vous demander s'il s'agit là d'un geste intempestif ou d'un acte prémédité?

Une expression de vive douleur déforma le visage de l'ecclésiastique.

– Ni l'un ni l'autre. Cette décision a été prise par mes supérieurs, qui m'ont forcé la main. Elle est indépendante de ma volonté.

Réjeanne resta un moment muette, paralysée par l'indignation.

C'est la deuxième fois qu'on chassait le jeune prêtre d'une association. Elle mesurait l'ampleur de la tragédie pour cet homme généreux.

– Le curé Bouillé aura finalement eu votre tête.

– Il ne faut pas être injuste. Il n'y est pour rien. Ce sont mes idées qui ont de nouveau causé ma perte.

– Vos idées sont avant-gardistes, monsieur l'abbé, mais ne contredisent pas les dogmes de la religion catholique.

– J'ai commis l'erreur de me prononcer en faveur de la formation d'un véritable syndicat d'enseignantes.

– Le droit d'association est sacré, vous nous l'avez rappelé souvent.

– On me reproche de m'inspirer des idées de Karl Marx et de marcher sur les pas de Lénine.

– Vous soupçonne-t-on de vouloir fomenter la révolution d'Octobre? demanda Mme Eugénie.

– Loin de moi cette pensée. Mais je vous rappelle qu'il est difficile de parler de liberté sans semer la panique chez toute autorité en place.

On parla longuement de cette mauvaise nouvelle. Puis Réjeanne voulut avoir l'avis du conseiller moral sortant quant au choix de son successeur.

– Que doit faire l'A.E.R.S. ? Accepter l'aumônier que propose l'évêché ou s'en passer ?

– Ni l'un ni l'autre. Votre association doit trouver elle-même l'aumônier qui lui convient.

– Vous avez quelqu'un à nous suggérer ?

– Je connais quelques jeunes prêtres dont les idées modernes feraient avancer votre association. Cependant, je me garderai bien de vous en fournir les noms. Cela pourrait être interprété comme un acte de subversion.

Réjeanne était atterrée. De toute évidence, les éléments les plus réactionnaires du clergé se liguaient pour soustraire les éléments les plus dynamiques de la société à l'influence d'un prêtre clairvoyant et progressiste.

– Que ferez-vous ?

Le jeune ecclésiastique haussa les épaules mais ne répondit pas tout de suite. Il avait déjà amorcé une réflexion, mais, trop ébranlé émotivement par le deuxième grand choc de sa carrière, il se voyait pour le moment incapable de rassembler ses idées et d'orienter adéquatement sa vie.

– C'est tout mon avenir que je dois reconsidérer, fit-il à mi-voix.

* * *

Son entretien avec Émile Sylvestre laissa Réjeanne songeuse. L'homme était de toute évidence ravagé. Que pourrait-elle faire pour lui venir en aide ? Elle eut l'idée d'écrire à Guillaume Francœur pour l'informer, si ce n'était déjà fait, du malheur qui frappait leur ami commun. Guillaume répondit qu'il aimerait s'entretenir avec elle à ce sujet. Elle l'invita.

Au cours des années, Guillaume avait souvent rencontré Réjeanne. Dans sa famille, ainsi qu'à son association. Mais, du fait qu'elle était mariée et lui, fiancé, il ne l'avait jamais vue seul à seule, sinon au souper du Château Frontenac. Or, à cette occasion, il s'était surpris à la voir comme femme et plus seulement comme collègue.

Guillaume avait convenablement porté le deuil de sa fiancée, Yvonne Saint-Gelais. Maintenant, il reprenait goût à la vie. Il trouva fort stimulante l'invitation de son amie.

Forgée au feu vif des épreuves et des responsabilités familiales, civiles et professionnelles, Réjeanne était devenue une femme mûre et épanouie. Elle avait, depuis que Guillaume l'avait rencontrée à la fête de Mai de 1913, acquis une assurance et une force qui émanaient de sa personnalité naturellement calme et affable.

Maintenant qu'elle semblait avoir assumé son propre deuil, on eût dit qu'elle retrouvait, au contact bénéfique de sa famille, la gaieté qui, lorsqu'elle était plus jeune, la distinguait des jeunes filles de son âge. Elle qui n'avait jamais perdu sa beauté, même aux heures les plus sombres, elle devenait plus belle que jamais.

Guillaume Francœur aimait la compagnie de Réjeanne Bouffard. Il avait l'impression que sa personne irradiait une douce chaleur. Il accourut. Cherchant un prétexte pour se trouver seul avec elle, il proposa :

– Le temps s'annonce clément. Que diriez-vous si nous allions à la course de canots à glace du mardi gras ?

Réjeanne accepta avec d'autant plus d'empressement qu'elle verrait Antoine courir pour la première fois. Cléophée prit sa classe pour une journée. Réjeanne eut l'impression de partir en vacances.

Au retour, Guillaume lui déclara, à brûle-pourpoint :

– Réjeanne, vous savez l'amitié que je vous porte. Nous avons passé une journée des plus agréables. Puis-je vous avouer que je suis heureux auprès de vous ?

Réjeanne était d'accord sur un point : la journée avait été agréable, et elle en remercia son ami. Guillaume s'était montré attentionné mais discret, chaleureux sans être envahissant, et, pour une fois, ils n'avaient abordé aucun sujet d'ordre professionnel. Tout au plus avaient-ils convenu d'apporter tout le secours moral possible à leur ami Émile Sylvestre. Mais Réjeanne résistait à l'idée que leurs relations prennent une tournure plus personnelle. Les fantômes de son passé étaient encore trop présents.

– Nous sommes parrain et marraine d'un de mes neveux et nous œuvrons dans l'A.P.A. Nous aurons donc encore beaucoup d'occasions de nous rencontrer.

Guillaume comprit qu'il devait retenir l'aveu des sentiments qui germaient en lui. Mais il sentit que, si la porte était close, le rideau n'était pas tiré.

* * *

– Prendriez-vous un bol de café au lait, monsieur le vicaire? demanda Mme Eugénie. Ça réchauffe, ajouta-t-elle d'un ton affable, comme pour justifier son offre.

Il semblait à la ménagère que, depuis la rencontre entre Réjeanne et l'ex-aumônier de l'A.E.R.S., rencontre où elle avait appris des choses d'importance cruciale sur la carrière de l'abbé Sylvestre, ce dernier sombrait de plus en plus dans la tristesse. Il arrivait au presbytère de Rivière-Boyer le vendredi soir, s'enfermait dans sa chambre jusqu'au samedi midi, s'y enfermait de nouveau l'après-midi et n'en sortait que pour la célébration des vêpres. Conscient que le curé Bouillé l'épiait et cherchait tout motif pour le discréditer, le jeune prêtre prétextait qu'il était débordé de travaux d'enseignement pour se terrer dans son isolement. En fait, il sombrait peu à peu dans le désespoir et la ménagère s'en inquiétait.

– Non, merci.

Devant la mine déçue de la ménagère, il se ravisa.

– Pourquoi pas, au fond?

Mme Eugénie posa le plateau contenant café et biscuits légers sur une crédance.

– Merci. Vous êtes bien bonne.

– Est-ce que je peux faire autre chose pour vous?

– Non, vraiment rien.

– Au revoir, alors.

Mme Eugénie quitta la pièce et erra dans la trop grande maison. «Il faut que ce jeune homme se secoue, sinon il va attirer le malheur», se dit-elle. Puis, au bout d'un moment : «L'atmosphère devient étouffante ici. Je vais traverser à l'église. Il est toujours bon d'inspecter quand il vente.»

Malgré que le soleil filtrât entre les nuages, la tempête faisait rage en ce premier samedi de mars 1920. Le vent du nord, parfois violent, soufflait en bourrasques depuis le cap Tourmente et chassait du village la neige abondante qui s'y était accumulée au cours des derniers mois.

Mme Eugénie voulut ouvrir une des portes de la façade mais en fut incapable car le vent était trop fort. Elle fit le tour et entra par la porte latérale sud. La surveillante s'arrêta longuement dans le vestibule du temple et prêta l'oreille. Le bâtiment tout entier vibrait sur sa base et émettait des craquements sinistres. Au lieu d'entrer dans la nef, elle gravit lentement l'escalier menant au jubé, l'oreille tendue, l'œil en alerte, pour s'assurer qu'il n'entrait pas de neige par les trous des câbles du carillon ou qu'il ne se produisait pas quelque autre catastrophe. Ce qu'elle vit de là-haut la rendit perplexe.

Il était inconcevable qu'un fidèle se trouve à l'église par un temps pareil, et pourtant une femme était agenouillée au pied de l'autel de la Vierge. Elle priait avec ferveur, la tête dans les mains. À bien y regarder, ses épaules étaient secouées de soubresauts : elle sanglotait. À un moment donné, elle releva la tête, comme pour implorer la mère de Dieu, et la ménagère la reconnut.

Mme Eugénie sortit tout aussi subrepticement qu'elle était entrée et monta directement à la chambre du vicaire.

– Monsieur l'abbé, je crois qu'une paroissienne a besoin de votre aide.

– Je la connais?

– Réjeanne Bouffard.

* * *

Julie Gaumond refusa d'abord de rencontrer sa patronne quand celle-ci lui rendit visite. Puis elle refusa de parler tissage. Il fallut que sa mère et Victoire s'y prennent à plusieurs reprises et insistent beaucoup pour que la jeune fille consente enfin à sortir de son isolement et tente un retour au métier.

Victoire lui apprit que Simon avait inventé un dispositif permettant de différencier les fils. Mais la malade refusait de croire qu'une telle invention ait pu être mise au point, qu'elle pourrait la maîtriser, et qu'elle tisserait à nouveau.

Au fond, Julie craignait d'être cruellement déçue. Mais sa crainte n'avait d'égal que son espoir. Finalement, Victoire et sa mère la conduisirent toute tremblante jusqu'à son poste. Simon l'y attendait.

– Tu es bien beau, Simon, avait fait la femme de Roland Lebreux, une des tisseuses, en le voyant arriver.

Simon s'était à demi endimanché. Il avait pris son bain, s'était rasé, avait fait ses ongles. Mais, au lieu d'un gilet, il portait un épais chandail de laine vierge doublé de cachemire qu'il s'était procuré lors de son dernier séjour à Québec.

– Pas plus beau que d'habitude, mais fin propre ! avait rétorqué le jeune homme.

Les femmes escortèrent Julie jusqu'à son métier.

– Je l'ai adapté à ta nouvelle condition de vie, fit le bricoleur.

– Ne te moque pas de mon malheur.

– Je ne m'en moque pas. J'ai imaginé une façon de vivre avec et j'espère qu'elle va te réussir.

Il saisit fermement une main de la jeune fille pour l'élever jusqu'à une barre transversale.

– Qu'est-ce que c'est ?

– C'est la couronne du porte-bobines.

Il expliqua le fonctionnement du métier tel qu'il l'avait modifié et se mit à lui enseigner le système de classement qu'il avait inventé.

* * *

Tout agréable qu'elle fût sur le coup, la petite escapade que Réjeanne avait faite en compagnie de Guillaume Francœur avait déclenché chez elle une tempête intérieure telle qu'elle n'en avait jamais connu. L'orage toutefois couvait depuis longtemps. Depuis bien avant la mort dramatique de son mari. Il avait commencé à fermenter le jour où Anne-Marie lui avait dit ce qu'elle pensait de Maria Chapdelaine.

– Cette fille est une dinde! s'était-elle écriée après avoir lu le roman.

À compter de ce jour, Réjeanne Bouffard s'était livrée à une introspection progressive et lente. Avec le recul, elle reconnaissait que, telle l'héroïne de Louis Hémon, elle s'était mariée par devoir. Pour libérer sa famille, comme élément de solution au problème causé par la mort subite de son père. Au contraire d'Eutrope Gagnon, Cyprien Lanoue était un homme de valeur, et il l'avait prouvé mille fois. Mais auprès de lui Réjeanne n'avait pas trouvé le grand amour dont elle avait rêvé.

Réjeanne avait certes admiré Cyprien, l'avait même aimé beaucoup, mais leur relation maritale avait été presque platonique. Ils ne s'étaient pratiquement jamais aimés avec passion. C'était, bien sûr, surtout la faute de Cyprien, qui portait sa passion dans sa tête et ne l'appliquait qu'à son art. Mais c'était aussi un peu sa faute à elle si elle avait accepté cette situation et avait tenté d'éteindre, par le travail, son besoin inassouvi. Mais il était toujours réapparu plus fort, et aujourd'hui il ressurgissait de tous les recoins de son être.

Réjeanne avait connu la passion. Quelques heures de folie totale et merveilleuse avec Cyprien, entre son évasion et sa fuite, qui s'étaient terminées pour elle en catastrophe. Depuis le temps qu'elle réfléchissait à sa situation, elle en venait aujourd'hui au constat que toute sa vie émotive était bloquée par une seule chose : sa jouissance coupable avec James Jones. Parce que, malgré les protestations et les excuses de Cyprien, elle avait péché et elle le savait.

Réjeanne cherchait la paix, le repos de l'esprit. Pour faire taire son besoin d'amour, elle s'était lancée corps et âme dans la création d'une association professionnelle et y avait investi beaucoup de son énergie sans guérir son mal. Constatant l'échec de sa vie, elle avait abandonné, laissant à d'autres le soin de compléter son œuvre. Malgré cela, le repos ne venait pas.

Et puis, tout à coup, il y avait Guillaume Francœur. Ce cher Guillaume qu'elle avait toujours ouvertement admiré pour ses qualités professionnelles. Mais il y avait plus. Réjeanne avait toujours senti vibrer l'homme chez ce grand garçon sage. Un homme vrai, capable de passion pour une femme. Il l'avait prouvé en aimant plus que de raison Yvonne Saint-Gelais, sa fiancée disparue.

Maintenant Guillaume détournait les yeux de son passé et les posait sur Réjeanne. Bien qu'il eût manifesté une réserve impeccable, elle s'en était aperçue au souper du Château. Maintenant que Cyprien n'était plus là, il commençait à laisser entrevoir ses sentiments et cela la troublait.

* * *

C'est parce qu'elle étouffait d'angoisse que Réjeanne, incapable de tenir plus longtemps, s'était lancée dans la tempête en ce samedi après-midi de mars. Le froid, le vent et la neige amortiraient peut-être son mal de vivre, du moins l'espérait-elle.

Au lieu de prendre le rang 1, où elle aurait pu trouver refuge auprès des siens mais aurait dû leur avouer sa détresse, elle s'était élancée dans la côte de Glaise et avait pris la direction de l'église. C'était, depuis longtemps, son seul refuge. Aujourd'hui, en raison du blizzard, elle y serait plus seule encore que d'habitude parce que aucun paroissien ne s'y attarderait.

Entre deux bourrasques, elle avait réussi à ouvrir l'une des grandes portes et à se glisser dans le vestibule. Même si la bâtisse gémissait sous le vent, il faisait bon dans l'église de Rivière-Boyer car le sacristain l'avait chauffée en vue des vêpres. Réjeanne s'était dirigée vers l'autel de la Vierge et agenouillée à ses pieds.

Pendant une heure, Réjeanne avait repassé en pensée le film de sa vie. Elle avait revu son enfance heureuse, ses études, les quelques années de sa jeunesse passée auprès de sa mère, la mort dramatique de son père, son mariage et la construction de sa maison. Puis elle s'était remis en mémoire les détails de sa vie d'épouse, depuis la demande de Cyprien sous les pruniers en fleurs jusqu'au moment fatidique de l'acte charnel avec James Jones. C'est sur cet écueil que s'arrêtait sa vie. Alors, n'y tenant plus, elle avait éclaté en sanglots.

Combien de temps resta-t-elle là à prier et à implorer le pardon de son péché? Elle n'eût su le dire, ayant perdu la notion du temps. Tout ce dont elle se souvint après coup, c'est qu'à un moment donné, entre deux plaintes du nordet, une voix très douce se fit entendre :

– Puis-je vous venir en aide?

Il sembla à Réjeanne que ces mots se mêlaient aux plaintes du vent. La jeune femme désespérée crut un moment que cette voix venait du ciel. Était-ce le fruit de son imagination ou une réponse à ses prières?

De nouveau, la voix se fit entendre :

– Puis-je vous aider à mon tour?

* * *

Il fallut à Julie Gaumond une semaine pour mémoriser le système de classification des fils et des couleurs que Simon avait mis au point pour elle. Il lui en fallut une deuxième pour maîtriser la machine ainsi modifiée.

Les débuts furent pénibles, la deuxième journée surtout. Le premier jour, la jeune fille le passa à découvrir tactilement le porte-bobines et les attaches et poulies qui le reliaient à son métier. Simon ne pouvait rien faire sinon surveiller en silence et veiller à ce qu'elle ne se blesse pas. Mais quand, le deuxième jour, l'inventeur commença à lui faire mémoriser le système, la jeune femme se découragea, se rebiffa et voulut tout lâcher.

– J'ai froid! Je veux retourner à la maison, je veux qu'on me ramène chez moi! hurla-t-elle à un moment donné.

– Impossible avant la fin de la journée. Tes parents sont partis à Saint-Vallier et ne te reprendront qu'en fin d'après-midi.

– Que vais-je devenir? pleurnicha-t-elle.

Simon comprit que le moment était crucial. Il lui fallait se montrer ferme.

– Ou tu attends le reste de tes jours dans le noir ou tu cherches la lumière avec moi.

Le jeune homme prit les deux mains de la jeune fille et lui ordonna calmement :

– Choisis.

Julie remarqua que les mains de Simon, bien que solides, étaient douces et chaudes. Leur contact était rassurant. Elle s'en libéra cependant et reprit sa place, l'air contrit.

– Où en étions-nous?

– Tu disais que tu as froid.

Simon posa son chandail sur les épaules de la jeune fille.

– C'est bon. On continue, fit-elle en retenant un soupir.

38

RÉJEANNE se retourna et, à travers ses larmes, entrevit un homme qui se tenait à quelques pas d'elle. Tirant de son manchon un fin mouchoir de dentelle, elle épongea ses yeux rougis et regarda de nouveau. C'était l'abbé Sylvestre. Elle ne l'avait pas reconnu.

En habit séculier, il avait tout à fait l'air du professeur qu'il était. Elle n'avait pas non plus reconnu sa voix, car il avait parlé tout bas, pour lui éviter un sursaut.

– Excusez mon état. Je suis bouleversée.

– Me permettez-vous de vous soutenir dans votre deuil ?

Un éclair de courage illumina la jeune femme. Elle n'en pouvait plus : cette fois, elle ne se déroberait pas. Elle viderait son cœur, ferait une fois pour toutes le ménage de son âme.

– Ce n'est pas mon deuil qui m'afflige et ce n'est pas le support moral d'un confesseur que je recherche, laissa-t-elle tomber. Je suis une pécheresse et j'ai besoin des secours d'un prêtre.

Pour la première fois depuis longtemps, Émile Sylvestre aurait voulu se trouver à l'abri de sa soutane.

– Si nous causions, proposa-t-il. Passons à la sacristie.

Le vicaire dégagea une table sur laquelle le curé Bouillé étendait les chasubles lors de la préparation des grandes cérémonies religieuses, puis il tira deux chaises qu'il disposa de chaque côté. En procédant ainsi plutôt qu'au confessionnal, il s'assurait que sa pénitente et lui discuteraient d'égal à égal.

– Selon vous, Réjeanne, le trouble qui perturbe votre âme est-il de nature grave ?

– Très grave. Au point d'empoisonner ma vie.

Cette révélation étonna le jeune ecclésiastique, qui croyait bien connaître Réjeanne.

– Eh bien, racontez-moi votre vie.

– En commençant à quel moment ?

– Dès votre prime enfance, aussi loin que vous pouvez remonter.

– Ce sera long.

– Nous avons tout le temps, et, si nécessaire, nous continuerons un autre jour. Le Seigneur sait attendre ceux qui se repentent.

– Je vous préviens, vous allez être scandalisé. Mais tant pis.

– L'orgueil vous étreint. Vous craignez que vos aveux ne ternissent l'image que je me fais de vous ?

Réjeanne fit la moue.

– Dans une situation de crise, reprit le prêtre, il faut prévoir le pire. Au pire, qu'est-ce qui peut arriver à la suite de notre conversation ?

– Que je vous perde comme ami.

– Si, parce que vous m'avez fait des confidences, vous me perdiez comme ami, c'est que je ne serais pas digne de l'être. Vous courez donc un risque minime. Allez, parlez-moi de vous.

Une telle humilité rassura Réjeanne. Elle raconta.

* * *

Réjeanne narra son enfance vécue dans une famille heureuse. Ses études parmi des compagnes de tout état. Les quelques années passées auprès de sa mère.

– C'est donc en présence d'une mère faible que votre sens des responsabilités s'est développé ?

– Je sentais que ma mère avait besoin de soutien. À la mort de mon père, elle m'a pratiquement demandé de prendre la famille en charge.

– Continuez.

Réjeanne raconta honnêtement comment elle avait tendu la perche à Cyprien. Elle fit le récit de son mariage, et même, à la demande expresse de son confesseur, les détails de sa nuit de noces. Elle poursuivit avec sa vie de couple.

À mesure que le récit avançait, une étrange mutation se produisit à l'intérieur de Réjeanne. La personne qui racontait sa vie était de moins en moins elle. La femme moite d'amour qui attendait Cyprien pendant que ce dernier récitait son chapelet au pied du lit, ce n'était pas elle, ce ne pouvait être elle. Et Réjeanne se sentait d'autant plus à l'aise de parler de cette personne que son interlocuteur n'était pas un vieux curé ronchonneux mais un homme de sa génération portant l'habit séculier, un ami en qui elle avait confiance parce qu'il la traitait en égale et ne l'humiliait pas.

Le jour tombait lorsque Réjeanne en arriva à la visite de la police militaire. À ce moment, l'abbé Sylvestre sentit qu'elle devenait très tendue. Il s'activa à allumer une lampe pour faire diversion et crut un moment que Réjeanne allait exprimer le désir de continuer son récit lors d'une rencontre ultérieure. Mais la jeune femme continua et il admira le courage dont elle faisait preuve.

– En résumé, j'ai fait boire Jones, je l'ai sciemment provoqué, je l'ai entraîné au lit et j'y ai trouvé du plaisir. Voilà. Voilà le genre de femme que je suis. Pire qu'une prostituée. Au moins, une putain n'aurait pas trouvé de plaisir. J'ai commis un péché. Un péché mortel que je n'ai jamais confessé. Depuis ce jour, toutes mes confessions furent sacrilèges, toutes mes communions furent sacrilèges, tout le bien que j'ai fait ne compte pas. Je suis une damnée.

Réjeanne s'enflammait. Elle se jeta à genoux.

– Mon père, l'enfer s'ouvre sous mes pieds, sauvez-moi ! Donnez-moi l'absolution, je vous en prie ! Permettez-moi d'expier.

– Réjeanne, relevez-vous immédiatement !

Le ton ferme du confesseur la fit se ressaisir.

– Je n'accepte pas encore de vous confesser parce que votre péché n'est pas celui que vous pensez.

Réjeanne fut interdite.

– Vous le savez pour l'avoir enseigné : l'essence du péché est l'intention. Recherchiez-vous le plaisir dans votre relation avec Jones ?

– Non, bien sûr.

– Alors, il ne peut y avoir de péché.

La force de cet avis fit bouger l'écueil qui paralysait le cœur de Réjeanne. Pourtant, quelque chose l'empêchait encore d'accepter cet avis.

– Comment expliquez-vous que j'aie connu l'orgasme ?

– Ce n'était qu'un mouvement de la chair. Une réaction involontaire et spontanée.

– C'est monstrueux !

– Les desseins de la Providence sont parfois insondables. L'état actuel de nos connaissances en psychologie ne permet pas de tout expliquer. Je vous rappelle cependant qu'au moment où ces événements se sont produits vous étiez sous tension extrême. Dieu sait de quoi sont capables nos instincts dans de telles circonstances.

Réjeanne attendait la suite, incrédule.

– Il me semble pourtant que j'ai péché quelque part.

– Oui, et je vous dirai à quel moment tout à l'heure. Mais poursuivez le récit de votre vie jusqu'à ce jour.

Réjeanne, un peu calmée, reprit le compte rendu de son existence, de ses joies, de ses peines, de ses angoisses, jusqu'à ce moment où son esprit obnubilé avait refusé de fonctionner davantage et l'avait conduite à se réfugier dans l'église où elle avait été baptisée.

L'abbé l'écouta avec la plus intense attention et, à la fin, lui demanda :

– Au sortir de sa retraite forcée, au cours de laquelle il a heureusement rencontré un homme de Dieu, votre mari vous a-t-il demandé pardon de vous avoir entraînée dans son aventure ?

– Oui, il l'a fait, très sincèrement d'ailleurs. Et cela m'a beaucoup émue.

– Et vous, lui avez-vous demandé pardon de vous être laissée entraîner dans son aventure ?

– Non.

– Vous auriez dû.

– J'ai cru de mon devoir, puisque je partageais son avis, de tout faire pour le sortir de la caserne militaire.

– Sur ce point, vous avez raison. Mais là où vous avez commis une erreur, c'est de partir en cavale avec lui pendant que l'armée le cherchait.

– Il m'a retrouvée avec tellement d'amour ! Imaginez : il m'a prodigué pendant ces courtes heures toute la passion qu'il réservait en d'autres temps pour son art !

– Votre attitude s'explique très bien du point de vue sentimental. Mais le catholique doit savoir transcender son instinct et prendre des décisions qui semblent pénibles à première vue. Si vous aviez résisté à la tentation d'être heureuse, vous n'auriez pas connu les angoisses qui ont failli ruiner votre vie, ni Cyprien celles qui ont gâché une importante partie de la sienne.

– Je comprends maintenant. J'ai péché par amour, mon père.

– Mais vous avez péché tout de même. Je suis prêt à entendre votre confession.

Réjeanne s'agenouilla et se recueillit. L'abbé Sylvestre lui accorda l'absolution et termina selon le rituel :

– Allez en paix.

Une vague de soulagement submergea l'âme de la pénitente. Elle se leva et cligna des paupières comme si elle se réveillait après un mauvais rêve.

– Il fait déjà nuit. Je vais partir maintenant.

– J'ai encore quelques mots à vous dire.

– Je vous écoute.

– Ce n'est plus le confesseur qui vous parle, c'est l'ami et le professeur. Si la paix est revenue dans votre âme, votre esprit, par contre, telles les eaux du fleuve, sera perturbé encore quelque temps par les derniers souffles de la tempête qui l'a secoué. Ne regardez pas en arrière. Souriez à la vie, ne refusez pas le bonheur. Il est le plus grand des guérisseurs.

* * *

Réjeanne rentra lentement chez elle. Le vent était tombé, les étoiles scintillaient dans l'air parfaitement pur. La lune, à son dernier quartier, luisait au-dessus de la Première Chute. On eût dit la nuit de Noël. Réjeanne aurait voulu être seule, mais elle trouva Simon qui s'activait au poêle.

– Que fais-tu là, mon frère chéri ? Je ne t'ai jamais vu cuisiner ! Je te croyais parti rencontrer tes amis.

– Pas ce soir. Pas tout de suite, en tout cas. Il faut bien manger un peu. J'ai compris que tu étais retardée, alors j'ai sorti les casseroles.

– Tu sais faire à manger ?

– Cyprien me l'a un peu montré quand nous vivions ensemble. Et puis c'est bon qu'un homme sache se débrouiller dans une cuisine. Ça peut toujours servir.

– Ta passion soudaine pour la cuisine m'étonne.

– Je sais préparer les œufs, les soupes, les ragoûts, les bouillis, les jambons. Pourrais-tu me montrer à confectionner les desserts ?

– Avec plaisir. Par quoi veux-tu commencer ?

– Une tarte, peut-être.

Réjeanne n'avait pas faim. Mais faire à manger lui apporterait une diversion dont elle avait grand besoin. Elle s'en fut à la dépense et en rapporta de la farine bien froide et des raisins secs. De l'armoire à provisions, elle tira du sucre, du sel, du saindoux et un œuf frais.

– Premièrement, il faut faire tremper les raisins.

Tout en joignant le geste à la parole, Réjeanne demanda à son frère :

– Parlant d'enseignement, mon travail m'accapare tellement que je ne t'ai pas demandé de la semaine comment va ton élève. Elle progresse ?

– Julie va bien. Ses réflexes deviennent automatiques, c'est ce qui importe. Ça lui permettra de retrouver éventuellement sa vitesse de jadis.

– Et son moral?

– Il prend du mieux à mesure qu'elle retrouve sa liberté.

Simon comprenait bien Julie Gaumond. La jeune fille, qui avait eu du mal à s'affranchir de l'affection de ses parents, avait eu très peur de retomber sous leur coupe. Maintenant qu'elle retrouvait son autonomie, la bonne humeur lui revenait. À certains moments, elle était même enjouée, presque espiègle.

C'était d'ailleurs une facette de la personnalité de Julie que Simon ignorait. Il se rendit compte qu'il connaissait très peu cette jeune personne bien qu'il l'eût croisée souvent. C'était dû au fait qu'elle était chaque fois absorbée dans son travail. De plus, Simon, gêné par un handicap physique, ne s'attardait pas longtemps dans les parages des jolies filles, de crainte d'attirer leurs moqueries.

Maintenant, la situation était différente. Sachant Julie privée de la vue, il se sentait très à l'aise à ses côtés. Tellement à l'aise qu'il consacra à la formation de son élève plus d'heures que le minimum requis. Julie ne s'en plaignait d'ailleurs pas.

Bientôt la jeune femme retrouva une telle aisance à manipuler son instrument qu'elle suggéra à son professeur plusieurs améliorations à apporter à son invention. Un jour, elle lui dit :

– Simon, le fait que les bobines soient disposées en ligne droite rend difficile d'accès celles situées dans les coins. Si elles étaient disposées en arc, cela me faciliterait grandement les choses.

– Tu crois?

– Vérifie toi-même. Assieds-toi à ma place et fais l'expérience.

Julie aurait pu assister passivement à l'essai. Plutôt, elle couvrit d'une main les yeux de Simon et, de l'autre, prit celle de son maître pour le guider.

Simon, le dur au cœur tendre, fut remué par cette expérience pourtant anodine. Le geste de Julie avait été spontané, tout naturel. Pas la moindre hésitation, pas le moindre signe de rejet de la part de cette jeune fille intelligente, sensible et jolie. L'espace d'un moment, le forgeron eut la douce sensation que son handicap avait disparu.

* * *

Huit jours s'étaient écoulés depuis la confession de Réjeanne. L'abbé Sylvestre ne s'était pas présenté au dîner dominical du lendemain, mais avait confirmé qu'il serait présent aujourd'hui.

La jeune femme attendait ce moment avec une certaine appréhension, qu'elle ne s'expliquait d'ailleurs pas. Heureusement, aucun signe dans l'attitude du prêtre ne permettait de croire qu'il avait été personnellement marqué par cet entretien.

Réjeanne, par contre, restait sur son appétit. Elle désirait consulter encore son conseiller et cherchait en vain un prétexte pour se trouver seule avec lui quand, après le repas, Pierre annonça :

– Vous devrez m'excuser, je dois aller quérir de l'eau à la rivière. Mon puits d'étable baisse dangereusement.

Réjeanne saisit la balle au bond.

– Que diriez-vous, monsieur l'abbé, si nous allions donner un coup de main à mon frère ?

– Bonne idée ! Ça fera faire de l'exercice à ma jambe.

Pendant que Pierre passait des harnais à ses chevaux et les attelait à un traîneau plat, les deux amis partirent devant.

– Monsieur l'abbé, je désirais me trouver seule avec vous. Je veux vous parler.

– Je m'en doutais un peu. Mais, avant de poursuivre notre dialogue, permettez-moi de mettre un point au clair : pour les questions de morale, appelez-moi « abbé ; » pour les autres questions, appelez-moi Émile, je vous prie. Nous nous connaissons assez bien pour cela.

– C'est très aimable de votre part, cher ami. Cher Émile même, puisque vous me le permettez.

– De quoi désirez-vous me parler?
– Il s'agit de mes réactions émotives à la suite de notre conversation.
Et la jeune femme de raconter que, même si elle se savait pardonnée, même si elle avait fait la paix avec Dieu, son esprit demeurait inquiet, comme traumatisé par ce qu'elle avait vécu. Émile Sylvestre l'écouta avec attention. Quand Réjeanne lui demanda ce qu'il en pensait, il avait une explication toute prête.
– Vous présentez le parfait exemple de ce que la psychologie appelle un stéréotype intégré.
– C'est un bien grand mot.
– Un mot savant, peut-être, mais qu'on peut expliquer facilement. Un stéréotype est un modèle, une image toute faite, qu'on a généralement prise dans son environnement social, dans sa culture. La bonne mère de famille, l'épouse soumise, le père pourvoyeur, le saint prêtre, l'institutrice dévouée sont des stéréotypes communs.
– Maria Chapdelaine serait-elle un stéréotype?
– Tout à fait.
Réjeanne tressaillit de la même façon qu'elle avait réagi quand sa sœur s'était prononcée sur le roman de Louis Hémon. Son «Maria Chapdelaine est une dinde» résonnait encore distinctement à ses oreilles. Inconscient de son trouble, le professeur continuait :
– Un stéréotype intégré est un modèle tout fait sur lequel un individu moule sa vie : il décide d'être ceci ou cela parce que ce stéréotype est bien accepté par sa famille, par la société.
– Il y a du mal à cela?
– Au contraire. Les stéréotypes apportent un important élément de stabilité à la société. La vie en société serait intenable si cette dernière ne reposait pas sur la bonne mère de famille, l'épouse fidèle, le père pourvoyeur, l'institutrice dévouée, le saint prêtre.
– Alors, où est le problème?

– Les difficultés surviennent quand les stéréotypes ne conviennent pas, ou plus, à l'individu. Alors, il ne se reconnaît plus, il a l'impression que ce n'est pas lui qui fait telle chose.

– Je comprends ! s'exclama Réjeanne. Je me rappelle maintenant. Je me disais : « Non, ce n'est pas moi, ça. Ce n'est pas moi qui fais cela. »

– Quand un individu en est rendu à ce point, le trouble s'installe dans son esprit.

– Que faut-il faire pour s'en sortir ?

– Il faut redevenir soi-même. Ne retenir que ce qui est bon pour sa personnalité. Faire comme bon nous semble. Écouter ses instincts.

– Quitte à choquer les gens ?

– Quitte à choquer un peu.

– Et ça ne fait pas de tort à la société ?

– Réjeanne, votre sens des responsabilités sociales m'étonnera toujours. Les chocs que subit la société ne lui font pas de tort, au contraire. C'est à ce prix qu'elle évolue.

Les deux amis arrivaient à la rivière et l'attelage les rejoignait. À l'aide d'une barre à mine, Pierre perça un trou dans la glace et se mit à remplir à tour de rôle trois grands seaux qu'il relayait à ses compagnons pour en remplir des barils.

Réjeanne prit un réel plaisir à cet exercice. Elle retrouvait soudain les satisfactions simples de l'agriculture, le plaisir enivrant de relever chaque jour le défi de la vie dans un milieu souvent hostile mais toujours attachant.

Émile Sylvestre, pour sa part, observait discrètement cette jeune femme si honnête, si saine, si riche de valeur humaine. Et tout à coup il prit conscience d'un sentiment qui depuis un certain temps s'installait dans son esprit : il trouvait Réjeanne désirable.

* * *

– Ma femme, l'électricité s'en vient. On va penser à mettre de la clarté dans la maison.

– J'y pense depuis le jour où ton ami Guillaume Francœur nous l'a annoncé. Ça va être bien commode pour les enfants.

Avec une grande ferme, trois enfants, une responsabilité de maire et un leadership dans une industrie vitale, il ne restait pas beaucoup de temps à Pierre Bouffard pour se livrer aux introspections. S'il se trouvait relativement heureux, quelque chose manquait à son bonheur. Au point qu'il s'en ouvrit un jour à Réjeanne.

– Viens voir les fils de Timoune, lui avait-il dit, trouvant ainsi un prétexte pour se trouver seul avec son aînée.

Déjà plusieurs veaux était nés depuis le début de mars.

– Regarde comme ils sont beaux. Ils ont le dos droit comme leur père.

– Ce taureau meurtrier aura finalement fait ta fortune.

– J'ai pris une bonne décision en la gardant. Maintenant, il commence à prendre de l'âge. Je l'enverrai à la boucherie à l'automne.

– Ça ne te fera pas de peine?

– Un peu. Notre bonheur n'est jamais parfait.

Réjeanne sentit que son frère avait quelque chose sur le cœur.

– Tu sembles un peu triste. Quelque chose ne va pas?

– Tout va. Au fait, comment va Simon? Je ne le vois plus depuis qu'il habite chez vous.

«Tiens, tiens, Pierre s'ennuie de son frère...»

Si, dans l'affaire de l'alambic, il ne se repentait pas de son geste, Pierre regrettait d'avoir dû être sévère avec Simon. Quant à ce dernier, il se savait fautif et ne demandait qu'à oublier. N'empêche que cet incident, en provoquant l'exil du plus jeune, avait séparé les deux frères. Simon n'en tenait pas rancune à Pierre, mais, comme il habitait maintenant chez Réjeanne, il ne voyait plus son aîné que le dimanche à table. Le contact personnel et amical quotidien d'autrefois manquait à chacun des deux.

– Simon est bien occupé : il aide Julie Gaumond à réapprendre à tisser et, dans ses temps libres, je lui enseigne la cuisine.

– Simon cuisine? La fin du monde est proche!
– Il fait très bien ça. C'est un excellent élève.
– Il faut reconnaître qu'il a toujours eu la fine touche dans tout ce qu'il fait. Il voit toujours ses amis?
– Beaucoup moins qu'avant.
– Je me demande s'il n'aurait pas le goût de leur tirer la pipe un peu.
– À quoi penses-tu?
– Nous pourrions courir la mi-carême ensemble, jeudi soir.
– Demande-le-lui. C'est simple.
– Tu le vois plus souvent que moi. Pourrais-tu t'informer si ça l'intéresse?
«C'est donc ça! Il veut que je joue l'entremetteuse.»
– Je vais lui en parler.
Grâce à la subtile intervention de Réjeanne, c'est Simon qui proposa à Pierre de courir la mi-carême.
– Tout ce qu'il nous manque, c'est un costume.
– Je sais où il y a deux costumes de soldat, fit Pierre. Il nous manque seulement des masques.
Les ti-frères Descôteaux avaient remisé leurs uniformes de l'armée dans sa cabane à sucre, qu'ils considéraient comme leur domicile. Il allait les emprunter en cachette et les remettre à leur place le lendemain.
Le jeudi, Simon vint aider Pierre à la traite des vaches. Ce dernier passa ensuite à la maison, fit sa toilette et annonça qu'il se rendait à une réunion spéciale des échevins, après quoi il rejoignit en secret son cadet à l'atelier de Cyprien.
Réjeanne, leur complice, les attendait avec le nécessaire pour les transformer en soldats revenant de la guerre. Elle entoura de bandelettes la tête de Simon comme s'il était un grand blessé et le fit marcher avec une béquille afin de cacher sa claudication. À Pierre, elle avait fabriqué un faux masque à gaz qui lui couvrait entièrement le visage.
– Ça me fait tout drôle, dit Simon, de porter l'uniforme pour la première fois.
– Ce sera une sorte d'exorcisme, fit Pierre.

Question de vérifier l'efficacité de leurs déguisements, les deux frères frappèrent chez Pierre. En les voyant, Madeleine jeta un cri et leur claqua la porte au nez.

– Un à zéro pour les z'héros ! s'exclama Simon.

– Aux grand-mères maintenant ! fit Pierre.

– Mon Dieu ! les ti-frères ! s'écria maman Rose en leur ouvrant la porte.

– Mais non ! Les cousins Descôteaux n'ont pas été blessés, rectifia Victoire. Ce sont des mi-carêmes. Qui est-ce que ça peut bien être ?

Les deux visiteurs faisaient le tour de la place en effectuant mille contorsions mais ne prononçaient pas une parole. Au bout de quelques minutes de singeries, ils firent mine de partir. Victoire, qui n'acceptait pas facilement un échec, eut une idée.

– Est-ce qu'on peut vous offrir du petit blanc avant de partir ?

Simon fit signe que non. Pierre comprit qu'enrubanné comme une momie son frère était pris au piège.

– Moi, si !

– Pierre ! C'est bien la première fois que tu cours la mi-carême ! Qui est ton compagnon ?

– Quelqu'un qui ne prend pas un coup ! Vous ne devinerez jamais qui !

Les deux frères repartirent, Pierre en se tenant les côtes, Simon en ronchonnant. Ils allèrent ainsi de porte en porte, effrayant les enfants et défiant les adultes, qui ne pouvaient jamais les identifier.

– Le temps passe. Terminons chez tes amis les Poirier, où tu retireras ton masque, proposa Pierre. Pit a toujours un coup à offrir.

– Bonne idée, mais arrêtons aussi chez les Gaumond en passant.

Mme Gaumond jouait du piano et sa fille et son mari l'écoutaient.

– Julie, ce sont des mi-carêmes, annonça le père.

Pierre et Simon firent le tour du salon.

– Je ne peux pas vous reconnaître, admit M. Gaumond.

– Moi non plus, avoua sa femme, mais je me doute que vous n'êtes pas des vrais soldats.

Julie s'approcha.

– Puisque vous ne parlez pas et que je ne vous vois pas, permettez-moi de vous toucher.

Pierre frappa du talon pour la guider. Julie le trouva, tâta ses épaules, ses mains, sa tête, mais s'avoua vaincue. Simon s'approcha à son tour.

– Une momie ! s'écria-t-elle en touchant sa tête.

Les mains de la jeune femme explorèrent les épaules, le torse, les bras. Quand elle prit les mains, elle eut un recul.

– Une momie bien vivante, s'exclama-t-elle. Une momie nommée Simon Bouffard !

Simon, qui avait pesté intérieurement toute la soirée contre son déguisement, se trouvait maintenant fort aise de ne pouvoir le retirer. On aurait vu qu'il était rouge comme un coquelicot !

39

« Je commençais à croire que ce message ne viendrait jamais. »

Les mains de Guillaume Francœur tremblaient légèrement en tenant le délicat vélin. C'était le signe qu'il attendait. La lettre était pourtant toute simple :

Cher ami,

Si vous avez l'intention d'accepter l'invitation de Pierre pour le dîner familial du dimanche des Rameaux, permettez-moi de vous inviter pour le petit déjeuner chez moi, après quoi nous nous joindrons au reste de la famille pour la grand-messe.

Meilleurs sentiments,

Réjeanne.

« Inviter quelqu'un, même un ami, pour le petit déjeuner, ça ne se fait pas », s'était d'abord dit Réjeanne lorsque cette idée lui était venue. Puis, se rappelant les conseils d'Émile Sylvestre, elle s'était ravisée : « Raison de plus pour le faire ! »

– Quelle idée originale que cette invitation hâtive ! s'écria Guillaume en arrivant. Le Saint-Laurent est magnifique à cette heure matinale. Il y a longtemps que je n'avais vu un lever de soleil sur la route.

Guillaume n'utilisait pas son automobile l'hiver, les routes n'étant pas déblayées. Il était venu en traîneau.

– Vous devez avoir une faim d'ogre après ce petit voyage.

– J'avouerai que l'air du matin, ça vous ouvre l'appétit.

– Venez au salon. Simon nous fera le petit déjeuner. Il est passé maître dans l'art de préparer les œufs brouillés.

– Comment les fais-tu donc ? lui demanda Guillaume pour mettre à l'épreuve les connaissances du nouveau maître queux.

– Au bain-marie, en brassant constamment les œufs et la crème fraîche. J'ai fait chambrer les ingrédients et j'utilise une cuillère de bois et non un fouet, pour éviter d'incorporer de l'air dans la mixture, ce qui provoquerait la formation de grumeaux.

– Quelle science ! C'est vous, Réjeanne, qui lui avez enseigné ?

– Bien sûr, mentit Réjeanne, qui ne tenait pas particulièrement à rappeler le souvenir de son mari.

Guillaume tira un présent de son sac.

– Tenez. Ce sont des caramels anglais. J'ai aussi apporté pour ce midi un plum-pudding et les ingrédients nécessaires pour concocter une sauce au rhum.

– Même le rhum ?

– Du rhum de la Jamaïque !

– Voilà qui promet ! s'exclama l'ex-contrebandier qui, en imagination, vit surgir la goélette de Nicolas Hubert pleine jusqu'à la lisse de caisses du meilleur rhum et de filles à la peau sombre.

Après le repas, Simon fit la vaisselle et s'en fut au magasin général rencontrer ses amis. Réjeanne et Guillaume passèrent chez maman Rose pour prendre un deuxième café, puis, comme ils avaient le temps, ils prirent à pied la direction de l'église.

L'air était bon mais froid en ces derniers jours de mars. La campagne semblait endormie pour longtemps encore mais il ne fallait pas s'y fier car les graines de bouleaux, expulsées de leur cône par le gel et le vent, couraient déjà sur la neige, cherchant un endroit où prendre racine quand celle-ci disparaîtrait.

Réjeanne voyait le soleil plus grand que nature. Guillaume planait sur les ailes de l'espoir. Les deux amis parlèrent de tout et surtout de rien, trop heureux d'être en présence l'un de l'autre pour gâter ce moment précieux par des discussions sérieuses. Tout à coup, un immense vol de bruants blancs se posa dans les champs voisins.

– Les oiseaux de neige qui arrivent! s'écria Réjeanne en tirant la manche de Guillaume. Le printemps s'en vient!

* * *

Émile Sylvestre, après son cours, s'était attardé avec quelques élèves passionnés d'histoire. Il répondait patiemment à leurs questions.

– Monsieur, demandait l'un, avec le recul, quel est, à votre avis, l'effet global de la Première Guerre mondiale?

La question était vaste et aurait pu faire l'objet d'un long cours. L'abbé engagea plutôt une conversation à bâtons rompus et démontra combien le conflit, grâce surtout au développement des communications, avait fait évoluer la société.

– Nous avons pourtant l'impression que la société canadienne-française est restée fermée, repliée sur elle même, remarqua un élève.

– Au contraire, elle a effectué un gigantesque pas en avant. Un des signes de l'ouverture des esprits est le déplacement dramatique des priorités de notre peuple. Un exemple frappant : le changement dans notre architecture religieuse. Avant la guerre, nous faisions des châteaux de nos églises; maintenant, nous construisons des temples fonctionnels.

Le maître de discipline, un abbé d'âge mûr, alerté par cet attroupement inhabituel, s'était glissé silencieusement dans la classe. Quand le jeune professeur Sylvestre mentionna le changement de style des églises catholiques d'après-guerre, il lança, furieux :

– Vous appelez «évolution» la banalisation de nos églises? Vous faites de la subversion, mon cher abbé!

Les étudiants s'enfuirent comme une troupe de moineaux à l'apparition d'un rapace. Le préfet jeta un regard mauvais à Émile Sylvestre et tourna les talons. Le jeune prêtre se retrouva seul.

Les séminaristes rentrant chez eux le jeudi saint pour le congé pascal, l'abbé Sylvestre prit lui aussi le train du soir pour Saint-Michel, d'où un cocher le conduisit à Rivière-Boyer. Mme Eugénie dormait déjà quand il arriva au presbytère, mais, sachant qu'il arriverait à une heure tardive, elle lui avait préparé, à tout hasard, un goûter de biscuits, et du chocolat chaud fumait doucement sur le dernier rond du poêle.

Cette petite attention remonta le moral du religieux. «C'est bon d'avoir une femme qui pense à soi», se dit-il, plein de reconnaissance. À ce moment, l'image d'une jeune femme aux cheveux sombres traversa son esprit.

Le jeune ecclésiastique monta à sa chambre. Il voulut lire son bréviaire mais n'y parvint pas. Alors, il se mit au lit et fut emporté par ses rêves.

* * *

– Avez-vous bien dormi, monsieur l'abbé? Je n'ai pas eu connaissance que vous arriviez.

– J'ai bien dormi grâce à votre goûter, madame Eugénie. Mille mercis.

– C'est la moindre des choses.

Soucieuse de ne pas laisser transparaître ses sentiments, la ménagère s'engagea dans le passage menant au bureau et s'arrêta un moment devant la glace pour rectifier son chignon. Puis elle revint sur ses pas.

– Prendrez-vous le petit déjeuner?

– Servez-moi juste du café et une tranche de pain. Après quoi je visiterai les écoles.

– Désirez-vous que je demande au sacristain d'atteler le cheval?

– Ce ne sera pas nécessaire. Comme les écoles ferment à midi le vendredi saint, je n'aurai le temps de visiter que celle du village et celle du rang 2. J'irai à pied, pour ma jambe.

– Vous voudrez bien présenter mes salutations à Réjeanne ?

– Je n'y manquerai pas.

Il était onze heures et demie quand l'abbé Sylvestre arriva à l'école du rang 2.

– Nous n'attendions pas votre visite, monsieur le vicaire, fit Réjeanne, mais vous êtes le bienvenu. N'est-ce pas, les enfants ?

L'institutrice se tourna vers ses élèves.

– Oui, ma-de-moi-selle !

Leur unanimité gêna un peu Réjeanne.

– Excusez-les. Je n'ai jamais pu les habituer à m'appeler « madame ».

– C'est important ?

D'un coup, les enseignements de son ami revinrent à Réjeanne.

– Non, pas vraiment.

Émile sourit. Sa protégée avait fait des progrès rapides. Il s'entretint jusqu'à midi moins dix avec les enfants, après quoi l'institutrice leur donna congé.

– Joyeuses Pâques et à mardi !

– Joyeuses Pâques, ma-de-moi-selle !

Les gamins se bousculèrent vers la porte et Réjeanne jeta une pile de cahiers dans sa grande serviette. Elle s'assura que la clé du poêle était fermée et attrapa son manteau pendant que l'abbé en faisait autant.

– Direction rang 1 ? s'informa-t-il.

Réjeanne avait projeté de casser la croûte avec Cléophée Mercier, dans le rang 2, mais elle se ravisa. Il faisait doux et elle préférait marcher un mille avec son ami Émile Sylvestre, même si plusieurs élèves s'attarderaient en leur compagnie.

À la Petite Croix, elle chassa ceux qui s'accrochaient encore à ses basques.

– Allez, rentrez chez vous. Votre mère vous attend pour dîner.

– On n'aime pas le poisson !

– Plus vite que ça. Il faut faire pénitence.

Puis, se tournant vers le vicaire, elle proposa :
– À propos, j'ai du maillé frais de Montmagny. Vous en goûteriez un morceau avec Simon et moi ?
– Pourquoi pas ? J'aime bien l'esturgeon et j'ai un peu de temps devant moi. L'office du vendredi saint n'est qu'à quinze heures.
Émile était fier de Réjeanne. Le fait qu'elle l'invite spontanément dans sa maison était un signe de prompt rétablissement. Comme, en ce jour saint, l'Église imposait de faire maigre, la maîtresse de maison ne servit qu'un potage aux herbes salées de Kamouraska et de l'esturgeon poché avec des légumes bouillis. Pas de dessert, seulement du thé.
Son frère n'arrivait pas.
– Simon doit avoir une difficulté avec son élève. Il passera sous la table s'il tarde trop.
Émile Sylvestre ne releva pas la remarque. Il était tout au plaisir de dîner en tête-à-tête avec la belle amie à laquelle il rêvait moins de douze heures auparavant.
L'atmosphère était à la confidence. Il aurait aimé confier à Réjeanne ses déboires, lui dire qu'il avait besoin de son soutien moral, de son affection même, mais il n'osait pas. Pas encore, du moins. De crainte de la bouleverser.
Émile aurait voulu que le temps suspende son vol. Mais l'horloge sonnait obstinément aux demi-heures et il dut finalement partir.
– Réjeanne, permettez-moi de vous remercier encore. Ce repas m'a fait le plus grand bien.
– C'était un goûter bien frugal, vous en conviendrez.
– L'homme ne vit pas que de pain…

* * *

Simon avait dû voir un des chevaux de Pierre le matin du vendredi saint. À piaffer d'impatience dans sa stalle, l'animal avait fait sauter un de ses fers. Le forgeron avait remis le soulier de métal en place et en avait profité pour inspecter les sabots des quatre chevaux, puisque celui de Réjeanne pensionnait avec les trois autres. Les tisseuses étaient déjà toutes à l'œuvre quand le tisserand arriva à l'atelier d'Anne-Marie.

Simon tenta, comme tous les jours, de s'approcher sans bruit de son élève. Comme tous les jours, elle perçut immédiatement sa présence. L'hypersensibilité sensorielle de la jeune femme l'ébahissait toujours. Avant même de le saluer, elle lui montra une pièce qu'elle terminait.

– Regarde comme c'est étonnant : le jeu du mélange fait que je produis trois couleurs avec deux fils. Je passe du bleu au vert et au jaune avec seulement des fils bleus et des fils jaunes.

– L'effet est très joli. C'est à croire que tu vois, s'étonna Simon.

– C'est tout comme, fit Julie avec fierté. Maintenant que je maîtrise bien ma machine et ton système de classement, je retrouve ma rapidité d'autrefois.

– Toutes mes félicitations, bel oiseau. Bientôt tu pourras voler de tes propres ailes.

Julie sentit une menace dans ce propos mais ne la releva pas tout de suite. Elle attendit que l'avant-midi soit passé. Les tisseuses avaient convenu de partir à midi en raison de l'office religieux et du congé pascal. Simon aussi allait rentrer quand elle trouva un prétexte pour le retenir.

– Mon pédalier est un peu lâche. Peux-tu le raffermir avant de partir ? Je crains que tu ne reviennes pas la semaine prochaine.

– Qu'est-ce qui te fait croire ça ?

– Plus tôt, tu as fait référence aux oiseaux. Penserais-tu à émigrer ?

Simon fut pris de court. Ça le gênait d'aborder ce sujet avec sa protégée. Maintenant, il devait répondre.

– Il faut que je songe à gagner ma vie. Je ne peux pas toujours gruger mes économies.

– Les chevaux vont bientôt revenir du chantier, le travail va reprendre à la forge.

– Je ne suis pas sûr de vouloir retourner à la forge.
– Ah non ?
– L'emploi à la forge, c'est du travail saisonnier. Un travail qui ne mène nulle part.
– Que comptes-tu faire alors ?
Simon jeta un regard alentour. Les tisseuses étaient parties et Anne-Marie travaillait dans sa cuisine.
– Si je te confie un secret, tu le garderas pour toi ?
– Juré.
– Je songe à retourner aux États.
Cette nouvelle contraria la jeune femme mais elle ne le montra pas.
– Parce que tu faisais beaucoup d'argent là-bas ?
– Pas surtout pour cette raison.
– Pourquoi alors ?
– Parce qu'à travailler avec toi j'ai compris que j'aime plus le tissage et les métiers à tisser que la forge.
Julie sentit un pincement au cœur. Le départ probable de Simon la bouleversait. Elle perdait sa bouée de sauvetage.
– Je te comprends, fit-elle. Tu connais tellement bien ces instruments. Dommage que tu ne puisses pas trouver de l'emploi par ici.
– Depuis la fin de la guerre, c'est le chômage partout.
Julie commençait à deviner les raisons de Simon. Meno Roy allait le rappeler dans trois semaines et le jeune homme ne pourrait lui dire non s'il était encore ici. Il devait partir avant.
– Tu comptes partir immédiatement après Pâques ?
– C'est probable…
– C'est donc un adieu. Je voudrais te remercier pour tout ce que tu as fait pour moi. Accepterais-tu de dîner à la maison à Pâques ?
Simon n'attendait pas cette invitation. Il était déchiré entre son désir d'accepter et la crainte de faire un affront à son clan.
– J'aimerais beaucoup, mais Pâques, chez les Bouffard, c'est aussi important que Noël. Ma mère ne me pardonnerait

pas de manquer ce repas. Par contre, si je t'invite, ce serait vu comme des fréquentations.

Julie sentait la chance lui glisser entre les doigts. Elle s'agrippa avec toute son énergie.

– Samedi soir, alors ? Tu pourras toujours dire que tu soupes chez des amis, ce qui ne sera pas faux.

– Ça, je peux. Mais n'en souffle mot à personne.

– Promis, fit la jeune fille avec gratitude.

À ce moment, un attelage s'arrêta devant la porte de l'auberge.

– Tiens, mon père qui vient me chercher. Je reconnais le son de ses clochettes. Je me sauve.

Alertée par l'arrivée de la voiture, Anne-Marie fit irruption dans l'atelier.

– Tu es encore là, Simon ?

– Julie m'a demandé d'ajuster son métier, mais elle part à l'instant.

– Tu veux manger ?

– J'ai prévu de manger avec Réjeanne.

– Pourquoi ne dînerais-tu pas avec moi ? Je suis seule. Donat ne rentrera qu'en fin d'après-midi.

– D'accord. Mais juste pour te faire plaisir.

Simon arborait un sourire faussement timide.

– Menteur ! Je te connais bien, va. Tu meurs de faim.

– Je ne peux rien te cacher !

* * *

Chemin faisant, Julie Gaumond réfléchit intensément à la conversation qu'elle venait d'avoir avec son professeur. Jusqu'à ce moment, elle n'avait jamais pris conscience à quel point la présence de Simon lui était précieuse. Il l'avait tirée du néant dans lequel la cécité l'avait plongée. Il lui avait redonné le goût de vivre, il lui avait rendu sa liberté. Elle lui devait beaucoup. Mais, au-delà de la reconnaissance, un sentiment d'une autre nature montait en elle. Maintenant, son instinct lui commandait de retenir cet homme. Mais comment ?

– Maman, j'ai fini mes classes.

– Que veux-tu dire, chérie ?

– Simon m'a donné congé.

– Il ne t'aidera plus ?

– Non. Il assure que désormais je pourrai me débrouiller seule.

– Ce cher Simon ! Te rends-tu compte de ce qu'il a fait pour toi ?

– Bien sûr. C'est pourquoi je voudrais lui exprimer ma reconnaissance.

– Aimerais-tu lui acheter un cadeau pour Pâques ? Une plume, une montre, peut-être ?

– Je crois que cela l'intimiderait beaucoup qu'une femme lui fasse un cadeau. J'ai pensé l'inviter à prendre un repas avec nous. Demain soir.

– Ah bon ! Il a accepté ?

– Oui.

– Donc, tout est réglé ?

– Êtes-vous fâchée ?

Mme Gaumond soupira.

– Non. Je suppose que je devrai m'y faire. De nos jours, les jeunes gens prennent tellement de libertés.

– Ce n'est qu'un compagnon de travail, maman.

Mme Gaumond n'ajouta pas une parole mais n'en pensa pas moins. «Ma grande fille a trop facilement identifié Simon déguisé en mi-carême, l'autre soir. Je me demande s'il n'exploite pas sa naïveté.»

Déjà possessive et maintenant méfiante, elle observa attentivement leur hôte au cours du repas.

Absolument rien dans l'attitude de Simon Bouffard ne laissait croire qu'il abusait de la confiance de Julie. Il se présenta au souper correctement vêtu. Il ne présentait aucun signe d'ivresse malgré sa réputation de marchand d'alcool. Après le repas, il voulut partir et demanda poliment qu'on l'excuse. Comme il allait s'exécuter, Julie lui demanda :

– Me ferais-tu une faveur, Simon ?

– Avec plaisir, si je le peux.

– Retarderais-tu tes plans d'une semaine? Je crains de ne pas arriver à me débrouiller complètement seule. Juste une semaine, s'il te plaît.

Simon se sentit tout chose. C'était la première fois de sa vie qu'une femme l'implorait de la sorte.

* * *

En ce samedi saint, pendant que les catholiques de tout le pays s'apprêtaient à célébrer la résurrection du Christ, les déléguées régionales de l'Association des enseignantes de la rive sud, réunies dans leur nouveau bureau de Québec, faisaient face à un problème majeur.

– Chères collègues, le nombre et les besoins de nos membres ont à ce point augmenté que, même avec un secrétariat permanent, le conseil de l'A.E.R.S. ne suffit plus à la tâche. Nous devons recruter immédiatement une directrice générale à plein temps, faute de quoi notre prochain congrès général sera un fiasco. La raison en est fort simple : notre association prenant de plus en plus la forme d'une organisation professionnelle, nous devrons désormais tenir notre congrès général dès la fin d'une année scolaire et non au début comme par le passé, afin de soutenir adéquatement nos membres pendant la période de renouvellement de leur contrat d'embauche. Antérieurement, la présidente et les membres du conseil pouvaient consacrer les mois d'été aux préparatifs; désormais, ce ne sera plus possible.

– Madame la présidente, avez-vous quelqu'un en vue pour remplir ce poste? demanda une déléguée.

– La personne désignée à ce poste devrait être dotée d'un excellent sens des responsabilités et connaître aussi bien la tâche des enseignantes que le fonctionnement de notre association. La personne la plus compétente que nous connaissions serait notre ancienne présidente, Réjeanne Bouffard. Mais, avant de l'approcher, nous désirons obtenir votre approbation. Qui est en faveur que nous amorcions une démarche en ce sens?

Sans qu'elle s'en doute, Réjeanne fut plébiscitée une fois de plus. On chargea officiellement de cette mission Guillaume Francœur, toujours conseiller de l'association.

– Je comprends l'urgence de la situation, déclara Francœur. En conséquence, j'en parlerai à Mme Bouffard dès demain.

Une semaine exactement après l'avoir reçu pour le petit déjeuner, Réjeanne vit surgir son ami Guillaume, sans invitation cette fois.

– Une visite à cette heure me surprend beaucoup de votre part, lui reprocha-t-elle d'emblée. Je ne croyais pas vous voir avant ce midi chez Pierre.

– Vous serez encore plus surprise quand vous apprendrez qu'on m'envoie en mission auprès de vous. La teneur de mon message est très personnelle et ne peut être dévoilée à table, même à une table familiale. C'est la seule raison pour laquelle je me suis permis cette liberté.

– Dans ce cas, entrez et venez vous asseoir. Vous prendrez bien un café?

– Non, je vous remercie. Je désire rester à jeûn pour la communion pascale.

Simon comprit qu'il était de trop. Sans hésiter, il se leva de table et prit son manteau.

– Je vais étriller ta jument et lui faire faire un peu d'exercice.

Guillaume exposa le but de sa visite. Réjeanne, de plus en plus étonnée, l'écouta attentivement. Le conseiller termina son exposé par une question :

– Encore une fois, l'A.E.R.S. vous a désignée à l'unanimité. Cette pyramide est votre œuvre; vous en connaissez chaque pierre. Refuserez-vous votre aide au corps professionnel que vous avez bâti et qui a un urgent besoin de vous?

– Avez-vous considéré les sacrifices qu'on me demande? M'éloigner de mon enfant et de ma famille, me faire remplacer auprès de mes élèves, m'installer à Québec, renoncer à une vie paisible dans ma campagne.

– Je suis également conscient que, si vous acceptiez ce poste, votre carrière atteindrait des sommets qui lui seront interdits tant et aussi longtemps que vous vous terrerez ici. Votre intelligence et votre talent réclament de nouveaux défis, et la société a besoin de vous.

Réjeanne était ébranlée. Ce dont elle n'avait jamais osé rêver tant qu'elle présidait l'A.E.R.S., on le lui offrait aujourd'hui sur un plateau d'argent.

– Cela demande réflexion et consultation. Faites le message à la présidente que je lui répondrai dans quelques jours.

Guillaume retourna chez lui plein d'espoir. Si Réjeanne venait travailler à Québec, il pourrait la voir plus souvent. Du moins l'espérait-il.

* * *

Simon attendit toute la semaine que Julie l'appelle à son aide. Elle ne le fit pas. N'y tenant plus, le vendredi après-midi, il se rendit à l'atelier. Encore une fois, elle devina son arrivée avant même qu'il ne la salue.

– Ah ! Simon. Quelle bonne idée de passer par ici ! Viens voir mon travail de la semaine.

Julie s'élança dans le récit de la production de chaque pièce. Tout en débitant un flot intarissable de détails, la jeune femme prêtait attention à ce qui se passait dans l'atelier. Petit à petit, les métiers cessèrent de cliqueter, et la porte de sortie tourna pour une dernière fois sur ses charnières. Les deux jeunes gens se retrouvaient seuls.

– Puis-je te dire une chose à l'oreille, Simon Bouffard ?

Simon, qui partageait la banquette de Julie, pencha la tête vers elle.

– Je suis heureuse.

– Je peux te demander ce qui fait ton bonheur ?

– Je suis heureuse de travailler. Heureuse de réussir. Heureuse d'avoir retrouvé une raison de vivre. Heureuse que tu sois venu voir mon travail. Tu vas me manquer quand tu seras parti.

Elle posa sa main sur celle du forgeron.

– Il faut bien que j'aille travailler, que je trouve une filature où m'embaucher. Il n'y en a pas à Rivière-Boyer.

– Tu n'as qu'à en monter une !
– As-tu songé à ce que ça représente ?
– Tu es capable. Tu l'as fait aux États.

Simon fut désarçonné. Cette idée lui était passée par la tête quand il avait mis sur pied la petite filature de Central Falls. Mais il avait vivement chassé cette vision, la croyant irréalisable.

– Tu n'y penses pas, parvint-il enfin à articuler.
– J'y ai pensé toute la semaine.
– Ça prend de l'électricité pour actionner les métiers mécaniques.
– Le courant électrique de la Chaudière arrive le 1er mai. La centrale de Rivière-Boyer pourrait fournir l'électricité à ton usine le jour et servir la paroisse le soir.

L'argument était irréfutable. Simon fut pris de vertige. Le tintement familier des clochettes de l'attelage le ramena sur terre. Julie prit son manteau et ses effets et se dirigea vers la sortie d'un pas ferme. Simon se précipita pour lui ouvrir.

* * *

Le dimanche, Réjeanne prit tout le monde par surprise en déclarant :

– Je pars pour Québec.
– Bon voyage ! lança Antoine, toujours un peu plaisantin.
– Je ne vais pas en voyage. Je m'en vais poursuivre ma carrière à l'A.E.R.S.

Et Réjeanne de dévoiler l'offre que l'association des enseignantes lui avait faite.

– J'ai consulté plusieurs personnes. Maman et maman Rose approuvent ma décision. L'abbé Sylvestre et Guillaume Francœur aussi. Cléophée est très heureuse de retrouver sa classe pour de bon.
– Nous ne te verrons plus, geignit Pierre.
– Je rentrerai le vendredi soir pour la fin de semaine. Comme j'enseignais déjà toute la semaine ici, vous me verrez presque autant qu'avant. Je partirai demain matin si quelqu'un peut me conduire au train.

– Je suis volontaire, offrit Simon.

– Et moi, porteur, renchérit Antoine, qui entrevoyait une belle occasion de voyager jusqu'à Saint-Michel.

– Pas si vite, canotier, l'interrompit Donat.

– Et pourquoi donc ?

– Parce que demain je veux te voir à mon chantier. Tu me raconteras ce que tu as découvert dans le moulage des bois contreplaqués, au cas où on pourrait l'appliquer à la fabrication des voitures d'eau.

– Voilà une rencontre qui promet ! s'exclama Simon. « Et qui m'arrange », pensa-t-il en secret.

Le tisserand comptait, lors de ce petit voyage, faire d'une pierre deux coups : rendre service à sa sœur mais aussi lui parler d'un projet qu'il n'osait dévoiler à personne. Un certain projet de filature.

– J'avais l'impression qu'une filature devait être très vaste, fit Réjeanne.

– Au contraire, assura Simon. Elle peut comporter aussi peu qu'une machine. Cent machines rapportent une fortune, mais une seule machine peut faire vivre son propriétaire. Je pourrais faire une seule variété de produits : des bas de femme ou d'enfant, par exemple.

– Mais pourquoi y a-t-il autant de chômage dans les villes ?

– Parce que la moitié des usines ont été transformées pour la production de guerre et que l'autre moitié sont équipées de machines désuètes. Les machines modernes produisent trois fois plus que les métiers d'avant-guerre.

– En supposant que tu aies un métier à tisser mécanique, tu devrais l'opérer le jour et effectuer les tâches administratives le soir ?

– Je peux faire les deux à la fois. Une machine moderne et bien entretenue n'a besoin que d'une surveillance discrète. Le jour où j'embaucherai un tisserand ou une tisserande, nous pourrons faire fonctionner trois machines.

– Et avec quel argent comptes-tu acheter ta première machine ?

– J'ai mis pas mal d'argent de côté aux États…

– Avec la bagosse de Nicolas Hubert !

– Et avec mon travail, insista Simon, un peu gêné. Si une deuxième machine devenait nécessaire, il y a toujours l'héritage de notre grand-père qui fait des intérêts depuis sept ans et auquel je n'ai jamais touché.

– Tu sembles avoir réponse à tout. Nous voilà arrivés. Tu me déposes ?

– Attends-moi ici avec tes bagages, je reviens.

Sans plus attendre, Simon posa les valises sur le quai, fit descendre sa sœur et disparut en direction d'une écurie privée où il laissa Souris. Il revint à pied.

– Je vais acheter ton billet, si tu veux.

– Voici l'argent, fit Réjeanne en tendant des pièces.

Son frère revint bientôt.

– Tiens ça pendant que j'embarque les bagages.

Réjeanne regardait les cartons, étonnée.

– Pourquoi deux billets ?

– Parce que je vais à Québec avec toi. J'ai besoin de commandes pour démarrer.

Réjeanne contenait à peine sa surprise. C'est tout juste si elle osa poser une dernière question.

– Et où comptes-tu monter ta machine ?

Simon hésita un tantinet, plissa savamment les yeux et se composa le sourire le plus charmeur qu'il put mettre au point.

– Dans l'atelier de Cyprien !

* * *

Émile Sylvestre était à la table de Pierre quand Réjeanne avait informé sa famille qu'elle acceptait un poste à Québec. Il n'avait manifesté aucune émotion à cette annonce, mais il s'en était réjoui intérieurement. Lui qui aurait aimé parler plus souvent avec Réjeanne, il déplorait de ne pouvoir la rencontrer nulle part à l'abri des regards. Mais dans la capitale, les choses seraient différentes : il y avait le téléphone, tout au moins dans les bureaux.

Dès sa première journée en poste, Réjeanne reçut deux appels de félicitations, l'un du sous-ministre de l'Agriculture, l'autre du professeur d'histoire. Ses deux amis lui proposaient un souper en tête-à-tête. Elle ne pouvait refuser ni l'un ni l'autre.

Arrivée lundi, en poste mardi, souper mercredi, souper jeudi, retour par le train vendredi, et avec cela une montagne de travail! Dès la première semaine, la vie de Réjeanne prit un autre rythme. Pour le moment, elle logeait chez l'oncle Aldéric, mais, la tante Honorine prenant de l'âge, elle devrait, après le congrès du fin juin, trouver un appartement.

Cette vie trépidante, qui l'eût tuée autrefois, Réjeanne la savourait maintenant. Elle ne se jetait plus dans le travail pour échapper à son passé, mais œuvrait à la réalisation d'une cause qui était la sienne. La jeune femme était estimée dans son milieu professionnel et adulée par deux hommes dans sa vie personnelle. Deux hommes fort différents l'un de l'autre, mais d'égale valeur.

Réjeanne ne parlait d'aucun des deux amis à l'autre, ni aux membres de sa famille. Mais tous trois se retrouvaient le dimanche à la table de Pierre. Pendant la semaine, Réjeanne soupait un soir avec un, un soir avec l'autre, mais rentrait seule.

Guillaume en vint à ne plus vivre qu'en fonction de cette rencontre. Chaque souper avec Réjeanne était pour lui une fête, des retrouvailles. Elle était belle, intelligente, franche, calme et chaleureuse. Il se sentait immensément heureux en sa présence. Il aurait voulu multiplier les rencontres, mais les activités professionnelles de la jeune femme ne le permettaient pas.

Émile, lui, puisait dans ces rencontres la force d'endurer sans mot dire l'ostracisme de plus en plus évident dont il était l'objet. Réjeanne lui avait sauvé la vie jadis, et il avait ensuite sauvé la sienne. Maintenant, grâce à ces rencontres amicales, elle la lui sauvait une fois encore. Mais cette situation ne pouvait durer toujours. La fin de l'année scolaire approchait, et Émile avait longuement réfléchi à son avenir. S'il devait changer l'orientation de sa vie, c'était maintenant ou jamais.

* * *

Simon ne revint que le jeudi après-midi. Il s'arrêta en premier lieu à l'atelier, où sa mère l'accueillit comme un revenant.

– Où étais-tu donc passé ? Nous étions inquiets.

– En reconduisant Réjeanne à la gare, j'ai eu l'idée de l'accompagner jusqu'à Québec, pour me trouver du travail. Puis, de Québec, je me suis rendu à Montréal.

– Et tu n'as pas trouvé, puisque tu es revenu.

– Ce n'est pas aussi simple. Je vous raconterai cela plus tard. Mais, dites-moi, comment va mon élève ?

– Demande-le-lui toi-même.

Il se dirigea vers Julie. Cette dernière tendit la main dans le vide. Ce geste surprit Simon : il avait presque oublié que la jeune femme était aveugle.

– Tu viens voir mes travaux ?

– Non. Je viens te chercher.

40

GUILLAUME et Hervé Francœur arrivèrent tôt à la fête de Mai de 1920. Le premier agriculteur qu'ils rencontrèrent fut Jean-Baptiste Fortin.

– Le printemps est bien tard, cette année, remarqua le sous-ministre de l'Agriculture. Le vent est chaud, les champs sont dégagés, mais il y a encore de la neige dans les sous-bois.

– Cette année on va biaiser.

– Biaiser ?

– Ouais. La première neige de l'automne va recouvrir la dernière neige du printemps !

Et le bonhomme éclata d'un rire sonore, tout fier d'avoir pris d'un seul coup deux hommes instruits, des gens de la ville.

Guillaume avait rangé son automobile le long de l'église, au milieu d'une demi-douzaine d'autres, dont celles, toutes neuves, d'Anthime Leblond et de Roland Lebreux. La salle paroissiale était déjà illuminée, à l'électricité. Mme Eugénie faisait sa ronde. Les gamins jouaient aux billes sous un lampadaire allumé bien qu'il fît encore jour. En attendant que les violoneux prennent leur poste, un tourne-disque s'égosillait dans un coin. Le sacristain promettait de projeter des vues animées après le buffet, pour les jeunes gens et les couche-tard.

Hervé se dirigea vers la salle paroissiale pour y attendre son ami Pierre Bouffard, mais Guillaume fit un crochet vers le presbytère. Il allait rejoindre son ami, l'abbé Émile

Sylvestre, mais aussi saluer le curé Bouillé, dont la santé déclinait avec l'âge.

À cette heure, les ti-frères Descôteaux, dans leurs quartiers de la cabane à sucre, discutaient pour savoir s'ils allaient porter leur uniforme militaire ou un habit de ville.

– Il me semble que nous devrions porter nos uniformes.

– Pour l'honneur.

– Tu as raison. Nous sommes les seuls soldats de Rivière-Boyer à avoir connu les camps de concentration allemands.

– Et toutes les misères de la guerre.

À ces mots, le souvenir de toutes les souffrances que les deux cousins avaient dû endurer leur remonta à la mémoire.

– Je me demande si on devrait porter nos dagues.

– Au cas où on rencontrerait James Jones ?

– Gigi ne sera pas là. Il ne pourchasse plus les conscrits. Et puis non, ça nous nuirait pour danser.

– Tu as raison.

Jones n'était pas à la danse, mais Jacques Latour y était. Il y était venu seul parce que son faire-valoir, le fils à papa Pelletier, était parti en France. En arrivant, le marchand d'animaux avait rencontré l'Anglais. Ce lèche-botte avait tout de suite pris le rôle de Pelletier et suivait maintenant le marchand de bétail comme un veau.

Latour achevait sa tournée de reconnaissance quand, prenant congé d'Anthime Leblond, son compagnon et lui tombèrent face à face avec les Descôteaux.

– Ah ! les ti-frères ! s'écria Langlois, comme s'il retrouvait de vieux amis. Vous connaissez Jacques Latour ? demanda-t-il niaisement.

À la vue de celui qui les avait vendus deux fois, le sang des ti-frères ne fit qu'un tour. Toutes leurs frustrations refirent surface d'un coup.

– Je regrette ma baïonnette, souffla l'un.

– Ce sera un corps à corps ! répondit l'autre en sautant au cou de Latour comme un dément.

– Lâche-le ! Lâche-le ! se mit à crier Langlois, sans oser s'interposer toutefois.

– Hé! le «jobbeur», Latour, c'est ton ami? demanda l'autre Descôteaux.

– Non, non, c'est pas mon ami, fit-il lâchement.

– Alors, recule et regarde ce qu'on fait aux «spotteurs»!

Quelques douzaines de personnes, dont Hervé Francœur, s'étaient instantanément rassemblées autour des belligérants mais personne n'intervenait encore, parce qu'on ne comprenait pas la nature du conflit. Les cousins, d'habitude si doux, manifestaient soudainement une agressivité qu'on ne leur connaissait pas.

Pris par surprise, Latour était tombé par terre, à demi-étouffé par la poigne féroce de son premier assaillant. À travailler dans la nature, les ti-frères, qui étaient revenus du front épuisés et malades, avaient retrouvé leurs forces. Ils empoignèrent Latour par le collet et le fond de culotte, le soulevèrent de terre et le montrèrent aux personnes attroupées.

– Vous voulez savoir qui était le «spotteur» de Rivière-Boyer? C'était Jacques Latour. C'est lui, le traître. Il nous a vendus deux fois, dix piastres chaque fois.

– Il mériterait d'être pendu! cria un spectateur.

– Lynchez-le! cria un autre.

Il ne se trouva personne pour intercéder en faveur du commerçant.

Les cousins traînèrent leur victime hors de la salle et cherchèrent un arbre où le pendre. Avant qu'on lui en fasse autant, Langlois prit la poudre d'escampette.

Latour se mit à gémir.

– Faites pas ça, les gars! Faites pas ça. Je vais vous remettre l'argent!

– Tu vas peut-être nous redonner nos fiancées aussi?

Comme personne ne semblait s'opposer à ce qu'on administre un châtiment exemplaire à ce sans-cœur, les ti-frères se préparèrent à mettre leur menace à exécution.

Attirée par la rumeur inhabituelle, Mme Eugénie sortit du presbytère et comprit, en voyant qu'on passait une corde sur la branche d'un gros érable, qu'elle devait intervenir, et vite.

L'air sévère mais digne, elle se dirigea d'un pas ferme et mesuré vers les assaillants, en ne les quittant pas des yeux.

Les Descôteaux hésitèrent un moment. Comme ils retenaient un Latour empoussiéré et piteux, la ménagère comprit qu'ils réglaient des comptes.

– Lâchez cet homme ! leur ordonna-t-elle.

– C'est un « spotteur » !

– C'est le traître qui nous a vendus à l'armée !

– Ce que vous faites est illégal. Vous n'êtes pas des juges. Relâchez-le, ordonna-t-elle.

La ménagère fit signe à un enfant de lui donner un objet rond et noir qui avait roulé par terre.

Les ti-frères relâchèrent leur emprise. Latour se secoua comme une poule pour se dépoussiérer et tendit la main pour récupérer son chapeau.

Plutôt que de le lui donner, la ménagère le remit aux soldats.

– Tenez, en souvenir.

Puis, montrant le traître du doigt, elle ajouta :

– Toi, Jacques Latour, ne remets jamais les pieds à Rivière-Boyer !

Les Descôteaux lui administrèrent des coups de botte aux fesses en guise d'au revoir. Alertés par le tumulte, les gamins avaient suspendu leur partie. Voyant Latour s'enfuir, ils lapidèrent son camion automobile d'une pluie de billes.

Le procès du « spotteur » avait provoqué une grande excitation dans la foule. Les ti-frères Descôteaux, qui montraient leur trophée à la ronde, étaient devenus des héros. Tout le monde ne parlait que de leur courage. On aurait pu croire que c'était à cause d'eux que les Alliés avaient gagné la guerre.

Les violoneux sentirent que les gens avaient besoin de passer leur nervosité. Ils se mirent à jouer sans plus attendre. Aussitôt, des couples de danseurs s'élancèrent sur la piste.

Victoire et maman Rose étaient venues à pied, avec leurs amis de la côte. Pierre arriva avec sa famille quelques minutes plus tard. Les Guertin, qui habitaient tout près, avaient croisé le fuyard. Quand Hervé Francœur leur raconta ce qui était arrivé, Anne-Marie n'eut qu'une pensée :

– Le pauvre Simon, il ne mettra jamais la main sur la bouteille de rhum que lui doit Latour !

Les musiciens entamèrent une valse. Simon invita Julie pour un tour de piste. Puis il dansa un peu avec Réjeanne pendant que le petit Jean-Sébastien s'amusait avec l'aînée de Pierre.

Le calme était revenu et la fête battait son plein quand Guillaume Francœur et Émile Sylvestre firent une entrée discrète. Guillaume avait revêtu son plus élégant costume, Émile, son habit de ville. Les deux amis s'attardèrent longuement dans un coin à observer la foule qui s'amusait ferme. À un certain moment, les musiciens, sentant que les danseurs commençaient à perdre haleine, convinrent entre eux de les inciter à reprendre leur souffle en jouant un «reel à pied», un reel d'Écosse sur lequel les gens de ce pays dansent en solo.

Quelques danseurs esquissèrent bien un ou deux pas sur cette musique peu commune, mais aucun n'osa s'aventurer sur la piste. Réjeanne, elle, se mit à taper du talon et, le rythme lui revenant, elle eut envie de danser.

Maintenant elle se souvenait de cet air. Du temps où elle était pensionnaire au couvent, elle avait participé à une pièce de folklore écossais et avait appris à évoluer sur cette musique enlevante. Elle s'approcha tout naturellement de la piste et, allongeant une jambe, elle posa élégamment le pied gauche. Puis elle avança le pied droit en faisant la révérence aux musiciens, qui comprirent le signal.

Le chef du groupe s'avança et, la regardant avec intensité, il se mit à jouer tout doucement. Réjeanne releva sa longue jupe à mi-mollet et, en plusieurs pas, décrivit une longue arabesque circulaire qui la ramena devant le violoniste.

Celui-ci accéléra alors le tempo pendant que ses collègues jouaient pour l'accompagner. Les autres danseurs, qui n'avaient jamais vu pareille démonstration, s'agglutinèrent autour de la piste et se mirent à frapper des mains au rythme de la musique. Réjeanne suivit pas à pas, ses talons faisant claquettes. Alors, elle se mit à évoluer de plus en plus vite, sa jupe se soulevant à mi-jambe dans ses virevoltes.

Guillaume et Émile s'étaient rapprochés des spectateurs mais gardaient une distance discrète, ce qui ne les empêchait pas de goûter le spectacle.

À la vue de cette si belle femme qui dansait avec à la fois tant d'élégance, tant d'énergie et si peu d'inhibition, Guillaume sentit bouillir en lui toute sa virilité. S'il restait dans son cœur quelque trace du deuil de ses amours passées, elles furent emportées par l'ouragan de désir que ce spectacle provoqua chez lui.

Émile, lui, aurait voulu rejoindre Réjeanne sur la piste. Il aurait voulu, pour un moment, jeter au loin son col romain, danser comme un païen, claquer du talon, écraser à chaque pas chacune des frustrations que son état lui avait imposées depuis le premier jour où il avait pris la soutane. Il regardait Réjeanne avec désir et, cette fois, il voulut la conquérir.

À ce moment, Guillaume détourna les yeux de la danseuse et, se tournant vers son ami pour exprimer son admiration, il s'arrêta, muet de stupeur. L'abbé, les yeux exorbités, semblait léviter, dans un état extatique.

– Émile !

Le prêtre était sourd.

« Ma foi, Émile est amoureux ! » s'exclama intérieurement Guillaume.

Il tira son ami par la manche.

– Émile ! Sortons prendre l'air.

Le prêtre refusa.

– Mon devoir me retient ici, tenta-t-il d'argumenter.

– Sors. J'ai à te parler.

Guillaume avait parlé sur un ton péremptoire. Émile le suivit à contrecœur. Il n'y avait plus personne dehors car le spectacle avait attiré tous les flâneurs à l'intérieur. Guillaume tenta de secouer son meilleur ami :

– Il était temps que je te sorte de là. Tu étais ensorcelé !

– Tu n'es pas le gardien de mon âme, que je sache !

– Émile, tu regardais Réjeanne avec concupiscence.
– La concupiscence est le plus sain et le plus vivifiant de tous les péchés !
– Tu cites Voltaire, maintenant ?
– Voltaire n'avait pas tous les torts. Ni moi, d'ailleurs.
– Serais-tu amoureux de Réjeanne ?
– Mes sentiments ne regardent que moi et je ne te demande pas les tiens.

Guillaume découvrait avec stupeur qu'un accès de passion tenaillait son meilleur ami. Une passion dont il connaissait bien la nature puisqu'elle le dévorait aussi.

– Tu sais sur quelle pente tu t'engages ?
– Sur la pente qu'a suivie le genre humain depuis le premier homme.
– Et que fais-tu de la morale ?
– Ce qui est naturel ne peut être immoral.
– Qu'en est-il alors de tes vœux de prêtre ?
– Les vœux accompagnent l'état. Quand l'état tombe, les vœux tombent aussi.

Guillaume fut estomaqué par ces propos lourds de conséquences.

– Tu songes à défroquer, alors. As-tu seulement encore la foi ?
– Je crois en la vie éternelle.
– Il ne faut pas confondre foi et espérance.
– Je n'espère plus grand-chose de la prêtrise et il est temps que je change. Je suis prêt à relever le défi du monde.
– Sache une chose : si, pour toi, le défi du monde passe par Réjeanne Bouffard, prépare-toi à subir une vive concurrence.
– Tu es donc amoureux d'elle ?
– Mes sentiments ne te regardent pas, comme tu le dis si bien.

Les deux hommes, gonflés à bloc, se voyaient rouges comme des coqs dans la lumière diaphane du lampadaire.

– Et jusqu'où irais-tu pour défendre tes sentiments ? demanda Émile.

– Aussi loin que toi, répondit fermement Guillaume.
– Jusqu'à l'affrontement?
– Je suis ton homme. Je te donne jusqu'à demain pour prendre une décision.
– Que Dieu te vienne en aide!
– Qu'il s'occupe de toi d'abord. Je ne lui ai pas consacré ma vie, moi!

Une salve d'applaudissements éclata. La musique s'arrêta. Réjeanne avait électrisé son public. Guillaume tourna les talons, laissant son rival en plan.

– L'amour m'appelle! lança-t-il par-dessus son épaule.

Le duel était engagé. Guillaume avait déjà frappé deux fois. C'était à Émile de répliquer et il se trouvait désavantagé parce que placé en porte-à-faux : il n'était plus prêtre et pas encore laïc. La soutane qu'il ne portait pas le faisait trébucher. Il avait douze heures pour jouer sa vie.

* * *

Pendant qu'elle dansait, Réjeanne avait bien vu que ses deux amis l'observaient intensément. De même qu'elle les avait vus quitter précipitamment la salle. Mais, pour le moment, elle ne désirait connaître ni leurs sentiments ni le sujet de leur conversation. Elle ne voulait que danser, battre les planches jusqu'à son épuisement et celui des musiciens. Elle reprit son souffle.

– Ma petite fille, lui dit maman Rose, tu vas te désâmer à danser de même!
– Ne vous inquiétez pas, grand-maman. C'est la première et la dernière fois que je danse comme ça. Hier, je n'aurais pas osé. Demain, je n'en aurai plus besoin.
– Tu étais magnifique! s'exclama Anne-Marie, qui portait haut son futur bébé. Si je n'avais pas été aussi grosse, j'aurais dansé avec toi!

La musique reprit. Jeunes et vieux occupèrent de nouveau la piste pendant plus d'une heure, après quoi on servit le traditionnel buffet.

Guillaume avait rejoint les Bouffard et félicité Réjeanne. Simon avait disparu.

– Je rentre, annonça Pierre, dont les enfants s'étaient endormis sur des chaises.

– Nous aussi, firent Guillaume et Hervé, qui descendaient chez leur ami.

– Je voudrais rentrer aussi, annonça Réjeanne, qui tenait son fils endormi sur ses genoux, mais Simon n'est plus là.

– Nous pouvons vous déposer en passant, offrirent spontanément Guillaume et Hervé.

– Venez tous prendre un café chez moi, dans ce cas.

Pierre et ses amis acceptèrent. Antoine voulut rester pour voir le film. Maman Rose souhaita attendre Simon, et Victoire attendit maman Rose. Mais dès que ses aînés eurent passé la porte, le cadet reparut, un sourire irrépressible imprimé sur les lèvres. Sa mère lui demanda :

– Qu'est-ce qui te rend si joyeux, mon Simon ?

– C'est le printemps. Le printemps et le chant des grenouilles !

* * *

Guillaume Francœur avait laissé Émile Sylvestre dans un état de haute tension. Le vicaire n'était pas d'humeur à retourner à la fête. Encore moins à rentrer et peut-être rencontrer le curé Bouillé. Il marcha donc jusqu'à la Première Chute, histoire de dominer son émotion, de calmer son agressivité. Puis il revint lentement. À mesure qu'il se calmait, il prit conscience de la vie qui remplissait la nuit : les grenouilles qui coassaient joyeusement, la chouette qui ululait mélancoliquement, les canards qui jacassaient sous la lune, le frédéric surexcité qui chantait même dans le noir.

La nature était en euphorie et lui, Émile Sylvestre, semblait le seul à ne pas participer à ce mouvement. Il se sentit bien malheureux.

Comme il n'avait nulle part où aller et qu'il était trop tôt pour dormir, il s'assit dans les marches du perron de l'église. C'est là qu'en faisant sa ronde Mme Eugénie le trouva.

– Je vous croyais à la fête, monsieur l'abbé.
– J'y suis allé.
– Vous aimeriez que je vous prépare une collation ?
– Vous êtes bien bonne, madame. Bonne comme le pain sous votre air sévère. Tenez, vous êtes bonne à marier !
– Le printemps, les femmes rêvent de mariage et les hommes en parlent.
– Que savez-vous du mariage, vous qui êtes célibataire ?
– Peut-être plus que vous ne croyez. Je sais que lorsque les hommes parlent de mariage, c'est qu'ils sont amoureux.
L'occasion d'attraper celle qu'il croyait vieille fille était trop belle. Il voulut l'intimider.
– Ça vaut aussi pour les prêtres ?
– Pour les jeunes prêtres comme vous, oui.
Émile se retrouva sur la défensive. Bon casuiste, le professeur devait faire parler la servante pour trouver les failles de son raisonnement.
– Insinuez-vous que je suis amoureux ?
– Vous n'êtes plus le jeune abbé que j'ai connu. Vous filez un mauvais coton depuis plusieurs mois. Et quand un homme de trente ans file un mauvais coton, c'est qu'il est amoureux.
La ménagère marquait des points. Il fallait d'urgence semer le doute dans son esprit.
– Et vous basez votre jugement sur votre seule intuition ?
– Et sur d'autres signes qui ne trompent pas.
– Comme mes fluctuations d'humeur ?
– Je lave aussi vos draps.
Échec et mat.
Émile se tut un moment. Puis il dit :
– Je vous l'avoue en toute confidence, je suis amoureux.
– Trente ans, c'est l'âge du deuxième choix, fit sentencieusement Mme Eugénie.
– Comment le savez-vous ?
– C'est à trente ans que mon mari m'a quittée.
L'abbé ne revenait pas de sa surprise.
– J'ignorais que vous étiez mariée !
– À votre âge, on ne sait pas tout.

– Et pourquoi vous a-t-il quittée ?
– Il a choisi une autre vie. Comme vous vous préparez à le faire. Que choisirez-vous, Émile : la prêtrise ou le mariage ?
Eugénie Vézina venait de l'appeler par son prénom. Pour la première fois.
– Lequel des deux états devrais-je choisir ?
La vieille femme réfléchit un moment.
– Vous avez déjà observé les canards dans l'anse ?
– Oui, bien sûr.
Émile se demandait où Mme Eugénie voulait en venir.
– Parfois, aux mers de mai, l'inondation menace leur nid. Ils ont alors l'alternative de défendre leur première couvée en surélevant leur nid, ou de l'abandonner et d'en recommencer une autre ailleurs.
Émile Sylvestre resta un moment songeur. Eugénie attendit sa réaction.
– Alors ?
– Disons, pour le moment, que je regarde l'eau monter…

* * *

Ce sont les éclats d'une querelle qui, le lendemain à l'aurore, réveillèrent Réjeanne. Deux hirondelles bicolores mâles, en habit bleu acier et blanc, se disputaient l'occupation de la maisonnette d'oiseaux sous l'œil attentif d'une femelle. Ils piquaient l'un sur l'autre et s'invectivaient copieusement.
Une image jaillit à l'esprit de la jeune femme et la fit sourire : « Dilemme intéressant ! »
Réjeanne se rappela avoir décelé, la veille, quand elle dansait, plus que de l'amitié ou de l'affection dans le regard des deux hommes qu'elle aimait.
Il faisait bon sous l'édredon. Au lieu de se lever d'un bond comme elle le faisait habituellement dès son réveil, Réjeanne se retourna sous les draps, se lova comme une chatte et caressa son corps. Elle savait bien que, l'humain étant fait de chair, la relation qu'elle entretenait avec chacun de ses deux amis évoluerait, ne resterait pas toujours platonique. Un jour ou l'autre, elle devrait faire un choix.

Or, la veille, elle avait eu l'intuition que cette heure sonnerait bientôt. Avait-elle, par sa danse, provoqué le dénouement? Réjeanne aimait également Guillaume et Émile. Chez l'un, elle trouvait la force, l'enthousiasme, le goût de vivre. Avec l'autre, elle entretenait des liens affectifs renforcés par l'épreuve et les confidences. Elle redoutait de devoir choisir.

Pour chasser l'angoisse, elle bondit hors du lit. «Que la Providence fasse sa part!» décida-t-elle. Elle s'habilla prestement et voulut travailler dans ses papiers, mais, en traversant la cuisine, elle trouva Simon penché sur une toile à dessin.

– Que fais-tu là? Il n'est pas encore six heures!

– Des plans d'avenir!

* * *

– Allez, passez à table! fit le maître de la maison.

À la grande table des Bouffard, Madeleine en avait jouxté une petite où les grands-mères avaient fait manger en premier les enfants. Il y eut un moment de confusion pendant que chacun regagnait sa place.

– Mais, dites donc, il en manque un. Où est Simon?

Pierre eut l'air contrarié. S'il y avait une chose qu'il ne tolérait pas, c'était bien un retard au dîner dominical. Les invités s'interrogèrent du regard. Le chef de famille faisait le compte des sièges.

– Comment as-tu placé les chaises, ma femme? Il y en a une de trop!

L'agriculteur ne savait pas que, pendant le train, Simon avait rendu une visite discrète à Madeleine. Il avait besoin d'une complice.

– Il y en a juste assez. Regarde qui arrive.

– Simon! fit Réjeanne en voyant le buggy passer la barrière.

– Avec une femme! s'exclama Antoine.

Tous allongèrent le cou.

– Mais c'est Julie Gaumond! fit Victoire. Quelle bonne idée de l'avoir invitée!

Pierre se détendit, sa saute d'humeur passée.

Au lieu de filer à l'écurie, Simon descendit à la porte et tendit la main à l'aveugle. Il la précéda, ouvrit, la fit entrer et, avant même que la jeune femme ne retire son manteau, déclara :

– Je vous présente ma fiancée !

* * *

La bombe terrassa Victoire.

– Ma petite Julie ! Comme je suis heureuse ! Simon, amène-moi Julie que je l'embrasse.

Les deux amies tombèrent dans les bras l'une de l'autre. Puis Victoire serra son fils.

– Toi, mon démon, tu m'auras bien donné toutes les émotions !

– Mais, dis-moi, Simon, quand vous êtes-vous fiancés, Julie et toi ? demanda Anne-Marie.

– Hier soir, à la fête de Mai. À la fin de la danse, j'ai demandé à rencontrer ses parents et j'ai fait la grande demande.

Victoire se pinça pour vérifier si elle ne rêvait pas.

– L'annonce des fiançailles de Simon et Julie m'a causé une telle surprise que je suis encore toute bouleversée. Vous le savez tous, j'aime Julie comme ma fille. Quand le malheur l'a frappée, j'ai cru que la cécité l'éloignerait de moi pour toujours. C'est le contraire qui se produit !

– Dommage que je n'aie pas de petit blanc pour fêter ça, se désola le fils aîné.

– J'ai bien mieux que du Saint-Pierre, j'ai du Saint-Simon ! annonça Madeleine en sortant du vin de France que son beau-frère lui avait confié en catimini.

Ce dîner fut sans doute le plus joyeux qu'eussent jamais connu les Bouffard. Ignorant la rivalité qui séparait depuis peu leurs amis Francœur et Sylvestre, ils partageaient pour le moment le bonheur de Simon et Julie, bonheur qui devint euphorie quand, au café, ils dévoilèrent leur projet de filature.

Réjeanne, elle, gardait un silence stratégique. Elle sentait que quelque chose s'était produit entre Émile et Guillaume, mais ignorait quoi. Depuis leur arrivée après la grand-messe, les deux amis ne s'étaient pas parlé, s'étaient évités, avaient fait en sorte de se trouver dans des pièces différentes ou aux coins opposés d'une même pièce. Et, depuis qu'ils avaient pris place à table, ils avaient tous deux omis de lui adresser la parole.

Bien que dressés l'un contre l'autre, les deux hommes, parfaitement civilisés, ne montraient aucun signe d'animosité. Pourtant, ils étaient sur leurs gardes. La veille, Guillaume avait lancé une pierre dans le jardin de son ami, et il s'attendait à ce qu'elle revienne à tout moment. Son sang se glaça dans ses veines quand, alors que Simon enroulait ses plans de filature, Émile demanda la parole.

– Mes amis, un important changement survient dans ma vie et je désire vous en faire part. Mais avant, je vais vous dire une fois de plus combien j'apprécie votre compagnie à tous. Malgré que j'aie fréquenté les institutions les plus réputées du pays, c'est à Rivière-Boyer que j'ai pris les plus importantes leçons de vie, trouvé les plus grandes amitiés. Ceux qui me connaissent bien, en particulier ceux avec lesquels j'ai travaillé, savent que, depuis quelques années, j'ai dû affronter, tant sur le plan de mes idées que sur celui de mon ministère, des obstacles considérables. La situation est devenue intenable. Aujourd'hui, je dois réorienter ma vie.

Guillaume sentit son cœur battre à tout rompre. Réjeanne gardait les yeux baissés, de peur de trahir son émotion. Le jeune professeur fit une pause, inspira profondément, et continua :

– En optant à la fois pour le sacerdoce et l'action sociale, j'ai commis l'erreur d'un colvert qui bâtirait son nid trop près de l'eau. Quand survient une tempête, sa couvée risque d'être emportée. J'ai voulu consacrer ma vie au Seigneur tout en restant près des feux de la rampe et j'ai dû affronter plusieurs tempêtes. Aujourd'hui, je dois choisir : surélever mon nid ou l'abandonner pour recommencer ailleurs.

Les hôtes ne s'attendaient pas à une introduction aussi élaborée. «Quand un curé parle en paraboles, c'est qu'il a quelque chose d'important à dire», pensa maman Rose. Le cœur de Réjeanne battit follement. Guillaume, qui ne voyait toujours pas où son rival voulait en venir, toussota nerveusement. Émile fit mine de ne pas le remarquer et poursuivit :

– Je laisserai désormais à d'autres le soin d'influer sur l'évolution de la société. J'élèverai mes objectifs, je me rapprocherai de Dieu. «Ce que vous ferez pour le plus pauvre d'entre les miens, c'est pour moi que vous le ferez», a dit le Maître. Je suivrai son enseignement : je me mettrai au service des plus démunis. Dès la fin des classes, je pars pour les missions étrangères.

Cette annonce imprévisible prit tout le monde par surprise. On cherchait des vœux appropriés sans les trouver. Réjeanne ressentit un grand soulagement. Guillaume intervint :

– Je lève mon verre à mon ami de longue date et l'assure de mon amitié indéfectible. À ta santé, *père* Émile ! fit-il en appuyant sur le prochain titre de son ami.

– À votre santé, père Émile ! firent les invités en se levant spontanément.

Étranglé par l'émotion, Émile fit immédiatement ses adieux aux Bouffard. Il voulut retourner aussitôt au presbytère pour annoncer au curé Bouillé qu'il ne reviendrait pas. Il n'aurait pas trop d'un mois pour préparer son départ.

Les deux grands-mères se mirent à la vaisselle pendant que Pierre, Madeleine, Donat, Anne-Marie et Antoine entraînaient les fiancés au salon pour entendre le récit de leurs amours et les détails de leurs plans d'avenir.

Profitant du brouhaha général, Guillaume s'approcha de Réjeanne.

– Chère amie, me feriez-vous une faveur ?

Cette demande intrigua Réjeanne.

– Je veux bien. Laquelle ?

– Racontez-moi comment vos pruniers sont venus de l'île d'Orléans jusqu'ici.

Réjeanne sourit et entraîna Guillaume au verger.

* * *

Autant la maisonnée était bruyante, autant le verger était calme. Le jeune feuillage des arbres fruitiers tamisait les rayons du soleil et un doux suroît faisait valser les premières marguerites. Déjà les pruniers promettaient une abondante récolte. Bourgeons de l'espoir, les têtes de leurs fleurs craquaient de toutes parts, découvrant leurs lèvres roses. Guillaume étendit son manteau sur l'herbe fraîche et Réjeanne s'y allongea.

Réjeanne raconta l'histoire des pruniers, l'histoire des Bouffard, l'histoire de sa vie. Guillaume écoutait distraitement, glissant imperceptiblement dans un état second. À chaque page de son passé que tournait Réjeanne, il tournait en silence une page du sien. Quand la jeune femme en vint à narrer la création de son association professionnelle, Guillaume s'aperçut que tous deux tournaient les mêmes pages ensemble. Sans s'en rendre compte, il en était venu à ne vivre que pour cette femme.

– Réjeanne, lui dit-il à la fin, toute votre vie, vous vous êtes dévouée pour les autres. Ne serait-il pas temps que vous pensiez à vous ?

Réjeanne referma le livre de ses souvenirs, leva ses beaux yeux noirs encore tout pleins d'images du passé et rencontra le regard interrogateur de Guillaume.

– Vous avez raison, fit-elle avec un doux sourire comme si elle sortait d'un rêve agréable.

À ces paroles, Guillaume se sentit devenir un autre homme. Toute sa vie passée s'évanouit d'un seul coup, tel un décor de théâtre, révélant un paysage nouveau. Un avenir plein de promesses s'ouvrait devant lui.

Il savoura un long moment cette perspective, puis, presque sur le ton de la confidence, il déclara :

– Réjeanne, je t'aime.

Si cet aveu ne surprit pas la jeune femme, il fit bondir son cœur.

– Moi aussi, je t'aime. Depuis longtemps…

Remerciements

Merci d'abord à Henri Rivard, le sympathique éditeur de livres d'art, qui m'a convaincu de commettre ce roman. Merci à tous ceux qui, de près ou de loin, par leur aide, leur avis ou leur soutien moral, ont contribué à la conception de ce récit, et plus particulièrement à l'historien André Champagne, qui m'a fourni d'importantes précisions historiques, à Thérèse Laliberté, une Américano-Canadienne native de Central Falls, Rhode Island, pour de précieux détails sur sa ville natale, ainsi qu'à François Lachance et Jean Cyr, de Montmagny, pour une foule de détails historiques sur leur région.

transcontinental
IMPRESSION
IMPRIMERIE GAGNÉ

IMPRIMÉ AU CANADA